METAMORF

Erik Borgman

METAMORFOSEN

Over religie en moderne cultuur

Derde druk

KLEMENT/PELCKMANS

Tweede druk 2006
Derde druk 2008

Omslagontwerp: Rob Lucas

ISBN-10: 90 77070 89 3 (Nederland)
ISBN-13: 978-90-77070-89-5 (Nederland)
ISBN-10: 90 289 4221 1 (België)
ISBN-13: 978-90-289-4221-9 (België)
D/2006/0055/129

Inhoud

INLEIDING

De actuele vraag
naar religie en moderne cultuur 9
Het instortende leerhuis 11
De geest van Erasmus 13
Een traditie van katholieke cultuurtheologie 19
Opzet van dit boek 22

DEEL I
Theoretische verkenningen

1. De vraag naar religie
als al het vaststaande vervluchtigt 29
Metamorfosen 30
Gedaanteverandering of einde van de religie? 34
Van beheersende naar onbeheerste religie 38
Gedaanteveranderingen 41

2. Van religie die in de wereld verdwijnt
naar religie die vanuit de wereld opkomt 43
Secularisatie 44
'Verkerkelijkingstendentie' in de wereld 47
Verlangen naar heil dat niet maakbaar is 49
Verwarring rond religie als geboorteplaats van nieuwe inzichten 51

3. Religie als gaan
in het spoor van de trickster 57
De witte plek in *Het Heilige* 57
In het spoor van de trickster 60
De eigensoortigheid van religie 64
Het verdwijnen van de danser in de dans 68
Tweemaal geboren religie 72

4. Het heden
in de ruimte van wat komt 76
De ontlediging en de vernedering van God 78
Gericht op wat verkregen wordt 81
Het belang van een theologische visie 87
Gods presentie, presentie bij God 90

DEEL II
MAATSCHAPPELIJKE OMZWERVINGEN

5. RELIGIEUS ANTI-MESSIANISME
TEGENOVER CYNISCH MESSIANISME 97
Schapen zonder herder 98
Louter icoon en het belang van representatie 102
De actualiteit van christelijk anti-messianisme 107
Dubbele opdracht 110

6. LEVEN VAN DE GEMEENSCHAP
BUITEN ONS BEREIK 113
De kunst van het onmogelijke als mogelijk 114
De gegeven gemeenschap buiten ons bereik 117
Niet medemens, maar naaste 121
Geplaatst in een perspectief 125

7. RELIGIE ALS VORM
VAN ACTUEEL WAARDEBESEF 129
Sociologische waarden 130
Erosie van autoriteit 134
De nieuwe presentie van religie 137
De waarde van het kwetsbare 141

8. HET RELIGIEUZE GEHALTE
VAN HEDENDAAGS EUROPA 146
De missie om missies overbodig te maken 147
Ontdekking van lotsverbondenheid 151
Religieuze toewijding aan onzekerheid 155
De religieuze waarde van kwetsbaarheid 158
Een blijvend open toekomst 162

9. DE ISLAM
ALS 'EUROPESE' RELIGIE 164
Weg met de sluier 165
Op zoek naar een adequate verbeelding 170
Humanisme en islam 173
Het humanisme van God 179

DEEL III

UITGELOKTE BELIJDENISSEN

10. RELIGIEUS GELOOF NA AUSCHWITZ:
VERVREEMDING ALS IDENTITEIT 189
Wachten op God 191
Geen morele afrekening, maar gedachtenis 194
Moed tot niet-identiteit 201
Coalitie van messiaans vertrouwen 206

11. DE RELIGIEUZE WAARDIGHEID
VAN TOT STERVEN GEWORDEN LEVEN 211
Rationaliteit door rationaliteitskritiek 212
Verbondenheid en compassie 215
De heiligheid van het naakte mensenleven 220
De gerichtheid van de christelijke traditie op leven 224

12. DE CHRISTELIJKE TRADITIE
ALS HERINNERING AAN GODS KENOTISCHE NABIJHEID 230
Naar een christelijke theologie van de religie 231
Kenosis: de zwakte van het kruis 235
De blijvende dubbelzinnigheid van religie
en de bevrijdende God 240

13. DE EROSIE VAN DE HIËRARCHIE
EN DE VERBINDING MET HET HEILIG BEGIN 246
Teloorgang van de orde van het heilig begin 248
De herontdekking van de negatieve theologie 251
Hiërarchie en de orde van de katholieke kerk 253
De sacramentele presentie van het heilig begin 257
Theologie en hiërarchie 264

TENSLOTTE
RELIGIE ALS
SPELEN MET VUUR 266
Verborgen vuur 266
Niet langer religie proberen te temmen 270
Het vuur dat blijft branden 273

Dankwoord
en vermelding van eerdere versies van de hoofdstukken 277

Lijst van aangehaalde literatuur 279
Register van personen 305

INLEIDING
De actuele vraag naar religie en moderne cultuur

De Poolse dichteres Wisława Szymborska signaleerde het al in 1986:

> Hij zou beter zijn dan de vorige eeuwen, onze twintigste.
> Dat kan hij niet meer waarmaken,
> zijn jaren zijn geteld,
> zijn tred is wankel,
> zijn adem kort.
>
> Er is al te veel gebeurd
> wat niet had moeten gebeuren,
> en wat had moeten beginnen
> is niet begonnen.
>
> De lente zou naderbij komen,
> en het geluk, onder andere.
>
> De vrees zou stad en land verlaten.
> En eerder dan de leugen zou de waarheid
> haar bestemming bereiken.
>
> [...]
>
> God zou eindelijk gaan geloven in een mens
> die goed en sterk is,
> maar goed en sterk
> zijn nog altijd twee mensen.
> Hoe moet ik leven – las ik in een brief van iemand
> aan wie ik van plan was hetzelfde te vragen.
>
> Opnieuw en als altijd zijn er,
> zoals uit het bovenstaande blijkt,
> geen dringender vragen
> dan naïeve vragen.[1]

1 W. Szymborska, *Einde en begin*, 1999, 217-218: 'Een eeuw loopt ten einde'.

Nu de illusies over maakbaarheid en beheersbaarheid verloren zijn gegaan, weten hedendaagse mensen zich naakt en kwetsbaar. Met weinig anders dan hun verlangen naar een leven zonder vrees, een wereld zonder leugen en een vervuld bestaan, staat voor individuen en collectieven opnieuw de vraag op de agenda die Szymborska naïef noemt en tegelijkertijd het meest dringend: hoe te leven? Dit maakt bang en onzeker, zo liet het Sociaal en Cultureel Rapport in oktober 2004 zien: Nederlanders zijn redelijk tevreden met hun bestaan, maar bang voor de toekomst.[2]

Hiermee staat de verhouding opnieuw op de agenda tussen religie en de moderne, de hedendaagse cultuur. Toegegeven, dit lijkt een geval van *jumping to conclusions*. Dat de verhouding tussen religie en cultuur vandaag de dag prominent op de agenda staat, heeft immers allereerst uiterlijke redenen. Terwijl in verlichte westerse samenlevingen de overtuiging heerste dat religie tot het verdwijnende verleden behoorde of in ieder geval was getemd en tot orde gebracht, ging de islam zich manifesteren als ongetemde religie bij uitstek. Wereldwijd en binnen de Nederlandse grenzen verschijnt religie als ongrijpbaar, zich onttrekkend aan de gebruikelijke categorieën, niet te reduceren tot een privé-overtuiging – en minstens potentieel gewelddadig. Sinds 11 september 2001 wint vanuit deze constatering de mening veld dat religieuze manifestaties zoveel mogelijk weggehouden moeten worden uit te publieke ruimte. De scheiding van kerk en staat, ooit bedoeld om de publieke dominantie door één religie of religieuze opvatting te voorkomen, wordt verstaan op een manier die elke publieke manifestatie van religie tot een probleem maakt. Tegelijkertijd wordt de bescherming die de scheiding tussen kerk en staat religieuze instellingen biedt tegen inmenging door de overheid, in toenemende mate beschouwd als hindernis bij het noodzakelijke inwinnen van informatie die voor terrorismebestrijding nodig is.

Maar al iets eerder was de religie op een andere manier teruggekeerd op de agenda van de hedendaagse westerse samenleving. Midden in een cultuur die zichzelf als geseculariseerd beschouwde, ontstond vanaf de jaren negentig van de vorige eeuw bij mensen individueel, maar ook bij de culturele elite van schrijvers en denkers, een nieuwe belangstelling voor religie, het religieuze en religieuze tradities. Dat deze ontwikkeling gaande was, trad in Nederland duidelijk aan het licht met de keuze van het motto voor de boekenweek van 1997: 'Mijn God'. De Duitse filosoof Jürgen Habermas bracht in 2001 het vermoeden onder woorden dat blijkbaar bij velen leeft, met betrekking tot hun persoonlijk bestaan of met betrekking tot de cultuur in het algemeen: er verbergt zich een potentieel in de religieuze tradities die door de heersende seculiere visie

2 *In het zicht van de toekomst*, 2004.

op en omgang met het bestaan niet is uitgeput.[3] In een tijdperk van heroriëntatie en opnieuw zoeken naar zin en richting, ontdekken mensen die niet meer op dezelfde manier tot een religieuze traditie behoren als hun voorouders, dat deze tradities juist in hun vreemdheid waardevolle zaken bewaard hebben. Juist dus in een situatie waarin de eeuw, die beter zou worden dan alle vorige eeuwen, deze pretentie niet langer kan waarmaken.

Dit boek verkent de hernieuwde vraag naar de verhouding tussen religie en moderniteit – en met name de actualiteit – die met deze complexe en verwarde situatie gegeven is. Het is een theologische boek, en dat betekent in ieder geval dat de reflecties erin niet neutraal zijn. De actuele situatie wordt verkend als een religieuze situatie, als een situatie waarin niet slechts religie zich al dan niet opnieuw manifesteert – er is veel debat over de vraag of er eigenlijk wel werkelijk sprake is van een 'terugkeer' van religie, en in welke zin dan – maar als een situatie die religieuze reacties uitlokt, er in zekere zin om vraagt. Aldus laat ik mij, temidden van alle verwarring rond en omstredenheid van religie, bewust kennen als 'religieus intellectueel'. Ik probeer niet alleen over religie na te denken in haar verhouding tot en positie in de actualiteit, als een sociaal en cultureel fenomeen onder andere. Ik doe dit vanuit en met het oog op een religieuze visie op deze actualiteit, in dialoog met de tradities die een dergelijke visie cultiveren.

Het instortend leerhuis

De in Vlaanderen wonende Nederlandse schrijver Benno Barnard heeft een intrigerend beeld gepresenteerd voor hetgeen in zijn ogen het hart is van de waarachtige Europese beschaving.

> In de Talmoed ... staat een verhaal over de beroemde rabbi Eliëzer, die zich tijdens een debat ... erg opwindt. Als hij gelijk heeft, roept de ontstemde theoloog uit, zal het leerhuis instorten! Het gebouw is al bezig te gehoorzamen als een andere rabbijn de muren haastig berispt, zodat ze uit respect voor de diverse exegeses ... in een soort Talmoedische instortingskromme blijven hangen.[4]

Dit citaat geeft aan waarom het op dit moment temidden van de Nederlandse, de Europese, de westerse cultuur belangrijk is niet alleen *over religie* na te denken, maar opnieuw *religieus* na te denken.[5]

3 J. Habermas, *Glauben und Wissen*, 2001, m.n. 20-25; vgl. id., 'Vorpolitische Grundlage des demokratischen Rechtsstaates?', 2004, m.n. 31-33.
4 B. Barnard, *Tegen de draad van de tijd*, 2002.
5 Voor een poging de in dit boek ontwikkelde positie in te brengen in het maatschappelijke debat, zie mijn 'Zonder geloof geen democratie', 2005.

Met het naar voren halen van het beeld van het instortend leerhuis maakt Barnard allereerst duidelijk dat de moderne cultuur op geen enkele manier een eenheid is. Wat er in het vuur van het huidige debat over de moderniteit en haar verhouding tot religie ook gesuggereerd wordt, 'het moderne' is geen samenhangend geheel. Het is een kakofonie van debatten, discussies en vooral ook misverstanden over bijna alles wat belangrijk is. Ook over elementaire noties als 'politiek', 'cultuur' en 'religie', en over hun onderlinge relaties, zijn moderne mensen – moderne intellectuelen niet uitgezonderd – en moderne samenlevingen het oneens, laat staan over de wijze waarop een goede samenleving moet zijn ingericht en een cultuur moet worden vorm gegeven teneinde de menselijkheid te bevorderen. Niet de eenheid, maar de verscheidenheid moet dus uitgangspunt zijn in het denken over de moderniteit en de actualiteit en het gaat in het moderne denken om het scheppen van een eenheid die past bij de gegeven verscheidenheid. Punt is echter – en dat is het tweede aspect dat naar voren komt in Barnards beeld – dat de hiervoor noodzakelijke pluraliteit aan opvattingen en meningen en hun onderlinge confrontatie een gebouw vormen dat op instorten staat. Het dreigt voortdurend te bezwijken onder de absoluutheidsclaim van een van de betrokken partijen. Steeds waren en zijn er groepen, naties, individuen, zijn er leerstelsels en ideologieën die het gelijk opeisen en met dit gelijk een einde willen maken aan het verwarde en verwarrende debat. Het geweld van deze altijd dreigende en steeds opnieuw gepoogde machtsgreep leidt tot angst voor het debat zelf, tot ongeloof in de zinvolheid ervan en in de mogelijkheid via gesprek en confrontatie de gemeenschap te versterken. Dit lijkt in hoge mate de situatie waarin we verkeren: uit angst dat het gebouw boven ons hoofd zal instorten, durven we het niet goed meer te betreden. Met als gevolg dat het gebouw niet langer wordt onderhouden en de daadwerkelijk ineenstorting ervan met de dag dichterbij lijkt te komen.

Een van de consequenties hiervan is dat de religies, met hun substantiële visies op wat goed is en kwaad, wat waardevol en waardeloos, wat heilig en wat heiligschennend, naar de marge van de cultuur worden gedrongen. Maar waar religieuze gevoelens en overtuigingen geen rol spelen – geen rol *mogen* spelen – in de culturele en politieke discussies, daar kunnen zij een eigen *niche* vinden waarin zij ongecontroleerd voortwoekeren en tot extremistische standpunten leiden. Dit wordt nog versterkt wanneer zij een toevluchtsoord worden voor anderszins gemarginaliseerde groepen en individuen. Vanuit deze marge kunnen religieuze bewegingen vervolgens gewelddadig de economische en politieke orde binnenbreken waar zij eerder uit verbannen waren. Het is tegen deze achtergrond dat de opkomst van extremistische en fundamentalistische vormen van religie lijkt te moeten worden begrepen.

Met dit laatste is een belangrijke reden aangeduid voor hernieuwde reflectie op de plaats van religie in de moderne samenleving. Het is voor mij echter niet de voornaamste. Voornamer is de noodzaak het steeds dreigende en angstwekkend toenemende cynische ongeloof in de publieke discussie tegen te gaan. Religieuze tradities bewaren het besef – al zien niet allen die zich met deze tradities verbinden dit zo! – dat in onze meningsverschillen over hoe goed te leven, iets essentieels op het spel staat. In de hedendaagse discussie dreigt dit steeds opnieuw in de vergetelheid te raken. De publieke discussie, of deze nu in het parlement plaatsvindt, op vergaderingen van maatschappelijke organisaties of op de opiniepagina's van de kranten, wordt in toenemende mate een podium om de eigen visie op uitdagende wijze uit te dragen en te laten zien dat men zich van niemand anders iets aantrekt. 'Ik zeg wat ik denk', zei een politicus in 2002, en hij werd er mateloos populair mee. Hierin komt een schrijnend onvermogen aan het licht in te zien dat het in het publieke debat gaat om iets dat geen van de deelnemers bezit, maar wat zij alleen maar van elkaar kunnen krijgen. Dit verdient respect en vraagt toewijding. De gezamenlijke afhankelijkheid van wat ons alleen in het debat gegeven kan worden, is de uiteindelijke – in mijn visie religieuze – grond van het recht van de vrijheid van meningsuiting die terecht in westerse samenlevingen zo fundamenteel wordt geacht. Alles wat gezegd moet worden met het oog op het zoeken naar wat waarachtig waar en goed blijkt te zijn, moet gezegd mogen en kunnen worden.

Een hernieuwde bezinning op religie kan aan het licht brengen dat het in veel van haar tradities draait om een goddelijk Ware en Goede dat buiten ons bereik is. Eerbied voor dit Goddelijke bestaat niet uit respect voor formuleringen die het pretenderen vast te leggen, al is dit een wijdverbreid misverstand. Zij bestaat in het eerbiedigen van het debat tussen onze verschillende opvattingen waarin we proberen het te naderen. Religieus is niet alleen – en zelfs niet allereerst – het claimen van het absolute gelijk. Religieus is evenzeer – en zelfs veeleer – het bij alles wat gebeurt voorzichtig overeind houden van het leerhuis van meningsverschillen dat onze cultuur is en dat, in de woorden van Benno Barnard, 'in een soort Talmoedische instortingskromme [is] blijven hangen'.

De geest van Erasmus

Maar zelfs dit is wat mij betreft niet de belangrijkste reden om opnieuw te reflecteren op de verhouding van religie en de moderne samenleving. De belangrijkste reden is de noodzaak het inzicht te herwinnen dat de discussies die wij in de politiek, in de media, in de universiteiten en op talloze andere plaatsen voeren, uiteindelijk *religieuze* discussies zijn. Dat de discussies die wij over onze situatie en met het oog op onze toekomst voeren ten diepste religieus zijn, maakt Benno Barnard duidelijk door ze in verband te brengen met het beeld van het Joodse leerhuis. Zoals bekend is de Talmoed de interpretatie door Joodse leraren van de bijbelse geboden met beschouwingen over en leefregels voor het maatschappelijk en godsdienstig leven. De discussies die in het spoor hiervan in het Joodse leerhuis gevoerd worden met het oog op de vraag hoe hier en nu goed te leven, zijn religieuze discussies. Het respect voor de diversiteit aan opvattingen, ideeën en standpunten dat de discussiepartners bij elkaar houdt en dat voorkomt dat het instortende leerhuis helemaal in puin valt, is een religieus respect voor een religieuze werkelijkheid: de waarheid waarvan wij afhankelijk zijn, waarvan wij leven en die gezocht wordt in alle visies die te berde worden gebracht, en in hun onderlinge botsing aan het licht kan komen.

Nu is de Talmoedische religie een speciaal soort religie en zeker niet *de* religie. Maar de Talmoedische religie is als respect voor wat in debat en discussie gezocht en gekoesterd wordt, een religieuze vorm die niet alleen centraal staat in het Jodendom. Ook binnen het christendom en de islam heeft de opvatting goede papieren dat het vergoddelijken van het eigen standpunt niet het wezen is van religie, maar het tegendeel ervan. Het blijkt een authentiek religieuze mogelijkheid de eigen waarheid juist te relativeren met een beroep op de altijd grotere waarheid van God, aan wie het eigen inzicht ondergeschikt is. Het is uiteindelijk deze goddelijke Waarheid waarvan mensen leven en waarvoor ze daarom open moeten staan. Deze waarheid kunnen we alleen doorgronden als we de splinters waarheid verzamelen, als we wat wij zelf niet kunnen bedenken en ons soms zelfs tegenstaat, kunnen zien als een mogelijke doorbreking van de beperktheden van onze eigen inzicht. Nogmaals, er zijn andere vormen van religie en meestal vangen deze de blik en stelen de show. Dat hebben ze ook in de geschiedenis nogal eens gedaan. Niettemin is de voorstelling volgens welke de geschiedenis van het moderne Europa een proces is waarin de gewelddadige religies door de vreedzame seculiere rede overwonnen wordt, een liberale mythe. De religieuze tolerantie is niet alleen van buitenaf aan de religie opgelegd, maar evenzeer binnen de religie als eigen interne grens ontdekt.

Al de kwesties die hiermee terloops zijn aangesneden, komen terug in de verdere loop van dit boek. Maar de geest waarin dit gebeurt, de geest waarvan ik hoop dat zij dit boek bezielt, is de geest die door Barnard wordt verbeeld in de scène van het in zijn instorting gestuite leerhuis. Barnard zelf noemt deze geest 'gehebraïseerd humanisme', maar om de religieuze aard ervan te expliciteren, duid ik haar liever aan met de term die hij gebruikt als karakterisering voor zijn lievelingsauteur Joseph Roth (1894-1939): 'katholiek met Joodse hersens'. Dit impliceert niet een afscheid van het humanisme, maar is een poging in de hedendaagse context het humanisme in het spoor van Desiderius Erasmus (1469-1536) opnieuw tot leven te wekken. Voor Erasmus betekende de christelijke visie volgens welke in Jezus Christus God zich intiem heeft verbonden met de menselijke geschiedenis, dat de goddelijke waarheid is uitgezaaid over alle mensen en culturen.[6] Wie de waarheid wil vinden, moet dus de verstandigsten en geleerdsten van alle tijden en culturen bij elkaar brengen en zich niet beperken tot degenen die volgens kleinbehuisde geesten vroom zijn. Dit impliceerde voor Erasmus tegelijk een grote terughoudendheid in het bestrijden van andere opvattingen. Verwijzend naar Jezus' parabel van het onkruid tussen de tarwe dat niet mag worden uitgetrokken maar met de tarwe moet opgroeien (Mat. 13, 24-30), keerde hij zich tegen degenen die afwijkende – 'ketterse' – meningen met het zwaard wilden bestrijden: God zelf wilde ze klaarblijkelijk niet vernietigen maar tolereren om ze de kans te geven zich te bekeren en van onkruid tarwe worden.[7] Het is de bevrijdende waarheid zelf die moet en uiteindelijk ook zal overtuigen.

Een van de drie islamitische schrijvers die in 2004 de prestigieuze naar Erasmus genoemde prijs ontvingen, de van oorsprong Iraanse geleerde Abdulkarim Soroush, getuigt van dezelfde geest als hij stelt dat religie niet de bron is voor de juiste wetgeving. In plaats hiervan draagt religie er in zijn visie zorg voor dat de wetten die rechtvaardigheid, mensenrechten en bestuurlijke billijkheid proberen te garanderen – allemaal waarden die volgens Soroush in de islam ook religieus van belang zijn – niet worden gezien als uiterlijke beperkingen van de vrijheid, maar als moreel verplichtend. Anders gezegd, religie maakt niet dat het seculiere onder de bevoogding komt van een religieuze overlevering, religie is een visie op wat in de als seculier geziene sfeer uiteindelijk van waarde is en fundamenteel voor alle waarden: 'heilig', en daarom verplichtend.[8] Het gaat in de religie zoals zij in dit boek ter sprake komt niet zonder meer om *wat* religieuze tradities beweren en verkondigen. Het gaat er in religie uiteindelijk om te achterhalen wat ons verplicht en *van waaruit* daarom iets te beweren en te verkondigen valt.

Met opzet citeerde ik een islamitische auteur. Het maakt duidelijk hoe breed ik de aanduiding 'katholiek' opvat. 'Katholiek' valt als religieuze traditie niet samen met het rooms-katholicisme zoals dat na, en mede als reactie op de Reformatie gestalte heeft gekregen en waarin ik religieus geworteld ben. 'Katholiek' is voor mij de traditie die van vóór de Reformatie stamt en de discussies en conflicten die uiteindelijk zouden leiden tot de Reformatie insluit – inderdaad zoals Erasmus deze in zijn tijd, op zijn manier en met zijn eigen beperkingen geprobeerd heeft levend te houden. Het is de traditie van diegenen die Jezus' aansporing aan het slot van het Matteüs-evangelie – 'Ga dus op weg en maak alle volkeren tot mijn leerlingen' – willen opvolgen niet door anderen zoveel moge-

6 Zie J. Papy, 'Inleiding', 2001; C. Augustijn, *Erasmus*, 1986, 148-157.
7 Vgl. H. Klueting, 'Lasset beides miteinander wachsen bis zur Ernte', 2004.
8 A. Soroush, 'Verdraagzaamheid en bestuur', 2004, 210.

lijk tot de eigen visie te bekeren, maar door overal de sporen te zien van de God waarvan Jezus getuigde, in elke discussie de stem van Gods Woord aangekondigd te horen en in elk engagement het waaien te voelen van Gods Geest – en van daaruit het gesprek, het debat en zo nodig het conflict aan te gaan. Katholiek is het bewaren van het religieuze bewustzijn dat mensen met elkaar verbonden zijn vóór hun scheiding door opvattingen en meningen, door cultuur en etniciteit, en – inderdaad – ook door religie. Ons lot is verbonden met het lot van anderen en daarom is discussie en zo nodig strijd over wat werkelijk van waarde is, onze heilige plicht. Het is niet iets dat we kunnen kiezen al dan niet te doen, maar een kwestie van gehoorzaamheid aan het Ware en het Goede dat verplicht, en dat in religieus verband 'God' genoemd wordt.

Dit katholieke idee van lotsverbondenheid is het verhoopte hart van dit boek. Het wordt aangevuld door wat Barnard noemt 'Joodse hersens' – althans, dat is de intentie. Wie 'Joodse hersens' heeft, heeft allereerst het vermogen een Talmoedisch debat te voeren, op het scherp van de snede te redeneren en te discussiëren. De fundamentele lotsverbondenheid van mensen mag niet de hartstocht remmen in het zoeken naar waarheid en het uitschiften van de onwaarheid. Wij zijn juist verbonden in ons hartstochtelijke *conflict* over wat werkelijk dragende kracht en uiteindelijk betekenis heeft. Temidden van de nieuwe *Kulturkampf* die lijkt uitgebroken rond de plaats van religie in de samenleving en de publieke sfeer, heb ik wel gepleit voor de oprichting van een 'Genootschap van Gelovigen voor Godslastering'. Een dergelijk gezelschap zou moeten uitdragen dat de waarheid van zo'n centrale religieuze betekenis is dat er bij het al debatterend en strijdend zoeken ernaar geen taboes zijn, ook niet de beelden die wij hebben van het meest verhevene en het meest heilige, de voorstellingen die wij hebben van God als de ultieme Waarheid en Goedheid. De enige regel is dat het gezamenlijk zoeken in stand blijft, en de eerbied voor elkaars standpunt die dit impliceert. Toen later nagenoeg de hele Nederlandse Tweede Kamer het erover eens leek dat de wet wel kon worden afgeschaft die 'smadelijke godslastering' verbiedt, bracht ik naar voren dat de al te gemakkelijke overtuiging dat godslastering geen probleem is, de betekenis onderschat van het religieuze moment dat in elke cultuur zit, ook wanneer deze zichzelf verstaat als geseculariseerd. Elke cultuur is uiteindelijk gehoorzaam aan wat zij als 'heilig' beschouwt, als iets dat niet geschonden mag worden. Beide door mij ingenomen posities lijken aan elkaar tegengesteld, maar dragen dezelfde grondovertuiging uit: een fundamenteel debat over wat heilig en onschendbaar is en dient te zijn, is noodzakelijk en mogelijk. Het is de hoogste tijd dit debat daadwerkelijk te voeren, maatschappelijk en academisch.[9]

9 Zie voor de eerste positie mijn 'Gelovigen voor godslastering: Ayaan Hirsi Ali vindt

'Joodse hersenen' betekent in dit verband ten tweede een gerichtheid op het concrete goddelijke gebod en het concrete handelen tot eer van God en de mensen. Het gaat om het praktisch koesteren van de waarheid. De eigenzinnige, met Friedrich Nietzsche bevriende Duitse bijbelwetenschapper en kerkhistoricus Franz Overbeck (1837-1905) heeft de traditie van ascetisch en religieus leven van kluizenaars, monniken en nonnen wel aangeduid als een 'potenziertes Judentum', een versterkt en bekrachtigd Jodendom. De gerichtheid op het vorm geven van het eigen leven als verbondenheid met anderen en met God, heeft volgens Overbeck het christendom gered van zijn steeds weer dreigende vergeestelijking, zijn terugtrekking in een sfeer van uitsluitend persoonlijk en innerlijk geloof en individueel contact met God, en daarmee aanpassing aan de heersende maatschappelijke en politieke verhoudingen en inpassing in de heersende cultuur.[10] De 'Joodse hersenen' waar het mij in dit boek om gaat, zijn gericht op het praktische en het publieke, en verzetten zich tegen het idee dat religie een 'privézaak' zou zijn die niet met het publieke leven te maken heeft en die pas zou deugen als de staat als bewaker van de publieke sfeer haar met rust kan laten zonder zich er zorgen over te hoeven maken. Dit laatste is in de geschiedenis van de tolerantie de positie van de Engelse filosoof John Locke (1632-1704), die in 1685 in zijn beroemde, in Rotterdam geschreven *Brief over de tolerantie* religie en haar inhoud in principe plaatste buiten het politieke belang dat de jurisdictie is van de soevereine staat. Daar, als zaak van het persoonlijke geweten die tegelijkertijd ook alleen zijn uitwerking heeft in de persoonlijke levenssfeer, dient religie volgens Locke gevrijwaard te blijven van elke overheidsbemoeienis.[11] De laatste tijd hebben moslims de westerse cultuur duidelijk gemaakt dat religie een visie impliceert op de publieke sfeer en wat daarin van belang is. Dit leidde en leidt tot grote irritatie bij degenen die zichzelf zien als bewakers van de seculiere zuiverheid van de publieke sfeer, maar het valt religieus gezien als winst te beschouwen. Moslims hebben laten zien dat het religieuze debat mede handelt over de goede samenleving en de goede cultuur, over het goede leven in zijn volle omvang. Dit impliceert inderdaad – de paradox is opzette-

religie belangrijk', 2004; de tweede positie, geformuleerd temidden van de discussie in het kielzog van de moord op cineast en publicist Theo van Gogh, heb ik samengevat in de *Leeuwarder Courant* van 17 november 2004.

10 Vgl. J.B. Metz/T.R. Peters, *Gottespassion*, 1991, 68-77. Vgl. F. Overbeck, 'Über die Anfänge des Mönchthums' (1867); id., 'Über die Christenheit unseren heutigen Theologie', 1873/1903, m.n. 213-215.

11 J. Locke, *Epistola de Tolerantia/A Letter on Toleration*, 1685. – Voor de interne tegenstrijdigheid van deze positie, en van hedendaagse posities in dezelfde lijn, die de vrijheid van religie feitelijk binden aan een normatieve opvatting van religie, vgl. J.F. Sullivan, *The Impossibility of Religious Freedom*, 2005.

lijk! – dat de islam kan helpen om de 'Joodse hersenen' te activeren van de katholieke religiositeit die ik voorsta.

Met deze overwegingen sluit ik in een bepaalde zin aan bij de andere denker die in het Rotterdam van Erasmus in de Gouden Eeuw de grondslag legde voor het denken over religieuze tolerantie, de Franse filosoof Pierre Bayle (1647-1706). In 1686 zette deze in zijn *Filosofisch commentaar op de woorden van Jezus Christus, Dwing ze binnen te komen* uiteen dat iedereen op basis van een *waarachtige* overtuiging verplicht is te handelen alsof het een *ware* overtuiging is. Voor Bayle was er slechts sprake van een waarachtige overtuiging indien deze vrij tot stand was gekomen, op basis van afweging van argumenten die echter in de zaken waar het in de religie over gaat, nooit dwingend zijn. Het eigen geweten is dan de door God gegeven instantie om tot een oordeel te komen. Dit maakte het vervolgen en straffen vanwege een overtuiging voor Bayle moreel en religieus verwerpelijk en daarom moest alle mensen zonder onderscheid worden toegestaan op basis van hun verschillende gewetensovertuigingen te leven en te handelen.[12] Bayle was sceptisch met betrekking tot de mogelijkheid over religieuze opvattingen redelijk te discussiëren en mede daarom is tolerantie voor hem het hoogst haalbare in zaken van religie. Bayle had echter met name speculaties over de specifieke aard van de Godheid voor ogen, en de leer van de transsubstantiatie op basis waarvan de katholieken de reële aanwezigheid van Jezus Christus in de eucharistie uitdrukken en die door de protestanten verworpen wordt. Deze waren in zijn ogen buitenredelijk en zonder praktische betekenis. Het analyseren waarom hij dit dacht en het gedetailleerd beargumenteren waarom hij daarin ongelijk had, valt buiten het bestek van dit boek.[13] De inzet van de hierna volgende hoofdstukken is het overbrengen van het inzicht dat religieuze visies principieel niet buitenredelijk zijn, en dat daarom vrije discussie erover zinvol en belangwekkend is. Maar deze discussie kan uiteindelijk slechts bijdragen aan de verheldering van de vrije gewetensbeslissing en niet leiden tot welke vorm van dwang dan ook.

De Duitse filosoof Immanuel Kant (1724-1804) zegt van de verscheidenheid in religieuze visies en overtuigingen dat zij de hang met zich kan meebrengen tot onderlinge haat en een alibi kan zijn voor oorlog, maar dat zij evenzeer kan leiden tot een vrede in onderlinge rivaliteit voor de waarheid.[14] Om deze vrede, die gepaard gaat met hartstochtelijk en vrij debat over deze waarheid, gaat het in dit boek.

12 P. Bayle, *Commentaire philosophique sur ces paroles de Jésus Christ, Contraint-les d'entrer*, 1686.

13 Het is de reductie tot speculatieve, en daarmee volgens de toen courante overtuiging ook niet in de realiteit gefundeerde overtuigingen die de verhouding tussen religie en rede zo gespannen maakte in de vroege moderniteit. Vgl. M.J. Buckley, *At the Origins of Modern Atheism*, 1987; id., *Denying and Disclosing God*, 2004.

14 I. Kant, *Zum ewigen Frieden: Ein philosophischer Entwurf*, 1795, 367.

Een traditie van katholieke cultuurtheologie
Juist hierin is het in de volle zin een theologisch boek. Zoals gezegd, ik ben er niet alleen op uit het belang van religie als sociaal-cultureel en maatschappelijk verschijnsel inzichtelijk te maken, maar wil uiteindelijk licht werpen op het religieuze gehalte van de samenleving zelf.

Bij de verwoording van dit religieuze gehalte spelen in dit boek de christelijke en katholieke tradities die de mijne zijn, een centrale rol. Dit is niet omdat deze tradities a priori geacht worden de waarheid te verwoorden. Wij komen echter niet verder door tradities te relativeren, maar door ze volledig serieus te nemen. Scherp formuleert de omstreden moslimgeleerde Tariq Ramadan het: niet door de religieuze tradities naar de privé-sfeer te verbannen, maar door hun universele pretentie te accepteren en de confrontatie ermee aan te gaan, worden we uitgedaagd om diversiteit serieus te nemen als een gegeven dat religies niet slechts in uiterlijke zin beperkt, maar dat voor hen van interne betekenis is.[15] Volgens Jodendom, christendom en islam is God de oorsprong van alles, houdt God alles in het bestaan en is God van alles het doel. Daarom heeft in het licht van deze tradities elk inzicht en elk idee, ook als het zichzelf beschouwt als volstrekt seculier, religieuze betekenis. Taak van de theologie is het in mijn visie om deze religieuze betekenis aan het licht te brengen en ter discussie te stellen.

Hoewel deze opvatting van theologie fundamenteel verschilt van het beeld dat in brede kring van dit vak bestaat, valt zij terug te voeren tot de Middeleeuwen. Volgens de dominicaan Thomas van Aquino (1225/26-1274) bestaat alles wat is als onderdeel van Gods schepping en is het opgenomen in de beweging van de goddelijke verlossing. Toegespitst op de menselijke activiteit stelt hij dat kennis van God alle mensen van nature is gegeven in zoverre God het ultieme geluk is van de mens. Verlangen naar geluk is deel van de menselijke natuur en wat mensen verlangen, dat kennen ze in zekere zin ook: in hun verlangen, als datgene dat dit verlangen vervult. Elke vorm van politiek en cultuur kan worden verstaan als uitdrukking van een verlangen naar het geluk en als poging dit geluk naderbij te brengen. Dit maakt ze theologisch van betekenis als gestalten van verlangen naar God en als pogingen trouw te zijn aan God als de vervuller van het menselijk verlangen naar geluk. Hierbij blijft ook voor Thomas theologische kritiek op de feitelijke politiek en cultuur nodig, want als het verlangde geluk is God tegelijkertijd de criticus van elke beperkte voorstelling van het ultiem geluk.[16]

Ik kwam in aanraking met het bedrijven van theologie in deze lijn via de cultuurtheologie van Edward Schillebeeckx. Dat Schillebeeckx na de

15 T. Ramadan, *Western Muslims and the Future of Islam*, 2004, 4-6.
16 *Summa theologiae* I, Q. 2, art. 1.

Tweede Wereldoorlog expliciet op zoek ging naar een 'cultuurtheologie' heb ik pas veel later uit de geschiedenis opgedolven; dat zijn hele oeuvre het best in dit licht gelezen kan worden, heb ik inmiddels uitvoerig beargumenteerd.[17] Maar als student in Nijmegen werd ik de tweede helft van de jaren zeventig en de eerste helft van de jaren tachtig ondergedompeld in een sfeer die in hoge mate door Schillebeeckx werd bepaald. Theologie gold niet als binnenkerkelijke reflectie, slechts interessant voor gelovigen, maar werd beoefend als poging midden in de wereld waarin we leven te achterhalen wat, in het spoor van Jezus van Nazaret als de Christus van God, gezegd en gedaan kan en moet worden. Het was niet alleen of allereerst een kerkkritische, maar vooral ook een maatschappij- en cultuurkritische theologie.[18] In deze traditie zocht ik in de jaren negentig het grensvlak van theologie en hedendaagse, geseculariseerde cultuur op. Ik pleitte voor een 'essayistische theologie' die de christelijke traditie gebruikt om de sporen waar te nemen van God in de verwarrende en verbrokkelde wereld die de onze is.[19] Het onderhavige boek gaat verder in dit spoor, zij het aangepast aan de actuele situatie gezien als religieuze situatie.

Juist deze situatie heeft mij opnieuw het belang doen inzien van het project van degene op wiens werk ook Schillebeeckx' cultuurtheologie teruggaat: de Franse dominicaan, theoloog en mediëvist Marie-Dominique Chenu (1895-1990). Het toont de eigenaardigheid van de twintigste-eeuwse katholieke theologiegeschiedenis dat een van de belangrijkste en meest vernieuwende boeken bijna vijftig jaar ongedrukt bleef. In 1937 stencilde en verspreidde Chenu in uiterst kleine oplage *Une école de théologie: Le Saulchoir*. In 1942 werden auteur en boek kerkelijk veroordeeld en pas in 1985 volgde 'echte' publicatie.[20] Oppervlakkig beschouwd geeft Chenu in het boek een beschrijving van de eigen traditie van 'Le Saulchoir', de dominicaanse theologische faculteit van deze naam bij Parijs waarvan hij de leiding had toen hij het schreef. De titel van het boek geeft echter aan dat deze traditie volgens Chenu een leerschool was van *waarachtige* theologie, een plaats waar een theologie op-

17 Voor mijn visie op de theologie van Schillebeeckx als geheel, vgl. mijn 'Van cultuurtheologie naar theologie als onderdeel van de cultuur', 1994. Geconcretiseerd heb ik deze visie voor de eerste helft van Schillebeeckx' carrière in mijn *Edward Schillebeeckx: een theoloog in zijn geschiedenis*, I, 1999. Hierin ga ik ook in op het blijvende belang van Schillebeeckx (451-468).

18 In 1990 promoveerde ik in dit klimaat op een dissertatie over de betekenis van de verschillende vormen van bevrijdingstheologie voor de actuele universitaire theologie: *Sporen van de bevrijdende God*, 1990. Ik onderzocht hierin enerzijds de geloofwaardigheid van de visie van bevrijdingstheologen op Jezus als Christus, anderzijds de plausibiliteit van hun maatschappijanalyse.

19 In mijn *Alexamenos aanbidt zijn God*, 1994.

20 M.-D. Chenu, *Une école de théologie: Le Saulchoir*, 1937/1985.

gedaan kon worden die recht deed aan de moderniteit en haar religieuze betekenis. Dit impliceerde dat de officiële, 'neo-scholastiek' genoemde katholieke theologie van dat moment *niet* deze theologie was en dat kon de kerkleiding niet accepteren. Naar Chenu's overtuiging moet de waarachtige theologie *altijd* nog geleerd worden. Waarachtige theologie was voor hem reflectie op de eigentijdse menselijke situatie en op Gods betrokkenheid bij en in deze situatie, een betrokkenheid die de christelijke tradities verkondigen als 'goed bericht' (*eu-angelion*). Als historicus had hij duidelijk gemaakt dat de grote theologische visies uit het verleden niet in zichzelf gesloten systemen waren. Het waren reflecties op de eigentijdse situatie vanuit een specifieke spiritualiteit binnen een bepaalde cultuur. Gods openbaring is niet zonder meer in de bijbel en de kerkelijke overlevering te vinden, maar evenzeer in het voortgaande, op de telkens nieuwe situatie reagerende geloof van mensen en in de intellectuele reflecties hierop in filosofie en theologie; dit alles tezamen maakte voor Chenu de katholieke traditie uit.

Uiteindelijk is men als gelovige en theoloog volgens Chenu aanwezig bij God door ten volle in de eigentijdse situatie aanwezig te zijn: betrokken bij haar vragen, onzekerheden, bedreigingen en kansen. God heeft zich immers naar christelijke overtuiging onlosmakelijk met de schepping en de geschiedenis verbonden. Chenu was onder meer betrokken bij de beweging van de zogenoemde priester-arbeiders, die vanaf 1943 midden in de eigentijdse wereld geloof en kerk opnieuw wilde vinden tot zij begin jaren vijftig op last van Rome werd stopgezet: *presence au monde* was in hun visie *presence à Dieu.*[21]

Voor Chenu is de grondbelijdenis van het christendom dat het Woord dat in het begin bij God was en God zelf was, het 'vlees' heeft aangenomen, dat wil zeggen het rommelige, dubbelzinnige, verwarrende en gevaarlijke bestaan van mensen die met alles wat zij zijn, verweven zijn met de wereld en de geschiedenis. Het werkelijk serieus nemen van deze belijdenis zit achter Chenu's opvatting die uiteindelijk tot officiële katholieke leer zou worden in de documenten van het Tweede Vaticaans Concilie (1962-1965): dat het de taak is van de kerk de tekenen van de tijd te lezen in het licht van het evangelie.[22] Voor Chenu is dit niet een opdracht naast andere, maar het is de wijze waarop de gemeenschap van gelovigen die voor hem de kerk is, haar God vindt als de God van het heil. Het is de taak van de theologie op deze God, en daarmee op deze 'tekenen van de tijd' te reflecteren.

De katholieke theologie van na het Tweede Vaticaans Concilie kent

21 Over Chenu, vgl. mijn *Edward Schillebeeckx*, l.c., 125-137. Verder, zie A.J.M. van den Hoogen, *Pastorale teologie*, 1983; C.F. Potworowski, *Contemplation and Incarnation*, 2001.
22 Pastorale constitutie over de kerk in de wereld van deze tijd *Gaudium et Spes*, no. 4.

minstens twee stromingen die tamelijk fundamenteel verschillen. De ene stroming zocht een aanpassing van de kerkelijke leer en de gelovige overlevering aan de actuele stand van de wijsgerige en wetenschappelijke discussie. Toen men deze aansluiting eenmaal gevonden meende te hebben, ging men voort als technische, zij het gemoderniseerde zelfstandige discipline. De andere stroming zocht een nieuwe verhouding met, een nieuwe plaats in de wereld en begreep zichzelf als voortdurende reflectie op deze plaats en die wereld, in de ruimte van Gods nabijheid. Waar voor de eerste stroming geloof, gelovige gemeenschap en christelijke tradities gegeven zijn, zijn deze voor de tweede in een voortdurende staat van ontstaan en worden in de telkens wisselende, telkens nieuwe situaties van de moderne geschiedenis steeds opnieuw geboren. Dit boek behoort tot deze tweede stroming, waarvan Chenu en Schillebeeckx wat mij betreft boegbeelden zijn.

Opzet van dit boek

Dit brengt ons terug bij het gedicht van Wisława Szymborska, waarmee dit hoofdstuk begon. De naïeve, maar onontkoombaar dringende vraag 'hoe moet ik leven?', is de vraag waarop wij zijn teruggeworpen. Juist in haar onzekerheid, in het feit dat het antwoord erop zich nog maar moet aandienen temidden van de kakofonie die onze gesprekken en debatten doorgaans zijn, temidden van de chaos waarin ons handelen vaak resulteert, is dit een religieuze vraag. In het exploreren van deze vraag dient zich het verlangen naar en de hoop op Gods nabijheid aan en kan duidelijk worden wat de betekenis kan zijn van de christelijke boodschap dat God al in ons vertwijfelde zoeken bij ons aanwezig is.

De Amerikaanse socioloog, romanschrijver en rooms-katholiek priester Andrew Greeley meent met kracht van argumenten dat religie het best te begrijpen is als vorm van poëzie die met haar symbolen en verhalen het leven en de realiteit een specifiek aanzicht geeft. Voor hem draait het in religieuze tradities niet om de leerstellingen die doorgaans de aandacht trekken, maar om de beelden, de rituelen en het narratieve weefsel waarmee zij het leven van gelovigen en hun wereld omvormen.[23] Greeley wijst enerzijds op de onverwachte persistentie van de zo opgevatte religieuze tradities, ook in een geseculariseerde samenleving, en anderzijds op religieus verval waar dit aspect van religie niet langer onderhouden wordt.[24] Met name de katholieke tradities binnen het christendom bewaren de overtuiging dat God werkzaam in de wereld en het leven van mensen aanwezig blijft. Kosmos en geschiedenis hebben sacramentele kwaliteit en verwijzen naar de verborgen aanwezigheid van

23 A. Greeley, *Religion as Poetry*, 1995.

24 Vgl. id., *Religion in Europe at the End of the Second Millennium*, 2003.

God, een God die zich naar christelijke voorstelling op de meest radicale manier die maar denkbaar is, verbonden heeft met het lot van de aarde en haar bewoners.[25] Dit boek probeert zicht te geven op wat dit in de context van het huidige West-Europa en haar cultuur kan betekenen. Niet door de christelijke tradities te presenteren en hun blijvende belang te beargumenteren, maar door de huidige situatie in het licht van deze overtuiging te lezen als een religieuze situatie.

Het boek valt in drie delen uiteen. Onder de titel 'Theoretische verkenningen' gaat het eerste deel in op de vraag hoe religie zich manifesteert in de huidige samenleving en cultuur, en hoe zij op een intellectueel verantwoorde manier te benaderen valt. De recente opleving van (het spreken over) religie in de moderne westerse cultuur die tot voor kort vanzelfsprekend als geseculariseerd – of als zich seculariserend – werd gezien, is in *hoofdstuk 1* het uitgangspunt van reflecties over de gedaanteveranderingen van religie. Waar de religie voorheen vooral een stabiliserend element was, lijkt zij net zo veranderlijk te zijn geworden als de andere onderdelen van de hedendaagse cultuur, zich telkens opnieuw structurerend in wisselwerking met het leven waarmee zij verbonden is. In *hoofdstuk 2* wordt de dubbele beweging voorgesteld die Edward Schillebeeckx al halverwege de jaren zestig beschreef: religie verdwijnt in de wereld, hetgeen zich voordoet als secularisatie, en zij komt opnieuw uit de wereld op. Dit laatste noemt Schillebeeckx enigszins verwarrend de 'verkerkelijkingstendentie' in de wereld, maar hij bedoelt ermee dat de roep om God en Gods heil, waar de religie van leeft, zich telkens opnieuw en op nieuwe manieren manifesteert. Hij bedoelt hiermee eveneens dat deze roep het beste kan worden geïnterpreteerd met behulp van aan de christelijke tradities ontleende noties. *Hoofdstuk 3* presenteert het onorthodoxe boek *Gewoon heilig* van de Amerikaanse religiewetenschapster Lynda Sexson als toegang tot de actuele, veranderlijke en vluchtige gestalten van religie, die moeilijk te vatten zijn met behulp van traditionele theorieën over religie en het religieuze. In dit hoofdstuk wordt ook duidelijk dat artistieke uitingen een geschikte toegang vormen tot het denken over de actuele religieuze situatie. Daarom komen in veel hoofdstukken van dit boek met name romans of gedichten ter sprake, soms meer en soms minder uitvoerig. *Hoofdstuk 4* verbindt tendensen in de actuele religieuze ontwikkeling met theorieën van enkele hedendaagse filosofen. De conclusie is dat de actuele gedaanteverandering van religie, en de gedaanteverandering van God waarvan zij lijkt te getuigen, uitnodigt tot een hernieuwde en geëngageerde confrontatie met de gedaanteverandering die centraal staat in de christelijke tradities: van

25 Id., *The Catholic Imagination*, 2000.

een God die mens en als mens een gekruisigde wordt, en in deze ontlediging en vernedering op een nieuwe manier zijn vervulling en verhoging vindt (vgl. Fil. 2, 9-11).

Het tweede deel is getiteld 'Maatschappelijke omzwervingen' en gaat in op verschillende actuele maatschappelijke manifestaties van religie en religieus verlangen. In *hoofdstuk 5* wordt aan de hand van de gebeurtenissen rondom Pim Fortuyn in 2002 het messiaanse verlangen verkend dat in de hedendaagse cultuur sluimert, en de dubbelzinnigheid ervan. Omgang ermee wordt blootgelegd als onontkoombare taak van de moderne politiek en het anti-messiaanse messianisme dat de christelijke tradities representeren, wordt verkend als bijdrage aan deze omgang. *Hoofdstuk 6* maakt duidelijk dat de notie van gemeenschap als aan elke bewuste politiek voorgegeven realiteit die aan de participanten aan deze gemeenschap is toevertrouwd en die met name bewaard is in de christelijk-sociale tradities, juist in een plurale samenleving van grote betekenis kan zijn. Zij leidt tot het inzicht dat wij religieus gesproken leven van een gemeenschap die buiten ons bereik is en zich reëel, maar altijd slechts partieel, realiseert in de vormen van goed leven die feitelijk ontstaan, dankzij en ondanks menselijke inspanningen. In het verlengde hiervan handelt *hoofdstuk 7* over de fameuze normen en waarden die in de huidige politieke en maatschappelijke discussies zo centraal zijn komen te staan. De instrumentele wijze waarop hedendaagse beleidsmakers geneigd zijn met waarden om te gaan, blijkt bij te dragen aan het gevoel dat niets meer echt en in zichzelf van waarde is. Religieuze tradities en nieuwe manifestaties van religiositeit funderen geen waarden – al menen sommigen van wel – maar zij getuigen ervan dat er zaken zijn die zozeer van waarde zijn dat alles, inclusief het eigen leven, slechts waarde heeft voor zover het in het licht ervan staat. Discussie en confrontatie met religie is daarom cultureel en maatschappelijk gezien van fundamentele betekenis. Het seculiere project van één Europa, na 1945 ontstaan als poging een einde te maken aan het geweld dat Europa eeuwenlang geteisterd heeft, wordt in *hoofdstuk 8* gepeild naar zijn religieuze dieptestructuur. In confrontatie met gebeurtenissen uit de recente geschiedenis wordt aangetoond dat het met het oog op de toekomst van belang is lotsverbondenheid en kwetsbaarheid, die ten grondslag liggen aan het seculiere project Europa, expliciet te maken als religieuze waarden. Tot slot van het tweede deel gaat *hoofdstuk 9* in op de bange vraag die veel maatschappelijk zorg rondom de actuele religieuze situatie domineert: in hoeverre is religie, en met name de islam, inherent gewelddadig? Aan de hand van het werk van enkele prominente moslim-intellectuelen wordt duidelijk gemaakt dat de islam belangrijk kan bijdragen aan de religieuze toewijding aan een vreedzame, tolerante en democratische cultuur.

'Uitgelokte belijdenissen', luidt de titel van het derde deel. Dit hele boek is belijdend in zoverre het voortdurend de vraag stelt wat er in de actuele constellatie te geloven, te hopen en lief te hebben valt, en hoe. Religie is er onder meer op gericht dergelijke vragen, die in onze cultuur veelal als onbeantwoordbaar of in ieder geval als niet rationeel bediscussieerbaar gelden, boven water te houden. Maar waaraan valt juist met het oog hierop onvoorwaardelijk vast te houden? *Hoofdstuk 10* gaat, in confrontatie met de onontkenbare medeplichtigheid van christenen aan de verschrikkingen waarnaar de Duitse naam voor de Poolse stad Oswiecim verwijzen, in op de vraag wat geloven in christelijke zin nog kan betekenen. Religieus en theologisch leven 'na Auschwitz' impliceert leven met een niet-identiteit, maar dit is precies op te vatten als belijdenis: een in de ruimte van Gods ontledigde en vernederde Presentie wachten op de werkelijke aankomst van God als de bevrijdende God van het leven. In *hoofdstuk 11* staat in het spoor hiervan de omgang centraal met leven dat nog slechts lijden en sterven lijkt te zijn. Tegenover de hedendaagse neiging dergelijk leven – juist ook na Auschwitz! – te zien als een voorbode van de dood als het laatste woord, worden de christelijke tradities ontsloten als geenszins vanzelfsprekende pogingen alle leven, in welk stadium het ook verkeert en welke gestalte het ook aanneemt, te zien als voorafbeeldingen van het volle leven dat aan het aanbreken is. Hieruit vloeit de christelijke terughoudendheid voort tegenover elk bewuste beëindiging van het leven van mensen, ook in de terminale fase van ziekten die met overmatig lijden en diepe ontluistering gepaard gaan. Deze principiële terughoudendheid tegenover elke vorm van euthanasie zou echter gecombineerd dienen te worden met een even sterke gerichtheid op het aan het licht laten komen van sporen van de geïntendeerde goedheid en volheid van het leven, ook wanneer het geschonden is en in de eindfase verkeert. En dat dit zozeer kan mislukken dat menselijk gezien alleen nog versnelling van het levenseinde als mogelijkheid overblijft, kan niet a priori worden uitgesloten. *Hoofdstuk 12* maakt duidelijk dat de christelijke belijdenis dat God in Jezus ontledigd en vernederd naderbij gekomen is, openheid naar andere religieuze tradities niet uitsluit, maar er juist toe uitnodigt. Omdat geloven christelijk gezien betekent met God wachten op de aankomst van God, vallen over deze God en over het menselijk leven in de ruimte van de Presentie van deze God voortdurend nieuwe en onverwachte dingen te leren. *Hoofdstuk 13* belijdt dat het slagen van de theologie uiteindelijk afhankelijk is van wat zij zelf niet kan bewerkstelligen. Actuele ervaringen en vragen enerzijds en overgeleverde beelden, ideeën en gedachten anderzijds, moeten in het licht van elkaar zo ter sprake worden gebracht dat duidelijk wordt dat alles in Gods ruimte staat en onthult welke inzichten en mogelijkheden dat geeft. In deze zin deelt de theologie in de menselijk gezien onvervulbare opdracht van de kerk. Zij is slechts zinvol voor zover zij ook deelt in de belofte die volgens de bijbelse geschriften de bij God levende Gezalfde Jezus aan zijn kerk gedaan heeft: 'Zie, ik ben met jullie, alle dagen, tot de voleinding van deze wereld' (Mt. 28, 20).

Het *Tenslotte* karakteriseert religie als 'spelen met vuur'. Dit vuur is gevaarlijk, maar is tegelijkertijd datgene wat ons zoeken naar het goede leven en onze onderlinge debatten erover bezielt en aanjaagt. De voortdurende pogingen religie te domesticeren dreigen het bezielende vuur te doven en het gevaarlijke vuur te maken tot een ondergrondse veenbrand. Daarom, zo is de grondovertuiging van dit boek, moet religie bediscussieerd worden als de publieke zaak die zij is met het engagement waarom zij vraagt.

Deel I

Theoretische verkenningen

1
De vraag naar religie als al het vaststaande vervluchtigt

In 1848 schreven twee radicale socialistische intellectuelen en agitatoren, Karl Marx en Friedrich Engels, een pamflet dat wereldberoemd zou worden. Zij formuleerden hierin dat '[d]e voortdurende omwentelingen van de productie, de onafgebroken verstoring van de maatschappelijke toestanden, de eeuwige onzekerheid en beweging' het tijdperk waarin zij leefden onderscheidde van alle anderen: 'Al het ... vaststaande vervluchtigt, al het heilige wordt ontwijd ...' Marx en Engels verwachtten in hun *Manifest voor de communistische partij* dat een dergelijke toestand niet blijvend zou zijn, maar een revolutie aankondigde die een kwalitatieve stap vooruit zou betekenen in de menselijke geschiedenis. Dit laatste met name is in de twintigste eeuw een tragisch en veel tragiek veroorzakend misverstand gebleken. Wat Marx en Engels zich ruim anderhalve eeuw geleden niet konden voorstellen, lijkt inmiddels realiteit: de verandering zelf werd in toenemende mate de constante factor in het maatschappelijk leven. Wij leven in hoge mate in voortdurende metamorfosen.[1] Voor Publius Ovidius Naso (43 v.Chr.-17 n.Chr.) was het nog een speculatieve visie op het leven die hij in zijn *Metamorfosen* laat verwoorden door de filosoof en mysticus Pythagoras, voor hedendaagse mensen lijkt het alledaagse ervaring geworden:

> ... er is niets in deze hele wereld
> dat blijft. Alles verglijdt, elk ding krijgt vorm en gaat voorbij.
> Zoals een rivier, die net zomin haar stroom kan stuiten als
> een vluchtig uur kan stilstaan; zoals water water voortstuwt
> en in de rug geduwd wordt, maar ook zelf naar voren duwt
> zo holt de tijd vooruit en zit zichzelf ook achterna en
> vernieuwt zich steeds.
> [...]

1 K. Marx/F. Engels, 'Manifest der Kommunistischen Partei', 1848, 465; voor deze interpretatie, zie M. Berman, *All That is Solid Melts into Air*, 1988, 87-129. Voor een marxistische interpretatie van de postmoderniteit in temen van de veranderingen in de sociaal-economische verhoudingen, zie D. Harvey, *The Condition of Postmodernity*, 1989.

Niets houdt zijn eigen aanschijn. De vernieuwster aller dingen,
Moeder Natuur, laat elke vorm ontstaan uit andere vormen.[2]

De stroom van de tijd sleept alles meedogenloos mee in een draaikolk van gedaanteveranderingen.

Metamorfosen

In deze maalstroom is ook de religie van gedaante veranderd, en verandert nog steeds. Het heeft haar haast ongrijpbaar gemaakt. Onherkenbaar ook. Zo smolt de religieuze toewijding van talloze zusters, broeders en leken aan ziekenverpleging en armenzorg zich binnen enkele decennia om tot een bureaucratische verzorgingsstaat, een netwerk van door of namens de overheid georganiseerde instellingen voor zorg- en hulpverlening, en een haast onzichtbaar circuit van informele onderlinge hulp en mantelzorg. Ook voor individuen is wat ooit samen hoorde, uiteengevallen in het donateurschap van Greenpeace of het mede-besturen van de buurtvereniging als vormen van inzet, het kijken van een video of het luisteren naar muziek ter bezinning en ontspanning, sport als beleving van extase en het gezamenlijke ontbijt van het hele gezin op zondagochtend als wijding van de rustdag.[3] Naast dit alles bleven en blijven sommigen in expliciet religieuze zin liturgie vieren en hun eigen bestaan min of meer nadrukkelijk in verband brengen met een gevestigde religieuze traditie. Naast dit alles, niet in plaats ervan: zij maakten en maken tevens de geschetste gedaanteverandering en versplintering van de religie mee.

De aangeduide ontwikkeling is allereerst van grote cultuurhistorische en maatschappelijke betekenis. De religie is in de hedendaagse westerse wereld zozeer van gedaante veranderd dat de indruk kon ontstaan dat zij op sterven na dood is. Waar cultureel antropologen constateren dat religie als geleefde verhouding met en verbeelding van de dieptestructuur van de werkelijkheid een intrinsiek deel is van elke cultuur, lijkt zich met name in West-Europa een samenlevingsvorm te ontwikkelen waar deze ontbreekt. Dit boek is gebouwd op de overtuiging dat dit uiteindelijk gezichtsbedrog is. Dit eerste hoofdstuk probeert aannemelijk te maken dat met name recente ontwikkelingen in de West-Europese omgang met religieuze tradities laten zien, dat deze verhouding niet ontbreekt, maar een fundamentele metamorfose heeft ondergaan. Waar Marx en Engels meenden dat de voortdurende gedaanteveranderingen van het moderne leven betekende dat 'al het heilige wordt ontwijd', blijkt het heilige zich op nieuwe manieren aan te dienen. Religie blijkt niet de ga-

2 In de vertaling van M. d'Hane-Scheltema: Ovidius, *Metamorphosen*, boek XV, resp. vers 177-84; 252-3.

3 Vgl. de centrale these in M. ter Borg, *Een uitgewaaierde eeuwigheid*, 1991. Zie ook H.-J. Höhn, *"Zerstreuungen"*, 1998.

rant van de stabiliteit waar de schrijvers van het *Communistisch manifest* haar met vele anderen voor hielden en vaak nog houden, een instantie die dus *ipso facto* haar kracht verloren blijkt te hebben waar zij niet in staat is veranderingen tegen te houden.[4] Religie blijkt zelf in staat tot zeer ingrijpende gedaanteveranderingen.

De metamorfosen van de religie zijn zo ingrijpend dat een theorie die haar wil begrijpen fundamenteel zal moeten verschillen van wat tot nog toe in de godsdienstwetenschap, de religiestudies of de theologie gebruikelijk is. In dit boek ontwikkel ik een visie op religie die bewust hermeneutisch is. Dit wil in ieder geval zeggen dat het onmogelijk is tot de hedendaagse religieuze werkelijkheid door te dringen door uit te gaan van een tevoren opgestelde definitie van wat religie is. Elke theoretische beschrijving van de werkelijkheid is tegelijkertijd een interpretatie die bepaalde aspecten belicht en andere niet of nauwelijks waarneemt. Elk religiebegrip is gebaseerd op eerdere ervaringen met fenomenen die wij geleerd hebben als religieus te herkennen. De benadering van nieuwe fenomenen als religieus impliceert het loslaten van elementen van het overgeleverde religiebegrip en de bereidheid de visie op religie te laten veranderen door groeiend inzicht in deze fenomenen.[5] Wat zich voordoet als een ontbrekende consensus over wat religie is, is in feite een strijd over welke verschijnselen wij toestaan ons begrip van religie van gedaante te doen veranderen, en daarmee van de werkelijkheid zoals zij in religies ter sprake komt.

Dit impliceert een herontdekking van het theologische moment in de studie van religie. De godsdienstwetenschap heeft zich vanaf haar ontstaan sterk geprofileerd als alternatief voor de theologie. Waar de theologie zich opstelde aan de kant van het overgeleverde christendom, daar was de godsdienstwetenschap zoals deze vanaf de negentiende eeuw ontstond een poging de religie te begrijpen vanuit de moderniteit die zich steeds meer van deze overlevering vervreemdde en met methodologische neutraliteit naar religie als verschijnsel keek.[6] Maar in en door hun

4 Een nog altijd invloedrijke variant van deze visie op religie is die van N. Luhmann (*Funktion der Religion*, 1977; id., *Die Religion der Gesellschaft*, 2000), volgens welke religie de noodzakelijke, maar tot tragisch mislukken gedoemde functie heeft de menselijke kwetsbaarheid te bezweren: 'Kontingenzbewältigung'.

5 Er is een fundamentele discussie gaande over de adequate methoden en uitgangspunten van de studie van religie. Voor de hier ingenomen positie, zie m.n. H.G. Kippenberg/ K. von Stuckrad, *Einführung in die Religionswissenschaft*, 2003; G. Flood, *Beyond Phenomenology*, 1999; J.Z. Smith, 'Religion, Religions, Religious', 1998; vgl. ook id., *Imagining Religion*, 1982; J. Matthes, 'Auf der Suche nach dem "Religiösen" ', 1992.

6 Voor een actuele verdediging van deze positie, zie G. Wiegers, 'Afscheid van het methodologisch atheïsme?', 2005; vgl. voor de maatschappelijke en culturele verworteling van precies deze vermeend neutrale positie G. Essen, ' "Wie observeert religies?" ', 2005.

pogingen in archaïsche culturen vormen en functies van de religie te achterhalen en deze in het cultuurbegrip in te brengen, wilden de godsdienstwetenschappers ook op het spoor komen van hetgeen zij zagen verdwijnen uit de westerse cultuur, maar tegelijkertijd beschouwden als van fundamenteel belang voor elke, en dus ook voor deze cultuur.[7] Godsdienstwetenschap heeft steeds mede gepoogd toekomst te scheppen voor het religieuze verleden dat door de moderniteit verdrongen was of werd. Zij zocht naar en wilde bijdragen aan een vorm van 'religie na de religie'.[8] Waar dit meer is dan als academische theorie vermomde nostalgie,[9] is deze inzet gebaseerd op een positiebepaling die uiteindelijk theologisch is.[10] Het betekent impliciet het innemen van de stelling dat menselijke cultuur ten diepste een vorm van gehoorzaamheid is aan het heilige, of dat behoort te zijn. Religie als vormgeving van de eerbied voor en de gehoorzaamheid aan het heilige is daarom van fundamenteel belang voor de cultuur. Waar een cultuur naar eigen besef de verbinding met de religie heeft doorgesneden, is het vanuit deze visie de opdracht te speuren naar een feitelijke of mogelijke 'religie na de religie', naar plaatsen waar en vormen waarin de relatie met het heilige op nieuwe, vaak verborgen wijze gestalte krijgt of kan krijgen. Voor veel van de pioniers van de godsdienstwetenschap was de academische studie van oude of exotische religieuze praktijken, beelden en theorieën zelf zo'n plaats of vorm.

Het serieus nemen van het theologische moment in de studie van religie heeft overigens vergaande consequenties. Waar theologische faculteiten formeel of feitelijk faculteiten werden of bezig zijn te worden voor de studie van religie, daar concentreert het onderzoek zich doorgaans op de gevestigde en geïnstitutionaliseerde religieuze tradities in hun geschiedenis en hun actuele gestalte. Het bovenstaande leidt hiertegenover veeleer tot de gedachte dat het zich zou moeten concentreren op de manieren waarop in onze cultuur 'religie na de religie' gestalte krijgt. Uiteraard spelen de geïnstitutionaliseerde religieuze tradities hier-

7 Zie voor deze reconstructie van de geschiedenis van de godsdienstwetenschap H.G. Kippenberg, *Die Entdeckung der Religionsgeschichte*, 1997.

8 De uitdrukking 'De toekomst van het religieuze verleden' is de titel van een programma van de Nederlandse Organisatie voor Wetenschappelijk Onderzoek NWO; voor de uitdrukking 'religie na de religie', zie S.M. Wasserstrom, *Religion after Religion*, 1999.

9 Dat is het verwijt van R.T. McCutcheon, *Manufacturing Religion*, 1997; vgl. ook id., *Studying Religion*, 2006

10 Uiteraard zijn er ook steeds vormen van godsdienstwetenschap geweest die de religie poogden te begrijpen en verklaren als bedrog, psychologische illusie of legitimerend bijverschijnsel van de maatschappelijke verhoudingen; zie voor actuele voorbeelden B. Lincoln, *Holy Terrors*, 2001; S. Bruce, *Politics and Religion*, 2003. Dit weerlegt echter niet, maar bevestigt het idee dat de godsdienstwetenschappen een theologisch moment hebben, een moment van fundamentele positiebepaling tegenover de religie en haar betekenis.

bij een rol, soms of vaak zelfs een prominente, maar het is zaak te bezien welke rol precies, in en temidden van religieuze vormen die ontstaan in directe wisselwerking met de actuele situatie. Wie bijvoorbeeld hedendaagse bedevaarten wil begrijpen, moet ze niet allereerst beschouwen als varianten van een eeuwenoud, maar tamelijk marginaal fenomeen binnen de christelijke traditie, maar als een vorm die het religieuze in de hedendaagse verhoudingen aanneemt, en van daaruit analyseren welke rol traditionele en nieuwere visies op de betekenis ervan spelen.[11] En wie wil begrijpen wat zich afspeelde rond de dood van Johannes Paulus II moet het niet te snel zien als versterkte uitdrukkingsvorm van een bekende katholieke gehechtheid aan de paus of een vorm van spontane heiligverklaring zoals deze uit het christelijk verleden bekend zijn. Het ging om een nieuw soort religieus evenement waarin oude en nieuwe aspecten een rol spelen. Ook het naast elkaar bestuderen en vergelijken van de verschillende religieuze tradities, zoals dit wel bepleit wordt als alternatief voor naar gangbare overtuiging vooral op de eigen religieuze traditie gerichte theologische reflectie, dreigt voorbij te gaan aan de radicale wijze waarop zich in de hedendaagse situatie de vraag stelt waar en hoe religie en het religieuze eigenlijk vorm krijgen en van vorm veranderen.[12]

Anders dan vaak wordt gedacht, ligt het in de lijn van de christelijke traditie theologie niet te zien als interne, uitsluitend voor medegelovige interessante en na te voltrekken reflectie op de christelijke bronnen en hun overlevering. Theologie is minstens evenzeer reflectie op de actuele situatie.[13] Naar het inzicht van de bijbel en de christelijke traditie is God de God van hemel en aarde en de geschiedenis die ook vandaag nog voor mensen heilzaam present is. Het onderzoeken van de eigentijdse situatie, de wijzen waarop daarin voor mensen het heilige aan het licht komt en het reflecteren op de gedaante van God die daarin zichtbaar wordt, is daarom in deze lijn de theologische taak bij uitstek. Het is in ieder geval deze taak die ik mij in dit boek stel.[14]

11 In deze lijn wordt in Nederland met name onderzoek gedaan onder leiding van Paul Post. Vgl. *Bedevaart en pelgrimage*, red. J. Pieper e.a., 1994; *The Modern Pilgrim*, red. P. Post, 1998; *Pelgrimage in beweging*, red. J. Pieper e.a., 1999; *Devotioneel ritueel*, red. P. Post/L. van Tongeren, 2001.

12 Vgl. m.n. *Human Condition*, ed. R.C. Neville, 2000; *Ultimate Realities*, ed. R.C. Neville, 2000; *Religious Truth*, ed. R.C. Neville, 2000. Voor het idee van een 'comperatieve theologie', zie: <http://www2.bc.edu/~clooney/Comparative/ct.html>, met ook verwijzingen naar andere literatuur.

13 Vgl. in dit verband mijn positie in de discussie met Herman De Dijn in *De toekomst van de traditie*. Zie m.n. mijn slotartikel: 'Religies: tradities van openheid', 2003.

14 Recent heeft in Nederland de visie dat religie wetenschappelijk gezien wel object van onderzoek kan zijn, maar geen basis ervan, een haast canonieke status gekregen; vgl. al *Het verschijnsel theologie*, H.J. Adriaanse/H.A. Krop/L. Leertouwer, 1987 en recent, *Religie en haar wetenschappen*, red. E. Borgman/J.A. van der Ven, 2005. Ik houd echter – hier

Gedaanteverandering of einde van de religie?

Het diverse en veelgelaagde proces dat ik hier tentatief 'gedaanteverandering van de religie' noem, werd langere tijd gezien als 'secularisatie'. Hieronder wordt algemeen verstaan het onttrekken van maatschappelijke terreinen aan de invloedsfeer – sommigen zeggen: de greep – van religie. In verreweg de meeste mensen voltrok deze secularisatie zich simpelweg en zij waren passief aan haar onderworpen. Haast ongemerkt verloor de religie voor hen haar betekenis. Niet weinig culturele spraakmakers juichten de secularisatie toe en verdedigden haar waar ze haar bedreigd achtten. Sommigen betreurden haar: hetzij omdat zij wat plaatsvond ervoeren als bedreiging van hun gevoel geborgen en thuis te zijn in de wereld, hetzij omdat zij vonden dat het verlies aan gedeelde waarden en normen een fundamenteel en onherstelbaar verlies aan sociale cohesie betekent, hetzij vanwege het perspectief op God dat zo verloren dreigde te gaan, de gerichtheid op wat meer is dan onze binnenwereldse ervaringen. Toch deelden ook deze spijtoptanten tot voor kort in het algemene gevoel dat de secularisatie onontkoombaar hoort bij de oprukkende moderniteit.

Niettemin keerde juist in de loop van de twintigste eeuw de belangstelling voor religie in een nieuwe gedaante terug. Eerst gebeurde dit vrijwel ongemerkt, in de vorm van het zoeken naar vrede in jezelf met behulp van Oosterse spiritualiteit bijvoorbeeld, als belangstelling van popsterren en andere artiesten voor de Maharishi Yogi, of voor Bhagwan Shree Rajneesh. Later werd steeds duidelijker hoezeer er een groeiende markt is voor de bonte verzameling technieken, therapieën en gedachten die worden aangeduid met de term 'New Age'. Wat vandaag de dag in brede kring wordt waargenomen als de 'terugkeer van de religie', manifesteert zich in de spectaculaire wereldwijde groei van evangelicale bewegingen binnen het christendom, in de toenemende invloed van christelijk rechts in de Amerikaanse politiek, in de vorm van het fundamentalisme dat zich nadrukkelijk manifesteert in de wereld zoals de nieuwsmedia ons deze presenteren, in het groeiende belang van religieuze organisaties in de internationale politiek. Gezien het ooit onder wetenschappers en intellectuelen zo massieve geloof in de onverbrekelijke band tussen moderniteit en secularisatie, is het uiterst opmerkelijk dat vandaag de dag door sociaal-theoretici zelfs gesproken wordt over 'ontsecularisering'.[15] Maar dit is een misleidende term, al was het maar om-

en elders – vast aan hetgeen volgens mij de basis is van de klassieke katholieke visie op de theologie als belijdende wetenschap. Anders dan W. Drees, 'Pleidooi voor een wetenschappelijke theologie', 2004, denkt, betekent dit juist geen confessionalisering van de theologiebeoefening, maar het serieus nemen van het idee dat het in religie en geloof uiteindelijk om waarheid gaat en dat deze waarheid ook toetsbaar is en op gedisciplineerde en methodische – wetenschappelijke – wijze getoetst kan en moet worden.

15 Zie met name het opmerkelijke boek *The Desecularisation of the World*, ed. P.L. Berger, 1999.

dat de stelling dat modernisering leidt tot verlies aan invloed van geïnstitutionaliseerde vormen van religie op het maatschappelijke en individuele leven, geldig lijkt te blijven.[16] Aan de orde lijkt uiteindelijk een herstructurering van de religie als reactie op de herstructurering van de wereld die doorgaans wordt aangeduid als 'globalisering' c.q. 'mondialisering'.[17] Bij het interpreteren van deze situatie kan de secularisatiethese, die modernisering als vanzelf verbindt met de teruggang van de religieuze invloed, niet buiten schot blijven.[18]

Want ook in West-Europa, en zelfs ook in Nederland, is een opmerkelijk terugkeer van de religie waarneembaar, zij het allereerst en misschien wel vooral in het publieke gesprek. Dit hangt zeker samen met de ontdekking dat hoe geseculariseerd bijvoorbeeld de gemiddelde autochtone Nederlander of Vlaming ook mag zijn, religie een invloedrijke factor is in het leven van de moslims die de laatste decennia een steeds groter deel zijn gaan uitmaken van onze samenleving. De islam is bovendien tot een steeds minder te negeren geopolitieke factor geworden. Veel discussie in de media over religie is er in feite op gericht de islam te ontdoen van de vreemdheid, en de angst te bezweren die deze vreemdheid oproept. Hoe valt religie in te zetten ten gunste van de maatschappelijke integratie van Turken en Marokkanen in plaats van deze te verstoren? Toch kan zelfs waar de maatschappelijke aandacht voor religie strikt functionalistisch is, deze gezien worden als concreet symptoom van het zogenoemde Böckenförde-dilemma, dat stelt dat een pluralistische democratie de waarden waarop zij gebaseerd is, niet zelf democratisch kan funderen.[19] Daarom keert onvermijdelijk de vraag terug naar de uiteindelijke grond van de waarden van onze cultuur, een vraag die klassiek door religies is gethematiseerd.

Dit rijmt met de wijze waarop religie voor hedendaagse individuen opnieuw potentieel interessant blijkt te zijn. Het is op basis van breed godsdienstsociologisch onderzoek aannemelijk dat religie voor de meeste West-Europeanen functioneert als een soort diffuse achtergrond van ideeën en waarden die in abstracte en algemene zin van belang zijn en die iets te maken hebben met de dieptedimensie van onze culturele en individuele identiteit. In de meeste landen leidt dit tot een hoog percen-

16 Vgl. naast de felle verdediging van het secularisatieparadigma van S. Bruce (*God is Dead*, 2002) met name de poging tot genuanceerd en gedifferentieerd onderzoek van P. Norris en R. Inglehart (*Sacred and Secular*, 2004). Overigens representeert in *The Desecularisation of the World*, West-Europa de uitzondering op de veronderstelde regel dat de invloed van religie zou groeien; vgl. G. Davie, 'Europe', 1999; id. *Europe: the Exceptional Case*, 2002.

17 S.M. Thomas, *The Global Resurgence of Religion and the Transformation of International Relations*, 2005, m.n. 19-118.

18 D. Hervieu-Léger, 'The Twofold Limit of the Notion of Secularization', 2001.

19 E.-W. Böckenförde, *Recht, Staat, Freiheit*, 1991, 112.

tage mensen die nominaal lid zijn van de belangrijkste gevestigde kerk(en) in hun landstreek of land, maar die feitelijk niet participeren in het kerkelijk leven en slechts in incidentele gevallen om hen moverende redenen een beroep doen op de diensten van deze kerk(en).[20] In Nederland drukt dit 'geloven buiten verband' (believing without belonging) zich uit in het opmerkelijke gegeven dat een niet onaanzienlijk deel van de bevolking zich niet beschouwt als lid van een kerkgenootschap, maar wel als gelovig.[21] De religie en de kerken als een soort cultureel geheugen dus, waar mensen zich niet mee identificeren, maar dat ze achter de hand willen hebben om eruit te kunnen putten als ze dat nodig achten.[22] Van daaruit is het verklaarbaar dat de meeste Nederlanders het belangrijk vinden dat de kerken er zijn en hun schatten actief beschikbaar stellen door ze op aantrekkelijke wijze met de actualiteit te verbinden, maar zich daarvoor niet zelf verantwoordelijk achten. Zoals waarschijnlijk op de meeste terreinen van het leven, gedragen zij zich ook *in religiosis* primair als consumenten en gebruikers.

Het is van belang de spontaan geconstateerde hernieuwde belangstelling voor religie in het publieke gesprek nader te onderzoeken, ook empirisch, en haar preciezer te analyseren naar inhoud, achtergrond en betekenis. Het lijkt zinvol daarbij dan te onderscheiden tussen – bijvoorbeeld – belangstelling voor religieuze thema's in de kunsten, openheid voor inbreng vanuit de religieuze traditie in de politiek en aandacht voor het religieuze element in de eigen biografie. Maar ook zonder dit onderzoek is het globaal gezien vanuit de aangehaalde inzichten begrijpelijk dat wanneer gevestigde ideeën over collectieve of persoonlijke identiteit onder druk komen te staan, mensen zich hernieuwd confronteren met elementen uit de religieuze tradities. Dit geldt des te meer in een tijd waarin de specifiek moderne bronnen van collectieve en persoonlijke identiteitsvorming in diskrediet zijn geraakt, zoals dit wordt uitgedrukt in de postmoderne slogan van het 'einde van de grote verhalen'.[23] Het is enigszins speculatief, maar het lijkt een belangrijke achtergrond van de toewending naar de religie zoals wij deze nu meemaken.

20 G. Davie, *Religion in Modern Europe*, 2000; Davie baseert zich op de gegevens van het zogenoemde Europese Waarden Onderzoek (European Value Studies).

21 Volgens *God in Nederland 1966-1996*, G. Dekker e.a., 1997, heeft voor 40% van de Nederlandse buitenkerkelijken het geloof een bepaalde betekenis in hun leven. De term 'believing without belonging' stamt van G. Davies, *Religion in Britain Since 1945*, 2000.

22 Zie D. Hervieu-Léger, *La religion pour mémoire*, 1993.

23 Cf. J.-F. Lyotard, *La condition postmoderne*, 1979; het is in dit verband minder van belang of dit 'einde' sociologisch gezien reëel is of dat bijvoorbeeld de ideologie van de vooruitgang of de vrije markt wel degelijk nog als 'groot verhaal' functioneren. Van belang is vooral dat er een collectief gevoel is dat op geen enkel verhaal meer een vanzelfsprekend beroep gedaan kan worden.

De veranderingen in de economie, de sociale organisatie en de maatschappelijke verhoudingen hebben de West-Europese samenlevingen tot geïndividualiseerde samenlevingen gemaakt. Dit wil zeggen dat mensen erin worden geïntegreerd door zich te gedragen als mondige, zelfbewuste, autonome en kiezende individuen die verantwoordelijk zijn voor de vormgeving van hun eigen leven, het voorzien in hun eigen noden en de vervulling van hun eigen behoeften.[24] Dit impliceert mede dat deze samenlevingen ook post-traditionele samenlevingen zijn. Mensen leven niet langer in en vanuit een vanzelfsprekende verbondenheid met een traditie, maar een veelvoud aan tradities biedt zichzelf aan als een haast onuitputtelijke verzameling van mogelijke visies, denkmodellen en handelingspatronen.[25] Dit versterkt enerzijds de noodzaak als individu de vraag te beantwoorden hoe het eigen leven vorm te geven. Het maakt anderzijds religies mogelijk interessant als verzamelingen beproefde modellen van een zinvolle levensvorm. Dit lijkt een sociologische verklaring voor het feit dat doorgaans de hernieuwde belangstelling voor religie bij mensen ontstaat vanuit het zoeken 'naar verdieping': naar een goed en zinvol leven voor henzelf, temidden van het appèl dat door de samenleving en de cultuur steeds opnieuw op hen wordt gedaan en de rollen die zij geacht worden te vervullen.[26]

Het is natuurlijk mogelijk deze hele ontwikkeling te interpreteren in termen van voortgaande secularisatie. Immers, minstens op het eerste gezicht verschrompelt religie van een omvattende visie op kosmos, maatschappij en persoonlijk leven tot leverancier van waarden en normen waaraan de samenleving behoefte heeft maar die ze zelf niet kan voortbrengen, of van elementen voor een persoonlijke levensstijl waarmee mensen hun eigenheid vorm geven en het idee kunnen hebben niet overgeleverd te zijn aan wat hen overkomt, zoals ook hun keuze voor andere consumptiegoederen dat doet.[27] Het is echter ook mogelijk deze ontwikkeling te interpreteren als teken van een hernieuwde belangstelling voor en een hernieuwd belang van religie. Om dat te kunnen doen, is het nodig een ander beeld van religie en haar belang te ontwikkelen dan gebruikelijk is. Zo komt uiteindelijk de huidige, laat- of postmoderne culturele situatie in beeld als een in zichzelf in een nieuwe zin re-

24 U. Beck, *Risikogesellschaft*, 1986, hfst 5; vgl. J. Van Loon, *Risk and Technological Culture*, 2002, 25-34.

25 Zie *Detraditionalization*, ed. P. Heelas e.a., 1996; A. Giddens, 'Living in a Post-Traditional Society', 1996; vgl. id., *Modernity and Self-Identity*, 1991; Z. Bauman, 'Tradition and Autonomy in a Postmodern World', 1999.

26 Vgl. de verhalen in S. van Walsum/J. Groen, *Geloofsartikelen*, 2003; dit boek is een bewerking van een serie die onder de titel 'Op zoek naar verdieping' in 2002 verscheen in het dagblad *de Volkskrant*.

27 Cf. voor het eerste, G. Davie, 'Europe', 1999; voor het tweede B. Wilson, *Contemporary Transformation of Religion*, 1979, 96; Z. Bauman, 'Postmodern Religion?', 1997.

ligieuze situatie, waarin het heilige op een nieuwe manier aan het licht treedt.

Van beheersende naar onbeheerste religie

De belangrijkste metamorfose die religie heeft ondergaan – of beter: aan het ondergaan is – is eigenlijk al ter sprake geweest. De religie die al veel langer sterk aan invloed inboette, maar die sinds halverwege de vorige eeuw in West-Europa werkelijk aan het verdwijnen lijkt, gold als een garant van de heersende orde. Ze stabiliseerde in belangrijke mate de samenleving door de verkondiging van door God gewilde wetten, dichtte de gaten in het wereldbeeld en streek de ongerijmdheden van het leven glad, bracht mensen ertoe zich te onderschikken en hun plicht te doen. De religie die sinds halverwege de jaren zeventig steeds nadrukkelijker aan het verschijnen is, is daarentegen expressief en wild, onbeheerst en onbeheersbaar, irrationeel en eerder een ondermijning van een statische ordening van onze samenleving dan een steun ervoor. In plaats van regulerende factor te zijn is religie zelf gedereguleerd en deregulerend.[28]

De Indiaas-Britse schrijver Salman Rushdie portretteerde in 1988 in *De duivelsverzen* religie als een vergeefse poging de menselijke verhoudingen te stabiliseren in een vaste orde. Beeld hiervan is voor hem de profeet Mohammed die probeert een boek te schrijven dat de waarheid en de regels voor het waarachtig goede leven voor eens en voor altijd vastlegt. Wat door moslims en hun geestelijk leiders werd opgevat als massieve aanval op de identiteit van de islam, was bij Rushdie zelf uiteindelijk gericht op de bevrijding van het religieuze verlangen en de drift tot het vertellen van verhalen.[29] In 2001 stelde dezelfde Rushdie in zijn roman *Woede* de vraag naar de betekenis van de extreme veranderlijkheid van onze samenleving. Opmerkelijk is dat in Rushdies ogen de hedendaagse westerse samenleving zich niet van God heeft ontdaan, maar geworden is tot invloedssfeer van goden, demonen, furies, van tal van onbeheerste en gewelddadige krachten.[30] Na het betekenisverlies van de geïnstitutionaliseerde religies en hun geloofssystemen die ze nog enigszins in toom hielden, zijn deze losgeslagen, ontregelen voortdurend ons leven en doorbreken onze ordeningen. Uiteraard is Rushdie geen theoreticus of wetenschapper, maar in zijn fictie articuleert hij een beeld van de werkelijkheid waarin juist een situatie waarin religie in de traditi-

28 Vgl. J.A. Beckford, *Religion and Advanced Industrial Society*, 1989, 170-172; L. Voyé/K. Dobbelaere, 'Roman Catholicism: Universalism at Stake', 1993.

29 S. Rushdie, *The Satanic Verses*, 1988; voor de zgn. Rushdie-affaire zie *The Rushdie File*, ed. L. Appignanesi/S. Maitland, 1989; M. Ruthven, *A Satanic Affair*, 1990; W.J. Weatherby, *Salman Rushdie*, 1990. Voor een beargumenteerde interpretatie van *The Satanic Verses*, zie R.Y. Clark, *Stranger Gods*, 2001, 128-181.

30 S. Rushdie, *Fury*, London 2001.

onele zin van het woord zijn betekenis verloren heeft, verschijnt als bij uitstek religieus geladen. Dit suggereert een ingrijpende metamorfose van zowel de religie als het religiebegrip.

Het heeft in dit verband zin nog wat langer stil te staan bij Rushdies *Woede*. Deze roman is in 2001 als boekenweekgeschenk in ruwweg 750.000 exemplaren onder de Nederlandse bevolking verspreid, maar heeft weinig inhoudelijke aandacht gekregen.[31] Het boek presenteert het beeld van een wereld die in de greep is van de woede. Het laat de alom tegenwoordige kwaadheid van mensen in de landen van de westerse wereld zien om wat anderen hen aandoen, de boosheid over niet vervulde verlangens en gefrustreerde strevingen die als een furie door onze samenlevingen raast. Deze furie leidt tot de wervelwind van chaos en geweld op locale schaal en op wereldniveau: Rushdie schreef zijn boek vóór de aanslagen van 11 september 2001, maar hij beschrijft de wereld waarin ze konden plaatsvinden. De islamitische taxichauffeur Ali Majnu doorkruist in *Woede* New York terwijl hij zonder er zichzelf rekenschap van te geven dingen roept als 'onreine afstammeling van een strontetend zwijn, als je dat nog eens probeert dan verplettert de glorieuze jihad je ballen in zijn meedogenloze vuist'. Deze tomeloze en geen enkele norm respecterende woede heeft iedereen in haar greep. Hoofdpersoon van *Woede* is Malik Solanka, die zichzelf op een dag aantreft met een mes in zijn hand naast zijn slapende zoon, op het punt staand hem dood te steken. Solanka vlucht voor deze onbegrijpelijke drang in zichzelf om te vernietigen wat hij liefheeft en van ultieme waarde vindt. Hij gaat naar New York en probeert zichzelf te verliezen, doet zijn best opgeslokt te worden door de maalstroom van mensen en verlangens en verhalen die een wereldstad is. Dat lukt echter niet en met Solanka onderneemt de lezer van *Woede* een speurtocht naar de herkomst van de woede en de mechanismen die haar aan de gang houden.

In *De duivelsverzen* gebruikte Rushdie de verhalen over de profeet Mohammed om de actuele situatie zowel te begrijpen als te bekritiseren. In *Woede* staat het verhaal van Abraham centraal. Malik Solanka voelt de aandrift om zijn zoon te doden, zoals Abraham volgens de bijbel bijna Isaäk en volgens de koran bijna Ismaël doodt, omdat hij gelooft dat God dat van hem vraagt. Maar Malik Solanka is niet bereid te doen wat Abraham wel wil, zij het uiteindelijk niet hoeft te doen: hij is de anti-Abraham en belichaamt zo de breuk van onze cultuur met het monotheïsme. Op de vlucht voor zijn dodelijke aandrang heeft Malik Solanka overweldigend succes met het televisieprogramma en de internetsite die hij

31 Vgl. voor een analyse M. Gonzalez, *Fiction after the Fatwa*, 2005, 177-196. Ook hier ligt de nadruk echter niet op de inhoud van het boek, laat staan op de religieuze motieven erin die ik hier naar voren haal, maar op de wijze waarop het aanleunt tegen de consumentistische populaire cultuur. Zie verder mijn 'Responsibly Performing Vulnerability', 2006.

bedenkt en die de krachten van de eigen tijd overtuigend verbeelden en er gebruik van weten te maken. Rushdie duidt hem nadrukkelijk aan als poppenmaker en plaatst hem op deze manier opnieuw tegenover de Abraham van de koran. Deze is op de eerste plaats een poppenvernietiger. Soera 21 van de koran vertelt hoe Abraham (Ibrahim), voor hij wegtrekt naar het hem door God beloofde land, een kleine poppenkastvoorstelling opvoert. Hij slaat de godsbeelden van zijn vader en diens volk stuk op één grote na en suggereert vervolgens dat deze laatste de vernieling op zijn geweten heeft. Als de vereerders van de godenbeelden niet blijken te geloven dat deze god hiertoe in staat is, zijn de goden ontmaskerd als machteloos en hun vereerders als heimelijk ongelovigen. Malik Solanka doet met zijn poppenprogramma's precies het omgekeerde. Hij laat zien hoe machtig in onze tijd de losgeslagen goden en furies zijn van wie ieder weet dat zij producten zijn van de verbeelding maar waarin toch allen blijkens hun feitelijke gedrag geloven.

Op deze manier maakt Rushdie duidelijk dat in zijn ogen de cultuur die begon met Abraham en het stukslaan van de afgoden, aan zijn einde is. Terugkeer naar het strenge monotheïsme van Abraham is voor Rushdie geen optie. Monotheïsme is in zijn ogen een gewelddadige poging het veelvoud aan betekenissen, waarden en visies terug te brengen tot één, die vervolgens als norm wordt opgelegd. In deze zin zijn voor hem ook ideologieën en de onderwerping van alles aan de markt vormen van monotheïsme. Het feit dat er in de hedendaagse, postmoderne wereld een veelheid aan goden rondwaart, betekent echter niet zonder meer de bevrijding uit het geweld en heeft de neiging de alle normen en waarden schendende woede verder aan te jagen en op te zwepen. Solanka's poppenshows, die de gewelddadige staat van de wereld uitdrukken en verbeelden, worden vervolgens geïmiteerd door mensen die de werkelijkheid naar hun hand willen zetten. Uiteindelijk is het dit verlangen dat in Rushdies visie het geweld aanjaagt en uiteindelijk mensen ertoe drijft de norm bij uitstek te schenden, het gebod 'Gij zult niet doden'. Het doet de liefde als de ultieme waarde omslaan in zijn tegendeel, de haat. Deze haar drukt zich uit in de aandrift van Malik Solanka om de zoon, die hij het meeste van alles op de wereld bemint, te doden.

Hiertegenover plaatst Rushdie een beeld van religie die bestaat in het vermogen afhankelijk te zijn van wat onbeheersbaar is, maar in zekere zin jou beheerst. Zo toont hij zich op een paradoxale manier trouw aan de religie waarvan hij volgens vriend en vijand nu juist afscheid zou hebben genomen.[32] 'Islam' betekent immers volgens de gangbare verklaring allereerst 'overgave', 'onderwerping'.

32 De relatie van Rushdie met de islam is zoals bekend nogal gecompliceerd. Na de publicatie van *The Satanic Verses* vervolgd en met de dood bedreigd als een afvallige, bracht hij in 1990 zijn eigen schrijverschap niet alleen nadrukkelijk in verband met re-

Op een paradoxale manier is de echte held van Rushdies *Woede* Galileo Galilei, legendarische ontdekker dat de zon niet om de aarde, maar de aarde om de zon draait. Zijn wil zelf de waarheid te zoeken, bracht hem zoals bekend in conflict met de heersende religie. Hij ontdekte echter in Rushdies voorstelling een bij uitstek religieuze waarheid. Niet de menselijke soort of het menselijke individu is het centrum van de kosmos, niet het eigen ego en het verlangen naar veiligheid. Het centrum waar alles om draait, letterlijk, en waarvan wij afhankelijk zijn, ligt buiten ons. Wat in het woedende, alle normen schendende en alle waarden vernietigende geweld door mensen wordt nagejaagd, kan alleen gevonden worden wanneer er met de jacht gebroken wordt en wordt verdisconteerd dat het centrum van ons leven zich niet ín ons, maar buiten ons bevindt.

In Rushdies *Woede* accepteert Malik Solanka dat hij afhankelijk is van zijn kind, dat zijn diepste verlangen is bemind te worden door zijn zoon Asmaan – de naam 'Asmaan' betekent 'hemel'. Het einde van het boek is haast mystiek. Malik Solanka keert terug naar huis en probeert op de kermis die daar toevallig aan de gang is, als een kind springend op een springkussen de aandacht te trekken van zijn zoon Asmaan, en daarmee dus van de hemel. De zin van het leven is niet het te beheersen, maar de wetenschap door zijn zoon, door een geliefde ander, door de hemel gezien te zijn en van waarde gevonden te worden. Dit lijkt overigens interessant genoeg uiteindelijk ook een belangrijke pointe van het bijbelse verhaal over het offer van Abraham: wie bereid is te verliezen wat hem het meeste lief is in het leven, ontvangt het als geschenk terug. Met God als schenker, degene in wiens ogen alles wat mensen doen oneindig waardevol is.

Gedaanteveranderingen

Ik ben zo lang bij Rushdies *Woede* blijven stilstaan, omdat de door hem beschreven dubbele beweging van het verdwijnen en verdampen van de lang heersende religie en de terugkeer van het religieuze in een nieuwe gedaante, in mijn ogen exemplarisch is voor de huidige religieuze situatie. In het volgende hoofdstuk probeer ik deze dubbele beweging wat nauwkeuriger aan te duiden en stel ik er een uitgewerktere interpretatie van voor.

Want de metamorfosen van de religie zijn vanuit theologisch gezichtspunt geen neutrale, meer of minder interessante fenomenen. Zij hebben vergaande consequenties. Uiteindelijk leg ik in dit boek een verband tus-

ligies als bronnen van verhalen ('Is Nothing Sacred?', 1990), maar verklaarde hij bovendien zijn verbondenheid met de islam ('Why I Embraced Islam', 1990). In reactie op de gebeurtenissen van 11 september 2001 noemde hij de islam mede de oorzaak van het terrorisme ('Not About Islam?', 2001).

sen de metamorfosen van de religie die wij meemaken en het Griekse *metamorphousthai* – van gedaante veranderen, een metamorfose ondergaan – zoals dit in het Nieuwe Testament voorkomt. Volgens het verhaal verandert Jezus op een berg voor de ogen van zijn leerlingen Petrus, Jacobus en Johannes van gedaante (Mt. 17, 2; Mc. 9, 2) en brengt hiermee het diepe mysterie aan het licht dat in zijn geschiedenis van leven, lijden en dood schuilgaat. Jezus' volgelingen in Rome worden in de brief door de apostel Paulus aangespoord van gedaante te veranderen op basis van hun nieuwe gezindheid in het spoor van Jezus (Rom. 12, 2). En aan een andere gemeenschap van diens volgelingen wordt door dezelfde Paulus beloofd dat het hun gegeven is van gedaante te veranderen en tot een steeds grotere gelijkenis te komen met de Geest van Jezus bij God (2 Kor. 3, 18).

2
Van religie die in de wereld verdwijnt naar religie die vanuit de wereld opkomt

Om te verhelderen wat zich theologisch gezien aandient in de gelaagde en gedifferentieerde metamorfosen van de religie die in het voorgaande hoofdstuk werden aangeduid, maak ik nu een excursie naar het jaar 1965. Dit was voor de katholieke kerk en de katholieke theologie een historisch jaar. In 1965 eindigde het Tweede Vaticaans Concilie, de grote vergadering van de bisschoppen van de hele wereld die tussen 1963 en 1965 plaatsvond en die de kerk 'bij de tijd' moest brengen. In 1965 verscheen ook het eerste nummer van het internationale theologische tijdschrift *Concilium* dat zich ten doel stelt de fundamentele discussie voort te zetten tussen katholieke theologen met het oog op de toekomst van de kerk, zoals deze tijdens het concilie op gang gekomen was.

Maar bovenal hielden rond 1965 theologen zich indringend bezig met het fenomeen van de ingrijpende gedaanteverandering van de religie, die toen overigens nog algemeen als 'secularisatie' werd aangeduid. Toonaangevend was hierbij het boekje *Eerlijk voor God* van de anglicaanse theoloog en bisschop John A.T. Robinson, dat in 1963 verscheen. Robinsons geschrift ging in dat jaar 'als een windhoos door Europa' en bracht klaarblijkelijk op een voor velen herkenbare manier aan het licht dat hedendaagse mensen, als zij eerlijk waren, zouden moeten toegeven dat zij al lang leefden alsof er geen God was. De God waarover de kerken in hun leerstellingen en prediking spraken, speelde geen werkelijke rol in hun bestaan, ook niet als zij zichzelf gelovig noemden.[1] Robinson bepleitte wat de Duitse lutherse theoloog Dietrich Bonhoeffer al tijdens de Tweede Wereldoorlog als noodzakelijk had herkend: de moderne ervaring dat we leven alsof er geen God is voor Gods aanschijn brengen, dat wil zeggen

1 J.A.T. Robinson, *Honest to God*, 1963; cit. in 'Ten geleide', 1963. Voor de contemporaine reacties, zie *The Honest to God Debate*, ed. D.L. Edwards, 1963; voor een poging het boekje te laten zien als startpunt van nog altijd actuele debatten, zie H. Häring, 'Eerlijk voor God?' 1991; zie ook *Thirty Years of Honesty*, ed. J. Bowden, 1993, 53-100. Hoezeer de door Robinson gesignaleerde problematiek voor sommige kerkelijke groepen nog altijd (existentieel) actueel is, blijkt uit het succes in met name Vlaanderen van R. Lenaers, *De droom van Nebukadnezar* en id., *Uittocht uit oudchristelijke mythen*, 2003.

religieus en theologisch onder ogen zien.[2] Dit was, in de termen die ik hier hanteer, een poging de actuele situatie zichtbaar te maken als religieuze situatie en bij te dragen aan het ontstaan van een nieuw, wel geloofwaardig en wel relevant spreken over God. In de moderniteit is het onze ervaring met God dat God dood is, zeiden in de jaren zestig theologen als Gabriel Vahanian, Thomas Altizer en Paul Van Buren – de zogenoemde God-is-dood-theologen – in het spoor van Bonhoeffer. Robinson populariseerde hun inzichten en zorgde ervoor dat ze onder een groot publiek bekend werden.[3] Dit spoor van denken gaat overigens uiteindelijk terug op Friedrich Nietzsche en speelt als zodanig opnieuw een belangrijke rol in de hedendaagse discussie over religie, haar terugkeer en haar gedaanteverandering.

Secularisatie

Er was dus rond 1965 een sterk vermoeden dat onder invloed van het moderne denken en vooral het moderne leven de religie ingrijpend van gedaante aan het veranderen was. Men verwoordde dit echter nogal verwarrend en mede onder invloed van het secularisatieparadigma in termen van een *afscheid* van de religie. Men zocht in de jaren zestig – opnieuw in het spoor van Bonhoeffer – naar een 'religieloos christendom'. Hieronder werd een christendom verstaan dat niet meer in de gebruikelijke zin religieus was en uitging van het bestaan van een mythische 'ware' wereld achter de wereld van schijn waarin mensen leven, van een verheven ordening die de wereld van chaos en onduidelijkheid overkoepelt en een zin geeft die zij uit zichzelf niet heeft.[4] Religie in deze zin had naar brede overtuiging haar geloofwaardigheid en relevantie verloren.

De Vlaams-Nederlandse theoloog Edward Schillebeeckx gold in de periode rondom het Tweede Vaticaans Concilie als *de* theologische stem van het Nederlandse katholicisme.[5] Aangestoken door Robinson hield Schillebeeckx zich tussen 1963 en het begin van de jaren zeventig intensief bezig met de betekenis van de culturele en ook religieuze verschuivingen die zich aandienden en aan het voltrekken waren.[6] In 1965, in

2 D. Bonhoeffer, *Wiederstand und Ergebung*, 1977, 394.

3 G. Vanhanian, *The Death of God*, 1961; vgl. P. Van Buren, *The Secular Meaning of the Gospel*, 1966; Th.J.J. Altizer, *The Gospel of Christian Atheism*, 1966. – De geschiedenis van de God-is-dood-theologie als beweging is niet geschreven; vgl. L. McCullough, 'Historical Introduction', 2004, voor literatuur xxvi, nt. 1.

4 Bonhoeffer, *Wiederstand und Ergebung*, 305-308. Dit werd in de jaren zestig ook direct verbonden met R. Bultmanns project tot 'Entmytholisierung' van het christendom; vgl. m.n. diens *Zum Problem der Entmythologisierung*, 1948.

5 Vgl. mijn *Edward Schillebeeckx*, 1999, m.n. 343-450.

6 Voor Schillebeeckx' discussie met Robinson, zie zijn 'Evangelische zuiverheid en menselijke waardigheid', 1993, en 'Herinterpretatie van het geloof in het licht van de secu-

het eerste nummer van de eerste jaargang van *Concilium*, schreef hij dat de theologie de secularisatie moest accepteren als ingrijpende gedaanteverandering van de religie, in Schillebeeckx' termen: als een nieuwe fase van bewustzijn van de menselijke relatie met God. Tegelijkertijd suggereerde hij dat juist in deze situatie theologie, christelijk geloof en kerk iets fundamenteels hadden bij te dragen. Het grondschema dat Schillebeeckx in dit artikel onder de titel 'Kerk en mensdom' ontwikkelde, kan nog altijd helpen bij de reflectie op de hedendaagse gedaanteverandering van de religie.[7]

In het *Concilium*-artikel onderscheidt Schillebeeckx twee bewegingen in de verhouding tussen enerzijds de christelijke traditie en de kerk en anderzijds de wereld en de omvattende mensengemeenschap. Ten eerste – en het is opmerkelijk en tekenend voor zijn theologie dat hij dit punt als eerste aan de orde stelt – spreekt hij over wat hij noemt 'de *"verkerkelijkingstendentie"* in de wereld'.[8] Er is naar Schillebeeckx' visie volgens het christelijk geloof een beweging in de werkelijkheid waarin wij leven, die verlangt en vooruitwijst naar wat de christelijke traditie in religieuze en gelovige termen over deze werkelijkheid zegt. Dit beantwoordt aan Schillebeeckx' grondovertuiging dat niet kerk, geloof of theologie God in de geschiedenis van wereld en mensheid inbrengen, maar dat theologie, geloof en kerk het antwoord zijn op Gods sporen in schepping en geschiedenis. Tegelijkertijd maken – dat was in 1965 al het weerbarstige in Schillebeeckx' positie, maar is sindsdien alleen maar omstredener geworden – christelijk geloof en christelijke theologie volgens Schillebeeckx de visie op schepping en geschiedenis pas compleet. Ik kom op dit belangrijke punt later terug, maar richt me nu eerst op de andere beweging die Schillebeeckx signaleert.

De tweede beweging die Schillebeeckx waarneemt, loopt van de kerk naar de wereld en noemt hij – het is 1965 en de huiver voor grote woorden is nog niet zo groot als vandaag de dag! – 'de *heiligende secularisatietendentie* in de kerk van Christus, de tendentie die het heil der kerk wil incarneren in de binnenwereldlijke werkelijkheid zelf'.[9] Hiermee sloot Schillebeeckx aan bij wat in de jaren zestig bekend stond als secularisatietheologie, die stelde dat het loskomen van de westerse cultuur uit de greep van religie, kerk en christendom een effect was juist van de chris-

lariteit', 1964. Deze artikelen werden in omgekeerde volgorde herdrukt in id., *God en mens*, 1965. Voor een analyse van hun betekenis, zie mijn 'Van cultuurtheologie naar theologie als onderdeel van de cultuur', 1994, 346-351.

7 E. Schillebeeckx, 'Kerk en mensdom', 1965, hier gecit. naar de herdruk in id., *Wereld en kerk*, 1966, 142-159; vgl. ook id., 'Kerk en wereld', 1964, 386-399, herdrukt in *Wereld en kerk*, 127-141.

8 Schillebeeckx, 'Kerk en mensdom', 142.

9 Ibid.

telijke traditie. De bijbelse geschriften brachten immers een scheiding aan tussen God en de wereld en kenden de wereld zo een eigen autonomie toe. Hierdoor ontstond ook ruimte voor de erkenning van de menselijke vrijheid, van het belang van de vrije menselijke inzet als medeschepper van de wereld. Zij gaven de mens als beeld Gods niet alleen een eigen verantwoordelijkheid, maar ook een eigen waardigheid. Er vond in de jaren vijftig en zestig in de protestantse, en later ook in de katholieke theologie een intensief debat plaats over wat wel 'die christliche Legitimität der Neuzeit' heette, met een verwijzing naar de titel van een boek van de Duitse filosoof Hans Blumenberg.[10] Hierbij ging het erom duidelijk te maken hoe legitiem ook christelijk gezien de moderne nadruk was op menselijke mondigheid en verantwoordelijkheid, op door de rede verlichte kritische kennis, op praktische inzet voor humaniteit. De geseculariseerde gerichtheid op waarheid en goed leven hadden een christelijke oorsprong en men probeerde op grond van dit inzicht de secularisatie te begrijpen als een verborgen gestalte van het christendom, ook al deed zij zich voor als het terugdringen van de christelijke invloed.

Nu wekt een dergelijke poging de secularisatie te tonen als uiteindelijk geen afscheid, maar een realisering van het christendom, de verdenking een poging te zijn op slimme wijze verlies aan invloed om te praten tot winst. Toch laat de betekenis van de discussie over de verhouding tussen christendom en secularisatie zich moeilijk overschatten. Zij markeert het begin van het einde van het idee dat christendom en religie enerzijds en de moderniteit anderzijds elkaar zouden uitsluiten. Dit idee wordt tot op de dag van vandaag door velen in de westerse wereld gekoesterd en heeft zelf mythische trekken. Volgens de liberale variant van deze mythe heeft het Westen zijn intellectuele vrijheid, zijn politieke democratie en de relatieve beheersing van het geweld te danken aan het feit dat wetenschap en politiek zich bevrijd hebben van de bevoogding van de religie, met haar inherente autoritarisme, willekeur, irrationaliteit en dreiging van geweld.[11] Met name de katholieke kerk reageerde op haar verlies aan invloed door de moderne maatschappij te portretteren als een oprukkende anti-religie en profileerde zich van haar kant in toenemende mate als vertegenwoordigster van een cultuur die met haar nadruk op gezag en gehoorzaamheid aan God stond tegenover de moder-

10 Zie W. Pannenberg, 'Die christliche Legitimität der Neuzeit: Gedanken zu einem Buch von Hans Blumenberg', 1968; H, Blumenberg, *Die Legitimität der Neuzeit*, 1966. Vgl. R.L. Richard, *Secularization Theology*, 1967. Aan de protestantse kant was met name invloedrijk F. Gogarten, *Verhängnis und Hoffnung der Neuzeit*, 1953; aan katholieke kant J.B. Metz, *Christliche Anthropozentrik*, 1962; id., *Zur Theologie der Welt*, 1968.

11 Zie voor de ontmaskering hiervan J. Milbank, *Theology and Social Theory*, 1990, 9-27; W.T. Cavanaugh, *Theopolitical Imagination*, 2002, 15-31; S.M. Thomas, *The Global Resurgence of Religion and the Transformation of International Relations*, 2005, 21-26.

niteit met haar nadruk op menselijke autonomie en vrijheid.[12] Gemeenschappelijk aan deze visies op de verhouding tussen religie en moderniteit is dat volgens beide geldt: hoe moderner, hoe minder geloof, christendom, religie. Het is deze vanzelfsprekendheid die dankzij de discussie over de verhouding tussen christendom en secularisatie in de jaren zestig fundamenteel ter discussie werd gesteld, minstens van de kant van de theologie. Het kwam in de jaren zestig wel voor dat theologen precies het omgekeerde poneerden van datgene waartoe zijzelf of hun leermeesters zich eerder verplicht hadden geacht, en bijvoorbeeld meenden dat de moderniteit de opvolgster was van het christendom dat hiermee als zelfstandige traditie alle belang verloren zou hebben, evenals de kerk als zelfstandige gemeenschap.[13]

Het uiteindelijke belang van de theologische discussie over de secularisatie was echter dat werkelijk denkbaar werd wat het Tweede Vaticaans Concilie in 1965 simpelweg stelde, namelijk dat kerk, christendom en religie volledig deelden in '[d]e vreugde en de hoop, het verdriet en de angst van de mensen van vandaag', en precies religieus, christelijk en kerkelijk zijn in de wijze waarop zij dit doen.[14]

'Verkerkelijkingstendentie' in de wereld

Zo was het voortaan de taak van christenen tegelijkertijd als moderne mensen het christendom en als christenen de moderne tijd te begrijpen.[15] Of anders gezegd, het christelijk geloof krijgt vorm in enerzijds het herkennen van moderne waarden als vrijheid, mondigheid, menselijke waardigheid, verzet tegen lijden en onderdrukking en inzet voor bevrijding en humaniteit voor allen, en anderzijds het besef ook in de moderne en sterk door de christelijke traditie beïnvloede en getekende wereld 'een vreemdeling op aarde' te blijven, zoals de bijbelse tradities het uitdrukken (vgl. Gen. 23, 4; 1 Kro. 29, 15; Ps. 39, 13; 119 19; Heb. 11, 13; 1 Pe. 2, 11). Dit laatste stelde Schillebeeckx in 1965 in zijn *Concilium*-artikel aan de orde door te spreken over 'de *"verkerkelijkingstendentie"* in de wereld'.

Het is evident dat de menselijke geschiedenis niet zonder meer de plaats is waar gebeurt wat zou moeten gebeuren om goed leven voor mensen te waarborgen. De christelijke traditie thematiseert dit door te spreken over de zondeval en over een Gezalfde van God wiens levensweg uitloopt op verwerping en dood. Voor Schillebeeckx wijst dit erop

12 Zie É. Poulat, *L'église est une monde*, 1986, hfst. X: 'L'Église romaine, le savoir et le pouvoir'.

13 F. van den Oudenrijn, *Opstandig geloven*, 1968, 5 drukt dit kernachtig uit met het aforisme 'de ware kerk geeft haar leven voor de wereld'.

14 *Gaudium et spes*, no. 1.

15 Voor deze formulering: T. Radcliffe, *Vrienden van God*, 2000, 89.

dat de wereld waarin wij leven en de geschiedenis waarvan wij deel uitmaken, een verlangen belichamen naar gemeenschap met God die onze gebrokenheid heelt en ons gefragmenteerde handelen bewaart en samenvoegt, en die ons leven plaatst in het perspectief van het uiteindelijk en waarachtig goede. Hiermee stuit wat Schillebeeckx in 1965 de 'secularisatietendens' noemde op een grens: het losraken van christelijke visies en waarden uit hun religieuze context waaraan zij eerder hun gezag ontleenden, de omvorming van wat eerder deel uitmaakte van de religieuze cultus in aspecten van de seculiere cultuur. In de wereld zelf leeft een verlangen dat boven de wereld uitgaat en dat gestalte aanneemt in religies, vormen van geloof, kerken en religieuze gemeenschappen. Met deze redenering blijft Schillebeeckx enerzijds trouw aan zijn grondovertuiging dat niet kerk, geloof of theologie God in de geschiedenis van wereld en mensheid inbrengen, maar dat theologie, geloof en kerk het antwoord zijn op Gods sporen in schepping en geschiedenis. Anderzijds betekent deze gedachtegang ook dat het christelijk geloof en de christelijke theologie het pas mogelijk maken een visie te ontwikkelen op schepping en geschiedenis zoals zij waarlijk zijn. Religie, de christelijke traditie, het katholieke geloof maken iets essentieels zichtbaar. Het is volgens Schillebeeckx uiteindelijk de taak van de theologie om de geloofwaardigheid te laten zien van deze pretentie.

Volgens het Tweede Vaticaans Concilie is de kerk via de traditie die zij belichaamt en verkondigt 'sacrament van de wereld', dat wil zeggen een teken van wat de wereld in haar verbondenheid met God is en een instrument om te zorgen dat zij inderdaad wordt wat zij in dit licht moet-en-zal-zijn.[16] Haar geloofwaardigheid en betekenis hangen af van de mate waarin zij deze opdracht inderdaad realiseert. Veertig jaar nadat zij verschenen, laten Schillebeeckx' reflecties op de '*verkerkelijkingstendentie* in de wereld' zich lezen als een voorspelling dat het inzicht fundamenteel een vreemdeling op aarde te zijn en te blijven, steeds opnieuw ontdekt zal worden en dat aan deze ongerijmdheid van de menselijke conditie steeds opnieuw religieuze vormen ontspringen. En als de suggestie dat het mogelijk is deze op een productieve manier in verband te brengen met de christelijk traditie, en haar specifieke visie op de wereld en het menselijk bestaan daarbinnen.

Van hieruit is de huidige hernieuwde presentie van religie in het publieke gesprek van groot belang. Of deze zich nu voordoet als eindeloos gepraat over de omgang van bekende Nederlanders met hun religieuze

16 Dat de kerk niet alleen sacramenten *heeft*, maar in Jezus Christus sacrament van de wereld *is*, werd door de katholieke kerk officieel vastgelegd op het Tweede Vaticaans Concilie in de dogmatische constitutie over de kerk *Lumen Gentium* (1965), no. 1. Voor de achtergrond van deze overtuiging bij Schillebeeckx zelf, zie zijn *Christus, sacrament van de Godsontmoeting*, 1959.

afkomst en de blijvende invloed ervan in hun leven, als discussie over de verhouding tussen de islam en de moderne westerse cultuur, als toename van religieus gemotiveerde politieke standpuntbepalingen wereldwijd, als individuele belangstelling voor spirituele tradities, als spectaculaire groei van het evangelicalisme in met name de Derde Wereld, als het opduiken van religieuze thema's in kunst en literatuur: er komt iets in aan het licht dat verzwegen en weggedrukt dreigt te worden, maar dat vanuit theologisch perspectief behoort tot het meest eigene van het menszijn. Mensen ontdekken steeds opnieuw en steeds op nieuwe manieren dat zij hun leven niet kunnen beveiligen, niet kunnen beheersen, niet kunnen maken, en dat zij met dit gegeven in het reine moeten komen. Zij vinden ook steeds weer vormen er feitelijk mee in het reine te komen.

Verlangen naar heil dat niet maakbaar is

Volgens de Duitse socioloog Ulrich Beck is onze hoogtechnologische en op allerlei manieren beveiligde maatschappij tegelijkertijd een 'risicosamenleving'. Risico is in ons leven in zekere zin veel meer aanwezig dan vroeger. Beck doelt hierbij niet alleen op de dreiging van technologische rampen, of aanslagen zoals die op 11 september 2001 in Amerika, en ook niet alleen op de sociale strijd tussen werelddelen, landen, en bevolkingsgroepen binnen landen over de verdeling van risico's: waar moeten de gevaarlijke fabrieken staan, wie moet het gif opruimen? Volgens Beck heeft risico op een nieuwe manier centrale betekenis gekregen in het leven van hedendaagse mensen. In een geïndividualiseerde maatschappij dragen zij voortdurend zelf verantwoordelijkheid voor de dingen die zij doen en de keuzes die zij maken. Zij moeten de goede opleiding, de goede loopbaan en de goede partner kiezen. Zij moeten hun leven leiden en tot een succes maken alsof het een project is of een onderneming, terwijl ondertussen de omstandigheden steeds sneller veranderen.[17] De collectieve fictie is dat mensen werkelijk de baas zijn over hun eigen leven, maar tegelijkertijd is voor iedereen duidelijk dat dit inderdaad een fictie is die in het feitelijke verloop van het individuele en collectieve bestaan voortdurend wordt ontmaskerd. Niemand kan ooit zeker weten de juiste keuze te hebben gemaakt en het is onmogelijk te zorgen vrij te blijven van ongeluk en tegenslag. Niettemin wordt wie erdoor wordt getroffen, er maatschappelijk gezien in toenemende mate zelf verantwoordelijk voor gesteld. Hij of zij meent ook vaak te hebben gefaald.

In de moderniteit werd het aardse paradijs van een goddelijk geschenk aan het begin van de schepping een menselijk project dat in de loop van de geschiedenis door eigen inspanning gerealiseerd moet wor-

17 U. Beck, *Risikogesellschaft*, 1986.

den. Mijn theologische vermoeden is nu dat de huidige terugkeer van de belangstelling voor religie de ontdekking betekent dat het creëren van een volmaakte wereld onmogelijk is. Volgens Becks collega Zygmund Bauman was het karakteristiek voor de moderniteit dat zij ziekte, lijden en dood geheel probeerde uit te bannen, als onkruid uit een siertuin. Dit leidde echter tot de paradox dat – volgens een voorbeeld dat Bauman zelf gebruikt – het moderne ziekenhuis, waar alles gericht is op gezondheid en hygiëne en het uitbannen van ziektekiemen, en juist omdat alles hierop is gericht, bij uitstek de plaats is geworden waar mensen infecties opdoen die niet of nauwelijks te bestrijden zijn.[18] De nieuwe presentie van de van gedaante veranderde religie waarmee wij worden geconfronteerd, valt te interpreteren als reactie op de ontdekking dat elke poging veiligheid te garanderen ons brengt bij nieuw risico en dat aan het einde van elke weg naar zekerheid een nieuwe, fundamentelere onzekerheid opdoemt. Hedendaagse mensen weten enerzijds dat zij hun eigen wereld, hun eigen leven en uiteindelijk hun identiteit en hun 'zelf' moeten vorm geven. Anderzijds ervaren zij ook steeds weer, individueel en collectief, dat het creëren van de veiligheid en het goede leven waarnaar zij verlangen en dat zij nodig hebben voor een goed leven, hun macht te boven gaat. Ze kunnen hen alleen ten deel vallen.[19] Het is mijn theologische hypothese dat wat Schillebeeckx de '*verkerkelijkingstendentie* in de wereld' noemde, in deze paradox zichtbaar wordt en dat hieruit de hernieuwde openheid voor religie ontspringt.

Deze hypothese maakt het van belang onderzoek te doen naar hedendaagse vormen van religiositeit dat niet beschrijvend en godsdienstwetenschappelijk is, maar werkelijk theologisch. Dit betekent dat het erop gericht moet zijn zicht te openen op de sporen van de goddelijke Presentie die specifiek zijn voor onze situatie. Het wordt dan mogelijk om van sommige schijnbaar volledig seculiere rituelen en praktijken het religieuze, naar sporen van God verwijzende karakter bloot te leggen. In aansluiting op Marie-Dominique Chenu heeft Edward Schillebeeckx al heel vroeg in zijn theologische carrière theologie verstaan niet als het theoretisch afleiden van eeuwige, voor ieder situatie en elke tijd geldige waarheden, maar als het achterhalen van de telkens andere en na de twee wereldoorlogen van de vorige eeuw volstrekt nieuwe 'christelijke situatie'.[20] Deze theologische traditie zet ik in dit boek voort door onze

18 Z. Bauman, *Modernity and Ambivalence*, 1993, 1-101.

19 Vgl. voor deze visie A. van Harskamp, *Het nieuwe religieuze verlangen*, 2000; id./E. Borgman, 'Nieuwe religieuze bewegingen', 2003. Vgl. ook M. Widl, *Sehnsuchtsreligion*, 1994; id., 'Auf der Suche nach einem guten Leben ...', 1998.

20 Vgl. de drie artikelen waarmee Schillebeeckx als publicerend theoloog debuteerde onder de titel 'Christelijke situatie', 1945, mede geïnspireerd op M.-D. Chenu, *Dimensions nouvelle de la Chrétienté*, 1938.

hedendaagse situatie te analyseren als een religieuze situatie. Hierin komt een nieuw beeld van het heilige of de Heilige – God – naar voren en deze situatie werpt zijn eigen licht op de inhoud van de christelijke traditie. In de visie van Chenu en Schillebeeckx waarbij ik mij aansluit, is dit in het verleden ook steeds opnieuw gebeurd. Elke tijd, elke periode in de maatschappelijke en culturele geschiedenis maakt een bepaalde visie op de christelijke traditie mogelijk en wat in religieus-normatieve zin 'de traditie' genoemd wordt, is de levende herinnering aan de opeenvolging van dergelijke, ook voor latere generaties nog als authentiek geldende visies.[21]

Het is de taak van de theologie in elke tijd op basis van de analyse en de interpretatie van de eigentijdse situatie een eigen visie te ontwikkelen op deze situatie. Dit is menselijk gezien een onmogelijke opdracht, maar het is de opgave waarvoor de theologie gesteld is. God zij dank is het niet aan de theoloog te zorgen dat hij in zijn opdracht slaagt.

Verwarring rond religie als geboorteplaats van nieuwe inzichten

Het gaat mij dus nadrukkelijk om een *theologische* visie op de hedendaagse situatie en de veranderde positie van religie. Er zijn andere visies en andere verhalen mogelijk over dezelfde fenomenen, en die gaan ook feitelijk rond. Sterk present is het verhaal van het oprukkend irrationalisme. De socioloog Max Weber voorspelde al aan het begin van de vorige eeuw dat de voortgaande moderniteit steeds meer geconfronteerd zou worden met een veelvoud van met elkaar botsende goden en godjes die allemaal de hoogste waarde belichamen in hun eigen universum. Volgens Weber zou in een zich rationaliserende wereld deze rationaliteit steeds meer worden ervaren als een ijzeren kooi, waaruit alleen nog een vlucht in de irrationaliteit een schijnbare ontsnapping zou bieden.[22] Bijvoorbeeld in de extase van sport, muziek of van ongecontroleerd religieus gedrag – vergelijk de wildere vormen van pentecostalisme – of in de vlucht naar de koestering van het groepsgevoel en het collectieve geweld – vergelijk de bekering juist van ontwikkelde en relatief verwesterde jonge moslims tot fundamentalistische groepen – of van het construeren van een levensbeschouwing die 'een goed gevoel' geeft – New Age –: ongetwijfeld kunnen veel nieuwe vormen van religie en belangstelling ervoor, gezien worden als even zovele gedaanten van het door Weber voorspelde irrationalisme.

Hiermee is echter zowel wetenschappelijk als filosofisch en theolo-

21 Vgl. voor de uitwerking van deze visie, m.n. M.-D. Chenu, *Une école de théologie*, 1985/1937, 130-150 en E. Schillebeeckx, 'De ontwikkeling van het apostolisch geloof tot kerkelijk dogma', 1952; id., 'Wat is theologie?', 1958.

22 M. Weber, 'Die protestantische Ethik und der Geist des Kapitalismus', 1904-05, 203-206.

gisch nog weinig gezegd. Immers, ook uitbarstingen van irrationaliteit vragen erom begrepen te worden. Sterker nog: wie niet, zoals Weber zelf, al bij voorbaat rationaliteit in het denken identificeert met de vorm die de moderne culturele en maatschappelijke rationalisering heeft aangenomen, die kan de mogelijkheid openhouden dat ook uitbarstingen van irrationaliteit als verzet tegen deze rationalisering in bepaald opzicht rationeel zijn. Ze zijn dan niet alleen psychologisch of sociologisch verklaarbaar, maar bij nader inzien ook (geheel of ten dele) redelijk verdedigbaar. Dit geloof in een bredere vorm van redelijkheid is zelf uiteindelijk gebaseerd op een religieus vertrouwen dat zich in de thomistische traditie, waarbij ik mij in het spoor van Schillebeeckx en Chenu aansluit, uitdrukt in de overtuiging dat het christelijke scheppingsgeloof impliceert dat het van belang is denkend en onderzoekend in de eigentijdse situatie door te dringen, ook en juist wanneer dit de bestaande verwarring alleen maar lijkt te vergroten. De waarheid die erin verborgen is en die volgens deze traditie een spoor is van God als de waarheid bij uitstek, zal zich op een bepaalde manier en in zeker opzicht uiteindelijk altijd ook te kennen geven.[23]

Volgens de Engels-Amerikaanse antropoloog en godsdienstwetenschapper Victor W. Turner (1920-1983) is een van de functies van religies dat zij situaties scheppen van wat hij noemt 'liminaliteit'. Het gaat hierbij om situaties waarin mensen los gemaakt worden uit de maatschappelijke en culturele verbanden om er een nieuwe plaats in te vinden. Met name de initiatieriten die bij Afrikaanse en Indiaanse stammen de overgang markeren van de kinderwereld naar de wereld van de volwassenen, zijn erop gericht adolescenten in een situatie van onbepaaldheid te brengen. Ze worden tijdelijk buiten de orde geplaatst van de woorden en de dingen, om vanuit de leegte deze orde voor hen als het ware opnieuw te laten ontstaan en hen er tegelijkertijd hun plaats in te laten innemen. Ook andere religieuze vormen zag Turner als gericht op het tijdelijk opschorten van de structuren van leven, handelen en denken om zo een nieuwe vorm van gemeenschap te scheppen op basis van het gemeenschappelijke menszijn – de door Turner zogenoemde 'communitas' – en van daaruit de samenleving te vernieuwen. In het Westen zijn dergelijke geënsceneerde confrontaties met de leegte weliswaar buiten de expliciet religieuze kaders geraakt, maar ze laten zich volgens Turner bijvoorbeeld

23 Vgl. R. Schaeffler, *Religion und kritisches Bewußtsein*, 1973. Dit suggereert ook dat het waarheidsethos van de Verlichting niet zonder meer antireligieus is, zoals vaak wordt gedacht, maar zelf een religieuze grondslag heeft. Het is mijn hypothese dat de brede opvatting van redelijkheid van de Renaissance, die volgens S. Toulmin (*Cosmopolis*, 1990; id., *Return to Reason*, 2001) sinds halverwege de zeventiende eeuw werd overheerst door een rationalistische hang naar zekerheid en beheersing en die aan het einde van de moderniteit herontdekt zou moeten worden als weg vooruit, uiteindelijk een religieuze basis heeft, die dus ook zou moeten worden herontdekt.

herkennen in hedendaagse kunst, in de ruimte die pubers wordt gegund al experimenterend hun identiteit te vinden en in de mogelijkheden die binnen universiteiten onderzoekers en denkers krijgen de grenzen van de cultuur op te zoeken en te verkennen.[24]

Turner verbindt de situatie van 'liminaliteit' onder meer met conflicten die zich in een samenleving voordoen en de wijze waarop deze worden verwerkt. Diepgaande verschillen van inzicht met betrekking tot fundamentele aspecten van de situatie waarin een cultuur verkeert en hoe zij hierop moet reageren, leiden tot het opschorten van vanzelfsprekendheden en normen. Soms is het resultaat dat er een nieuwe consensus gevonden wordt, soms ontstaat uiteindelijk een breuk. In de relatief eenvoudige samenleving waarin Turner als antropoloog veldonderzoek deed, vindt dit proces plaats in gezamenlijke rituelen en vormen van 'sociaal drama'; in een complexe samenleving zijn de kunsten, maar ook de publieke en wetenschappelijke discussies vormen van confrontatie met de verwarring en de leegte.[25]

Dit hele boek is uiteindelijk een pleidooi voor een theologie die zich door de verwarrende wijze waarop de religie in de aandacht komt en de conflicten die rond de plaats van religie in de samenleving ontstaan, laat verlokken tot een situatie van 'liminaliteit' in de zin van Turner. Dit wil zeggen dat de gebruikelijke vaststaande definities en ordeningen worden opgeschort waarin religieus duidelijk tegenover seculier staat en profaan tegenover sacraal en waarin de identiteit van de verschillende religieuze tradities helder is gegeven. De theologie zou zich zonder terughoudendheid met de religieuze verwarring en onduidelijkheid moeten confronteren, zonder voortijdig oplossingen ervoor te forceren. En dat kan zij in principe ook. Want de basis hiervoor is precies de uiteindelijk religieuze overtuiging dat wij de vaak chaotische werkelijkheid de orde waarvan wij leven niet kunnen opleggen. Deze orde kunnen wij slechts ontvangen en moet uit deze werkelijkheid zelf opkomen. Vanuit theologisch perspectief komt wetenschap – niet alleen de theologie als wetenschap, maar elke vorm van wetenschappelijk onderzoek – uiteindelijk neer op het ingaan op de uitnodiging zich intellectueel toe te vertrouwen aan deze in de chaos verborgen orde en haar nog uitstaande openbaring.[26]

24 Voor Turners benadering en de vruchtbaarheid ervan, zie *Victor Turner and the Construction of Cultural Criticism*, ed. K.M. Ashley, 1990; B.C. Alexander, *Victor Turner Revisited*, 1991; P.J. Bräunlein. 'Victor Witter Turner', 1997. Voor Turners visie op de initiatieriten, in aansluiting bij A. van Gennep (*Les rites de passage*, 1909) zie zijn 'Betwixt and Between', 1964. Vgl. voor latere ontwikkelingen in zijn gedachtegang id., *The Ritual Process*, 1969; id., *From Ritual to Theatre*, 1982; vgl. ook P. Ivonov, 'Zur Viktor Turners Konzeption von "Liminalität" und "Communitas" ', 1993.

25 Vgl. V. Turner, *Dramas, Fields, and Metaphors*, 1974.

26 Voor een visie op de verhouding tussen theologie en de andere wetenschappen en disciplines in deze lijn, zie mijn 'Intelligent ontwerp of prachtig toeval?', 2005.

Hiermee zou de theologie onderdeel worden van de reflectie op de eigen tijd en in deze zin waarachtig modern. Volgens de Franse filosoof Michel Foucault (1926-1984) is het karakteristiek voor de moderniteit dat het heden het uitgangspunt en doel van het leven en het denken wordt. Deze tendens wordt in het heden – die in dit perspectief gezien beter laat- dan postmodern kan heten – versterkt en geconsolideerd. Naar modern besef ontvangt de realiteit haar betekenis niet van elders, ligt de zin van het leven niet buiten het leven en kan het zoeken naar heil niet betekenen dat er afstand wordt genomen van het bestaan zoals het is. Vorm, waarde en richting, betekenis en heil moeten in de actuele situatie en het reële leven gevonden worden. Zij dringen zich echter niet zomaar op, maar laten zich pas kennen wanneer de situatie op een bepaalde manier ontsloten wordt. Volgens Foucault toont het heden zijn betekenis pas wanneer het verbeeld wordt en er een orde wordt aangebracht in de ervaringen die mensen ermee opdoen, zodat het mogelijk wordt er nader over te reflecteren. Dit verklaart dat de moderne gerichtheid op de actuele situatie niet leidt tot het verdwijnen van de verbeelding, maar juist gepaard gaat met een schier oneindige proliferatie van beelden en verhalen.[27]

Ook het religieuze wordt in een almaar groeiende overvloed van verhalen verbeeld en dergelijke verbeeldingen komen in de loop van dit boek geregeld ter sprake. Wat religie onder hedendaagse omstandigheden zou kunnen zijn, wordt bijvoorbeeld indringend gesuggereerd door de Amerikaanse schrijfster Dorothy Allison. Allison schrijft over de wereld van de arme blanken in het Zuiden van de Verenigde Staten van wie zij afstamt, en hun strijd om het bestaan.[28] In deze wereld is de persoonlijke verhouding met God, en vooral die met Jezus, onderwerp van voortdurend gesprek, debat en ruzie. *Cavedweller* heet haar roman die in 1998 verscheen, in het Nederlands correct vertaald met *Holbewoonster*: het gaat in deze roman voornamelijk over vrouwen.[29] Toch gaat met de vertaling ook betekenis verloren. In het woord *dweller* zit de bijklank van blijven en wachten, zonder te weten waarop. En dat karakteriseert de sfeer van het boek heel goed. Hoewel de grotten en holen uit de titel ook letterlijk in het boek voorkomen en de hoofdpersoon zich ontwikkelt tot een fanatiek speleologe, zijn de onderaardse gangen vooral het beeld van het leven zelf. Bij de donkere krochten van het bestaan – waar slechts tastend een weg te vinden is, waar alleen wie al haar of zijn reserves aanspreekt niet ten onder gaat, waar mensen zichzelf en anderen

27 M. Foucault, 'Qu'est-ce que les Lumières?', 1994, m.n. 568-570.

28 Vgl. m.n. haar *Trash*, 1988; id., *Two or Three Things I Know for Sure*, 1996; zie ook id./ S. Jacobson, *Dorothy Allison*, New York 1980.

29 D. Allison, *Cavedweller*, 1998.

soms moeten dwingen alle grenzen te overschrijden, waar de emoties en soms de haat hoog oplopen – staat Allison uitvoerig stil.

'De dood verandert alles', is de eerste zin van het boek. Hiermee is de sfeer getekend. Woede, verkrampte strijdlust en verbeten haat doortrekken het hele leven en werken, zorgen voor anderen en zingen komen ten diepste neer op een voortdurend vloeken tegen het lot, nodig om er niet door te worden opgeslokt. 'Er stond altijd iets verschrikkelijks te gebeuren', denkt haar hoofdpersoon Cissy op een bepaald moment, 'echo's van eerdere gebeurtenissen', dat wil zeggen uitlopers van de ooit gewekte woede en uit zelfbescherming aangeleerde onverschilligheid. Een ander personage krijgt het zo benauwd wanneer zij vermoedt dat zij werkelijk bemind wordt, dat zij niets anders weet te doen dan op haar vriend te schieten. Het is in de wereld van Dorothy Allison al heel wat als het je lukt zonder ernstige ongelukken het doel van een tocht te bereiken. Na een barre grottentocht, die haar en twee vriendinnen bijna het leven kost omdat ze verdwalen en bevangen dreigen te raken door kou en uitputting, laat Allison Cissy concluderen: 'We hebben toch maar gedaan wat nog niemand anders heeft gedaan en wat wij altijd al graag wilden. [...] We hebben de route alleen niet in kaart gebracht en we kunnen anderen niet de weg wijzen. Waarschijnlijk gelooft niemand het ...' Het lijkt een verre echo van psalm 77, vers 20: 'Door de zee liep jouw weg, door de wijde wateren jouw pad, maar jouw voetsporen bleven onzichtbaar.' Je overleeft, als je geluk hebt, en dat is een onverwachte genade. Maar het leven blijft ook daarna duister en bedreigend.

De wereld die Allison schildert, is een weinig voor de hand liggende plaats om betekenis en geluk te zoeken. Toch maakt zij duidelijk dat er soms inderdaad licht kan schijnen in de onderaardse gangen van het leven. Als dit gebeurt, is er sprake van een absoluut wonder, daar laat *Cavedweller* geen misverstand over bestaan, maar het is een wonder dat wonderlijk genoeg geregeld plaatsvindt. Bijvoorbeeld wanneer Delia, de moeder van Cissy, haar ex-man Clint verzorgt. Vijftien jaar eerder had zij hem verlaten, omdat hij haar mishandelde. Zij had daarbij twee kinderen bij hem moeten achterlaten en dat werd haar een leven lang kwalijk genomen, door anderen en door haarzelf. Zij is uiteindelijk teruggekeerd, voor haar kinderen. Clint lijdt aan kanker en zij is met hem overeengekomen dat zij hem verzorgt, zodat hij niet in het ziekenhuis hoeft te sterven, en dat zij in ruil hiervoor zijn huis zal erven om er na zijn dood met haar kinderen te gaan wonen. Zij houdt zich aan de afspraak, maar zij kan dat alleen doen door er niet over na te denken en haar gevoel uit te schakelen. Zij probeert Clint te voeren en zijn bed te verschonen alsof zij een automaat is. Als echter een van de dochters van Delia en Clint die geheel en al 'in de Heer' is ziet hoe zij hem wast, geeft zij het volgende commentaar:

> Het was net of ze met z'n tweeën in een grot [sic, E.B.] waren, in dat donkere kamertje met alleen het licht van de lamp, en die lage, holle stem van hem die 'God zegene je, God zegene je' zei, en Delia die 'Stil maar, stil maar' zei. [...] Het duurde maar even ... Heel even, maar het was een moment vol licht. Ik zag zijn ziel in het beven van zijn botten. Ik voelde Gods liefde in dat gele licht. [...] Ik voelde Gods hand en het licht dat eruit kwam.

Zo getuigt Dorothy Allison via de omweg van een personage dat geen moeite heeft met hoogdravende religieuze taal, van het wonder dat er liefde, vergeving en aanvaarding zijn die mensen omvat die elkaar met reden haten en die daarmee in zekere zin ook niet ophouden. Maar de haat, de woede en het verdriet worden, als onderdeel van wie deze mensen zijn, opgenomen in wat ze verbindt en ze tegelijkertijd overstijgt.

Hiermee snijdt Allison ook naar haar eigen overtuiging een religieuze thematiek aan. 'Waarschijnlijk moet God zich in deze tijd in grotten schuilhouden', laat zij Cissy op zeker moment denken. Voor Cissy zijn de donkere krochten van het leven tegelijkertijd de woonplaats van het goddelijke en de grotten waar zij als speleologe in rondkruipt, zijn als kathedralen en tempels. De God van het leven bewoont de duisternis die tegelijkertijd angstaanjagend en troostend is:

> Het donker was vrouwelijk en God was donker. God was gevaarlijk, groot, angstaanjagend, geheimzinnig en vrouwelijk. En godslasterlijk. [...] Niet de HEERE HEERE, maar Delia met haar hoofd achterover, met die rauwe klanken die uit haar open mond ten hemel rezen. Dat was spiritueel, dat was de kracht van de Allerhoogste.

Hoewel het zo kan lijken, wordt hier niet de blinde levenskracht vereert: het gaat Allison niet om een Dionysische religie die Friedrich Nietzsche wilde herstellen.[30] *Cavedweller* als geheel maakt duidelijk dat voor Allison het donkere leven heilig is, niet omdat het een blinde, ontembare kracht is, maar omdat er op onverklaarbare wijze hoop, verzoening en zorgzaamheid in oplicht. Alison suggereert dat uiteindelijk God zelf een *cavedweller* is, een holbewoonster: verborgen, raadselachtig, maar niettemin krachtig aanwezig in het duister waarin het menselijk leven zich zo vaak afspeelt. Zo verschijnt het menselijk verblijf in deze duisternis tot een verblijf in God.

Zo kan – en daar ging het om in deze lange excursie – de verbondenheid met deze God vanuit haar verborgenheid in onverwachte en nieuwe vormen als religie aan het licht komen.

30 Vgl. T.T. Roberts, *Contesting Spirit*, 1998; D. Toole, *Waiting for Godot in Sarajevo*, 1997, 89-128: 'Toward a Metaphysics of Tragedy: Justifying the World as Art'.

3
Religie als gaan in het spoor van de trickster

Religies maken bij uitstek duidelijk dat ontvankelijkheid voor wat zich aandient, niet hetzelfde is als passiviteit. Religies kennen met name in hun spirituele en mystieke tradities een scala aan praktijken en oefeningen die pretenderen mensen te helpen zich op de juiste manier open te stellen voor hetgeen deze religies thematiseren. De vraag is daarom na de vorige hoofdstukken: hoe zich op de juiste wijze open te stellen voor de verwarrende en 'liminale' hedendaagse religieuze situatie?

De witte plek in Het Heilige

Langere tijd was de studie van Rudolf Otto over *Het Heilige*, voor het eerst verschenen in 1917, in hoge mate bepalend voor het westerse denken over religie.[1] Rudolf Otto (1869-1937) schreef *Het Heilige* uit bezorgdheid over het lot van religie in een tijdperk waarin de rationaliteit steeds dominanter werd. De massale, haast industriële vernietiging van mensen gedurende de Eerste Wereldoorlog en de ontluistering van het leven die dit betekende, werd door velen in de jaren tien en twintig van de vorige eeuw beschouwd als teken van een fundamentele crisis in de cultuur. Ook door Otto. In de lijn van Friedrich Schleiermacher (1768-1834), die al ruim een eeuw eerder op vergelijkbare manier de religie had verdedigd tegenover de verachting van de culturele elite, probeerde hij de dieptestructuur van religie aan het licht te brengen. Zijn doel was haar op deze manier weer tot een culturele factor van betekenis te maken.[2]

De ervaring van het heilige of het numineuze als indrukwekkend en tot eerbied dwingend, angstaanjagend en fascinerend verschijnsel – volgens Otto's fameuze zinsnede: '*tremendum et fascininosum*' – dat de mensen confronteert met hun afhankelijkheid van iets dat groter is dan zij

1 R. Otto, *Das Heilige*, 1917. Over de invloed en de betekenis van dit boek, vgl. E.J. Sharpe, *Comparative Religion*, 1986, 161-167.

2 F.D.E. Schleiermachter, *Über die Religion*, verscheen voor het eerst in 1799. Otto redigeerde in 1899 een uitgave van dit werk, waarbij hij in de inleiding uiteenzet welke fundamentele betekenis het in zijn ogen had. In *Das Heilige* verwijst hij er meerdere malen naar.

kunnen bevatten en dat hen omvat, hing volgens Otto niet af van de geïnstitutionaliseerde religie en haar rationaliserende theologie. Met name deze laatste had door eigentijdse wetenschappelijke ontdekkingen en filosofische ontwikkelingen voor velen haar geloofwaardigheid verloren. Dit liet echter de ervaring van het heilige, die naar Otto's overtuiging aan de oorsprong lag van alle religie, ongemoeid. Otto meende dat deze ervaring cultureel gezien onmisbaar is. Religie maakt als ervaring van het heilige rationeel begrip en het onderscheid tussen goed en kwaad mogelijk, en dat toont hun fundamentele belang. Tegelijkertijd is naar Otto's visie religie zelf niet door de ratio in te halen of te funderen, en al helemaal niet te reduceren tot ethiek, zoals de Duitse protestantse theologie in de negentiende eeuw had gepoogd te doen.[3] Het cultuur-historisch belang van Otto's *Het Heilige* valt moeilijk te overschatten. Voor velen binnen en buiten de academische wereld betekende het lezen ervan de herontdekking van de religie als eigensoortig en waardevol fenomeen.[4]

Het Heilige lijkt nog altijd te kunnen helpen bij het ontsluiten van de eigenheid van de religieuze ervaring, niet op de laatste plaats omdat het boek een open vraag stelt en figuurlijk gesproken een witte plek kent, zelfs om deze witte plek draait. Deze witte plek is te vinden op pagina 8 en met recht is voorspeld dat 'pagina 8 van *Het Heilige* ons nog lange tijd zal vergezellen'.[5] Op deze pagina begint Otto een nieuw hoofdstuk met de oproep aan de lezer 'zich een ogenblik te bezinnen op een zo mogelijk eenduidig religieuze ervaring'. En hij voegt hieraan onmiddellijk toe dat wie dat niet kan, of wie zo'n ervaring überhaupt niet heeft, 'wordt verzocht niet verder te lezen': zo iemand zal niet in staat zijn de exploraties te begrijpen van de religie als eigensoortig fenomeen die hij wil ondernemen. Met andere woorden, Otto definieert in *Het Heilige* religie niet. Het boek presenteert zich als een hulp om de verwarrende en alle gebruikelijke begrippenkaders doorbrekende ervaringen van de lezer met en van religie te verhelderen.[6]

Het actuele belang van de achtste bladzijde van *Het Heilige* is op de eerste plaats dat het zo duidelijk de 'liminale' situatie rondom het begrip van de religie tot uitgangspunt neemt: we weten niet wat religie is en

3 Vgl. G. Pfleiderer, *Theologie als Wirklichkeitswissenschaft*, 1992, over Otto: 104-139; S. Ballard, *Rudolf Otto and the Synthesis of the Rational and the Non-rational in the Idea of the Holy*, 2000. Voor een overzicht van Otto's filosofische en theologische opvattingen, zie Ph.C. Almond, *Rudolf Otto*, 1984. Voor de verhouding van Otto's godsdienstfilosofie tot de moderniteit, vgl. T.A. Gooch, *The Numinous and Modernity*, 2000.

4 Voor een bloemlezing van de veelkleurige reacties, zie *Een wijze uit het Westen*, red. D. Mok, 2001.

5 W.G. Oxtoby, 'Holy, idea of the', 1987, 437.

6 Voor een studie over *Das Heilige* als inspiratie voor veelsoortige beschouwingen over wat religie en wat heilig is, zie M. Raphael, *Rudolf Otto and the Concept of Holiness*, 1997.

moeten het in de ervaring ermee ontdekken, moeten in zekere zin de ervaring ermee herontdekken. Het belang is op de tweede plaats dat het initiatief zo duidelijk bij de lezers gelegd wordt. De lezers, degenen die willen nadenken over religie en de actuele situatie, moeten zelf de verantwoordelijkheid nemen voor wat zij als religieus beschouwen en waarvan zij in hun reflecties en analyses willen uitgaan. Hierbij is ten derde van belang dat Otto de ervaring die de lezers met religie en het heilige hebben, als uitgangspunt presenteert voor verdere analyse en bezinning. Religie en het heilige zijn voor Otto blijkbaar allereerst wat mensen als zodanig in hun eigen leven tegenkomen.

Met name dit laatste maakt het mogelijk te breken met de beperkingen van Otto's eigen benadering. Als vertegenwoordiger van de eigenlijk nog negentiende-eeuwse Duitse academische cultuur verbindt Otto het heilige vooral met verheven afstand ten opzichte van de alledaagse en verwarrende profane werkelijkheid. Als hij zijn lezers aanspoort zich te bezinnen op een zo duidelijk en 'eenzijdig' mogelijke religieuze ervaring, dan impliceert dit voor hem dat deze ervaring zo min mogelijk verbonden moet zijn met alledaagse verschijnselen als pijn en verlangen, hoop of wanhoop, honger en dorst, sympathie of afkeer. Anders gezegd, Otto lijkt aanzienlijk meer dan hij zich realiseert afhankelijk van een vorm van christelijke theologie waarvan hij in *Het Heilige* nu juist afstand wil nemen. Net als bij veel van de andere klassieke schrijvers van de godsdienstwetenschap staat bij Otto weliswaar niet meer de overgeleverde voorstelling van God centraal, maar houdt hij wel vast aan de overgeleverde voorstelling van een van de belangrijkste attributen van deze God: diens transcendentie. Otto's generatiegenoot en collega Nathan Söderblom (1866-1931) schrijft in 1913 dat het in de religie niet zonder meer gaat om het bestaan van de Godheid, maar dat religie betrekking heeft op de goddelijke *mana:* de macht, de heiligheid; de Godheid is de drager van dit *mana.*[7] De voorstelling van de macht en de heiligheid in dit *mana* blijft hierbij echter die van afstandelijkheid ten aanzien van de alledaagse wereld, van een ordening die van buitenaf aan de verwarrende en chaotische wereld wordt opgelegd.

Nog afgezien van het feit dat deze visie weinig recht lijkt te doen aan veel historische vormen van religie, beantwoordt zij vandaag de dag in het Westen eerder aan de vorm van religie die aan het verdwijnen is dan aan de vorm die terugkeert. Deze laatste is, zoals we zagen, nauw verbonden met de existentiële vragen waar mensen midden in de wereld

7 Vgl. het klassieke artikel van N. Söderblom, 'Holyness: General and Primitive', 1913, 731: 'Not the mere existence of the divinity, but its *mana*, its power, its holyness is what religion involves.' Over Söderbloms plaats in de ontwikkeling van de godsdienstwetenschap en zijn relatie tot Otto, vgl. Sharpe, *Comparative Religion*, 154-161.

mee worden geconfronteerd, en zo met deze wereld en haar chaotische warrigheid. Het is onderdeel van de hedendaagse religieuze situatie dat religieus geloof opnieuw ontspringt uit wat de Duitse theoloog Dietrich Bonhoeffer, toen hij wegens zijn betrokkenheid bij een aanslag op het leven van Adolf Hitler gevangen zat en wachtte op zijn executie, 'vollen Diesseitigkeit des Lebens' noemde, de volle wereldlijkheid van het leven. Deze 'Diesseitigkeit' maakt het volgens Bonhoeffer van belang er volledig van af te zien, 'jezelf tot iets te maken – hetzij een heilige, een bekeerde zondaar, of een man van de kerk ... een rechtvaardige of een onrechtvaardige, een zieke of een gezonde' en in plaats daarvan te leven 'in de volheid van de opgaven, vragen, successen en mislukkingen, ervaringen en radeloosheid'. Volgens Bonhoeffer is deze 'Diesseitigkeit' bij uitstek de manier om opnieuw zicht te krijgen op de eigenheid van het geloof in de christelijke zin.[8] Bonhoeffer spreekt in dit verband van een 'religie*loos* christendom', zich afzettend tegen het begrip van religie zoals dit in zijn context heerste. Hier ben ik op zoek naar een visie op religie die een dergelijke 'wereldlijkheid' steeds al in zich heeft.[9]

De 'founding fathers' van de moderne godsdienstwetenschappen, en in het bijzonder Rudolf Otto, schiepen de heiligheid van God naar het beeld van hun eigen verlangen ontheven te zijn aan de alledaagse wereld met zijn ongestructureerdheid en ongedisciplineerdheid. Maar een eigenzinnige geestelijke achterkleindochter van hen schreef op de witte plek van Otto's *Het Heilige* haar eigen tekst, die het Heilige nu juist nauw verbindt met het profane en het wereldse. Religie schuilt voor haar in het alledaagse spel van vormen en rituelen en is ondergedoken in de associaties en woordspelingen die de menselijke omgang met de realiteit begeleiden. Haar benadering is in het kader van dit boek van fundamenteel belang.

In het spoor van de trickster

Religie, zegt Lynda Sexson, betekent in hoge mate: getroffen worden door het bijzondere in wat anderen als rommel beschouwen. Sexson is schrijfster en docente religiestudies aan de Montana State University en schreef een boek onder de titel *Gewoon heilig.*[10] Hierin maakt zij de situatie die door velen gezien wordt als geseculariseerd en het einde van de religie, inzichtelijk als een situatie van gedaanteverandering van de religie. Zij brengt hierbij tegelijkertijd de onhoudbaarheid aan het licht

8 D. Bonhoeffer, *Wiederstand und Ergebung*, 1977, 401-402.

9 Vgl. de interpretatie van Bonhoeffers idee van een 'religieloos christendom' als het loslaten van elke theorie van de religie ten gunste van een religieus geloof dat uit het leven ontspringt in R.K. Wüstenberg, *A Theology of Life*, 1998.

10 L. Sexson, *Ordinary Sacred*, 1982. Sexson publiceerde bovendien twee bundels verhalen, *Margaret of the Imperfections*, 1988; *Hamlet's Planets*, 1997.

van de centrale, zij het meestal onuitgesproken vooronderstelling van het klassieke academische religieonderzoek, namelijk het bestaan van verschijnselen waarvan het religieuze karakter onmiddellijk duidelijk is. De klassiekers van godsdienstfilosofie en godsdienstwetenschap gaan in hun pogingen het eigen karakter van het sacrale te omschrijven en het belang van de ervaring van het heilige voor de cultuur te laten zien, uit van een onomstotelijk onderscheid tussen profaan en sacraal en proberen dit ondubbelzinnig vast te leggen. Volgens Sexson maakt deze benadering echter juist blind voor de wijze waarop religie zich in de hedendaagse cultuur manifesteert en voor de ervaring van het heilige erin: verbonden met en verborgen in het gewone en alledaagse.

Wat Sexsons boek bijzonder maakt, en waarom ik er in dit hoofdstuk zo uitvoerig bij stilsta, is dat ze geen eigen theorie van de religie ontwikkelt en niet uit is op een nieuw begrip van het heilige. Zij stelt zich in *Gewoon heilig* tegelijkertijd nederig en zelfbewust op als getuige van de momenten waarop het religieuze en het heilige door het wereldse en profane heen sijpelen en aan het licht komen. Zij wijst deze momenten aan, probeert ze te beschrijven en is erop uit lezers voor zichzelf dergelijke momenten te laten identificeren, momenten waarop het heilige doorbreekt en waarop tegelijkertijd iets duidelijk wordt van de betekenis van deze doorbraak voor de wereld en het leven waarin deze doorbraak plaatsvindt. Zoals ze zelf in haar inleiding zegt, is in onze tijd het bestuderen van de godsdienst tegelijkertijd een manier om haar te praktiseren: om met het heilige om te gaan, het te ervaren en deze ervaring vorm te geven. 'Nadenken over het wezen van godsdienst is op zichzelf al een religieuze activiteit.' Sexson profileert zich bij dit alles niet zozeer als kenner en drager van de 'hoge' cultuur, maar zij slaat in haar boek de toon aan van een vrouw die kinderen opvoedt, vrijwilligerswerk doet en ook wel eens les geeft of een lezing houdt. Juist in zo'n gewoon leven, is de boodschap, doen zich momenten voor waarop het heilige door de kieren van de hedendaagse, wereldlijke werkelijkheid heen schijnt.

In termen ontleend aan de godsdienstgeschiedenis laat zich dit ook nog anders formuleren. Tegenover de klassieke studie van religie, die zich met name concentreert op de heiligheid en de macht van de Oppergod – die volgens een wijdverbreide, zij het misleide en misleidende visie wordt voortgezet in de almacht van de ene God van het monotheïsme – staat een benadering die zich richt op de figuur van de trickster. Deze kan dienen als bij uitstek het symbool van de religie in de laat- of postmoderniteit.

'Trickster' is de godsdienstwetenschappelijke aanduiding voor een figuur in het mythologisch universum die zich onderscheidt door slimheid, handigheid en vaardigheid in het bedriegen. In de Lage Landen zijn Reinaert de Vos en Tijl Uilenspiegel er de verre nakomelingen van, en in de geamerikaniseerde internationale massacultuur Walt Disney's Broer Konijn. Met name in de mythologieën van Indiaanse en Afrikaanse volkeren komt een trickster voor. De trickster is een verwarrende en hybride figuur, gelijktijdig drager van goddelijke, menselijke en dierlijke eigenschappen, behept met karikaturaal uitvergrote lichaamsdelen en primaire lichaamsfuncties die absurde proporties aannemen: enorme penissen en vagina's, honger en dorst van kosmische omvang, en boeren, winden en seksuele escapades die alle grenzen te buiten gaan en de structuur van de werkelijkheid veranderen. De trickster belichaamt de overschrijding van grenzen, de schending van taboes, de vermenging en verwarring waartegen de rest van de religieuze mythologie zich juist te weer stelt – en dit precies in mythologische en religieuze termen en beelden. In de verhalen over de trickster, die vaak een eigen cyclus vormen los van de rest van de mythen van de betreffende clan of het betreffende volk, worden centrale religieuze voorstellingen belachelijk gemaakt, rituelen geparodieerd en religieuze specialisten en hun waardigheid bespot. De verhalen over de trickster presenteren de menselijke komedie in alle – en vaak met name de weinig verheffende – aspecten als gewijd drama. Hij – hoewel de trickster ook wel de gedaante van een vrouw aanneemt, geldt hij doorgaans toch als mannelijk – vertegenwoordigt in de ruimte van het heilige, het profane, met de materie en de stofwisseling verweven, verwarde menselijke bestaan. Zo drukken zijn mythen de raadselachtige heiligheid van dit bestaan uit, het verlangen naar religieuze diepte en betekenis en het vermoeden dat deze in dit bestaan verscholen liggen. 'Esu verandert stront in een schat', zegt het Afrikaanse Yoruba-volk over zijn trickster.[11]

Het bestaan van deze verleidelijke overschrijder van grenzen heeft godsdienstwetenschappers voor raadsels geplaatst, maar hen uiteindelijk ook gebracht tot gewaagde interpretaties die het beeld van religie minstens in potentie ingrijpend veranderen. Zo zou de dans van de Afrikaanse trickster volgens een onderzoeker de uitdrukking zijn van de 'vreugde dat het onuitsprekelijke precies wordt uitgesproken in het nooit definitieve falen van de woorden in deze wereld'. Een ander beschouwt de trickster als het beeld van

> het proces van de religieuze verbeelding zelf, dat ervoor zorgt dat mensen experimenteren met het heilige en dat soms niet leidt tot sereen geloof in een statisch, eeuwig paradijs maar tot een opwindende, onvoorspelbare onrust in

11 De term 'trickster' komt van D.G. Brinton, *Myths of the New World*, 1868. Voor een overzicht van tricksters, zie *Clowns and Tricksters*, ed. K.A Christen, 1998; voor een kritische bespreking van theorieën over de trickster, zie ix-xv: 'Introduction'; zie ook R.D. Pelton, *The Trickster in West Africa*, 1980, 223-289. Voor een theologische reflectie op de trickster, zie H. Beck, 'De Trickster: Spelbreker en spelbepaler', 2000.

de zintuigen: in heilige muziek, dans en seksualiteit. De trickster vertegenwoordigt niet de mystieke contemplatie van het ene, maar de sensuele waardering van veelvoudigheid en contradicties.[12]

Dat over de trickster wordt gezegd dat hij de incarnatorische, de vleeswordende kant van de religie belichaamt, maakt deze figuur voor een theoloog met christelijke achtergrond extra fascinerend. Bovendien trekt de trickster juist in een tijd van ingrijpende metamorfosen van de religie als vanzelf de aandacht. Hij is immers de gedaanteveranderaar bij uitstek, degene die de chaotische gedaanteveranderingen van het bestaan viert als vindplaats van het heilige. Zo zou hij kunnen helpen het religieuze aan het licht te brengen in een tijd waar 'al het ... vaststaande vervluchtigt, al het heilige wordt ontwijd ...' De trickster is degene die in geen enkele indeling past en elke indeling doorbreekt, degene die orde verandert in chaos en chaos weer in orde, zoals de religie dit zelf doet in een tegelijkertijd seculariserende en religioniserende cultuur als de onze. Om het leven in deze situatie vol te houden en uitzicht te blijven houden op goed leven, is het noodzakelijk de creativiteit aan te boren die het alledaagse bestaan onthult als plaats van wonderen en van verwondering, als ruimte van onverwachte mogelijkheden die erom vragen nader geëxploreerd te worden. Dit ligt in de lijn van het optreden van de trickster.[13]

In de huidige situatie laat de trickster zich op tal van plaatsen vermoeden. Bijvoorbeeld in het onderduiken van de klassieke mythologische en religieuze thema's in de triviaalliteratuur en de massacultuur, in de strip en de film. Wanneer door de secularisatie de religie schijnt te verdwijnen, zouden zijn trucs religiositeit zich kunnen laten vermommen als verzamelwoede, of vermogen tot dromen, of kinderlijke fantasie, of schijnbaar alledaags maar bij nader toezien juist bijzonder gedrag. Wie de huidige religieuze situatie wil onderzoeken, die moet zich door de trickster mee laten voeren van de periferie van het bestaan naar het centrum en weer terug en zich de werkelijkheid voor ogen laten brengen als een eindeloze hoeveelheid mogelijkheden.[14]

12 L.E. Sullivan/R.D. Pelton/M.L. Ricketts, 'Trickster', 1987, cit. resp. 48 (Pelton) en 46 (Sullivan).

13 C.H. Long, *Significations*, 1987, 179-183 wijst in dezelfde geest op de belangrijke, zij het vaak voor buitenstaanders verborgen rol die de trickster speelt in de religie van Afro-Amerikanen, en op de manier waarop deze hun duistere bestaan aan de periferie van de sociale orde en de cultuur betekenis geeft.

14 Vgl. naast Lynda Sexson ook Victor W. Turner (*Dramas, Fields and Metaphors*, 1974; id., *From Ritual to Theatre*, 1982; id., *Blazing the Trail*, 1992), die de antropologische studie van religie en symbolen in primitieve samenlevingen nauw verbond met observaties over ontwikkelingen in de eigentijdse cultuur.

De eigensoortigheid van religie

Het centrale uitgangspunt van Lynda Sexson is ook het uitgangspunt van dit boek: religie en de religieuze situatie kunnen geïnterpreteerd en verhelderd worden, maar niet verklaard en beheerst.[15] Er is geen onomstotelijke grens tussen religie en niet-religie, tussen heilig en profaan. Zoals het heilige tegelijkertijd wereld is, zo blijft elke wereldse interpretatie van religie tegelijkertijd ook religieus en valt als zodanig te ontsluiten. Zoals de religie geen materie-vrije, zuiver geestelijke ruimte is, zo is er ook geen religievrije, zuiver seculiere ruimte. Er zijn slechts sprongen, associaties, verschuivingen, spiegelingen; er is het overgaan van de ene naar de andere sfeer. De religieuze interpretatie van de wereld en de wereldse interpretatie van de religie vormen een geheel dat in alle richtingen doorkruist kan worden en dat als geheel precies de ruimte uitmaakt van het heilige.

Er is op het moment vrij veel belangstelling voor de verborgen, onzichtbare religie in de schijnbaar postreligieuze westerse cultuur. De meeste studies op dit terrein gaan uit van de gedachte dat religie de functie heeft mensen te steunen, hun leven zin te geven en gemeenschap te scheppen. In aansluiting bij de opvatting van Émile Durkheim (1858-1917) dat dergelijke functies in elke samenleving vervuld moeten worden, zoekt men dan naar wat heet het 'functionele equivalent' van de religie in de hedendaagse cultuur. Wat houdt mensen op de been, wat maakt dat zij hun wereld als zinvol beleven en wat verbindt hen met anderen in hun samenleving?[16] Het belang van Lynda Sexsons *Gewoon heilig*, waardoor dit toch tamelijk bescheiden boekje voor mij in het kader van dit boek zoiets is als een 'klassieker voor een na-klassieke tijd', ligt in de wijze waarop zij zich tegenover deze tendens profileert als subversieve lezeres van Rudolf Otto's *Het Heilige*. Otto beweert in zijn boek dat het heilige wat hij noemt een zuivere a-prioricategorie is, hetgeen wil zeggen dat mensen niet tot een ervaring van het heilige komen omdat iets in de werkelijkheid zich als zodanig aandient, maar omdat sa-

15 Voor een theoretische discussie over noodzaak en mogelijkheid de studie van godsdienstige verschijnselen niet op te vatten als verklaring, maar als interpretatie van religie die ook zelf religieus is, vgl. M.K. Taylor, *Beyond Explanation*, 1987.

16 Vgl. hiervoor in eerste instantie Th. Luckmann, *The Invisible Religion*, 1967; het idee van de functionele equivalent van religie komt in zijn meest uitgesproken vorm voort uit N. Luhmanns theorie van de samenleving als sociaal systeem, vgl. m.n. zijn *Funktion der Religion*, 1977. Voor een creatieve opname van dit idee, met een grote gevoeligheid voor de nieuwe vormen waaronder religie zich in onze samenleving kan voordoen, vgl. M.B. ter Borg, *Een uitgewaaierde eeuwigheid*, 1991; id., *Het geloof der goddelozen*, 1996, m.n. 17-65. Voor een kritiek op het uiteindelijk toch reductionistische en functionalistische van Ter Borgs benadering, zie L. Oosterveen, 'Ontbindingen en verbindingen', 1997, 33-36. Voor een poging om de situatie van de religie opnieuw te doordenken vanuit het idee van impliciete religie, zie E. Bailey, *The Secular Faith Controversy*, 2001.

craliseren een typisch menselijke manier is om de ervaring te structureren. Zoals het plaatsen van zaken in ruimte en tijd dat ook is. In de aan de filosofie van Immanuel Kant ontleende zin waarin Otto het gebruikt, impliceert de karakterisering van het heilige als 'eine Kategorie rein a priori' bovendien dat het een antropologische constante is, een vast en onontkoombaar onderdeel van de wijze waarop de menselijke geest de werkelijkheid ervaart.[17] Op deze manier probeert Otto te onderbouwen dat religiositeit een eigensoortige, tot niets anders te reduceren en met het menszijn zelf gegeven aspect van het menselijk bestaan is. Door religie echter te beschouwen als 'eine Kategorie rein a priori', geeft hij er paradoxaal genoeg toch een fundament en een oorzaak voor aan, namelijk de grondstructuur van de menselijke geest.[18]

In de door de trucjes van de trickster beheerste laat- of postmoderniteit met haar voortdurende beeldenwisselingen, gedaanteveranderingen en vermengingen, verheldert de gedachte van een dergelijk onveranderlijk fundament weinig. Zinvoller is het daarom er met Sexson vanuit te gaan dat religie een pluriform, wervelend en telkens weer verrassend fenomeen is dat geen andere basis heeft dan haar veranderlijke bestaan zelf. Met Otto deelt deze visie het uitgangspunt dat niets zonder meer religieus is, maar dat afhankelijk van de menselijke omgang ermee in alles het heilige kan verschijnen en alles een religieuze betekenis kan krijgen.[19] Deze visie sluit aan bij die van de Duits-Amerikaanse godsdienstfilosoof en theoloog Paul Tillich (1886-1965). Deze meende dat de hele werkelijkheid uiteindelijk heilig is, maar dat de 'theonomische' visie die nodig is om dat in te zien, binnen de bestaande wereld onmogelijk is. Dit maakt een scheiding tussen profane en sacrale sfeer onvermijdelijk, maar tegelijkertijd principieel provisorisch. Het expliciet religieuze maakt duidelijk welke voorstelling van het heilige in een bepaalde cultuur leeft, maar dit heilige is uiteindelijk de basis van alle werkelijkheid.[20] In deze lijn denkend kan het gecultiveerd religieuze aanstekelijk werken en de ervaring oproepen van het heilige temidden van de alledaagse werkelijkheid, zodat deze zich onthult als 'gewoon heilig'.

17 Otto, *Das Heilige*, 137-142, 165-171.

18 In deze zin is hij, met alle levensgrote verschillen, mede te beschouwen als de voorloper van hedendaagse onderzoekers die de bron van religie lokaliseren in de structuur en de werking van de hersenen. Vgl. b.v. P. Boyer, *Religion Explained*, 2000. Voor de tendens in de godsdienstwetenschap om religie te verbinden met een eigensoortige ervaring c.q. een eigensoortige wijze van ervaren, zie Sharpe, *Comparative Religion*, 97-118: 'Some Varieties of Religious Experience'.

19 Dat het bij religie niet gaat om metafysische kennis maar om een beeld van of een blik op de wereld, een 'zien als', is in de godsdienstfilosofie sinds de jaren vijftig in hoge mate een consensus; vgl. b.v. R.M. Hare, 'Theology and Falsification', 1955; J. Wisdom, 'Gods', 1965, 194-214; J. Hall, *Knowledge, Belief, and Transcendence*, 1975.

20 P. Tillich, 'Religionsphilosophie', 335-337.

Het zijn in religieuze verhalen en mythen vaak de muzen en de engelen die de wereld doen verschijnen als heilige plaats, als ruimte waar het heilige verschijnt.[21] Religies en hun voorstellingen zijn te beschouwen als pogingen hun sacraliserende krachten, hun mythologiserende activiteiten te vangen, maar omdat muzen en engelen de uiteindelijke oorsprong van de beeldvorming zijn, vallen zij noodzakelijkerwijs minstens ten dele buiten beeld. Als inderdaad inmiddels duidelijk is dat niet zozeer de religie, maar veeleer de omvattende theorie van de religie een illusie is,[22] dan hangen deze beide zaken met elkaar samen. Elke vastomlijnde theorie faalt, omdat de tricksters, de muzen en de engelen als representanten en bodes van de metamorfosen van God en het heilige, deze steeds opnieuw laten doorbreken op manieren die zich niet laten anticiperen. Religieuze beelden en symbolen verwijzen uiteindelijk niet naar een vast goddelijk punt, maar herinneren aan een dynamiek, representeren deze en zetten hem steeds opnieuw in beweging. Deze religioniserende kracht, deze 'noodzakelijke engel' – de term is van de Amerikaanse dichter en essayist Wallace Stevens – heeft geen doel:

> Zoals gewoonlijk alles gevlogen,
> de geur, de glans, de oogopslag
> met een stokje port hij in de as [...]
>
> tot ten slotte toch een vonk, de allerlaatste
> overslaat en hij leven maakt uit al bijna
> koud geworden resten: zijn flakkerende vorm.[23]

Geen ander doel dus dan om temidden van alle tegenstellingen en tegenslagen het leven mogelijk te maken en met gepaste, speelse ernst de onherhaalbare betekenis van het bestaan te vinden, op te rakelen, vorm te doen krijgen.

Op een paradoxale manier ontstaat zo opnieuw ruimte voor objectiviteit in het denken over en de visie op religie. Godsdienstige overtuigingen doen zich doorgaans voor als uitspraken over een onafhankelijk van de spreker bestaande werkelijkheid: bovennatuurlijke wezens, hun verhouding met de wereld, de grondstructuur van de werkelijkheid, de essentie van het menselijk bestaan. De fundamentele ontdekking van de godsdienstwetenschap in de eerste decennia van de vorige eeuw was dat de religie niet het product is van God of de goden, maar de beelden van

21 Voor de lotgevallen van de engelen in de theologische reflectie, zie L.F. de Graaf, *De verdwijning der engelen uit kerk en theologie*, 2004.

22 H. Lübbe, *Religion nach der Aufkläring*, 1986, 14.

23. Vgl. W. Stevens, *The Necessary Angel*, 1951; het citaat is uit J. Bernlef, *De noodzakelijke engel*, 1990, 14: 'Koud vuur'. Vgl. ook al mijn *Alexamenos aanbidt zijn God*, 1994, 42-45; 97-98.

God of de goden een product zijn van de religie. Hiermee lijkt religie uitsluitend iets te zijn geworden van de mensen, de menselijke cultuur, de menselijke verbeelding. Het lijkt uitgesloten dat zij iets te zeggen heeft over de werkelijkheid en haar diepste aard. Zo dreigt verloren te gaan dat religie uiteindelijk

> de overtuiging [is] dat the waarden die men houdt, gefundeerd zijn op de innerlijke structuur van de werkelijkheid ... Wat heilige symbolen doen voor degene waarvoor ze heilig zijn, is het formuleren van een beeld van de structuur van de wereld en een programma voor menselijk gedrag die ... elkaars spiegelbeeld zijn.[24]

Ook volgens Otto's visie op religie als 'Kategorie rein a priori' komt de religie voort uit de menselijke waarneming van de werkelijkheid en zegt zij niets over de werkelijkheid zelf. Otto lokaliseert religie in de wijze waarop de werkelijkheid wordt waargenomen en niet in de werkelijkheid die waargenomen wordt.[25] Door zich te concentreren op de wirwar van veranderende, zich spiegelende en telkens weer nieuwe religieuze vormen en symbolen, maakt Lynda Sexsons *Gewoon heilig* duidelijk dat religie niet eenzijdig kan worden beschouwd als verbeelding die op de wereld wordt geprojecteerd. Religie verschijnt uiteindelijk als verbeeldende omgang met de wereld die door het heilige in de wereld wordt uitgelokt en die, via deze verbeelding, het heilige aan het licht brengt. Betekenis wordt gevonden, doordat het gegeven wordt en kan worden gegeven, doordat en in zoverre het wordt gevonden. Juist door scheppers van religieuze vormen en beelden te zijn, geven mensen zich over aan het heilige c.q. de God die zij verbeelden. Paradoxaal gezegd: zij creëren de mogelijkheid zichzelf te verliezen en zich aan God over te

24 Zie voor deze omschrijving C. Geertz, *Islam Observed*, 1968, 97. De antropoloog Geertz spreekt van 'slechts elkaars spiegelbeeld' (mere reflexes of one another) en lijkt hiermee te verraden dat zijn eigen visie op religie toch uiteindelijk sterk constructivistisch is. Dit komt duidelijk tot uitdrukking in zijn bekende definitie van religie als '(1) a system of symbols which act to (2) establish powerful, pervasive, and long-lasting moods and motivations by men by (3) formulating conceptions of a general order of existence and (4) clothing these conceptions with such an aura of factuality that (5) the moods and motivations seem uniquely realistic'; vgl. id. 'Religion as a Cultural System', 1966, hier 4.

25 Op dit punt wijkt Otto overigens van de door hem zo bewonderde Schleiermacher af, of interpreteert hem minstens eenzijdig. F.D.E. Schleiermacher ziet in *Der christliche Glaube*, I, 1821/1830, 14-28 de kern van de religie in het gevoel van absolute afhankelijkheid ('schlechthinniges Abhängigkeitsgefühl'). Bij Schleiermacher betekent 'gevoel' geen sentimentaliteit of irrationaliteit, maar het 'onmiddellijke zelfbewustzijn', de manier waarop een mens voorafgaand aan alle expliciete reflecties zichzelf en zijn plaats in de wereld ervaart. In het religieuze afhankelijkheidsgevoel laat een mens zich vormen door de wereld en geeft tegelijkertijd zichzelf vorm. – In zekere zin kan men zeggen dat Sexson Otto's opvatting op dit punt inruilt voor die van Schleiermacher.

geven. 'Zo verdwijnt de danser in de dans|de engel in zijn noodzakelijkheid', zegt de dichter J. Bernlef.[26] De *homo religiosus* wordt deel van de religieuze vormen, tot de schepping waarvan deze zich heeft laten verlokken, de werkelijkheid van de religieuze betekenisgeving die zij heeft uitgelokt.[27]

Het verdwijnen van de danser in de dans

Het kleine, sprookjesachtige, inmiddels verfilmde boekje *Meneer Ibrahim en de bloemen van de koran* van de Franse toneelschrijver en romancier Eric-Emmanuel Schmitt, portretteert religie op een manier die direct lijkt aan te sluiten bij de benadering van Lynda Sexson.[28] In een van de centrale scènes komt de ik-figuur Momo, een Joods jongetje dat geadopteerd is door meneer Ibrahim, de islamitische kruidenier in zijn straat en wiens koosnaam zowel een verkorting van Mozes als van Mohammed kan zijn, in aanraking met de derwisjen, de monniken van de mystieke soefi-stroming binnen de islam. Meneer Ibrahim geeft de soefi-overtuiging, die haar aanhangers doet zoeken naar extase als vorm van bevrijding, met een citaat weer: 'Het hart van de mens is als een vogel die opgesloten zit in de kooi van het lichaam.'[29] Een van de manieren om deze extase te bereiken is de dans: 'Als je danst, zingt je hart als een vogel die wil opstijgen naar God.' Als ze dansen, draaien de dewisjen 'om zichzelf heen, ze draaien om hun hart heen, de plek waar God aanwezig is'. Ze hebben 'geen aards houvast meer, die zwaartekracht die wij het evenwicht noemen, ze worden fakkels die in een groot vuur verteren'. Momo danst met ze mee en voelt de haat uit zich wegstromen. '[I]k tolde als een razende. Nee, eigenlijk tolde ik juist om iets minder razend te worden.' Zo verdwijnt inderdaad de danser in de dans en wordt het aardse bestaan in de religieuze betekenis van de realiteit opgenomen.

En deze dans breidt zich uit naar het hele leven. Momo leert niet slechts beleefd te zijn voor de mensen om hem heen, zoals zijn vader

26 Bernlef, *De noodzakelijke engel*, 1990, 15: 'Stilte'.

27 Vgl. hiervoor ook, meer theoretisch, W. Doniger, *The Implied Spider*, 1998, m.n. 53-77. Voor een analyse van deze 'performativiteit' als centraal aspect van het religieuze ritueel, zie R.A. Rappaport, *Ritual and Religion in the Making of Humanity*, 1999, 107-138: 'Enactments of Meaning'.

28 E.-E. Schmitt, *Monsieur Ibrahim et les fleurs de Coran*, 2001. Over het werk van Schmitt, vgl. M. Meyer, *Eric-Emmanuel Schmitt ou les identités bouleversées*, 2004; over *Monsieur Ibrahim*, 65-69. Zie ook de website <http://www.eric-emmanuel-schmitt.com>.

29 Voor het soefisme, zie W.C. Chittick, *Sufism*, 2000; M.J. Sedgwick, *Sufism*, 2003. Voor de verspreiding van het soefisme in het Westen, zie *Sufism in Europe and North America*, ed. D. Westerlund, 2004. Het soefisme is ook populair in New Age-kringen, vanwege de afstand die het houdt van institutionele religiositeit, de relativering van het uiterlijke en de gerichtheid op het ware zelf; vgl. b.v. K.E. Helminski, *Living Presence*, 1992.

hem geleerd had, maar te glimlachen en zo het leven – is de suggestie – tot een dans te maken waarin hij is opgenomen, in plaats van een strijdperk waarin hij zich moet handhaven tegenover tegenstanders die niet te vertrouwen zijn. Dit is ook de boodschap van de titel van het boekje: *Meneer Ibrahim en de bloemen van de koran*. Meneeer Ibrahim zegt dat het geheim van zijn geluk is dat hij weet 'ce q'il y a dans mon Coran'. Letterlijk betekent deze zinsnede dat hij weet 'dat wat in mijn koran is', maar gewoonlijk wordt zij verstaan als: ik weet wat in mijn koran staat. Momo gaat daarom in de tekst van de koran, die hij op eigen verzoek van meneer Ibrahim krijgt, naarstig op zoek naar het geheim, maar vindt het daar niet. Meneer Ibrahim zegt: 'Als God het leven niet rechtstreeks aan je heeft geopenbaard, zul je het niet uit een boek kunnen halen.' Wat er in meneer Ibrahims eigen koran is, zo blijkt na diens dood, zijn twee gedroogde rozen en een brief van een oude, wijze vriend. Sporen van Gods openbaring in het leven en een aanwijzing hoe een heilig boek gezien moet worden: als bewaarplaats van dergelijke sporen.[30] Op deze wijze is het soefisme van meneer Ibrahim, wiens naam uiteraard verwijst naar Abraham als aartsvader van Jodendom, christendom en islam, tegelijkertijd de gemeenschappelijke kern van alle religies. Schmitt laat meneer Ibrahim deze kern als volgt verwoorden:

> Er is een ladder voor ons neergezet … om te ontsnappen. Eerst was de mens steen, toen plant, toen dier – dat dier, dat kan hij maar niet vergeten, hij heeft vaak de neiging om het weer te worden; daarna is hij mens geworden, begiftigd met kennis, verstand en geloof. Kun je je de weg voorstellen die je hebt afgelegd van stof tot mens? En later, als je het leven als mens bent ontstegen, word je een engel. Dan heb je niets meer met de aarde te maken. Als je danst krijg je daar een voorgevoel van.

Of, in de woorden van Abdoellah, de geleerde vriend van meneer Ibrahim: de dans is als alchemie en verandert het koper van het wereldse bestaan in goddelijk goud. Beeld hiervan is het bestaan als de Arabische kruidenier, die meneer Ibrahim eerst is en dat de van oorsprong Joodse Momo als zijn erfgenaam wordt: 'Als het om kruideniers gaat betekent Arabier: open tot 's avonds laat, en 's zondags ook.' Het is alles zien, zwijgend aanwezig zijn, glimlachen, gelukkig zijn en langs al deze wegen weten wat er te vinden is in het boek waarin God zich openbaart.

Maar het charmante *Meneer Ibrahim en de bloemen van de koran* verbergt een fundamenteel probleem, juist van het beeld van de religie dat erin wordt gepresenteerd. De jongen die door meneer Ibrahim Momo ge-

30 De roos in het soefisme het symbool van de geestelijke kennis, met name bij de grote mystieke soefidichter Djelal-oed-din Roemi (1207-1273), en tevens het symbool van het soefisme zelf.

noemd wordt, heet eigenlijk Mozes, is Joods en woont aan het begin van het verhaal bij zijn vader. Deze is een in zichzelf gekeerde advocaat die alleen met zijn zoon in een somber appartement vol zware boeken woont, die niemand vertrouwt, ook zijn zoon niet, die als reactie op zijn wantrouwen begint te stelen. Hij is door zijn vrouw verlaten, omdat zij met hem niet gelukkig kon worden. Als hij ontslag heeft gekregen van het kantoor waar hij werkt, laat hij zijn zoon alleen achter met een briefje: 'Het spijt me, ik ben weggegaan. Ik heb het helemaal niet in me om een vader te zijn.' Hij pleegt uiteindelijk zelfmoord door zich voor een trein te gooien in de buurt van Marseille. Meneer Ibrahim zegt tegen Momo dat hij dit zijn vader niet kwalijk mag nemen, waarop de jongen verontwaardigd vraagt waarom niet. 'Een vader die mijn leven vergalt, die mij in de steek laat en dan zelfmoord pleegt, dat geeft je nogal vertrouwen in het leven! En dan mag ik het hem niet eens kwalijk nemen?' De blijkbaar alwetende meneer Ibrahim legt vervolgens uit:

> Jouw vader had niemand aan wie hij een voorbeeld kon nemen. Hij had zijn ouders al heel jong verloren, omdat ze door de Nazi's waren opgepakt en in een concentratiekamp waren omgekomen. Jouw vader kon er niet overheen komen dat hij zelf aan dat verschrikkelijke lot was ontsnapt. Misschien voelde hij zich schuldig dat hij nog leefde. Hij heeft zich niet voor niets voor een trein gegooid. [...] Zijn ouder waren per trein hun dood tegemoet gegaan. Misschien was hij al zijn leven lang op zoek naar zijn trein ... Dat hij het leven niet aankon, kwam niet door jou, Momo, maar door alles wat er vóór jou is gebeurd, of juist niet is gebeurd.

Als zijn vader weg is, begint Momo zich los te maken van diens wereld:

> Ik bedacht dat ik de ramen kon opendoen, dat de muren een lichtere kleur konden krijgen; ik zie bij mezelf dat ik misschien niet verplicht was meubels te houden die naar het verleden roken ..., naar het verleden dat stonk als een oude dweil.

Hij verkoopt de boeken van zijn vader, de boeken 'die geacht werden de essentie van de menselijke geest, de complete wetgeving en scherpzinnige filosofische gedachten te bevatten', de boeken waar zijn vader zich aan wijdde en waarvan hij hem uitsloot: 'Mozes, hou je mond. Ik lees. Ik ben aan het werk.' Daarom: 'Elke keer dat ik een boek verkocht, voelde ik mij vrijer.' Na het bericht van de dood van zijn vader begint hij het appartement te schilderen en opnieuw in te richten.

In *Meneer Ibrahim en de bloemen van de koran* blijken uiteindelijk twee vormen van religiositeit op elkaar te botsen. Voor de vader van Momo heeft het Jodendom na de shoa niets meer met God te maken. 'Joods zijn wil alleen maar zeggen dat je herinneringen hebt. Nare herinneringen.' Zijn religie is het koesteren van deze herinneringen. Geloven in God, dat is hem met deze herinneringen naar eigen zeggen 'nooit gelukt' en op de vraag van zijn zoon of je daar dan je best voor moet doen, kijkt hij 'naar het halfduistere appartement om hem heen' en zegt: 'Om te geloven dat dit alles zin heeft? Ja. Daar moet je heel erg je best voor doen.' De suggestie is dat deze moeite voortkomt uit zijn eigen somberheid die zich uitdrukt en voortzet in zijn strikte geloof in de wet, zijn – in de woorden van zijn zoon – 'advocaatje spelen', met 'zo'n bleek gezicht en zo'n trieste sfeer in huis'. Het tegenbeeld hiervan is de anti-legalistische soefi, meneer Ibrahim, in wiens leven de religieuze zin zich als vanzelf openbaart.

Dat Momo – in zekere zin in het spoor van zijn moeder – kiest tegen de alles somber en duister makende religie van zijn vader en zich bekeert tot meneer Ibrahims religie van de magische glimlach, is binnen de logica van Schmitts boekje vanzelfsprekend. Je kunt er als lezer nauwelijks weerstand aan bieden. Maar in deze vorm van religiositeit is klaarblijkelijk geen plaats voor de herinnering en geschiedenissen als die van Momo's vader. Juist omdat Schmitt elders in zijn oeuvre blijk geeft van een grote gevoeligheid voor de tragiek van de shoa en het belang van een goede religieuze omgang ermee,[31] is het des te verwarrender dat de vleesgeworden herinnering aan de ondragelijkheid ervan volgens de narratieve logica van *Meneer Ibrahim en de bloemen van de koran* zelfmoord moet plegen wil zijn zoon de mogelijkheid hebben werkelijk en voluit te gaan leven. Dit suggereert dat er in de religie waarin het heilige zich openbaart in directe verbondenheid met het dagelijks leven, geen ruimte is voor mensen wier leven gebroken is door de gewelddadige geschiedenissen van de moderniteit en voor wie het 'gewoon heilige' fundamenteel geschonden is. Er valt alleen met eerbied, begrip en rouw te constateren dat zij de noodzakelijke openheid niet meer kunnen opbrengen. Maar blijkbaar is het uiteindelijk noodzakelijk dat de somberheid die zij belichamen, wordt achtergelaten ten gunste van nieuwe levensmogelijkheden.

31 *Monsieur Ibrahim et les fleurs de Coran* is het tweede deel van een geplande 'cycle de l'invisible' van verhalen over religie. Het eerste deel, *Milareba*, 1997, gaat over het boeddhisme, het derde deel, *Oscar et la dame rose*, 2002, over de verhouding tussen geloof en materialistisch atheïsme. Het vierde deel is getiteld *L'enfant de Noé*, 2004 en gaat over het zevenjarige Joodse jongetje Joseph dat in 1942 gered wordt van de Grote Vernietiging door de Naamse priester Pons die zichzelf aanduidt als iemand die als Noach mensen redt die door het geweld van de geschiedenis bedreigd worden. Pons bestudeert met Joseph tora en kabala en geeft hem het besef een kind te zijn van Noach, uitverkoren om de hoop levend te houden temidden van de geschiedenis. In zijn hele oeuvre verzet Schmitt zich tegen de uitsluiting van het Andere en het vasthouden aan een eigen, vermeend vaste identiteit, waar de Jodenhaat van de Nazi's op extreme wijze van getuigde.

Tweemaal geboren religie

Gewoon heilig maakt vooral indruk vanwege Lynda Sexsons schaamteloze en reserveloze toewijding aan een werkelijkheidssfeer die in de wetenschappelijke en culturele discussies nauwelijks status heeft. Zij suggereert dat ervaringen in de sfeer van het alledaagse leven nieuwe aspecten van het heilige ontsluiten die juist in onze postreligieuze cultuur van belang zijn. Maar deze in eerste instantie imponerende onverschilligheid tegenover de kans dat religiositeit eens te meer in verband wordt gebracht met vrouwen en kinderen en helemaal niet meer serieus genomen wordt in wat geldt als de 'echte wereld', heeft een schaduwzijde. Zij draagt hiermee bij aan de voortgaande verbanning van de religie uit de wereld van de economie en de politiek, het sociale conflict en het maatschappelijk debat. Religie wordt vanaf de achttiende eeuw in het Westen steeds verder verdrongen uit de turbulentie van de moderne geschiedenis van oorlog, strijd en toenemende concurrentie en teruggedrongen in de persoonlijke sfeer, in de familiale en kleinschalige leefgemeenschap.[32] Eric-Emmanuel Schmitts *Meneer Ibrahim en de bloemen van de koran* maakt zichtbaar dat dit, met alle nadruk die gelegd wordt op de eigenheid van de religie, een verborgen vorm van instrumentalisering kan zijn. Religie dreigt de functie te krijgen mensen de werkelijkheid voor te spiegelen als een waardevolle leefwereld waarbinnen een goed leven mogelijk is en de inzet voor een dergelijk leven dus zinvol. Ervaringen die hier niet in passen, worden dan terzijde geschoven, ontkent of symbolisch geëlimineerd. Om de vraag op de spits te drijven: is de hedendaagse, van gedaante veranderde religie eigenlijk wel iets anders dan een fundamenteel cynisch optimisme-offensief in een tijd waarin de geloofwaardigheid van het project van de moderniteit als vooruitgang ongeloofwaardig is geworden?[33]

De Amerikaanse filosoof en vader van de godsdienstpsychologie William James (1842-1910) maakt het in dit verband belangrijke onderscheid tussen eenmaal en tweemaal geboren religie: 'once born' en 'twice born'. In het licht van de eerste is de wereld een zinvol geheel en het leven een opgang naar geluk. Ervaringen die deze visie bedreigen, worden simpelweg ontkend of bestreden. De tweede is een reactie op de ervaring dat de wereld en het leven zoals zij zich spontaan voordoen, alles-

32 Voor de toenemende stilering van religie als voor- en buitenmodern fenomeen, verbannen naar de ruimten waarop de moderniteit verondersteld wordt weinig vat te hebben, zie T. Asad, *Genealogies of Religion*, 1993, 27-54: 'The Construction of Religion as an Anthropological Category.'

33 Aldus de visie op de ontwikkeling van religie in de moderniteit van de Duitse filosoof Peter Sloterdijk, door hem ten onrechte geprojecteerd op de godsdienstpsychologie van William James in zijn 'Kansen in de gevarenzone', 2001; vgl. voor mijn kritiek 'Wat William James wist: Notities over de religieuze vraag in het hart van de (post)moderniteit'.

behalve zinvol zijn. Deze ervaring blijkt onder een nieuw, religieus licht zelf te kunnen worden opgenomen in een zinvol en uiteindelijk hoopvol verband, zonder dat hiermee de ervaring van zinloosheid zelf wordt ontkend of tenietgedaan.[34] Met name het boeddhisme en het christendom slagen er volgens James in om zin en heil te vinden juist in de confrontatie met angst en lijden. Een geloofwaardige religie moet in onze tijd een tweemaal geboren religie zijn en de ervaringen van excessief onheil niet ontkennen of terzijde schuiven, maar een plaats geven. Wil de terugkeer van de religie zich in een christelijk-religieus kader laten duiden als getuigenis van een metamorfose van God, dan moet haar wederkomst gelijkenis vertonen met het beeld van de verrezen Jezus Christus in de evangelies: levend en een geschiedenis voortzettend die in de dood leek te zijn vastgelopen, maar met in zich de blijvende littekens van het dodelijke geweld en de reële ondergang waardoor de wereldgeschiedenis, en de geschiedenis van de moderniteit in het bijzonder, fundamenteel getekend is.

Hoe een dergelijke 'tweemaal geboren' terugkeer van de religie eruit zou kunnen zien, wordt gesuggereerd in het kinderboek *Godje* van Daan Remmerts de Vries.[35] Zonder ooit spectaculair te worden, brengt het in beeld hoe het schijnbaar vredige leven van de westerse middenklasse vervuld is van geweld, en van fantasieën over tegengeweld. De hoofdpersoon, Robbie Nathan, is de leider van een clubje jongens die hij behandelt als zijn onderdanen. De jongste, Shappi, is zelfs zijn slaafje en moet absoluut gehoorzamen, anders wordt hij ongenadig bestraft. Doordat het boek in de ik-persoon is geschreven vanuit het perspectief van Robbie, wordt de lezer verleid om zich te identificeren met diens puberale afkeer van mensen die als zijn moeder altijd alles netjes en geordend willen hebben, met zijn verlangen om daartegenover zelf macht te hebben en anderen daaraan te onderwerpen, met zijn hunkering naar zaken die in tegenstelling tot zijn dagelijkse kunstmatige omgeving 'echt' zijn. Op een dag graven de jongens op het kerkhof een schedel op, die Robbie meeneemt naar huis en 'Gertrudis' noemt, naar de persoon wier naam op de grafsteen stond. De schedel is voor hem het tegenbeeld van de geordende wereld thuis en inderdaad, als Robbies moeder de schedel vindt, gaat ze helemaal door het lint. Gertrudis is voor Robbie, als teken van fascinatie voor de dood en tegelijk van het ontbreken van angst ervoor, een statussymbool tegenover de andere jongens. En Robbie gebruikt de schedel om nog meer macht over hen uit te oefenen. Hij maakt zijn onderdanen tot een kleine sekte die de Gertrudis vereert en gedraagt zich als de priester van de zelfbedachte cultus van angst en doodsdreiging.

34 W. James, *The Varieties of Religious Experience*, 1902, 139, 289, 385 nt. 2.
35 D. Remmerts de Vries, *Godje*, 2003.

Het lijkt te herinneren aan de klassieker *Heer der Vliegen* van William Golding uit 1954, waarin een groepje Engelse koorknapen dat is aangespoeld op een onbewoond eiland symboliseert hoe dun het laagje beschaving van westerse mensen uiteindelijk is.[36] De terugval tot de wet van de jungle begint met de verering door de jongens van de schedel van een door henzelf gejaagd en gedood zwijn als hun god. Vanwege de vliegen die op de zwijnenschedel afkomen, heet de god 'Heer der Vliegen', een aanduiding die tevens verwijst naar Beëlzebub, de bijbelse opperduivel. Maar waar de latere Nobelprijswinnaar Golding in de jaren vijftig van de twintigste eeuw religie in beeld brengt als teken en instrument van de gewelddadige chaos die ondanks de schijn van moderne ordening voortdurend op de loer ligt, daar is voor Remmerts de Vries een halve eeuw later religie juist een vorm van tegendraadse eerbied in een getemde, maar juist daarin goddeloze en gewelddadige wereld. In de schedel Gertrudis wordt de voortdurend op macht en onderwerping gerichte Robbie met iets geconfronteerd dat groter en sterker is dan hij, iets dat hij niet kan onderwerpen maar waar hij op zijn beurt voor moet en kan buigen. Het blijkt de vervulling van een diepe hunkering.

Robbie zoekt hartstochtelijk naar wat 'echt' is. Daar komt zijn agressie uiteindelijk vandaan. De wanorde, de chaos, de dood: die zijn echt en daarom moet zijn moeder – zijn moeder die ervoor zorgt dat zij niet door de ordening heen breken, zijn moeder die altijd precies om zes uur wil eten en niet toelaat dat zijn vader in huis rookt, zijn moeder die geobsedeerd wordt door vuil en verontreiniging – weg. Tenminste, hiervan is Robbie korte tijd overtuigd en hij fantaseert erover. Als hij echter even denkt dat zijn wens werkelijkheid is geworden en zich realiseert wat dit betekent, ziet hij in dat het niet de oplossing is. De schedel Gertrudis onthult uiteindelijk de macht van de dood precies als wat deze macht is: bedreigend, overweldigend, vernietigend. Dit maakt tegelijkertijd duidelijk dat er iets tegenover deze macht moet staan, iets anders dan de angstige, beheersende orde van zorgvuldig ingerichte en schoongehouden huizen in een vanwege zijn frisse opgewektheid diep-troosteloze nieuwbouwwijk.

Remmerts de Vries laat Robbie dit 'iets' aanduiden met de klassieke religieuze term 'geloven'. Bijna op het einde van *Godje* zegt Robbie tegen de lezer: 'Sommige dingen moet je geloven. Want als je níets gelooft, als je alleen maar gelooft wat je ziet met je eigen ogen, dan is alles ... zo kaal ... Je móét gewoon *iets* geloven. Echt waar.' Vriendschap bijvoorbeeld, en de ervaring dat de wereld mooier is als je er samen met een vriend doorheen loopt en je niet probeert die wereld, of die vriend,

36 W. Golding, *Lord of the Flies*, 1954; voor interpretaties van dit boek, zie *William Golding's 'Lord of the Flies'*, ed. H. Bloom, 1999.

aan jouw willekeur te onderwerpen. Het gaat uiteindelijk niet om de kick van wat zich onontkoombaar, maar daarmee gewelddadig poneert als 'echt'. Het gaat erom dat je gelooft dat wat je beleeft echt *is*, en in deze zin goed. 'Ik', zegt Robbie om duidelijk te maken wat dit geloven voor hem is, 'hoor soms muziek. Muziek in de wind en de regen.' En hij fantaseert hoe hij eens deze muziek zal opschrijven en laten uitvoeren, en beroemd zal worden. Als hij zegt dat de muziek uit de wind en de regen komt, zal volgens zijn fantasie niemand hem geloven. En dan volgt, als apotheose, het slothoofdstuk dat maar uit twee zinnen bestaat: 'Alleen ik zal dan weten dat die muziek er altijd al was. Gewoon, omdat er altijd muziek is, als je maar luistert.' Geloven, dat is luisteren naar deze muziek op zo'n manier dat je hem ook hoort. Zo laat Robbie zich van iemand die volgens het woord van de dichter Willem Kloos als 'een God in het diepst van zijn gedachten, | zit in 't binnenst van [zijn] ziel ten troon | over [zich]zelf en 't al',[37] omvormen tot iemand die temidden van de wereld waarvan hij door alle dubbelzinnigheden heen de muziek hoort, en omdat hij deze hoort, naar het woord van de psalmdichter 'bijna een God' is (Psalm 8, 6).

Maar de hamvraag in het kader van dit boek is uiteraard wat dit voor muziek is. En wat het 'horen' ervan betekent.

37 In: W. Kloos, *Verzen*, 1894.

4
Het heden in de ruimte van wat komt

Het had een religieus of theologisch document kunnen zijn, met die titel: *In het zicht van de toekomst.* Het zogenoemde Sociaal en Cultureel Rapport 2004 wil de sociaal-culturele situatie van Nederland presenteren en het doet dit met een voor een dergelijk document opmerkelijke uitstraling. Geen saai ambtelijk onderzoeksverslag, maar een kloek gebonden boek van ruim zeshonderd bladzijden. Er staat een raam op de omslag dat klaarblijkelijk het uitzicht symboliseert dat het rapport wil bieden. De omslag wordt omspannen door een regenboog die veelkleurigheid verzinnebeeldt, maar die bij nader toezien alleen de kleuren rood, wit en blauw blijkt te bevatten en zo, samen met de drie leeslinten in dezelfde kleuren, suggereert dat achter dit voorplat de Nederlandse samenleving wordt getekend in zijn volle breedte. Ten slotte staan er donkere wolken op het omslag, onmiskenbaar onderdeel van een typisch Hollandse lucht, maar eveneens symbool van naderende problemen. De wereld blijkt er volgens dit rapport van het Nederlandse Sociaal Cultureel Planbureau (SCP) voor de meeste Nederlanders in het zicht van de toekomst anno 2004 somber uit te zien, maar zij zijn met hun actuele leven redelijk tevreden.[1]

Misschien brengt dit rapport nog wel meer aan het licht dan de stemming die aan het begin van de éénentwintigste eeuw in Nederland heerst en onthult het iets van de geest van de westerse wereld in het algemeen. De angst voor de toekomst, het gevoel dat niet de dageraad van de waarachtige menselijkheid voor de deur staat, maar dat alles wat moeizaam veroverd is, wordt bedreigd door een altijd op de loer liggend, steeds slechts tijdelijk naar de achtergrond gedrongen 'Ungeheuer' – om een term te gebruiken van de filosoof Martin Heidegger (1889-1976) – lijkt de westerse wereld de laatste decennia verhevigd te bespoken. De mythe is dat onze cultuur bepaald wordt door een vooruitgangsgeloof, maar in feite geloven we niet in de vooruitgang. Met name het hedendaagse terrorisme is een uitdrukking van een ontgoocheld en cynisch geworden gerichtheid op vooruitgang die zich niet bij de feiten kan neer-

1 *In het zicht van de toekomst*, 2004.

leggen, maar ook geen hoop meer heeft dat het beter wordt en daarom ontaardt in nihilisme en pure vernietigingsdrift.[2] Het lijkt erop dat het SCP dit ingestorte vooruitgangsgeloof onthult als bepalend voor de actuele situatie.[3]

Hiermee presenteert het inderdaad een theologisch document. Het suggereert het gelijk van de Amerikaanse theoloog David Tracy wanneer deze meent dat wij onze onoverzichtelijke situatie het best kunnen begrijpen door haar in verband te brengen met de verborgen God van de bijbelse en buitenbijbelse apocalyptiek en de onbegrijpelijke God van de negatieve theologie.[4] De verwarring waarin wij verkeren met betrekking tot de betekenis van onze tijd en de zin van ons leven erbinnen, is geen op te lossen probleem maar een uitdrukking van een religieus mysterie, dat geleefd moet worden. De onbegrijpelijke God is echter naar overtuiging van de christelijke traditie geen willekeur, ook al lijkt de werkelijkheid haar doorgrondelijke structuur verloren te hebben en de geschiedenis elke suggestie van vooruitgang. Het bijbelse woord dat telkens klinkt als God zich openbaart, luidt: 'Vrees niet', of 'Wees niet bang' zoals de Nieuwe BijbelVertaling het bijna huiselijk zegt. Het doorbreken van de ordeningen waarin mensen zich verschansen en zich beveiligen tegen gevaar, zijn misschien het vuur dat naar bijbelse voorstelling voor God uitgaat en de duistere wolken die God omhullen (vgl. Psalm 97, 2-3), en die zijn vreeswekkend. God hoeft echter ten diepste niet gevreesd te worden. De bijbelse God is niet 'das Ungeheuer', maar zoals Edward Schillebeeckx het vaker heeft uitgedrukt: 'pure positiviteit'.

Volgens de christelijke traditie heeft deze pure positiviteit een icoon in Jezus, die zij daarom belijdt als Gods Gezalfde (Kol. 1, 15); God heeft zich doen kennen als de 'abba', de Vader van wie Jezus sprak en op wie hij vertrouwde, en die toekomst geeft over de dood heen. Sindsdien liggen over het woest en ledig die de aarde en haar geschiedenis vaak zijn, de woorden die het evangelie volgens Lucas in de monden legt van Zacharias en Maria en die spreken van 'een reddende kracht', 'bevrijding van vijanden', van heersers die van hun troon gestoten worden en geringen die worden verheven (vgl. Lc. 1, 46-55+68-79). Het evangelie volgens Marcus vat dezelfde boodschap in één zin samen: 'de tijd is aangebroken, het koninkrijk van God is nabij' (Mc. 1, 15). Dat tekent christelijk gezien het heden 'in het zicht van de toekomst'.

2 Vgl. J. Gray, *Provocaties*, 2004, 23-84.
3 Vgl. O. Bennet, *Cultural Pessimism*, 2001.
4 D. Tracy, 'Form and Fragment', 1999. Al enige tijd kondigt Tracy een boek, recentelijk zelfs een trilogie aan over dit thema, onder de voorlopige titel *This Side of God*, ook de titel van zijn Gifford Lectures in 1999-2000.

De conclusie uit de voorgaande hoofdstukken zou kunnen zijn dat de hedendaagse situatie in mijn ogen een religieuze situatie is omdat er een hernieuwde belangstelling is voor religieuze tradities en thema's. Maar het is omgekeerd: de hernieuwde belangstelling voor religie en religieuze thema's brengt, in alle chaos, veelvormigheid en onduidelijkheid die het aankleeft, aan het licht dat onze situatie op een onverwachte en nieuwe manier een religieuze situatie is. Zij is er een teken van dat – om nog even terug te keren naar de metafoor waar het vorige hoofdstuk mee eindigde – opnieuw en op een nieuwe manier muziek wordt gehoord. Maar wat voor soort muziek is dat?

De ontlediging en de vernedering van God

Om dit te verhelderen sluit ik mij in eerste instantie aan bij de grondtoon in het werk van de Italiaanse filosoof Gianni Vattimo. Deze interpreteert op spraakmakende wijze de hedendaagse versplintering van de religieuze tradities tot de onoverzienbare en schijnbaar betekenisloos geworden veelheid van opvattingen, praktijken en visies in religieuze termen. In het essay *Ik geloof dat ik geloof* beschrijft Vattimo hoe hij in zekere zin het katholicisme van zijn jeugd terugvond, niet meer als een krachtige getuigenis van de 'schittering van de waarheid', maar als een geloof dat weet dat het geen stevig fundament bezit en slechts met de nodige terughoudendheid naar voren kan worden gebracht.[5] De zwakheid van dit geloof dat 'gelooft dat het gelooft', beantwoordt volgens Vattimo aan wat voor hem zowel filosofisch als religieus de centrale ontdekking is van de twintigste eeuw. Hij spreekt hierbij afwisselend van 'verzwakking van het zijn', 'verzwakking van de rede', 'verzwakking van de waarheid' en ook wel van de 'dood van God' in de lijn van Nietzsche.[6]

Als bron en garant van de ordening van wereld en samenleving is God verdwenen en volgens Vattimo dient zich wat waar en goed is voor hedendaagse mensen niet meer met onomstotelijke zekerheid aan. Wij weten onontkoombaar dat al onze inzichten gebaseerd zijn op interpretatie, dat er altijd een andere interpretatie mogelijk is en steeds een ander verhaal te vertellen valt op basis van dezelfde gegevens. Wij kunnen volgens Vattimo deze 'verzwakking' van de waarheid betreuren en op zoek gaan naar een nieuw en vast fundament voor een sterke waarheid. Allerlei vormen van fundamentalisme maken duidelijk dat het inderdaad mogelijk is een dergelijk fundament te construeren en te poneren. Vattimo pleit er echter voor de verzwakking te accepteren en ervan uit te gaan dat juist deze 'zwakte' voor ons de actuele gestalte van de waarheid is.[7]

5 G. Vattimo, *Ik geloof dat ik geloof*, 1996.

6 Vgl. *Il pensiero debole*, ed. G. Vattimo, 1985; G. Vattimo, *The End of Modernity*, 1985; id., *Nietzsche*, 1985, id., *Beyond Interpretation*, 1994.

7 Vattimo zelf stelt deze beide mogelijkheden tegenover elkaar als twee interpretaties van

De waarheid doet zich volgens de visie van Vattimo aan ons voor als interpretatie die nooit dwingend is en God doet zich voor als nooit af te dwingen, altijd ook te negeren appèl om niets anders absoluut te stellen dan de caritas, de vriendschapsliefde. Het hoort volgens Vattimo bij het zijn, de waarheid en het goede in onze tijd dat zij zich terugtrekken en 'zwak' worden, zich overgeven aan onze veelvoudige interpretaties en onze goede wil. Het is precies deze 'verzwakking' die in zijn ogen leidt tot een nieuwe presentie van religie – is 'het verschijnsel dat men ten onrechte de wedergeboorte van de religie noemt ... werkelijk iets anders dan de dood van God?', zo vraagt hij retorisch[8] –, namelijk als een tastende en mysterieuze interpretatie van de werkelijkheid die antwoordt op het aan het licht komen van mogelijkheden tot goed leven.

Deze beweging in de richting van 'verzwakking' brengt de moderniteit volgens Vattimo op een verrassende manier in de nabijheid van de christelijke traditie. Zij is in zijn ogen analoog aan wat het christendom thematiseert als *kenosis*, de 'ontlediging' van God in Jezus Christus. Volgens de hymne die de apostel Paulus in de brief aan de christenen van Filippi citeert (Fil. 2, 6-11), heeft God zich 'ontledigd' om in Jezus Christus als mens te verschijnen: zwak, kwetsbaar, zonder verweer tegen machtsuitoefening en juist zo een onthulling van wat werkelijk van belang is. Een soortgelijke *kenosis* is voor Vattimo het hart van de moderniteit: waarheid, goedheid en uiteindelijk God als samenvatting van alles wat verheven en van ultieme waarde is, 'ontledigen' zich, leggen hun kracht af en nemen de gestalte van zwakte aan. Zo is het meest verhevene te vinden in het meest onooglijke, het meest waardevolle in dat wat zichzelf het minst kan verdedigen. In de plaats van de vrees voor en de hierop gebaseerde onderwerping aan Gods macht, die lang ook onder het christendom nog heerste, ontstaat er volgens Vattimo ruimte voor vrije erkenning van en vriendschap met God. Het christendom heeft volgens Vattimo bij zijn ontstaan ideëel het beeld afgebroken van een gewelddadige, autoritaire en overweldigende God. In de moderniteit voltrekt deze doorbraak zich ook in de realiteit.

Vattimo's visie lijkt een toegespitste variant van Dietrich Bonhoeffers idee dat mensen in de moderniteit juist zonder God voor God staan.[9] In veel van wat hij zegt, toont Vattimo zich erfgenaam van de 'God is dood'-theologen en de theologie van de secularisatie die in hoofdstuk 2

de filosofie van Heidegger die deze verzwakking van het zijn als eerste gezien en geanalyseerd heeft: een 'rechts' heideggerianisme, waar Heidegger zelf geregeld toe leek te neigen, en een 'links' heideggerianisme.

8 G. Vattimo, 'Circonstances', 1996; vgl. id., 'La trace de la trace', 1996.

9 Voor theologische beoordelingen van Vattimo's werk, vgl. *Essays zu Jacques Derrida und Gianni Vattimo, 'Religion'*, Hg. L. Nagl, 2001; *Letting Go*, ed. O. Zijlstra, 2002. Voor een vergelijkbare kritiek op Vattimo, vgl. in het eerste boek m.n. M. Hofer, 'Jenseits von Gnosis und Nihilismus', in het tweede boek L. ten Kate, 'Econokenosis'.

ter sprake kwamen. Hij voltooit hun project om religie en het spreken over God niet te situeren tegenover de moderniteit, maar als een vorm van spreken over en temidden van de moderniteit. Maar evenals zijn voorgangers uit de jaren zestig heeft Vattimo de neiging het theologisch essentiële verschil over het hoofd te zien tussen de incarnatie als symbool voor wat Schillebeeckx in 1965 'de heiligende secularisatietendentie' in de christelijke traditie noemde, en de verlossing.[10] In de hymne uit de brief aan de Filippenzen waarin de gedachte van de *kenosis* wordt verwoord, is tevens sprake van Jezus' vernedering 'tot de dood, ja tot de dood aan een kruis'. 'Ontlediging' kan nog wijzen op iets dat vrijwillig is afgelegd, maar 'vernedering' duidt erop dat iemand verkeerd wordt gezien en geplaatst, c.q. zich verkeerd laat plaatsen. Jezus' gewelddadige dood aan een kruis wordt in de brief aan de christenen van Filippi een vernedering genoemd, een teken dat de geschiedenis principieel niet loopt zoals zij behoort te lopen. Mensen horen niet gemarteld en gedood te worden, niet te worden gekruisigd alsof ze niets zijn, al gebeurt het alom en volop. De christelijke traditie krijgt zijn specifieke profiel in de belijdenis dat God zich met deze vernedering van mensen verbindt en niet vreemd blijft staan tegenover hun pijn en hun lijden, maar juist in de verbondenheid ermee laat zien wat in christelijke zin 'God' en goddelijke verhevenheid betekenen. In deze vernedering en deze pijn neemt God ook het verlangen aan naar een andere situatie dan die waaraan wij feitelijk zijn onderworpen, zelfs al heeft dit verlangen – als we het Marcus-evangelie mogen geloven – de gestalte van de vertwijfelde kreet: 'God, mijn God, waarom heb jij mij verlaten' (Mc. 15, 34). Het is volgens de christelijke traditie God zelf die roept om God, tegen de godverlatenheid in.

De theologische openheid voor religie in wat ik in hoofdstuk 2 in het spoor van Victor Turner haar huidige 'liminale' situatie heb genoemd en die ik in dit boek probeer te cultiveren, bestaat daarom niet zonder meer in het richten van de aandacht op nieuwe vormen van religiositeit. Ze bestaat ook niet alleen in het onderzoek naar gefragmenteerde en verwarde sporen van Gods zwakke aanwezigheid in schijnbaar seculiere vormen. Zij richt zich daarenboven op sporen van verlangen naar heil die schuilgaan in het verzet tegen wat in de bestaande verhoudingen mensen gevangen houdt en vernedert, en hen God vaak vooral als afwezig doet ervaren. In deze ervaring van afwezigheid wordt mede Gods presentie gelokaliseerd. Anders gezegd, de aandacht voor wat Edward Schillebeeckx 'contrastervaring' noemt, blijft van fundamenteel belang. Met de term 'contrastervaring' doelt Schillebeeckx op de ervaren evidentie dat een bestaande situatie mensonwaardig is.[11] De ervaring dat *dit*

10 Hoezeer de moderniteit voor Vattimo in alle opzichten en zonder reserve de realisering van het christendom is, blijkt in zijn *After Christianity*, 2002.

11 E. Schillebeeckx, 'Het nieuwe godsbeeld', 1968, 57-58.

in ieder geval niet deugt, belichaamt volgens Schillebeeckx een centraal inzicht in de gegeven werkelijkheid en heeft, vanuit dit inzicht, tegelijkertijd werkelijkheidsveranderende kracht.[12] De contrastervaring heeft een kritisch en negatief aspect, een aspect van afkeer van en verzet tegen het bestaande. Het impliceert tegelijkertijd een positief aspect, een aspect van vertrouwen in deze afkeer en een geloof in de zinvolheid van dit verzet. Deze contrastervaring is volgens Schillebeeckx enerzijds een grondervaring in het bestaan van hedendaagse mensen en beantwoordt anderzijds aan de grondstructuur van de christelijke visie op Gods presentie in de menselijke geschiedenis.[13]

De christelijke traditie maakt het volgens Schillebeeckx mogelijk dat het fundamentele morren van de mensheid tegen onrecht, onderdrukking, lijden en dood overgaat in een gegronde hoop. Het feit dat mensen zich niet kunnen neerleggen bij het bestaan van het kwaad, onthult volgens Schillebeeckx uiteindelijk 'een openheid naar een andere situatie die wel recht heeft op onze beamend "ja" '.[14] Of sterker en belijdender uitgedrukt: 'Iets van een zucht van barmhartigheid, van erbarmen, schuilt in de diepste diepten van de werkelijkheid, en gelovigen beluisteren hierin de naam "God".'[15] Mede hierom heeft Schillebeeckx zich altijd verzet tegen het idee dat de actuele ervaring van God zonder meer tot criterium zou worden gemaakt van het theologisch spreken. God is present als Degene die als antwoord op actuele menselijke hunkering en vertwijfeling, ongedachte en overvloedige toekomst schenkt en daarin groter is dan zijn actuele presentie.[16] Waar zich nieuwe, onverwachte tekens en sporen aandienen van *deze* toekomstscheppende God, of van de pijnlijke afwezigheid van deze God, daar en in deze mate openbaart zich de actuele situatie als een religieuze situatie.

Gericht op wat verkregen wordt

Ook voor de Franse filosoof Jean-Luc Nancy is de gerichtheid van het christendom op toekomst van fundamenteel belang. In zijn ogen is de moderniteit precies in haar toekomstgerichtheid de erfgenaam van het christendom. De christelijke gerichtheid op toekomst is volgens hem enerzijds eigen aan de christelijke traditie en anderzijds het aspect dat het christendom van binnenuit – met zijn term – 'deconstrueert'. Waar religies in zijn visie doorgaans geneigd zijn op basis van het verleden een vaste identiteit te ontwikkelen, daar is het christendom geopend naar

12 Id., 'Naar een definitieve toekomst', 1972, 47.
13 Id., 'Het correlatie-criterium', 1970, 131-138.
14 Id., 'Theologie als bevrijdingskunde', 1984, 397.
15 Ibid., 297.
16 Vgl. id., 'De hermeneutische problematiek', 1967, m.n. 35-40; id., 'Interpretatie van de toekomst', 1969.

wat komt. God staat niet allereerst aan het begin van alles, maar openbaart zich in het verloop van de geschiedenis en zal zich pas volledig onthuld hebben aan het einde ervan. Dit opent het christendom voor het nieuwe dat zich aandient en laat het zich keren naar het andere dan zichzelf, met de verwachting dat juist daar de waarheid te vinden zal zijn. Zo verzet het zich tegen elke poging de betekenis van de wereld a priori vast te leggen. Voor Nancy betekent secularisatie het verdwijnen van het idee dat de zin en de betekenis van de wereld gegarandeerd worden door 'God' als een boven de wereld staande, de wereld van buitenaf in de greep houdende en betekenis gevende instantie. Hij beschouwt secularisatie in deze zin als uiteindelijk een erfenis van het christendom, met haar gerichtheid op een God die zich openbaart in wat zich aan toekomst realiseert.[17]

Evenals Vattimo sluit Nancy aan bij gedachten die in de jaren vijftig en zestig van de twintigste eeuw ontwikkeld zijn. De filosoof Karl Löwith meende dat de moderne opvatting van geschiedenis als plaats van zin en betekenis een theologische vooronderstelling had.[18] Zijn collega Hans Blumenberg bestreed dit. De moderniteit had juist een eigen, historisch nieuwe grondslag ontwikkeld om zich te legitimeren die expliciet brak met elke vorm van theologie en teleologie.[19] Nancy – en hierbij volgt hij in hoge mate de analyse van collega-filosoof Marcel Gauchet[20] – verbindt moderniteit en christendom echter niet via het idee van een zich in de geschiedenis ontwikkelend heil. Het christendom schept in zijn visie ruimte voor de openheid voor het onverwachte en onvoorspelbare nieuwe. In de gerichtheid op het nieuwe lag nu juist volgens Blumenberg het eigene van de moderniteit die haar volgens hem niet maakte tot verwereldlijking van een oorspronkelijk christelijk idee, maar tot 'Gegenposition' van het christendom als vaststaand en vastleggend interpretatiesysteem van wereld en geschiedenis. Naar Nancy's overtuiging echter is juist deze 'Gegenposition', en daarmee de spanning tussen een interpretatie van een gegeven overlevering en openheid voor hetgeen zonder precedent is, inherent aan de christelijke traditie. Nancy is er op uit de erfenis van deze openheid te bewaren en hierbij kent hij het christen-

17 J.-L. Nancy, 'Le déconstruction du Christianisme', 1998.

18 K. Löwith, *Weltgeschichte und Heilsgeschichte*, 1953. De theoloog A.Th. van Leeuwen (*Christianity in World History*, 1964; id., *Prophecy in a Technocratic Era*, 1968) trok hieruit de conclusie dat het moderne christendom bestond in een tijd waarin haar boodschap zich op een averechtse wijze had verwerkelijkt, dat wil zeggen zonder dat het door haar verkondigde heil was gerealiseerd. Dit betekende volgens hem dat de traditionele wijze waarop dit heil verkondigd werd, geen betekenis meer had en het christendom zich moest omvormen tot een radicale kritiek op het heden, vgl. id., *Development Through Revolution*, 1970; id., *Critique of Heaven*, 1972; id., *Critique of Earth*, 1973.

19 H. Blumenberg, *Die Legitimität der Neuzeit*, 1966.

20 Vgl. M. Gauchet, *Le désenchantement du monde*, 1985.

dom en zijn geschiedenis een belangrijke functie toe. Hij keert zich tegen alle pogingen van welke instantie dan ook om de rol van 'God' als buitenwereldse betekenisgever van de wereld over te nemen. Individuele of collectieve subjecten gaan er in de moderniteit telkens opnieuw toe over van buitenaf de wereld of hun eigen leven zin of betekenis te verlenen door er een visie aan op te leggen. Hier zet Nancy de paradoxale stelling tegenover dat de wereld zelf de zin is van de wereld. Zo wil hij onder geheel nieuwe omstandigheden vasthouden aan een geradicaliseerde christelijke verwachting.[21] De God die volgens de bijbelse verhalen aanwezig is als Degene die belooft er te zullen zijn, wordt in Nancy's interpretatie van de moderniteit datgene wat zich aandient als wat 'kan zijn'.[22]

Eerbied voor en toewijding aan een God die 'kan zijn', spreekt overal uit het werk van de in 1961 geboren Canadese auteur Douglas Coupland. Coupland werd in 1991 in één klap wereldberoemd met zijn boek over het leven van wat hij *Generatie X* doopte: twintigers die ondanks hun hoge opleiding slechtbetaalde baantjes zonder prestige en zonder vooruitzichten vervullen, door Coupland 'McJobs' genoemd. Opgegroeid met echtscheiding en Watergate en bang geworden van yuppies, de recessie, crack en Ronald Reagan, doden zij de tijd, ontworteld en zonder zich ergens echt mee te engageren. Vanuit hun marginale positie leveren zij ironisch commentaar op zichzelf en hun wereld. Zij zijn deel van deze wereld vol zinloze boodschappen en zij spreken in de taal die daarbij hoort: Coupland stelt er een eer in steeds te schrijven volgens de laatste linguïstische mode. Hij oordeelt niet over zijn protagonisten, maar maakt voelbaar hoe in hen een hunkering schuilgaat naar een betekenisvol bestaan. *Vertellingen voor een versnelde cultuur* luidt de ondertitel van *Generatie X* en Coupland wordt vaak gezien als de stem van deze cultuur. Lang niet altijd signaleren recensenten dat hij in *Generatie X* in het hart van de storm van gebeurtenissen en modes een verwachtingsvolle stilte blootlegt.[23] Hij stileert het bestaan aan de rand van de eigentijdse economie als een woestijn waarin generatiegenoten de realiteit van hun leven onder ogen zien. De verhalen getuigen vooral van het verlangen naar betrokkenheid en verbinding.

21 J.-L. Nancy, *Le sens du monde*, 1993; zie voor achtergronden I. Devisch, *Wij*, 2003.

22 Vgl. de titel van R. Kearney, *The God Who May Be*, 2001. Kearny beschouwt Die Kan Zijn in feite als een Godsnaam, Nancy gaat het om openheid voor de zin die uit de wereld zelf opkomt.

23 Zie over Coupland: J. Zwagerman, 'Net zo verloren als alle anderen', 1995; L. Wesseling, 'De bekering van Douglas Coupland', 2000; D. Hamers, *Tijd voor suburbia*, 2003. Veel Engelse besprekingen zijn te vinden op de website *The Coupland File*: <www.geocities.com/SoHo/Gallery/5560>. Er is ook een officiële Douglas Coupland website: <www.coupland.com>.

Iets van deze verwachting wordt ingelost als aan het slot van het boek de ik-figuur, Andy, bij toeval in het gezelschap van een groepje geestelijk gehandicapte tieners, naar de capriolen van een witte zilverreiger staat te kijken en plotseling door de vogel wordt aangevallen. Terwijl hij verbijsterd aan de kleine wond voelt die door de klauwen van de reiger op zijn hoofd is achtergelaten, komt een van de jongeren naar hem toe om hem te strelen, waarna de anderen volgen. 'Ze begonnen mij te omhelzen – te hard – alsof ik een pop was, onbekend met de kracht die ze uitoefenden. Ze brachten me buiten adem – pletten me – knepen me en liepen me onder de voet.' Als hun begeleider daar een eind aan wil maken, vindt Andy dat niet nodig, want 'dit ongemak, neen deze pijn die ik voelde was helemaal geen probleem [en] in feite was deze verpletterende liefde anders dan alles wat ik ooit had meegemaakt.' Daarbij gaat het niet alleen om het omhelsd worden en de poging hem te troosten met zijn verwonding. Zeker zo belangrijk zijn het ongeplande en het oncontroleerbare van de omhelzing. Andy heeft er niets voor gedaan en kan er ook niets aan doen, de omhelzing vindt simpelweg plaats en Andy is eraan onderworpen.[24]

Douglas Coupland werd geboren op een Canadese NAVO-basis in Baden-Solingen, in de toenmalige West-Duitse Bondsrepubliek. Het Canada waar hij op zijn vierde naar terugkeerde, karakteriseert hij aldus:

> Stel je voor dat je woont aan het einde van de wereld (Vancouver) en dat je op een kleine basisschool zit in een afgelegen buitenwijk naast een bos, waar voorbij duizenden kilometers lang niets anders is dan bos en bergen en toendra en ijs tot aan de Noordpool, die zelf niets speciaals is. Volgende halte, letterlijk: Siberië. Stel je voor dat het 1970 is en jij bent acht jaar oud. Stel je voor dat je geen religie hebt. Stel je voor dat de huizen waarin jij zelf en je vrienden wonen, gebouwd zijn door projectontwikkelaars en gemeubileerd zijn met de dromen die verstrekt worden door het tijdschrift *Life*. Stel je voor dat je in een wereld woont zonder geschiedenis en zonder ideologie.[25]

De pop art van Andy Warhol en anderen was voor Coupland een ontdekking: dit manipuleren met de betekenisloze iconen van de consumptiemaatschappij had betrekking op zijn wereld. Het was de liefdesverklaring aan de cultuur die het in beeld brengt, niet omdat deze op zichzelf zo geweldig zou zijn, maar omdat het 'de machine is die de floppy geformatteerd heeft die *jij* bent.'[26] Couplands eigen werk is een soortgelijke liefdesverklaring en omhelst innig de wereld waarin wij leven en die ons gemaakt heeft tot wat wij zijn, ook al is dit: angstig, ongelukkig,

24 D. Coupland, *Generation X*, 1991, 206-208.
25 Id., *Polaroids from the Dead*, 1996, 121-122.
26 Ibid., 122-124.

eenzaam. De symboliek van deze cultuur is zijn symboliek, de hunkering ervan is zijn hunkering.

Het is deze hunkering die hij aan het licht brengt. Soms heel direct: *Polaroids from the Dead* uit 1996 legt momenten vast uit de jaren negentig vlak voordat zij geschiedenis zouden worden en ze nog vol openheid en verwachting zijn. *Microslaven* (1995) brengt in het verlengde van *Generatie X* de sluimerende hunkering naar een waarachtig leven in beeld van een groepje jonge computerprogrammeurs. Onder de oppervlakte van hun vrijwel geheel artificiële wereld, met zijn noodzaak om bij de tijd te zijn en de angst achter te blijven en afgedankt te worden, sluimert het verlangen naar verbondenheid.[27] *Vriendin in coma* (1998) thematiseert met een overvloed aan beelden de verwachting. In dit boek raakt de zeventienjarige Karen Ann McNeil in 1979 na haar eerste seksuele ervaring zonder aanwijsbare oorzaak in coma. In coma baart zij een dochter, maar dit kind en haar vrienden leven de volgende achttien jaar in een staat van emotionele verdoving, alsof met haar wegvallen uit hun midden hun toekomst verdwenen is. Als Karen na achttien jaar uit haar coma ontwaakt, lijkt zij even bijna een Messiasfiguur te zijn. Zij blijkt echter de wereld letterlijk stil te leggen: in een apocalyptische scène komen de samenleving en het verkeer tot stilstand en sterven de mensen totdat Karen en haar vrienden als enige over zijn. Terwijl zij leven van de resten van de verloren gegane beschaving, ontdekken zij hun verantwoordelijkheid om een andere toekomst te realiseren. Niet door deze te plannen en uit te voeren, maar door te knielen bovenop verouderde leerboeken 'en de mensen te smeken vragen te stellen en vragen te stellen en niet op te houden vragen te stellen tot de wereld ophoudt met draaien'. Zo 'zullen [we] de hoofden en harten van steen en plastic veranderen in linnen en goud – dat geloof ik. Dat weet ik.'[28]

De soms bizarre en karikaturale verhalen van Coupland nodigen uit het hedendaagse leven niet te ondergaan in rouw om een tragische verlies van een verloren zin en ook niet te pogen dit leven een nieuwe zin te geven. Zij laten het hedendaagse leven, juist als alle mogelijkheden lijken afgesloten, zien als plaats van verwachting, hunkering en ongedachte herschepping. Hiertoe maakt Coupland gebruik van christelijk-religieuze motieven als de apocalyptische ondergang van de wereld en de terugkeer van de Messias, van de verkondiging van de blijde boodschap, van het je terugtrekken in de woestijn, van het leven verliezen om het te vinden. In *Leven na God* (1994) brengt Coupland de religieuze visie tot uitdrukking die zijn hele oeuvre lijkt te karakteriseren. Zoals meer van Couplands boeken, eindigt *Leven na God* tamelijk heftig en de

27 Id., *Microserfs*, 1995.
28 Id., *Girlfriend in Coma*, 1998, 281.

lezer zou zelfs kunnen denken een bekeringsgeschiedenis in handen te hebben van iemand die met de stem van verschillende personages het lege leven schets van de moderne nomaden die van motel naar motel trekken en de wereld slechts zien door hun autoraam. Met als apotheose de bekentenis:

> Dit nu is mijn geheim. Ik vertel het je met een openheid van hart waarvan ik twijfel of ik die nog ooit opnieuw zal bereiken, dus ik bid dat je in een rustige ruimte bent als je deze woorden hoort. Mijn geheim is dat ik God nodig heb – dat ik ziek ben en het niet langer alleen kan doen. Ik heb God nodig om me te helpen geven, want ik schijn niet langer tot geven in staat; om me te helpen vriendelijk te zijn, omdat ik niet langer in staat lijk tot vriendelijkheid; om me te helpen lief te hebben, omdat ik aan het vermogen om lief te hebben voorbij lijk te zijn.

Waarop dan ook nog eens een scène volgt die opmerkelijk veel lijkt op een doop. De ik-figuur dompelt zich onder in water en ervaart dat als een aanraking van koesterende handen: 'Deze handen – handen die verzorgen, handen die kneden, handen die de lippen aanraken, lippen die de woorden spreken – de woorden die ons vertellen dat we heel zijn.'[29]

Bij nader toezien blijkt het echter ook in *Leven na God* minder te gaan om bekering dan om contact. Het boek bestaat uit allemaal stukjes met de lengte van een bladzijde of net iets meer. Ze hebben de vorm van notities, gemaakt tijdens een bestaan zonder wortels en vaste structuur, notities die heel nauwkeurig beschrijven wat er is, wat er gebeurt maar vooral ook wat het betekent te denken en te spreken over wat er is en wat er gebeurt. In een tekst op het achterplat die van Coupland zelf lijkt te zijn, wordt de vraag geformuleerd die in het boek centraal staat: 'Wat gebeurt er als wij opgroeien zonder religie of overtuigingen? [...] Wij zijn allemaal levende wezens met sterke religieuze impulsen, maar waar vloeien deze impulsen heen in een wereld van winkelcentra en televisie, kant-en-klaar-maaltijden en straalvliegtuigen?' Dit is wat in *Leven na God* onderzocht wordt. Het uiteindelijke antwoord is: naar het zoeken van intiem contact met de dingen en de gebeurtenissen, net zolang tot de ervaring ontstaat dat zij niet dankzij ons, maar wij dankzij hen bestaan. Wij vinden onszelf door hen te zien, aan te raken, over hen te spreken. Dat zijn de woorden 'die ons vertellen dat wij heel zijn', die ons heel maken, die ons genezen van het gevoel geïsoleerd en zonder verbindingen, zonder reden, zonder oorsprong en zonder bestemming in een zinledig landschap geworpen te zijn. De scène van de onderdompeling in het water in *Leven na God* is geen doop, symboliseert niet een opname in een welbepaald religieus verhaal. Het is een geïntensiveerd

29 Id., *Life after God*, 1994, 359-360.

beeld van de ervaring onder te gaan in de werkelijkheid, en zo zichzelf van deze werkelijkheid opnieuw te ontvangen.

Het belang van een theologische visie

De vraag die overblijft is echter hoe deze bereidheid onder te gaan in stand kan worden gehouden en waarop het vertrouwen gebaseerd is zichzelf terug te krijgen in een ongekende gestalte van wat 'kan zijn'. Bij Coupland lijkt de ervaring van fundamentele gedaanteverandering, de Feniks-ervaring van ondergang en herrijzenis als een geradicaliseerde variant van de Amerikaanse droom, de religieuze kern geworden van het hedendaagse leven. Hij laat het een van zijn romanpersonages aanduiden als 'het mengsel van vloek en zegen' dat karakteristiek is voor de nieuwe wereld:

> dat zij behoorden tot een ras van vreemdelingen die zichzelf voortdurend in nieuwe vuren wierpen, ernaar snakkend om te branden, ernaar snakkend om uit de sintels te verrijzen, steeds nieuwer en prachtiger, altijd dorstig, altijd hongerig, steeds gelovend dat wat hen vervolgens zal overkomen barmhartig de creaties zou uitwissen die ze al geworden waren ...[30]

De drang tot vernieuwing zelf als motor tot overgave. Dit wanhopig verlangen naar bevrijding uit wat is, is echter hoogst problematisch. Het ligt niet ver af van het nihilisme dat elke vorm van terrorisme, ondanks de uitbundig religieuze retoriek waarmee het soms wordt verdedigd, ten diepste onreligieus maakt. Het heeft geen eerbied voor wat is en het leven mogelijk maakt, en hiermee voor de gave ervan en de gever.[31] In plaats hiervan schept het vreugde in de vernietiging, in het koste wat kost beëindigen van de onzekerheid en de dubbelzinnigheid die bij de gebroken menselijke werkelijkheid in de gegeven wereld horen, van de pijn van het verlangen. Coupland lijkt wel in staat om de kracht en de onuitroeibaarheid van het verlangen naar en de ontvankelijkheid voor het nieuwe en onverwachte aan het licht te brengen, maar hij maakt niet duidelijk hoe het als verlangen en ontvankelijkheid leefbaar kan zijn. Sterker nog, hij suggereert dat het alleen leefbaar is in een stormvloed van feitelijke metamorfosen van het bestaan en in de roes die dit met zich meebrengt.

Nancy en Vattimo lijken de vraag naar de mogelijkheid vanuit het verlangen te leven, waarop de christelijke tradities nu juist wel een antwoord formuleren, niet werkelijk te stellen. Nancy is erop uit het christelijk erfgoed te gebruiken om de openheid naar de altijd onbekende toekomst, die de moderniteit als erfgenaam van het christendom volgens

30 Id., *Miss Wyoming*, 2000, 311.

31 Vgl. J. Manemann, 'Religiöser Wahn oder Wahnsinn aus Irreligiosität?', 2001.

hem altijd-al eigen is, te bewaren en te redden. Het is echter niet zo duidelijk hoe hij zich de mogelijkheid hiervan voorstelt. Ook Vattimo negeert het probleem van de leefbaarheid van het verlangen, maar geeft wel een aanwijzing die van fundamenteel belang is om zicht te krijgen op de betekenis die het christelijk erfgoed in dit verband kan hebben. Hij stelt vast dat de visies en inzichten die de christelijke tradities verwoorden en als van levensbelang voorhouden – de christelijke 'openbaring' – niet een 'waarheid als object' onthullen, maar een 'in gang zijnde redding'.[32] Naar christelijke overtuiging krijgt de werkelijkheid inderdaad, zoals Nancy terecht meent, geen zin doordat ze wordt opgenomen in een vaststaand en statisch omvattend, betekenisvol verhaal. In de geschiedenis is deze indruk geregeld gewekt, maar dragend is volgens de christelijke tradities de verwachting van Gods ongekende en in het heden onkenbare toekomst, die in de boodschap van Jezus de aanduidingen 'koninkrijk van God' of 'koninkrijk van de hemelen' krijgt. Deze verwachting is binnen de christelijke tradities echter ingebed in een dubbele religieuze overtuiging, ten eerste dat deze toekomst redding betekent – en bijvoorbeeld geen catastrofe, of eeuwige terugkeer van hetzelfde – en ten tweede dat deze reddende toekomst al aan het aanbreken is: het koninkrijk van God is dichtbij, in Jezus' optreden en spreken begonnen zich te realiseren. Vattimo lijkt te menen dat de moderniteit zelf kan functioneren als boodschap van 'in gang zijnde redding', maar dat is minstens niet vanzelfsprekend. Immers, op hetzelfde moment dat het idee van vooruitgang vaste voet kreeg in het moderne denken, ontstond ook de steeds terugkerende twijfel eraan als gevolg van de catastrofes die zich in de geschiedenis steeds weer voordoen. Dit begon al direct – al zijn dergelijke tijdsaanduidingen altijd willekeurig – in 1755 met de discussie van de Verlichtingsfilosofen over de betekenis van de aardbeving van Lissabon.[33]

Hiermee is het belang aangegeven van een boodschap die de werkelijkheid waarin wij leven en die ons leven is, plaatst binnen en deel maakt van een 'in gang zijnde redding', waarbinnen deze werkelijkheid haar zin kan openbaren. Dat dit klaarblijkelijk zo moeilijk wordt ingezien, lijkt samen te hangen met het gegeven dat niet alleen in de publieke opinie, maar ook onder hedendaagse filosofen en theologen de geïnstitutionaliseerde religie een uiterst slechte pers heeft. In een tekst die grote invloed heeft onder onderzoekers die vanuit velerlei achtergrond reflecteren op de nieuwe wijze waarop het religieuze zich onder ons manifesteert, onderscheidt de Franse filosoof Jacques Derrida twee aspecten van religie.[34] Enerzijds is religie volgens hem een machtsgreep die

32 Vattimo, *Ik geloof dat ik geloof*, 41.

33 Zie S. Neiman, *Evil in Modern Thought*, 2002, m.n. 238-328: 'Homeless'.

34 J. Derrida, 'Foi et savoir', 1996. Voor een sterk door Derrida beïnvloede filosofische

poogt de ultieme werkelijkheid te fixeren en zo een einde te maken aan alle dubbelzinnigheden, onbeslisbaarheden en onzekerheden die eigen zijn aan het bestaan. Het fundamentalisme fungeert hierbij als extreme uitdrukkingsvorm van een tendens die altijd in religie aanwezig is. Anderzijds is religie tegelijkertijd de herinnering aan het feit dat wat van ultiem belang is, zich altijd onttrekt. Het laat zich niet vastleggen en inkapselen, maar doorbreekt alle categorieën. In deze laatste zin geeft de religie niet zozeer zekerheid, maar maakt ze voortdurend onzeker en doorbreekt elke fixatie van een uiteindelijke waarheid, elke greep naar de macht over de werkelijkheid. Het sterke van Derrida's benadering is dat zij aanwijst dat religie deze beide kanten heeft en hiermee feitelijk altijd dubbelzinnig is. Maar Derrida's tekst suggereert ook dat elke inhoudelijke bepaling van religie een eerste stap is op de weg naar dogmatisme en fundamentalisme, en steeds weer opengebroken dient te worden door de religie als openheid van het onbepaalde en het absolute. De vraag is echter niet alleen of deze dialectiek niet te grof is om goed aan te geven wat er in religie aan de orde is, maar ook of de hedendaagse situatie niet vooral van iets anders getuigt dan van de problematische kanten van een inhoudelijke bepaling van religie.

Als de hernieuwde belangstelling voor religie in het heden inderdaad voortkomt uit het verlangen naar een goed leven en het zoeken van een omgang met de onzekerheid die de moderne noodzaak dit leven zelf te realiseren met zich meebrengt, zoals ik in hoofdstuk 2 suggereerde, dan maakt dit bij uitstek het belang duidelijk van een inhoudelijk religieus verhaal. Veel eigentijdse vormen van religiositeit tenderen ernaar de problematische kanten van de moderniteit te weerspiegelen. Sommige vormen van New Age en van evangelicaal christendom zijn bijna een parodie van de markteconomie waarin individuen zoeken naar het ultieme heilbrengende product en allerhande aanbieders pretenderen dat inderdaad te kunnen leveren.[35] Spiritualiteit dreigt een alternatieve manier te worden om het sterke, weerbare zelf te verwerven dat in een geïndividualiseerde samenleving nodig is.[36] Het terugvallen op religieuze tradities als bronnen van waarden en normen voor het maatschappelijke leven, vervalt snel in het zoeken van troost in een principieel onproductieve nostalgie. Het vertalen van religieus engagement in morele inzet voor een goed leven leidt tot voortdurende teleurstelling en zo tot gees-

benadering van religie, vgl. H. de Vries, *Philosophy and the Turn to Religion*, 1999; id., *Religion and Violence*, 2002. Voor een theologische interpretatie van Derrida's filosofie van de religie, vgl. J.D. Caputo, *The Prayers and Tears of Jacques Derrida*, 1997.

35 Voor een indruk van de gedurig veranderende relaties tussen religie en markt in de economische en maatschappelijke context, vgl. R.L. Moore, *Selling God*, 1994.

36 P. Heelas, 'Cultural Studies and Business Cultures', 1996; vgl. id., *The New Age Movement*, 1996.

telijke uitputting. Werkelijke openheid voor wat zich aandient, leidt zeker zo vaak tot confrontatie met een chaotisch, bedreigend en vernietigend 'Ungeheuer' als met een ongedacht zinvolle toekomst.

Juist in de actuele situatie zouden daarom de verhalen, beelden en denkmodellen uit de christelijke tradities wel eens op een nieuwe manier relevant kunnen zijn. Het verhaal van de verborgen maar reële presentie van God in leven, lijden, dood en verrijzenis van Jezus de Gezalfde kan gelezen worden als een met de nodige kracht en beslistheid gepaard gaande verkondiging dat God nabij is. Niet slechts waar deze God in vreugde wordt ervaren, maar juist ook waar hij in alle kwetsbaarheid wordt verwacht en in angst en beven wordt verhoopt. Leven in hunkerende openheid is daarom de vorm bij uitstek om in christelijke zin te leven in Gods presentie.

Gods presentie, presentie bij God

Op 9 januari 1999 vond aan de Parijse Sobonne een discussie plaats tussen de filosofen Luc Ferry en Marcel Gauchet.[37] Beiden hebben gepubliceerd over de ingrijpende gedaanteverandering van religie en kwamen hierbij in zekere zin tot tegengestelde conclusies die allebei illustratief zijn voor tendensen in het hedendaagse denken over religie. Gauchet meent dat moderne, geïndividualiseerde mensen radicaal God-loos geworden zijn. Zij zijn verweesd: de God die ooit de wereld bij elkaar hield en een zin gaf, is verdwenen en verdampt in democratisering en individualisering.[38] Wat overblijft is een verlangen om aan het alledaagse te ontsnappen. Dit verlangen vindt soms een uitweg in een roes van welke aard ook – drugs of muziek, sport of kunst –, maar religie in de zin van authentieke afhankelijkheid van wat het menselijk bestaan transcendeert, wordt het nooit meer.[39] Ferry meent hiertegenover dat in de hedendaagse metamorfose van religie God vermenselijkt en tegelijkertijd de mens vergoddelijkt. In deze dubbele beweging vertaalt de religie zich in een taal die overeenstemt met de gedachte dat het menselijk individu de hoogste waarde is, en tegelijkertijd openbaart zich in de mens en de menselijke werkelijkheid een nieuwe, horizontale transcendentie. Uiteindelijk loopt dit alles uit op een praktijk van caritas, van humanitaire vriendschapsliefde voor anderen die verantwoordelijkheid impliceert voor hun welbevinden.[40] Deze gedachtegang brengt Ferry uiteindelijk bij een seculiere interpretatie van religieuze notities als leven in harmonie met

37 Gepubliceerd als L. Ferry/M. Gauchet, *La religieux après la religion*, 2004.

38 M. Gauchet, *La religion dans la démocratie*, 1998.

39 Id., *La condition historique*, 2003, 311-312.

40 L. Ferry, *L'homme-Dieu ou le sens de la vie*, 1996; zie ook al id., *Morales laïques*, 1995. Voor een commentaar vanuit de klassiek-metafysische traditie, vgl. H. Berger, *Ik noem het God*, 1998.

de kosmos en de menselijke conditie van beperktheid en eindigheid, maar ook van verlossing. Tegelijkertijd komt hij tot een spirituele interpretatie van het laïcale leven als een 'religie van het aardse heil.'[41]

Gezien vanuit het gezichtspunt van Gauchet, is Ferry's 'humanisme van de god-mens' zonder twijfel een roes, zoals schoonheid of verliefdheid een roes kunnen zijn. Het is een prettige en verheffende, maar uiteindelijk illusoire ontsnapping aan de dubbelzinnigheden van de alledaagse realiteit. Ferry's poging het religieuze te cultiveren na de religie is gebaseerd op een besluit voortaan alles in het licht van dit humanisme te beschouwen en geen aandacht te geven aan zaken die ermee in strijd zijn. Het is met andere woorden gebaseerd op een act van de wil en niet op de existentieel gevoelde of intellectueel ontdekte noodzaak te gehoorzamen aan een goddelijk gebod of te knielen voor een goddelijke openbaring. Dat het een roes betreft die gericht is op menselijkheid en op respect voor het mysterie dat de mens, en uiteindelijk zelfs de werkelijkheid als geheel is-en-blijft, verandert hier niets aan. Evenmin als het feit dat er in Ferry's 'humanisme van de god-mens' inhoudelijk allerlei reminiscenties te vinden zijn aan notities uit de christelijke tradities. Een religieuze traditie die gehanteerd wordt als hulp bij de noodzakelijke levenskunst, verliest zijn specifiek religieuze karakter.[42] Ferry maakt tegenover Gauchet echter wel duidelijk dat er niet te leven valt met de religieuze leegte van de moderniteit die Gauchet meent te moeten vaststellen. Het waardevolle en het goede waar mensen naar verlangen en waarop hun handelen is gericht, hebben een verhaal nodig dat ze inderdaad als goed en waardevol laat verschijnen, en als op de een of andere manier present. Gauchet van zijn kant laat tegenover Ferry zien dat een dergelijk verhaal niet zomaar tot stand komt. Er is geen weg van wat in het alledaagse leven als goed en waardevol ervaren wordt, maar dat tegelijkertijd ook altijd beperkt is, aangetast door het zinloze en het kwade temidden waarvan het tot stand komt, naar het verhaal dat alles wat is, plaatst binnen een horizon van waardevolheid en goedheid.[43]

Tenzij alles altijd al binnen deze horizon staat en in zijn zin- en waardevolheid naar deze gegeven horizon verwijst. Dit is wat alle religieuze tradities in zekere zin beweren: dat een dergelijke horizon er is, niet omdat en voorzover mensen deze ervaren, maar als datgene wat elke ervaring en werkelijkheid mogelijk maakt en draagt, en wat daarom in elke ervaring wordt mee-ervaren. Dit wordt in de christelijke tradities

41 L. Ferry, *Qu'est-ce qu'une vie réussie?*, 2002.

42 Vgl. mijn 'Het leven: te doen of geschenk', 2002.

43 In deze zin heeft Lieven Boeve gelijk met zijn opvatting dat geloof een vorm van onderbreking is van de heersende moderne cultuur; vgl. zijn *Onderbroken traditie*, 1999. Deze discontinuïteit, die inderdaad de centrale ontdekking is van het postmoderne filosofisch denken (zie ibid. 46-54), is echter theologisch niet de laatste waarheid.

op geradicaliseerde wijze gethematiseerd door de ontledigde en vernederde Jezus te belijden als intiem verbonden met deze horizon. Zijn in doodsnood uitgeroepen 'Eloï, eloï, lema sabachtani?!' (Mc. 15, 34; Mt. 27, 46) – 'Mijn God, mijn God, waarom heb jij mij verlaten?!', het begin van psalm 22 – werd het ultieme teken van de onlosmakelijke verbondenheid van mensen en hun lot met de God die ze gemaakt heeft met het oog op goed leven. Dit maakt het mogelijk alles wat goed is waar te nemen als spoor van de verborgen, maar reële presentie van deze alles omvattende, alles doordringende en in alles nabije God en diens koninkrijk. Dit is uiteindelijk de theologische achtergrond van de klassieke, binnen de katholieke traditie tot dogma verheven gedachte dat Gods bestaan uit de schepping bewijsbaar is.[44] God heeft sporen in schepping en verlossing gezet, deze sporen verwijzen reëel naar hem en zijn reële presentie-in-het-komen, en dit geloof is in principe voor de menselijke rede inzichtelijk.[45] Er wordt *iets* gekend in het goede, betekenisvolle en liefdevolle dat zich aandient, in de afschuw die het kwade, het zinloze en de onverschilligheid oproepen, en in de hunkering naar een situatie waarin de werkelijkheid waarvan wij deel uitmaken in alles en in alle duidelijkheid spreekt van goedheid, zinvolheid en compassie en niet langer bij uitzondering en altijd omstreden. Dat wat we hierin kennen uiteindelijk God is en geen illusoir product van ons verlangen, dat valt niet redelijk te bewijzen. Dit wordt met religieus geloof beleden als de christelijke tradities God 'schepper' noemen en de nabijheid van zijn compassie zien in alles wat mensen ten deel valt.[46]

Het is deze belijdenis die het verlangen naar nieuwe tekenen van goedheid, zin en compassie openhoudt en zelfs de acute of schrijnende pijn bij het uitblijven ervan kan doen ervaren als spoor van Gods nabijheid. Zo is het mogelijk te ontsnappen aan het alternatief van ofwel de religieuze leegte die Gauchet thematiseert, ofwel de spirituele volheid-tegen-beter-weten-in die Ferry aanprijst. Met vertrouwen, hunkering en ongeduld kan gewacht worden op wat komt, juist omdat het zal bijdragen aan een door God vervulde toekomst die buiten elk voorstellingsvermogen ligt, maar wel gelijkenis zal hebben met wat zich aan goedheid, zin en compassie in de geschiedenis realiseert. Zoals Thomas van Aquino schrijft, wordt de onkenbare God door mensen gekend doordat hij het verlangde geluk van de mens is. Wat door mensen van nature verlangd

44 H. Denzinger, *Enchiridion symbolorum, definitionum et declarationum*, no. 3004 – De nu volgende gedachtegang is in grote lijnen al te vinden in het college over de schepping dat E. Schillebeeckx in het studiejaar 1956-57 gaf aan zijn dominicaanse studenten in Leuven. Vgl. mijn *Edward Schillebeeckx: een theoloog in zijn geschiedenis*, I, 1999, 304-325.

45 Zie voor een zeer heldere en accurate presentatie van deze denkwijze: D. Turner, *Faith, Reason and the Existence of God*, 2004.

46 Zie O. Davies, *The Creativity of God*, 2004; vgl. ter achtergrond ook id., *A Theology of Compassion*, 2001.

wordt, wordt door mensen van nature ook gekend. Maar de wijze waarop de komende God deze verlangens afzonderlijk en in hun vaak chaotische combinaties vervult, blijft in haar transcendentie voor mensen verborgen tot Gods definitieve komst. Zo lang moeten we het doen met 'samengestelde' – wij zouden zeggen: gefragmenteerde – kennis van God zoals deze zich gedeeltelijk, maar reëel doet kennen in wat zich aan geluk realiseert in ons leven, in de wereld en in de geschiedenis.[47] Het is inderdaad zoals in de jaren veertig en vijftig de priester-arbeiders zeiden: sinds Gods incarnatie – ontlediging en vernedering – in de Gezalfde Jezus, is *presence au monde* – zich verliezend in de dorre alledaagsheid van het wereldse bestaan, hunkerend met haar verlangens, lijdend met haar mislukkingen, feestend met haar overwinningen – bij uitstek *presence à Dieu.*[48]

Zo zal de 'presentie in de wereld' in de volgende hoofdstukken in beeld worden gebracht. Want de visie op de wereld die in de christelijke tradities bewaard wordt en die ons leven plaatst binnen de horizon van Gods genade, kan niet rechtstreeks worden verdedigd. Dan wordt zij wat zij niet is: een wereldbeeld, een overtuiging, een zingeving. Religieus en theologisch gezien gaat het er juist om dat mensen, de wereld en de geschiedenis ruimte, tijd en mogelijkheid krijgen hun zin te openbaren als voorafbeelding en partiële realisering van de ultieme zin die beloofd is.

Hierbij dient een aan Marcel Gauchet ontleende suggestie tot leidraad. Gauchet heeft het christendom 'de religie van het einde van de religie' genoemd, in de zin dat het christendom de religieuze neiging doorbreekt bestaande verhoudingen en vaste vormen te stabiliseren en te sacraliseren, een neiging die het zelf als religie ook heeft; Jean-Luc Nancy is hem, zoals we zagen, in deze suggestie gevolgd. In de tekst waarin hij deze gedachte formuleerde, suggereerde Gauchet echter tevens dat het religieuze, waar het christendom het einde van is, telkens terugkeert als omgang met de ongerijmdheden van het menselijk bestaan in de wereld. De gedachte is dan niet ver weg dat het christendom 'de religie van het einde van de religie en de terugkeer van het religieuze' genoemd moet worden.[49] Gauchet heeft deze gedachte zelf niet geformuleerd en is deze suggestie niet zelf gevolgd. Ik ben er hier echter op uit het christendom op deze wijze in beeld te brengen. Niet door historisch te laten zien dat het christendom steeds weer een einde maakte aan de bestaande religieuze visies die de werkelijkheid vastlegden in een welomschreven

47 *Summa theologiae* I, Q. 2, art. 1; vgl. M.J. Buckley, *Denying and Disclosing God*, 2004, 48-57.

48 Vgl. de inleiding van dit boek.

49 Gauchet, *Le désenchantement du monde* – met dank aan Laurens ten Kate voor deze suggestie.

interpretatieschema, en vanuit de zo gecreëerde wanorde en onzekerheid richtinggevende impulsen gaf aan hernieuwde manifestaties van het religieuze, maar door de christelijke tradities zo in te zetten in mijn eigen reflecties op het heden. Dit in de overtuiging dat de metamorfosen die het christendom zo ongetwijfeld ondergaat, de actuele vorm is van trouw aan haar oorsprong.

Deel II

Maatschappelijke omzwervingen

5
Religieus anti-messianisme tegenover cynisch messianisme

De gedaanteverandering van het religieuze hoeft niet steeds met moeite en geduld opgespoord te worden. Zij heeft haar overrompelende momenten. Zoals in Nederland de gebeurtenissen rond Pim Fortuyn: zijn opkomst als messiaans figuur, zijn gewelddadige dood op 6 mei 2002, de rouw, de begrafenis en de postume electorale verheffing. De religieuze, en zelfs christelijke symboliek was haast beklemmend. Een vrouw die onder talloos velen na de moord het condoleanceregister tekende op het stadhuis van Fortuyns woonplaats Rotterdam, sprak op de televisie over haar angst dat haar man zou sterven terwijl hij op de wachtlijst stond voor een hartoperatie. En zij hadden zo gehoopt dat 'Pim' iets voor hem zou doen. Wie het Nieuwe Testament gelezen heeft, hoort als vanzelf de echo van het verhaal over de Emmaüsgangers: 'En wij hoopten zo dat hij het was die Israël zou verlossen' (Luc. 24, 21). De *hype* is inmiddels verdwenen, maar nog steeds verkondigen de media dat wat in de jaren zestig vooral verlangd werd, sinds Fortuyn op ironische wijze werkelijkheid is geworden: 'the times, they are a-changing!' Niet als linkse revolutie, maar als opstand van degenen die zichzelf beschouwen als het genegeerde en verwaarloosde volk.

Na de Tweede Kamer-verkiezingen van mei 2002 was het gevoel dat er een ander tijdperk was aangebroken, het sterkst. Nooit eerder kwam een nieuwe partij met zesentwintig van de honderdvijftig zetels in de Nederlandse volksvertegenwoordiging, zoals de Lijst Pim Fortuyn. Nooit eerder won een gevestigde partij er veertien zetels bij zoals de christendemocraten van het CDA, nog nooit eerder verloor een gevestigde partij er tweeëntwintig zoals de sociaal-democratische Partij van de Arbeid. Welig tierden wat de Vlaamse columnist Kris Deschouwer aanduidde als de 'eenduidige verklaringen die met één scherpe blik in de Nederlandse ziel kunnen kijken en aldaar ook vlot het signaal van de kiezer (let op het enkelvoud!) kunnen ontcijferen'. Deschouwer voorspelde, op basis van de ervaringen rond de affaire-Dutroux in België in de zomer van 1996, voor dergelijke duidingen de levensduur van 'een paar weken, misschien een maand of twee'.[1] Inderdaad verloor de Lijst Pim Fortuyn

1 K. Deschouwer, 'Koldermodel', 2002.

snel zijn betekenis als serieuze politieke factor, maar wat door zijn opkomst en ondergang aan het licht gebracht werd, lijkt nog geenszins verdwenen. Vraag blijft daarom: wat kwam er nu eigenlijk precies aan het licht?

In dit hoofdstuk probeer ik duidelijk te maken dat Fortuyn – evenals andere populisten die de laatste tijd in de West-Europese landen furore maken en waarvan Silvio Berlusconi in Italië de meest succesvolle is – een latent religieus verlangen aan de dag brengen dat in de hedendaagse samenleving sluimert. De verantwoorde religieuze en christelijke omgang met dit verlangen is, zo verdedig ik, niet zonder meer het meegaan ermee teneinde te verkondigen dat dit verlangen door het geloof gestild kan worden. De christelijke traditie bevat aanwijzingen om het verlangen van binnenuit om te vormen.

Schapen zonder herder

Aan de vooravond van de Nederlandse Tweede Kamer-verkiezingen van 15 mei 2002, ruim een week na de moord op Fortuyn, schreef de Britse schrijver en journalist Ian Buruma in *The Guardian*:

> Fortuyn was in zekere zin voor de Nederlandse politiek wat [prinses] Diana was voor de Britse monarchie: een spelbreker, een populistische nar die er met een perfecte beheersing van de public relations in slaagde een stoffige, zelfgenoegzame, buiten de werkelijkheid staande gevestigde macht te pesten. [...] Natuurlijk was Fortuyn ... net zo min een man van het volk als Diana een prinses van het volk was. Maar hij slaagde erin het volk ervan te overtuigen dat hij aan hun kant stond, dat hij in hun naam sprak en dat hij hun zorgen begreep.[2]

Pim Fortuyn als een leider waaraan de Nederlandse samenleving – die Fortuyn zelf, blijkbaar zeer treffend, in 1995 aanduidde als 'verweesd' – denkt behoefte te hebben. De adequate leider van deze verweesde samenleving had naar Fortuyns eigen voorstelling bijbels-messiaanse trekken: 'vader en moeder tegelijk', de 'bijbelse goede herder' die 'normsteller èn bruggenbouwer' is, 'streng èn barmhartig', 'ongenaakbaar èn begripvol'.[3] Het lijkt niet te veel gezegd dat Fortuyns boek *De verweesde samenleving* in 1995 op een voor het geseculariseerde Nederland ongekende manier de religieuze retoriek terugbracht in het spreken over de maatschappelijke situatie en het politieke leiderschap. In de eerste helft van 2002 kwam in Nederland op overweldigende wijze het religieuze verlangen aan het licht dat in de samenleving sluimerde en voor deze retoriek ontvankelijk bleek. Met alle materiële vooruitgang was er klaar-

2 I. Buruma, 'What Pim and Diana Had in Common', 2002.
3 W.S.P. Fortuyn, *De verweesde samenleving*, 1995, m.n. 237-240.

blijkelijk een sterk gevoel onder Nederlanders te zijn 'als schapen zonder herder' (Mt. 9, 36): vermoeid en verstrooid (Statenvertaling), voortgejaagd en afgemat (NBG-vertaling 1951), geplaagd en gebroken (Willibrord-vertaling 1995), 'uitgeput en hulpeloos' (Nieuwe BijbelVertaling).

Er valt in West-Europa al langer een onderstroom te signaleren van onbehagen met 'de politiek'. Politici zouden steeds meer technocraten en bestuurders worden, de politieke cultuur zou zich te sterk naar binnen keren en de kloof tussen politiek en de kiezers zou groeien en een negatief effect hebben op enerzijds de politieke belangstelling van burgers en anderzijds het vermogen van politici te zien wat mensen bezighoudt en daarbij aan te sluiten.[4] Maar in een commentaar op de politieke wederwaardigheden in Nederland signaleerde de Britse Labour-politicus Robin Cook terecht dat er meer aan de hand is. De band tussen politiek en burgers ontbreekt niet zozeer, maar de houding van burgers tegenover de politiek is fundamenteel veranderd. Nadat de politieke arena meer dan een eeuw bepaald werd door de strijd tussen links en rechts, is nu 'de keus die het electoraat maakt die tussen establishment en populisme' geworden. Veel kiezers maken een wat Cook noemt 'niets van het voorafgaande'-keuze. Zij drukken in het stemhokje hun onvrede met de situatie uit en stemmen vooral tegen de gevestigde politiek en zijn vertegenwoordigers. Zij geven hun stem aan degene die erin slaagt zichzelf als 'nieuw' en 'anders' te profileren.[5] Cook merkt hierbij op dat kiezers zich bij hun stemgedrag klaarblijkelijk niet laten bepalen door een oordeel over de economie. Het Bruto Nationaal Product van Nederland is het laatste decennium met 25% gestegen, voor een belangrijk deel dus onder de 'Paarse' regeringscoalitie die acht jaar regeerde, maar in mei 2002 genadeloos door de kiezers werd afgestraft.

In plaats van de economie lijken vooral kwesties rond onzekerheid en gemeenschap de Nederlandse kiezers in 2002 te hebben beziggehouden. Vergeleken met die van andere landen heeft de Nederlandse bevolking lang sterk vertrouwd op haar overheidsinstellingen en -instituties. In 1990 zei volgens het zogenoemde Europese waardenonderzoek 54% van de Nederlanders veel of behoorlijk veel vertrouwen te hebben in het eigen parlement en behalve in Noorwegen was het vertrouwen in geen enkel ander land van Europa zo groot. Het onderzoek echter naar *De sociale staat van Nederland* door het Sociaal Cultureel Planbureau, gebaseerd op in 2000 onder de Nederlandse bevolking verzamelde gegevens, concludeerde onder meer dat de algemene tevredenheid van de Nederlanders over hun overheid weliswaar op peil bleef, maar dat tegelijkertijd 'de burgers in meerderheid duidelijk bezorgd [waren] over de uitvoering

4 Vgl. voor een exploratie van dit onbehagen en haar betekenis, met name in de Nederlandse discussie, G. van den Brink, *Onbehagen in de politiek*, 1996.

5 R. Cook, 'Hansard Society Speech', 2002.

van de overheidstaken die zij min of meer als basisvoorzieningen beschouwen, zoals het handhaven van de openbare orde, het bestrijden van de criminaliteit, het bevorderen van de leefbaarheid in de steden en het in stand houden van voorzieningen voor zieken en ouderen'. Ook over het onderwijs bleken Nederlanders zich in 2000 grote zorgen te maken.[6] En het zogenoemde Nationaal Vrijheidsonderzoek, dat bij gelegenheid van 4 en 5 mei 2002 werd uitgevoerd door het onderzoeksbureau Motivaction, signaleerde een drietal alarmerende trends bij Nederlanders: een toenemende sociale bezorgdheid en angst voor verlies aan sociale binding, een afnemende identificatie met werk en economische status, en een toenemende tijdsdruk en van daaruit een groeiende druk op het privé-leven. Dit alles zou leiden tot een neiging tot escapisme en tot vlucht uit de als onveilig ervaren werkelijkheid.[7] Het Sociaal Cultureel Rapport dat in oktober 2004 verscheen onder de titel *In het licht van de toekomst* maakt duidelijk dat het hierbij niet ging om vluchtige trends, maar om tendensen die zich sindsdien nog versterkt hebben.[8]

Hiermee zijn de opzienbarende gebeurtenissen rond Fortuyn overigens nog geenszins verklaard. Uitzonderlijk collectief gedrag zoals dat plaatsvond rond de dood en de begrafenis van Fortuyn – zozeer in strijd met het beeld van het onderkoelde gedrag dat eigen zou zijn aan Nederlanders, maar dat sindsdien vaker heeft plaatsgevonden, bijvoorbeeld bij het afscheid van volkszanger André Hazes op 27 september 2004 in de Amsterdamse Arena en bij de 'lawaai-demonstratie' in Amsterdam na de moord op cineast en columnist Theo van Gogh op 2 november 2004[9] – is anders dan vaak gedacht niet de spontane uitdrukking van een 'volksstemming'. Het ligt voor de hand een zekere analogie te zien tussen de gebeurtenissen in mei 2002 in Nederland rond Fortuyn en de gebeurtenissen in oktober 1996 in België, die uitliepen op de eerste massale Witte Mars in Brussel als protest tegen het handelen van de overheid in de zogenoemde affaire-Dutroux. Deze laatste zijn inmiddels uitgebreid onderzocht. In beide gevallen stond een krachtige, in ieder geval in de media als charismatisch overkomende figuur centraal: de vastberaden en betrokken onderzoeksrechter Jean-Marc Connerotte en de flamboyante publicist en politicus Pim Fortuyn. In beide gevallen kwamen zij in de media over als tegenbeeld van een afstandelijke en onverschillige gevestigde macht. In beide gevallen duidden de media het volksgevoel dat veroorzaakt werd door hun uitschakeling – Connerotte werd uit zijn

6 *De sociale staat van Nederland*, 2001.

7 *Nationaal Vrijheidsonderzoek*, 2001, m.n. het hfst. 'Ontwikkelingen in het sociale klimaat'.

8 *In het zicht van de toekomst*, Den Haag 2004.

9 Vgl. voor een vergelijking van de gebeurtenissen bij de begrafenissen van Fortuyn en Hazes in historisch perspectief J. de Hart, *Voorbeelden en nabeelden*, 2005.

functie gezet, Fortuyn werd vermoord – vanaf het begin aan als 'historisch'. Zo droegen zij eraan bij dat inderdaad gebeurde wat zij voorspelden: het volk kwam uiteindelijk op ongekende wijze in beweging.

Anders gezegd, de Brusselse Witte Mars en de manifestaties van rouw rond Fortuyn waren door de media voortgebrachte sociale bewegingen. De media stileerden eerst een gebeurtenis tot symbool van de deplorabele staat van de samenleving om vervolgens laagdrempelige uitdrukkingsmogelijkheden te suggereren voor het protest tegen deze situatie, waaraan zij bovendien ook weer uitvoerig aandacht besteedden. Op deze manier gaven zij mensen het idee dat hun latente gevoelens van geschoktheid en afkeer van groot belang waren en de expressie ervan historische betekenis had. Dit, plus het feit dat deze expressie ook eenvoudig was en men slechts de straat op hoefde te gaan of op een bepaalde wijze hoefde te stemmen, leidde tot de collectieve gebeurtenissen die iedereen verbijsterden.[10]

Sinds halverwege 2002 proberen opiniemakers in Nederland een politieke boodschap te destilleren uit de gebeurtenissen rond Fortuyn. Vraag is echter of dit mogelijk is. Als er al iets spreekt uit de reacties op Fortuyn – of uit de Witte Marsen, of uit andere massale gebeurtenissen – dat enigszins politiek te noemen is, dan betreft het het belang dat mensen hechten aan wat de Israëlische filosoof Avishai Margalit een 'fatsoenlijke samenleving' noemt.[11] Volgens Margalit verlangen mensen niet alleen rechten, maar misschien nog wel meer een samenleving die hen niet vernedert en respectvol benadert. Hiertoe moet de overheid zelf respectvol optreden, maar ook het respect van burgers onderling bewaken en bevorderen.

Maar het verschijnsel Fortuyn laat zich niet reduceren tot een politiek programma. Juist niet.[12] Zijn belang is met name het paradoxale feit dat hij de verweesdheid van de Nederlandse samenleving niet alleen aan de orde stelde, maar deze ook op een specifieke manier belichaamde. Mijn stelling is hier dat hij precies daaraan zijn aantrekkingskracht dankte.

10 Vgl. voor de rol van de media bij de opbouw van de Witte Beweging: S. Walgrave/B. Rihoux, *Van emotie tot politieke commotie*, 1997, en m.n. S. Walgrave/J. Manssens, 'De Witte Mars als produkt van de media', 1998. Beschikbare gegevens van het grootschalig onderzoek naar de rol van de media rond Fortuyn door de faculteit Bestuurs- en Communicatiewetenschappen aan de Vrije Universiteit van Amsterdam en onderzoeksbureau Blauw Research, suggereren dat zij een rol speelden die vergelijkbaar is met die bij de Witte Beweging.

11 A. Margalit, *The Decent Society*, 1996.

12 Voor de meest volledige beschrijving en duiding van de figuur van Fortuyn tot op heden, zie D. Pels, *De geest van Pim*, Amsterdam 2003. Voor andere, doorgaans meer politiek getinte analyses, zie F. Eckardt, *Pim Fortuyn und die Niederlande*, 2003; H. Wansink, *De erfenis van Fortuyn*, 2004; S.W. Couwenberg, *De opstand der burgers*, 2004; *Fortuyn-revolte ter discussie*, 2004.

Fortuyn lijkt, zoals de Vlaamse columnist Stefan Hertmans kort na zijn gewelddadige dood schreef, inderdaad 'louter icoon zonder programma'. Precies daarin ligt zijn betekenis: hij onthulde dat hedendaagse kiezers niet in programma's geïnteresseerd zijn, maar inderdaad gericht zijn op iconen die symboliseren wat zij voelen en tegelijk verwijzen naar iets ongrijpbaars waarnaar zij verlangen.

Louter icoon en het belang van representatie

Pim Fortuyn was louter icoon zonder programma, aldus Hertmans, maar 'met een dwingende, pientere blik, Don Quichote als hypnotiseur, Robin Hood als poseur, in een woestijnachtige leefwereld vol camera's'.[13] In zijn optreden in de media was Fortuyn de ongrijpbare schelm die de chaos van de werkelijkheid overwint door er slim gebruik van te maken, zo hoop gevend aan degenen die zich in de verwarring verstrikt voelen. Zij zien 'gebeente van hun gebeente en vlees van hun vlees' in de taal van het bijbelboek Genesis (2, 23), iemand die de paradoxen deelde die hun bestaan tekenen en die tegelijkertijd met verve suggereert dat hij de oplossingen kende voor de problemen die aan dit bestaan eigen zijn. In deze zin was Fortuyn als een trickster en had hij messiaanse trekken. Hij was – zoals de dichter Huub Oosterhuis het over Jezus van Nazaret als Gods Gezalfde formuleert – 'wat wij' als producten en representanten van de hedendaagse cultuur klaarblijkelijk 'zouden willen zijn'.[14]

De massale, zij het onstabiele aanhang die Fortuyn verwierf, was wel degelijk uitdrukking van zorg voor de staat van de Nederlandse samenleving. Maar het is een uitdrukking die ernaar tendeert datgene te bekrachtigen waartegen zij protesteert. Het is te vergelijken met de rituelen bij rampen en de stille tochten tegen zinloos geweld, die de laatste jaren zijn ontstaan. Deze zijn uiteindelijk vormen van protest tegen kwaad, dood en onveiligheid en aldus uitdrukkingen van verlangen naar een geheeld bestaan. Dergelijk verlangen laat zich per definitie niet via bestuurlijke maatregelen bevredigen en de rituelen zijn juist in hoge mate een protest tegen de reductie van het bestaan tot wat maakbaar en bestuurlijk organiseerbaar en afdwingbaar is, tegen de opsluiting van het leven in regels en procedures, tegen de verbanning van het engagement en de compassie. Ze gedenken wat het planmatig realiseerbare te boven gaat. Maar in het heersende culturele klimaat kan de gedenkende rede zich nauwelijks verdedigen tegen de massieve dominantie van de functionalistische rede. Rouw- en herdenkingsrituelen krijgen voortdurend een doel en een functie toegewezen, ook door degenen die eraan deelnemen. Zij zouden steun geven bij het verwerken van pijn en verlies, maar

13 S. Hertmans, 'Een postmoderne moord', 2002.
14 H. Oosterhuis, *Gezongen liedboek*, 1993, 176-177: 'Gij die weet'.

vooral ertoe dienen bestuurders en beleidsmakers op hun opdracht te wijzen.[15] Zo leidt op paradoxale manier het gedenken van het onbeheersbare kwaad ertoe dat mensen elkaar verhevigd opzadelen met de onmogelijke taak het ongeluk, het lijden en de dood uit te bannen door het nemen van de juiste bestuurlijke maatregelen. Wat begint als poging het kwaad in al zijn weerbarstigheid een plaats te geven door er in het volle bewustzijn van de eigen machteloosheid tegen te protesteren, verdringt het zo opnieuw. Het effect is dat, als het kwaad er dan toch steeds weer overmachtig en onafwendbaar blijkt te zijn, het gevoel wordt versterkt dat de wereld een onbetrouwbare en onveilige plaats is waaraan ieder van ons op genade en vooral ongenade is overgeleverd, en dat bestuurders uiteindelijk geen vertrouwen verdienen.

De Franse filosoof Pascal Bruckner signaleert in de Westerse cultuur sinds de jaren zestig van de vorige eeuw een dwingende plicht tot geluk. 'Omdat het geluk alle lijden probeert te mijden', zegt hij, 'staat het machteloos zodra het ermee wordt geconfronteerd'.[16] In het geval van de massale reacties op de dood van Fortuyn drukte deze machteloosheid zich uit in de combinatie van enerzijds verdriet om en protest tegen Fortuyns dood en anderzijds het ressentiment tegen de gevestigde politiek en 'de pers' die de oorzaak zouden zijn van de maatschappelijke ellende die in deze dood culmineerde. Het drukt zich ook uit in de simplistische voorstellen die door Fortuyn en zijn aanhangers werden gepresenteerd als oplossingen voor complexe maatschappelijke problemen. De Nederlandse mediahistoricus Henri Beunders heeft duidelijk gemaakt dat de hedendaagse jacht op geluk leidt tot een specifieke vorm van onzekerheid over het belang en de zinvolheid van het eigen leven.[17] De wetenschap zelf verantwoordelijk te zijn voor het vorm geven van het eigen bestaan, leidt als vanzelf tot een knagende twijfel of men er wel in slaagt dit bestaan werkelijk zin- en betekenisvol te maken. Het leven van geflexibiliseerde mensen in een functioneel extreem gedifferentieerde samenleving blijkt telkens opnieuw maar weinig spectaculair en groots. Integendeel, van veel handelingen en handelingspatronen in beroeps- of privé-sfeer is de samenhang met wat men uiteindelijk van het leven

15 Voor een eerste exploratie van het rituele repertoire bij rampen en andere calamiteiten, vgl. *Rituelen na rampen*, P. Post e.a., 2002; *Disaster Rituals*, P. Post e.a., Leuven 2003. Hier wordt ook de dreiging gesignaleerd van een eenzijdig instrumenteel begrip van dergelijke rituelen. Ik pleit ervoor hiertegenover zicht te houden op de eigenheid van de gedenkende rede in mijn 'De gedenkende rede – haar verleidingen en haar belang', 2002.

16 P. Bruckner, *Gij zult gelukkig zijn*, 2002, 13; vgl. ook D.M. MacMahon, *Happiness*, 2005.

17 Vgl. H. Beunders, *Publieke tranen*, 2002, m.n. 232-277. Beunders heeft de inzichten van zijn boek ook zelf in verband gebracht met de gebeurtenissen rond Fortuyn: zie <www.beunders.com>.

hoopt en verwacht op zijn best diffuus.[18] Geluk blijkt een onmogelijk te realiseren verplichting, iets dat steeds moet worden nagestreefd, maar nooit wordt bereikt. Dit lijkt de uiteindelijke bron van het gevoel van verweesdheid die de hedendaagse samenleving in haar greep heeft.

Deze situatie leidt bij opmerkelijk velen tot een geestesgesteldheid die grenst aan wat de psychologie narcisme noemt. Dit narcisme wordt zichtbaar in het zichzelf poneren als centrum van de wereld met een grote zelfverzekerdheid, in een poging de gapende onderliggende onzekerheid te maskeren en drukt zich uit in een onverzadigbare hang naar aandacht en bevestiging. Welnu, sinds Fortuyn zich op het politieke toneel begon te manifesteren, signaleerden waarnemers bij hem dit narcisme.[19] Zijn hang naar aandacht was onmiskenbaar en hij portretteerde zichzelf zonder gêne of ironie als 'het bijzondere jongetje dat nergens bij en in paste, moeders mooiste, chique prinsje', een 'bij tijden briljant student' wiens 'kleren, achtergrond en opvoeding' hem van nature geschikt zouden maken 'contacten met autoriteiten te onderhouden'. Het getuigde op het eerste gezicht van dezelfde neiging tot zelfvergroting toen hij in 1998 zijn persoonlijke *Werdegang* presenteerde als 'autobiografie van een generatie', van degenen die als hij geboren zijn tijdens de bevolkingsexplosie tussen 1945 en 1955.[20] Zijn succes lijkt echter aan te tonen dat inderdaad hele groepen Nederlanders hun levensverhaal graag beschouwen zoals Fortuyn het zijne presenteerde: als dat 'van een held, soms een gemankeerde, dan weer een tragische of komische, maar toch van een held'.

De Duits-Amerikaanse politiek filosoof Eric Voegelin (1901-1985) schreef in zijn memoires dat onder bepaalde omstandigheden mensen aan de macht kunnen komen die in andere situaties 'groteske, marginale figuren zouden zijn', omdat zij 'op uitmuntende wijze de mensen representeren die hen bewonderen'.[21] Voegelin heeft hier wat hij noemt 'intellectueel of moreel geruïneerde samenlevingen' op het oog, zoals Weimar-Duitsland aan de vooravond van de machtsovername door Hitler. Hoewel Nederland van het begin van de éénentwintigste eeuw niet te vergelijken is met het Duitsland van de jaren dertig van de twintigste, of Fortuyn met Hitler, verheldert dit commentaar het fenomeen Fortuyn wel. Volgens Voegelin draait het in de politiek in de moderne massademocratie om representatie. Hierbij onderscheidt hij procedurele – een partij

18 Voor deze effecten van de veranderingen in met name het beroepsleven van mensen in de laatste decennia, vgl. R. Sennett, *The Corrosion of Character*, 1998.

19 Zie met name het commentaar op zijn optreden en persoon door vier psycho-analytici in J. van Casteren, 'Een heel vervelend geval', 2002.

20 P. Fortuyn, *Babyboomers*, 1998.

21 E. Voegelin, *Autobiographical Reflections*, 1989, 18.

of politicus moet op legitieme wijze aan de macht komen –, existentiële en transcendente representatie. Om succes te hebben moet een politicus niet alleen rechtmatig gekozen worden, maar tevens duidelijk maken dat in zijn eigen existentie op exemplarische wijze alle vragen, gevoelens en problemen leven die in het volk leven en hij moet laten zien bepaalde overstijgende waarden te vertegenwoordigen die een nieuwe toekomst scheppen.[22] Deze existentiële en transcendente representatie dreigen in een cultuur die technologisch denkt, en daarom politiek ziet als het oplossen van problemen, steeds verwaarloosd te worden. Het laatste decennium van de twintigste eeuw was dit in Nederland in hoge mate het geval.

Fortuyn heeft het blijvend verlangen naar precies de existentiële en transcendente representatie bij hedendaagse mensen aan het licht gebracht. Hij weerspiegelde op blijkbaar voor velen overtuigende wijze de geïndividualiseerde, zichzelf ontplooiende, maar existentieel onzekere en naar een koesterende morele gemeenschap verlangende hedendaagse Nederlanders. Hij sprak hen bovendien aan als gemankeerde helden die niet doen waartoe ze gezien hun levensgeschiedenis bestemd zijn: verantwoordelijkheid nemen voor de samenleving, haar problemen oplossen en, zoals de Mozes in de bijbel, de morele weg wijzen naar het beloofde land, het zo mogelijk makend dat 'het volk' er daadwerkelijk in binnentrekt. Fortuyn eindigt zijn *De verweesde samenleving* met een lang citaat uit het slot van het bijbelboek Deutronomium (32, 44-52), waarin Mozes op het einde van zijn leven het volk Israël opdraagt zijn woorden ter harte te blijven nemen als zaak van leven en dood en God hem vóór zijn dood een blik gunt in het beloofde land dat hij zelf echter niet mag binnentrekken. Fortuyn presenteerde zichzelf als een leider zoals Mozes, die voor en namens zijn volk zag en deed wat zijn volk intuïtief wel verlangde en vermoedde, maar niet kon verwoorden en dus niet effectief kon nastreven. Een politicus zou dit volgens Fortuyn wel moeten kunnen en in staat moeten zijn op basis hiervan het volk te verleiden, om vervolgens door dit volk als zijn leider te worden uitverkoren.

Een relatief gering aantal van zijn aanhangers herkende zich in Fortuyns dadendrang. De overgrote meerderheid echter van degenen die op hem stemden, zagen in zijn eigenzinnige en in hun ogen gedurfde optreden blijkbaar vooral een hoopvol teken dat ook in de hedendaagse onoverzichtelijke samenleving een krachtig gezond verstand de gecompliceerde problemen kan oplossen. Zo doorbrak Fortuyn naar hun gevoel de verweesdheid en suggereerde dat het gevoel van ontheemding uiteindelijk niet werkelijk nodig is. In termen van Voegelin: Fortuyn representeerde niet alleen hun existentie, maar ook de transcendentie.

22 Zie id., *The New Science of Politics*, 1952, 27-75; vgl. G.J. Buijs, 'Het is tijd voor theater in de politiek', 2002.

Door de manier waarop hij zichzelf presenteerde, speelde hij effectief in op het verlangen naar goed en verzoend leven van de mensen die zich als zijn aanhang zouden ontpoppen. Probleem is echter dat Fortuyn hierbij suggereerde dat dit verlangde leven helemaal geen transcendente, altijd weer terugwijkende horizon hoefde te zijn van het noodzakelijk steeds dubbelzinnig blijvend concreet politiek en bestuurlijk handelen. Fortuyn presenteerde het als een doel dat in principe tamelijk eenvoudig bereikbaar is – wanneer mensen maar hun verantwoordelijkheid nemen, hun gezonde verstand gebruiken en de moed hebben tegenwerking te weerstaan. Zoals hij.[23]

Fortuyn heeft blootgelegd dat de Nederlandse samenleving inderdaad verweesd is, vol onbeantwoorde vragen en ten prooi aan ongrijpbare angsten, met het gevoel aan zichzelf overgelaten te zijn. Voor velen weerspiegelde hij hun emoties en verlangens, en maakte hen zo iets minder verweesd. Mensen werden niet overtuigd door zijn politieke doelstellingen in strikte zin, zoals die te vinden zijn in zijn boek *De puinhopen van acht jaar Paars* dat door Fortuyn gepresenteerd werd als programma van de Lijst Pim Fortuyn voor de verkiezingen van mei 2002.[24] Overtuigend was niet de inhoud, maar de stijl van zowel zijn schrijven als zijn optreden. Deze stijl duidde Fortuyn zelf aan met het devies dat, toegeschreven aan Belle van Zuylen, als een soort opdracht voorin *De verweesde samenleving* staat: 'alles of niets'. Fortuyn brengt het gevoel over dat onze samenleving weliswaar diep in de problemen zit, maar gered kan worden indien de vrijmoedige, nietsontziende dadendrang die sinds het einde van de jaren zestig geldt als het kenmerk van de ware toekomstgerichtheid, maar vrij baan zou krijgen. Succes is een keuze, problemen zijn er om opgelost te worden en taboes moeten worden doorbroken. Terwijl deze maakbaarheidsideologie in haar nietsontziendheid zelf een voorname oorzaak is van de verwezing. Zij maakt mensen tot middelen en wakkert zo hun verlangen aan omwille van zichzelf te worden gerespecteerd. Zij willen niet van belang zijn omdat ze bijdragen aan het goede leven, maar het goede leven ontvangen als datgene wat hen omvat en hun bestaan zijn waarachtige betekenis geeft.

Op deze manier kan men zeggen dat Fortuyn volledig representatie is. Gezien vanuit theologisch gezichtspunt is hij de representatie van het probleem dat hij zelf pretendeert op te lossen.[25]

23 In deze zin is hij binnen Voegelins visie te beschouwen als 'volkse' erfgenaam van de politieke ideologie in de moderne zin, dat wil zeggen van de ideologie die een substituut is voor religie; vgl. G.J. Buijs, *Tussen God en duivel*, 1998.

24 P. Fortuyn, *De puinhopen van acht jaar Paars*, 2002.

25 Hetzelfde kan m.i. gezegd worden van de populistische Vlaamse politicus van Libanese afkomst, Dyab Abou Jahjah, die in hoge mate zijn tegenbeeld is. Vgl. M. Benzakour, *Abu Jahjah: nieuwlichter of oplichter?*, 2004; L. De Witte, *Wie is bang voor moslims?*, 2004.

De actualiteit van christelijk anti-messianisme

Pim Fortuyn werd op 10 mei 2002 begraven vanuit de rooms-katholieke kathedraal van Rotterdam. Bisschop Ad van Luyn plaatste in zijn homilie tegenover Fortuyns 'alles of niets' het verhaal van de oordelende Mensenzoon die de bokken van de schapen scheidt op basis van de vraag of zij de minsten van de zijnen, en daarmee hemzelf, als hongerigen gevoed, als dorstigen gedrenkt, als naakten gekleed, als zieken of gevangenen bezocht hebben (Mat. 25, 31-46). Van Luyn legde zo de nadruk op concrete handelingen van verbondenheid en solidariteit. 'De waarde van ieders leven wordt uiteindelijk bepaald door hetgeen hij of zij betekend en gedaan heeft voor anderen', zei hij, hierbij – gezien de discussie over de plaats van moslims en migranten in de Nederlandse samenleving die Fortuyn had losgemaakt niet zonder belang – benadrukkend dat deze naasten niet beperkt mogen worden 'tot eigen familie of vriendenkring, tot geestverwanten, tot volks- of geloofsgenoten'. Van Luyn stelde vast dat ook de publieke structuren deze praktische verbondenheid dienen uit te drukken.[26] Opmerkelijk genoeg werd Van Luyns preek in de media afgedaan als vlak en weinig persoonlijk. Het lijkt nauwelijks te zijn opgemerkt dat hierin een poging werd gedaan Fortuyns activistische messianisme van 'alles of niets' te relativeren. Dit kan erop wijzen dat een dergelijk messianisme in de hedendaagse cultuur spontaan niet als een probleem wordt gezien. Toch is het van fundamentele betekenis dat Van Luyn tegenover Fortuyns cynisch-activistische messianisme het anti-messiaanse messianisme van het evangelie stelde.

Het vermoeden dat gebroken dient te worden met het cynische activisme dat de na-oorlogse westerse, en met name de Nederlandse cultuur beheerst, spreekt ook uit literaire reflecties op de politieke en culturele situatie waar de opkomst van Fortuyn een uitdrukking en een symbool van was. Christian Beck bijvoorbeeld, de hoofdpersoon in *De asielzoeker* van de in New York wonende Nederlandse schrijver Arnon Grunberg, ziet zichzelf als ontmaskeraar van illusies. Zonder zich aan taboes te storen, ontmaskert hij elk gevoel voor en verlangen naar iets hogers, iets groters, iets mooiers: zelfbedrog. Hij is echter niet opgewassen tegen de onuitroeibare neiging van zijn vriendin te helpen en te doen wat nodig is. Ondanks al zijn onweerlegbare bewijzen voor de absolute betekenisloosheid ervan, blijft zij eenvoudige daden van menselijkheid stellen. Zij geeft kleding weg aan en zamelt zelfs kleding in voor mensen die niet genoeg kleren hebben, zij trekt zich het lot aan van een man die door een bomaanslag zozeer mismaakt is geraakt dat Beck hem niet eens zonder fysieke afkeer kan aankijken, en als zij zelf al doodziek is, probeert zij

26 Voor de overweging van A.H. van Luyn bij de uitvaart van Fortuyn, zie het archief van 2002 op www.katholieknederland.nl.

een asielzoeker te redden door met hem te trouwen en zo te zorgen dat hij een verblijfsvergunning krijgt. De cynicus probeert het gedrag van zijn vrouw terug te brengen tot een vorm van ruil. Zij doet wat zij doet om hem een hak te zetten, of ze wil haar schuldgevoel afkopen. Maar steeds weer lopen zijn ontmaskeringen stuk: zijn vrouw handelt niet vanwege verheven motieven en evenmin uit verkapt eigenbelang, maar gewoon omdat mensen een bepaald lot ondergaan en zij zich klaarblijkelijk met dit lot verbonden weet. Wat er gebeurt, ervaart zij als appèl waar zij als vanzelfsprekend op ingaat. Beck stelt zichzelf hiertegenover succesvol teweer, met als gevolg dat hij op den duur moet ontdekken dat hij buiten de mensengemeenschap verkeert en het onmogelijk is in deze woestijn te leven. Niets en niemand asiel kunnen geven, betekent uiteindelijk zelf geen asiel krijgen en volledig ontheemd en verweesd achterblijven.[27]

Rudolf de Wolf, hoofdpersoon van *Het opstaan* van Désanne van Brederode, is haast even gevoelsarm als Christian Beck. Hij is er vooral op uit ruimte te geven en zo te krijgen, zodat iedereen kan doen wat hem of haar goeddunkt. Als hij zich veertien jaar na haar dood werkelijk begint te realiseren dat hij zijn toenmalige vrouw niet alleen niet heeft tegengehouden toen zij zelfmoord wilde plegen, maar haar heeft geholpen haar daad tot een goed einde te brengen, groeit het besef dat hij haar door deze houding niet serieus heeft genomen. Mensen verlangen dat het voor anderen uitmaakt wat er met hen gebeurt, dat zij zich werkelijk met hun leven inlaten en zich ermee bemoeien. Ook politiek onthult Van Brederodes boek het interne cynisme van beleid dat ieder, en met name iedere etnische groep, het zijne wil geven. Rudolf de Wolf raakt indirect betrokken bij de opbouw van Appèlbergen, een nieuwe stad voor allochtonen op de grens van Groningen en Drente waar alle groepen met optimale voorzieningen ongestoord hun eigen culturele en religieuze leven kunnen leiden. Uiteindelijk gaat het, met alle retorische gerichtheid op de belangen van de betrokken groepen, om een operatie die verschillen onschadelijk maakt, hartstochten temt en potentiële conflicten beheerst. Op deze manier worden cultuur en religie van levende realiteiten tot themapark-folklore – tenminste, dat is de bedoeling. Dit blijkt na een veelbelovend begin niet te lukken, zoals in de recente Nederlandse geschiedenis gebleken is dat de onschuldige, ongevaarlijke variant van de multiculturele samenleving niet levensvatbaar is: Appèlbergen gaat bij een aanslag letterlijk ten onder in een daverende explosie. Rudolf de Wolf lukt het, anders dan Christian Beck, niet zijn gevoelens werkelijk buiten schot te houden. Hij heeft uiteindelijk authentiek verdriet om zijn zoon en diens vriendin die bij deze explosie om het leven

27 A. Grunberg, *De asielzoeker*, 2003.

komen, en in hen om de dood, de mislukking en de vernietiging die de geschiedenis beheersen. In de pijn die zo gewekt wordt, in de verantwoordelijkheid die hiermee genomen wordt voor het leven van anderen en zichzelf, sluimert volgens Van Brederode blijkbaar verlangen naar waarachtige gemeenschap dat verkeert in een proces van opstaan, van verrijzenis.[28]

De Franse theoloog en dominicaan Christian Duquoc heeft de gedachte geformuleerd dat het messianisme van de als Christus – het Griekse woord voor Messias – aangeduide Jezus van Nazaret een anti-messianisme is, dat staat tegenover elk geloof in het optreden van een individu of groep als de definitieve doorbraak van de zin van de geschiedenis. Volgens Duquoc impliceerde Jezus' dood aan het kruis de mislukking van zijn missie het koninkrijk van God te vestigen. Het rijk van God dat Jezus verkondigde, hebben we daarom nog altijd te verwachten.[29] Dit maakt elk triomfalisme onmogelijk en verwijst ons terug naar de navolging van Jezus' gelovig handelen in dienst van de God die hij Abba noemde, Vader.

Hiermee expliciteert en actualiseert Duquoc een overtuiging die in zekere zin al besloten lag in het ontstaan van zijn orde, of breder in het verlangen naar evangelisch leven waaruit de dominicanenorde samen met de andere zogenoemde bedelorden is voortgekomen. Zich bewust onderscheidend van een kerkelijk optreden dat zich met groot aplomb beriep op de soevereiniteit van God, de verheerlijkte Christus en daarmee van zijn kerk over alle aardse machten, ontstonden vanaf de twaalfde eeuw bewegingen ter navolging van de Christus die zich ontledigd heeft, die zich niet heeft vastgeklampt aan zijn goddelijke verhevenheid en is afgedaald in de menselijke geschiedenis, met alle armoede en honger, alle onzekerheid en eindigheid, alle lijden en dood die hierbij horen (vgl. Fil. 2, 6-8). In plaats van als bezitters van genade die daarvan naar believen kunnen uitdelen, presenteerden degenen die tot deze bewegingen behoorden, zich als 'van huis uit bedelaars' die, zoals alle andere mensen, leven van wat zij aan eten, geborgenheid, liefde en leven ontvangen.[30] Zij identificeerden zich niet met de steenrots Petrus, het veronderstelde fundament van de kerk, maar met Maria van Magdala, die zich volgens de overlevering vol compassie Jezus' lijden aantrok door hem aan de vooravond van zijn dood te zalven (vgl. Mat. 26, 6-13 par.), die de eerste wordt aan wie hij na zijn verrijzenis verschijnt en die als

28 D. van Brederode, *Het opstaan*, 2004.

29 Vgl. C. Duquoc, 'Le "messianisme" de Jésus', 1980, 27-28 ; id., *Messianisme de Jésus et discrétion de Dieu*, 1984, 127-181.

30 Zie hiervoor mijn *Dominicaanse spiritualiteit*, 2000; Th. Zweerman, 'Van huis uit bedelaars', 2001.

'apostela apostelorum' naar zijn andere leerlingen gezonden wordt (Joh. 20, 11-18).[31] Het is vanuit, met en in de compassie met de lotgevallen en verlangens van mensen in hun altijd gebroken en te vaak catastrofale geschiedenissen dat de bedelorden het heil willen verkondigen dat in zijn klaarblijkelijke afwezigheid sinds de komst van Jezus volgens de christelijke tradities aan het aanbreken is.

Dubbele opdracht

De bedelorden herontdekten langs deze weg een kernparadox van de christelijke traditie: dat Gods transcendentie niet te vinden is in de verhevenheid en de afstandelijkheid ten opzichte van het concrete, steeds weer moeizame leven, maar juist in de verbondenheid ermee. De gebeurtenissen rond Fortuyn wijzen erop dat deze paradox wacht op hernieuwde herontdekking, als – in aansluiting bij woorden van de Nigeriaans-Britse schrijver Ben Okri – de mogelijke ketterij in een wereld waarin cynisme de heersende godsdienst is.[32] De ontheemding verdwijnt niet als de symptomen ervan hard worden aangepakt en bijvoorbeeld de angst voor vertegenwoordigers van vreemde culturen de basis wordt van politiek en bestuur. Verweesdheid wordt alleen weggenomen door gemeenschap, verbondenheid en zorg temidden van de vragen en problemen die onvermijdelijk deel zijn van het hedendaagse bestaan, als uitdrukking van een verbondenheid die elke verweesdheid omspant en doordringt.

Dit impliceert een dubbele opdracht. Ten eerste is het zaak om, temidden van het huidige verbrokkelde leven en wetend dat niemand aan deze verbrokkeling kan ontkomen, niettemin weer te kunnen zeggen wat een religieuze en een christelijke visie op de werkelijkheid uiteindelijk zijn. Op intellectueel geloofwaardige manier moet duidelijk gemaakt kunnen worden dat het uithouden van de taaie problemen van het menselijk bestaan, het volhouden ook van de heimwee naar een vervulder en verzoender leven dan het bestaande, zinvol is. Het beantwoordt aan wat in religieuze, en in ieder geval in christelijke zin karakteristiek is voor het menselijke leven: in brandend verlangen wachten op de God van heil en bevrijding en zo getuigen van de presentie van diens afwezigheid.[33] De grote en ingewikkelde vragen en problemen van onze samenleving – rond migratie, multiculturaliteit en multireligiositeit, rond de zorg voor zieken en ouderen, rond het onderwijs en rond het geweld in onze samenleving en cultuur – lenen zich er niet voor zo snel mogelijk definitief te worden opgelost. Het zijn lopende kwesties die om geduri-

31 Zie K.L. Jansen, *The Making of the Magdalen*, 2000, m.n. 49-142: 'The Mendicant Magdalen'.

32 B. Okri, *A Way of Being Free*, London 1997, 46.

33 Vgl. mijn 'Identiteit verwachten', 2002.

ge aandacht vragen, om het formuleren en het steeds bijstellen van een visie op goed leven, goed samenleven en om een goede toerusting ten behoeve van dit leven. Religieuze tradities kunnen inzichtelijk maken dat gevoeligheid voor deze problemen en openheid voor een goede omgang ermee, centrale aspecten zijn van waarachtig menszijn. De christelijke traditie kan duidelijk maken dat dit de wijze is waarop in onze situatie de bijbelse opdracht vervuld wordt de aarde bewoonbaar te maken, de manier waarop in de postmoderniteit geloof in de God van heil en bevrijding gestalte krijgt en deze God verwacht wordt.

In de huidige situatie, waarin de kerken sterk in zichzelf gekeerd zijn en vooral bezorgd lijken om handhaving of zelfs restauratie van hun vertrouwde identiteit, en waarin de theologie het zelfvertrouwen lijkt te ontberen om een eigen geluid te laten horen temidden en ten overstaan van de hedendaagse cultuur, lijkt deze opdracht onmogelijk te vervullen. Dit boek wil niettemin een bescheiden bijdrage zijn aan een toekomstige vervulling. Dit vanuit het besef dat met name de kerken uit de katholieke tradities binnen het christendom in hun liturgie de overtuiging bewaren dat de kosmos, en elke afzonderlijke plaats erbinnen, in de ruimte van God wordt omgevormd tot een plaats van goddelijke nabijheid.[34] Het komt erop aan van hieruit opnieuw te theologiseren over de schepping als plaats van doorbrekende verlossing waar geloven betekent: alert wachten op sporen van goddelijke genade, en waar ze zich voordoen deze benoemen, belichten en actief behoeden.

De tweede opdracht lijkt nog onmogelijker. Theoretische overwegingen over wat zich van het heilige realiseert in het alledaagse, zijn alleen geloofwaardig wanneer het lukt concrete vormen van leven te vinden die zichtbaar maken wat de waarde is van blijven in een moeilijke situatie, van wachten op sporen van heil en verlossing in verbondenheid met mensen die niet anders kunnen dan dat, van het belichamen van compassie en caritas in de ruimte waarvan mensen uiteindelijk leven. Anders gezegd, we staan naar mijn overtuiging voor de opdracht het religieuze leven opnieuw uit te vinden, in voor de huidige tijd adequate vormen, zoals de bedelorden dat deden in de late Middeleeuwen, de jezuïeten aan het begin van de nieuwe tijd en de congregaties uit de achttiende en negentiende eeuw in de tijd van industrialisering.[35] Maar het betreft ook hier geen opdracht in de zin van een – onmogelijk – te volvoeren taak. Het gaat ook hier om een vorm van actief wachten. Er zijn tal van plaatsen waar individuen en groepen vanuit religieuze tradities reageren op de maatschappelijke situatie, zich erop toeleggen present te zijn bij mensen en hun lotgevallen. Er zijn ook pogingen om dit niet te

34 Zie D.W. Hardy, *Finding the Church*, 2001, m.n. 7-23; 238-259; A. Davey, *Urban Christianity and Global Order*, 2001, 105-107.

35 Vgl. ook A.H. van Luyn, *Modern en devoot*, 1999.

begrijpen als activiteiten van al bestaande religieuze instituties naar buiten, maar als vormen van kerkwording en kerkvinding, als antwoorden op een goddelijke Afwezigheid die om solidair wachten en uithouden van de leegte vraagt, op een goddelijke Presentie in deze leegte die aan de kerk voorafgaat.[36] Hierin liggen belangrijke aanknopingspunten, niet alleen voor theologische reflectie maar vooral ook voor een hernieuwd verstaan van de eigen existentie als belichaming van het transcendente verlangen dat de religie levend houdt.

Pim Fortuyn heeft op onverwachte wijze laten zien hoezeer hedendaagse mensen verlangen naar existentiële en transcendente representatie. De christelijke tradities hebben als vormgevingen van religie de pretentie beide mogelijk te maken op een manier die geen afstand neemt van pijn, teleurstelling en onvervuld verlangen, maar er zich mee verbindt. Als zij dit waar kunnen maken, hebben zij een belangrijke bijdrage te leveren aan de hedendaagse discussie over goed leven en goed samenleven.

36 Vgl. G.J. van de Kolm, *De verbeelding van de kerk*, 2001 en de daar besproken literatuur. Zie in dit verband ook de diverse pogingen van 'leken' – dat wil in dit verband zeggen: niet in kerkrechtelijke zin religieuzen – om in nauwe aansluiting bij hun dagelijks leven een verbinding te cultiveren met de uiteenlopende tradities van religieus leven.

6
Leven van de gemeenschap buiten ons bereik

De Engelse dominicaan Timothy Radcliffe, die van 1992 tot 2001 de algemeen overste – 'magister generaal' – was van zijn orde, schreef:

> Politiek werd ooit omschreven als de kunst van het mogelijke. Christelijke politiek wordt gekenmerkt door de hoop op wat veel mensen voor onmogelijk houden. Wij wagen het erop te streven naar een gemeenschap die buiten ons bereik ligt. Christelijke politiek is de kunst van het onmogelijke.[1]

Of, om de paradox nog meer op de spits te drijven: christelijke politiek is de kunst van het onmogelijke *als mogelijk.*[2] Het realiseren van de omvattende sociale gemeenschap van allen met allen ligt buiten ons bereik, maar wij moeten handelen met het oog op deze gemeenschap en leven in het besef van het ontbreken ervan, en zo in de ruimte van deze gemeenschap. Dat doen mensen feitelijk vaak ook. In het tijdgewricht waarin 'het sociale' in politiek en samenleving onder vuur ligt, en waarin de retoriek van autonomie en opkomen voor het eigenbelang de boventoon voert, zijn velen in feite socialer dan ze zelf zeggen te willen zijn. Menige verpleegkundige blijkt haar of zijn beroep bijvoorbeeld wel degelijk uit idealistische motieven uit te oefenen, alleen moet er wel even gepraat worden om dat naar boven te halen. Ze spreken veel gemakkelijker over de gunstige werktijden, de aardige collega's, het interessante werk.[3] Of, ander voorbeeld, ingenieurs blijken niet alleen gedreven door fascinatie voor techniek of het verlangen geld te verdienen, maar willen graag een bijdrage leveren aan het verbeteren van de samenleving.[4] Met deze, vaak verborgen sociale gerichtheid, begint religieus

1 Th. Radcliffe, *Zusters en broeders*, 2003, 11-24: 'De barmhartige samaritaan', hier 19.
2 Het idee van een politiek van het onmogelijke, tussen verzet en verbondenheid, wordt, in aansluiting op de gedachte van de Franse filosoof Georges Batailles, uitgewerkt in M. Besnier, *La politique de l'impossible*, 1988. Het gaat mij hier echter niet alleen om een politiek die het onmogelijke openhoudt, maar om een politiek die uitgaat van dit onmogelijke als mogelijke, en in zekere zin zelfs als werkelijk.
3 Mondelinge informatie over een enquête onder verpleegkundigen over hun werkmotivatie in het Universitair Medisch Centrum St. Radboud te Nijmegen.
4 'Zaaien in goede grond: Pastoraat als zoeken naar een gemeenschappelijke taal', E. Borgman/H. van Drongelen/T. Meyknecht, 2004.

gezien onze redding en toont zich het heden als plaats van beloofde toekomst.

Het vorige hoofdstuk maakte het belang duidelijk van een anti-messiaanse politiek in een tijdperk dat een hang heeft naar messianisme. Dit hoofdstuk exploreert een dergelijke politiek nader. In confrontatie met de traditie van christelijk sociaal denken wordt duidelijk dat een religieuze visie op het politieke niet bestaat in een specifiek politiek programma, maar in het serieus nemen van het feit dat mensen via elkaar worden geschapen en bewaard in het leven. In de huidige onvrede met de heersende staat van de samenleving is de gemeenschap waarvan de realisering buiten ons bereik ligt, als verlangde realiteit aanwezig. Vanuit dit gezichtspunt kan elke concrete realisering van gemeenschap en solidariteit een teken worden van het feit dat deze gemeenschap aan het aanbreken is, al wordt zij door menselijk handelen nooit volledig gerealiseerd.

De kunst van het onmogelijke als mogelijk

Er is in de samenleving een groeiend besef dat het onmogelijke niettemin noodzakelijk is. In zijn boek *Niet spreken met de bestuurder* legt de journalist Gerard van Westerloo dit besef bloot in gesprekken met Amsterdamse trambestuurders.[5] Zij signaleren dat de situatie in onze samenleving onhoudbaar dreigt te worden, voor hen eigenlijk al is. Individuen en groepen dreigen uit elkaar te groeien en niemand spreekt mensen nog aan op hun gedrag, niemand laat zich nog op zijn gedrag aanspreken. Van hieruit keren de trambestuurders zich tegen degenen die zij 'de Socialen' noemen, hun politiek-correcte spreken over integratie en over onze verantwoordelijkheid ten aanzien van 'de zwakken'. Gefrustreerd en kwaad keren zij zich van de samenleving af, omdat ze geen uitweg zien uit de problemen waar ze in hun werk telkens opnieuw mee geconfronteerd worden. Maar precies hun diepe frustratie en hun voortdurend klagen maakt duidelijk dat ze niet in staan zijn te doen wat ze zeggen te willen: zich afsluiten voor wat er gebeurt in de microsamenleving van hun tram en in de macrosamenleving waar deze de spiegel van is. Van Westerloos boek maakt haast voelbaar hoe afkeer van een opgelegde, als wereldvreemd ervaren zorg voor zwakkeren en vreemden, samengaat met en voortkomt uit gevoel van verbondenheid met het lot van deze zwakkeren en vreemden. Zo ontstaat bij de lezer het inzicht dat sociale politiek in de actuele situatie de kunst van het onmogelijke is en draagt Van Westerloo bij aan een zeker herstel van het sociale als politieke bekommernis.

De kritische vraag is echter of er meer perspectief is dan de melan-

5 G. van Westerloo, *Niet spreken met de bestuurder*, 2003.

cholieke constatering die Van Westerloo bijna aan het eind van zijn boek doet, in naam van zijn trambestuurders:

> Pim Fortuyn is kortstondig hun man geweest, de grote bek die in 2002 hardop onder woorden bracht wat zij achttien jaar lang niet eens fluisterend mochten zeggen. Dat hebben ze als een bevrijding ervaren. Maar wel als een die te laat kwam. Hun wereld krijgen ze nooit meer terug.

Valt er meer te constateren dan deze onmogelijkheid? Anders gezegd: valt er iets te zeggen over sociale politiek als kunst van het onmogelijke *als mogelijk*. Bij voorbeeld in het verlengde van wat Van Westerloo ook opmerkt:

> De trambestuurders ... hebben de allochtoon wel degelijk als persoon leren kennen. Het is moeilijk, het mengt slecht en door hun aantal hebben zij hun wereld ingrijpend veranderd. Maar het zijn voor hen wel mensen met een gezicht geworden. Ze hebben allemaal hun Appie van het tuinhuisje of hun Fatima, dat moordwijf van lijn 13, en, behalve Appie en Fatima heb je er verdomd veel andere goeien bij zitten. De trambestuurders maken niet meer het verschil tussen Nederlanders en buitenlanders. Ze maken verschil tussen het goeie volk en de klootzakken. En klootzakken, die tref je net zoveel aan onder de Turken en de Marokkanen als onder je eigen jongens die van huis uit Nederlands hebben leren spreken.[6]

Volgens Van Westerloo zijn de trambestuurders hiermee opnieuw twee stappen vooruit op de politiek. Deze wilde eerst van allochtonen geen kwaad woord horen, maar wil ze nu duchtig de Hollandse mores bijbrengen. Hierdoor raken zij zelf als concrete mensen opnieuw buiten beeld, blijven anoniem. Van Westerloos trambestuurders zijn de doorsnee-politiek inderdaad twee stappen vooruit in het ontwikkelen van een visie op het sociale die ik in dit hoofdstuk religieus noem.

Wie politiek vanuit een religieuze visie 'de kunst van het onmogelijke' noemt, die loopt het gevaar te snel gelijk te krijgen. De socioloog Max Weber heeft een onderscheid geïntroduceerd tussen 'gezindheidsethiek' en 'verantwoordelijkheidsethiek' dat inmiddels klassiek is. Gezindheidsethiek gaat uit van absolute eisen en geboden, los van elke context. Prototypisch zijn hierbij voor hem de geboden die Jezus volgens het evangelie van Matteüs in de zogenoemde Bergrede formuleert (Mt. 5-7): een absoluut verbod op het gebruik van geweld, het gebod om indien je geslagen wordt, de andere wang toe te keren. Hierop laat zich geen politiek baseren, want als het al mogelijk zou zijn ermee te overleven, dan is het toch in ieder geval onmogelijk er macht mee te verwerven en uit te

6 Ibid. 356-357.

oefenen, hetgeen toch het doel is van politiek bedrijven in een parlementaire democratie. Verantwoordelijkheidsethiek beschouwt het hiertegenover als plicht in de gegeven omstandigheden het beste te doen en te realiseren. Goed handelen is niet handelen volgens de absoluut juiste beginselen, maar handelen met een zo optimaal mogelijk resultaat.[7] Het idee dat politiek 'de kunst van het mogelijke' is, ligt in deze lijn.[8]

Het ligt in zekere zin voor de hand de sociale politiek in Nederland vanaf eind jaren zestig tot halverwege de jaren negentig van de vorige eeuw te beschouwen als gebaseerd op een gezindheidsethiek. Een aantal politiek-ethische principes golden als onaantastbaar en de discussie over de vraag of ze wel gehandhaafd moesten worden, werd op zich al als immoreel beschouwd. De bijstandsuitkering werd bijvoorbeeld gezien als 'recht' en dit werd militant geplaatst tegenover 'liefdadigheid', waardoor ieder voorstel de bijstand aan strengere voorwaarden te binden als vanzelf verscheen als aanslag op de waardigheid van mensen die ervan leefden. Gevolg was dat de verantwoordelijkheidsethische vraag welk politiek doel met welke middelen het best werd gediend, niet werd gesteld. De vraag of bijvoorbeeld de algemene bijstandswet eraan bijdroeg dat mensen geen baan zochten en dus ook niet vonden, en zo niet alleen afhankelijk waren van een uitkering, maar ook opgesloten bleven in een cultuur van afhankelijkheid en marginaliteit – een vraag die in nogal wat andere landen de gemoederen sterk bezighield – en of er daarom geen alternatieven bedacht moesten worden, speelde in Nederland nauwelijks.

Hierdoor raakte buiten beeld dat de bijstandswet ten diepste een zorgarrangement is. De sociale wetgeving *vervangt* niet de levende relatie tussen financieel sterkeren en zwakkeren in de samenleving, maakt het verschil tussen hen ook niet ongedaan. Het blijft noodzakelijk dat de sterkeren verantwoordelijkheid nemen voor de zwakkeren. Sociale wetgeving is uiteindelijk *een vormgeving* van deze verantwoordelijkheid.[9] Dit verdwijnt gemakkelijk uit het bewustzijn als uitkeringen eenzijdig als 'recht' worden gezien. Met als paradoxaal gevolg dat de bijstand ver-

7 Vgl. M. Weber, 'Politik als Beruf', 119, m.n. 549-560.

8 Uiteindelijk gaat deze tegenstelling terug op I. Kant, die het verschil tussen moraal en politiek karakteriseert met behulp van Jezus' aansporing in het evangelie volgens Matteüs (10, 16) slim te zijn als slangen – dit zou de inslag van de politiek zijn – en onschuldig als duiven – hetgeen de inslag zou zijn van de moraal. Hiermee is de vraag naar de verhouding tussen moraal en politiek een fundamenteel probleem geworden. Vgl. I. Kant, *Zum ewigen Frieden*, 1795, 370.

9 A. de Swaan, *In Care of the State*, 1988, beschrijft de sociale wetgeving vanuit het perspectief van een groeiende greep van de staat op de samenleving: de staat legitimeert zichzelf en haar macht door de zorg voor haar burgers. In een democratische staat moet dit echter gepaard gaan met een legitimatie van de noodzaak dat burgers via de staat voor elkaar zorgen.

schijnt als onbeheersbare kostenpost, onderdeel van een voortwoekerende bureaucratie die wij opnieuw beheersbaar moeten maken. Maar dit impliceert tevens dat het een misverstand is de sociale politiek van de laatste decennia te karakteriseren als uitdrukking van een gezindheidsethiek, als een 'politiek van goede bedoelingen' die de realiteit uit het oog verloor.[10] Precies dit *beeld* van sociale politiek is een belangrijk probleem, want het maakt het mogelijk om zich in naam van het realisme tegen dit vermeende abstracte idealisme te keren. Mede om hier een tegenwicht tegen te bieden, verdedig ik de stelling dat het evenzeer een misverstand is de religieuze, in het bijzonder de christelijke bijdrage aan de politieke discussie te zien in temen van een gezindheidsethiek.

De politieke betekenis van religieuze tradities is niet dat zij een verzameling vaste beginselen bieden, een uitgewerkte politieke ideologie of politieke ethiek. De christelijke traditie heeft niet allereerst een visie op de waarden die de samenleving *moet belichamen* en respecteren. Zij heeft met name een visie op wat de samenleving *feitelijk bij elkaar houdt*, en op het verplichtende karakter van deze werkelijkheid. Solidariteit is niet allereerst een ethisch en politiek ideaal of een te realiseren waarde, maar vindt haar oorsprong in de fundamentele onderlinge afhankelijkheid van mensen – mensen die op elkaar aangewezen zijn, die een eenheid vormen en die voor een gezamenlijke taak staan hun wereld en hun leven vorm te geven.[11] De christelijke traditie houdt het idee levend dat God mensen elkaar en de schepping gegeven heeft om van te leven en zorg voor te hebben, en zo als gever zelf met hen verbonden is. In zijn optreden heeft Jezus van Nazaret deze verbondenheid als heilzame werkelijkheid aan het licht gebracht. Van hieruit verschijnen de wijzen waarop mensen hun verbondenheid en solidariteit concreet vorm weten te geven als voorafbeeldingen van het in Jezus toegezegde rijk van God.

De gegeven gemeenschap buiten ons bereik

De spanningen in de enerzijds geïndividualiseerde en onttraditionaliseerde, anderzijds multiculturele en multireligieuze samenlevingen van West-Europa hebben, samen met de snel veranderende internationale verhoudingen, de dringende vraag opgeroepen: hoe de solidariteit te redden?[12] In antwoord hierop wijzen de christelijke tradities op de verbondenheid die altijd-al tussen mensen bestaat. Wij mensen danken wat wij zijn en wat wij hebben aan anderen, aan wat ons vrij geschonken is. Dit impliceert de verantwoordelijkheid bij te dragen aan het welzijn van anderen.

10 Vgl. H. Achterhuis, *Politiek van goede bedoelingen*, 1999.

11 Vgl. J.H. Walgrave in 'Verantwoording en uitbouw van een katholiek-personalistische gemeenschapsleer', 1960, 109-110. Zie ook H.E.S. Woldring, *Politieke filosofie van de christen-democratie*, 2003, 23; id., *De christen-democratie*, 1996, 30.

12 Ph. Van Parijs, *Sauver la solidarité*, Paris 1995.

Solidariteit op grond van het inzicht mede verantwoordelijk te zijn voor anderen, hun welzijn en hun geluk, dat is een van de feitelijke vormen van verbondenheid die in de samenleving ontstaan en haar bij elkaar houden, naast bijvoorbeeld die op basis van gemeenschappelijk belang en die op basis van fysieke of culturele verwantschap.[13] Ze is vanuit een christelijk perspectief van fundamentele betekenis en dient gecultiveerd te worden.[14]

Het weerbarstige gezicht van deze solidariteit kwam bijvoorbeeld aan het licht toen de Nederlandse minister voor vreemdelingenbeleid, Rita Verdonk, in 2004 geconfronteerd werd met onverwacht protest tegen haar harde optreden dat in de lijn ligt van de veranderingen in de Nederlandse vreemdelingenwetgeving van de laatste decennia. Deze veranderingen werden steeds verdedigd met het argument dat om een draagvlak te behouden voor de opvang van 'echte vluchtelingen', er streng moet worden opgetreden tegen degenen die niet voldoen aan de hiervoor geldende criteria. Er werd ook vaak onwillig gereageerd en geprotesteerd door lokale bestuurders en lokale bevolkingen wanneer ergens een asielzoekerscentrum geopend werd, maar in 2004 botste Verdonk verrassend met bestuurders, vrijwillige hulpverleners en buurt- en dorpsgenoten van zogenoemde uitgeprocedeerde asielzoekers, die protesteerden tegen het voornemen mensen zonder pardon uit te zetten die al jaren deel uitmaakten van hun gemeenschap. Dat noch de Nederlandse regering, noch Nederlandse volksvertegenwoordigers in staat waren hierin een nieuwe vorm van solidariteit te zien die gerespecteerd en gecultiveerd moet worden, maakt duidelijk dat de vorm van religieuze politiek die ik hier verdedig, geenszins vanzelfsprekend is. Ook niet voor partijen die zichzelf op een religieuze grondslag beroepen.

Toch biedt met name de christelijk-sociale traditie voor deze politiek belangrijke aanknopingspunten. Het denken van Félicité de Lamennais (1782-1854) bijvoorbeeld, voor wie de agressieve inbreuk op het leven van gewone mensen door de bureaucratische en militant antigodsdienstige Franse staat van na de revolutie van 1789 aanleiding was de religieuze, en daarmee ook de geestelijke en morele basis van de samenleving bij het volk te lokaliseren. Dit betekende een breuk met de hieraan voorafgaande katholieke visie op de staat die de band met de religie het best gewaarborgd zag via de vorst. Hoewel er meer op het spel stond, kwam het conflict van Lamennais met paus Gregorius XVI, dat leidde tot Lamennais'

13 Zie A. van Harskamp, *Van fundi's, spirituelen en moralisten*, 2003. L. ten Kate, 'Solidariteit tegen wil en dank', 1999, bepleit terecht een nadere exploratie van deze vorm van solidariteit die noch het individu tot de gemeenschap, noch de gemeenschap tot de individuen reduceert, maar de afstand tussen beide als ruimte cultiveert.

14 Vgl. voor de uitwerking van de meer existentiële kant van deze gedachte, E. Borgman, *Dominicaanse spiritualiteit*, 2000, 103-126; id., 'Maatschappelijke spiritualiteit', 2004.

veroordeling, in belangrijke mate voort uit de botsing van deze twee tegengestelde visies op de verhouding tussen kerk en staat, respectievelijk religie en samenleving.[15] Lamennais vertegenwoordigde een ook breder gedragen lijn van denken, die het christelijk geloof vooral ziet als een vorm van toewijding aan het lot van 'gewone' mensen als de plaats waar de samenleving onder druk staat, bezwijkt en opnieuw tot stand komt. In navolging van God zelf, die naar christelijke overtuiging in Jezus Christus zich verbonden heeft met de menselijke geschiedenis.[16]

Deze lijn van denken biedt een opening om de aporie op te lossen waarin de politieke discussie over solidariteit en het sociale lijkt te zijn beland. Deze aporie is blootgelegd door de conservatieve staatsrechtgeleerde Carl Schmitt (1888-1985) in zijn reactie op de gewelddadige politieke botsingen in Weimar-Duitsland die uiteindelijk de machtsovername van de Nazi's mogelijk zou maken. Schmitt was als sympathisant van het Nazisme langere tijd in de intellectuele ban, maar wordt tegenwoordig algemeen beschouwd als een belangrijk politiek filosoof die centrale aporieën aanwijst van de liberaal-democratische politiek.[17] Precies dat doet hij onder meer in het boek waarin hij onderzoekt waarom de strategie van de Engelse liberale politiek filosoof Thomas Hobbes om vrede in de plurale samenleving te bewaren, gefaald heeft. Volgens Schmitt is het voorkomen van godsdienst- en burgeroorlog het centrale motief van Hobbes' hoofdwerk *Leviathan* (1651):

> Voor Hobbes komt het erop aan de anarchie van het feodale recht op verzet van de kant van standen en kerken, en de daaruit voortdurend opnieuw ontbrandende burgeroorlog, te overwinnen door middel van de staat. Tegenover het middeleeuws pluralisme, de machtsaanspraken van de kerken en andere 'indirecte machten', wilde Hobbes de rationele eenheid plaatsen van een duidelijke, tot effectieve bescherming in staat zijnde macht en een berekenbaar functionerend legaliteitssysteem.[18]

De ontsporing van de politieke discussies in de Weimar-republiek maakte voor Schmitt duidelijk dat de voor de verlangde vrede noodzakelijke

15 Vgl. voor de geschiedenis van Lamennais' veroordeling *La condamnation de Lamennais*, éd. M.J. le Guillou/L. le Guillou, 1982. Voor een korte samenvatting van Lamennais' politieke ideeën, zie Woldring, *De christen-democratie*, l.c., 154-158; id., *Politieke filosofie van de christen-democratie*, l.c., 87-90.

16 Via Henri-Dominique Lacordaire (1802-1861), die nauw samenwerkte met Lamennais en Charles de Montalembert (1810-1870) en die de dominicanenorde in Frankrijk na de Franse revolutie herstichtte, en via Marie-Dominique Chenu loopt er een rechtstreekse lijn van deze traditie naar de geest van dit boek. Voor de verhouding van de 'school' van Chenu en Lacordaire, zie Y. Congar, 'Le père Lacordaire', 1948.

17 Vgl. *The Challenge of Carl Schmitt*, ed. C. Mouffe, 1999. – Zie voor het volgende: Th. de Wit, 'Rationalisme en populisme', 2003, m.n. 25-27.

18 C. Schmitt, *Der Leviathan in der Staatslehre des Thomas Hobbes*, 1938, 113.

scheiding tussen de samenleving, die voortdurend gewelddadig dreigt te worden, en de staat, die deze samenleving van buiten af pacificeert, niet duurzaam standhoudt. Dit ligt volgens hem aan het feit dat Hobbes als liberaal de persoonlijke overtuiging van mensen buiten de invloedssfeer van de staatsmacht plaatst. Wat mensen in hun hart geloven, daar heeft de staat in Hobbes' visie geen zeggenschap over en geen bemoeienis mee. Dit impliceert echter dat de staat haar taak pas werkelijk kan vervullen en de vrede kan garanderen wanneer de burgers hun diepste overtuigingen inderdaad privé houden. Probleem is echter volgens Schmitt dat wanneer overtuigingen in de strikte privé-sfeer worden gekoesterd, ze daar ook kunnen gaan woekeren en tot groepsvorming leiden. Hierdoor wordt het haast onvermijdelijk dat ze na verloop van tijd met hun irrationele chaos en hun gewelddadige waarheidsclaims de sfeer binnendringen van de politiek en de staat.

Dit door Schmitt geïdentificeerde probleem beheerst de hedendaagse politieke discussie in vergaande mate. Hoeveel pluraliteit verdraagt een liberale democratie eigenlijk? Moet politieke gemeenschap niet gebaseerd zijn op substantiële verwantschap en gelijkgezindheid, bijvoorbeeld op een gemeenschappelijke nationale cultuur met gemeenschappelijke normen en waarden? Impliceert dit niet een grens aan de vrijheid van godsdienst en levensovertuiging? En hoe moet een dergelijke eenheid eigenlijk tot stand komen? Is zij gebaseerd op een gemeenschappelijke oorsprong als volk, of op een gemeenschappelijke geschiedenis? Of kan en moet zij tot stand gebracht worden door maatregelen van bovenaf? Schmitt heeft beide opvattingen op zijn tijd verdedigd en door de wijze waarop hij dit deed aanschouwelijk gemaakt dat zij in hun uiterste vorm het einde betekenen van de democratische rechtsstaat. De ene loopt uit op een ideologie van de zuiverheid van het volk en zo op racisme, de andere op politiek totalitarisme. Ook in de huidige politieke discussie over de toekomst van de Nederlandse samenleving worden beide standpunten ingenomen, al houdt men zich doorgaans ver van beide extremen.

Uitgangspunt blijft steeds wat de specialist in internationale relaties Scott Thomas de 'Westfaalse vooronderstelling' heeft genoemd, de gedachte dat een pluraliteit van fundamentele overtuigingen niet kan samengaan met duurzame vrede.[19] Het idee dat politiek de kunst is van het onmogelijke als mogelijk en het leven van een gemeenschap buiten ons bereik, impliceren een fundamenteel andere benadering. Uitgangspunt hiervan is dat het realiseren van een omvattende gemeenschap weliswaar buiten ons bereik ligt, maar dat tegelijkertijd het streven ernaar

19 S.M. Thomas, *The Global Resurgence of Religion and the Transformation of International Relations*, 2005, 54-55.

wel degelijk reëel bestaat. Als in reactie op de tsunami die op 26 december 2004 de kusten van Azië overspoelde of op de aanslagen van 11 september 2001 in de Verenigde Staten van Amerika, burgers over de hele wereld zich identificeren met de slachtoffers, dan geven zij uitdrukking aan het besef dat het lot van mensen onderling verbonden is. In deze verbondenheid is de gemeenschap waarvan de realisering buiten ons bereik ligt, toch aanwezig en ons gegeven als de ruimte waarin wij leven. Een religieuze visie op het politieke, een christelijk-sociaal gekleurd politiek handelen, is in mijn ogen gebaseerd op deze gegeven verbondenheid, op het telkens weer opkomend inzicht in deze gegeven verbondenheid, op de telkens opkomende vormgevingen ervan en op de wetenschap dat elke gerealiseerde verbondenheid slechts gedeeltelijk de gemeenschap present stelt die ons als perspectief is gegeven, maar die buiten ons bereik ligt.[20] Van belang is hierbij te zien dat ook elk inzicht in de reële verbondenheid partieel en gebrekkig is, en dus niet zonder meer de basis van het politieke handelen. Het verder expliciteren en ontwikkelen, en derhalve ook bekritiseren van dit inzicht is onderdeel van de verantwoordelijkheid voor de gemeenschap, wier basis is dat zij telkens als buiten ons bereik gegeven en herboren wordt.

Niet medemens, maar naaste

In de film *Stuart Little* zegt de gelijknamige hoofdpersoon, een muis die met de onnavolgbare logica van Hollywood als pleegkind wordt opgenomen in een Amerikaans *middle class* gezin, na het doorstaan van de nodige tests die zijn verbondenheid met hen onomstotelijk aantonen: 'Je hoeft niet op elkaar te lijken om bij elkaar te horen.' Precies dit is een van de belangrijkste pointes van de Joodse en christelijke tradities. Of, anders gezegd, volgens deze tradities lijken voor het aangezicht van God alle mensen in een bepaald opzicht op elkaar zonder dat zij worden gereduceerd tot hetgeen zij gemeenschappelijk hebben. Wij zijn allemaal vreemdelingen op aarde.[21] Wij hebben onze levens en wat ons in leven houdt als geschenk ontvangen. Dit impliceert dat ieder die deze levensbehoeften ontbeert, met het feit van dit gebrek een appèl doet op onze solidariteit en generositeit. 'Jullie zijn zelf vreemdelingen geweest in Egypte', herinnert het bijbelboek Deuteronomium zijn lezers (10, 19), jullie zijn zelf op beslissende momenten afhankelijk geweest van de ga-

20 Vgl. het pleidooi van J.W. Duyvendak en M. Hurenkamp ('Lichte gemeenschappen en de nieuwe meerderheid', 2004, en id., 'Kiezen voor de kudde', 2004) om zowel bij onderzoek naar als bij het politieke streven sociale cohesie te bevorderen te kijken naar de 'lichte gemeenschappen' die open zijn en niet het hele leven van mensen omvatten – buurten, scholen, sportverenigingen – die voortdurend gevormd worden, alle mythes over de teloorgang van de verbondenheid ten spijt. Stelling van dit hoofdstuk is echter dat in deze gemeenschappen de gemeenschap buiten ons bereik aanwezig is en gestalte krijgt.

21 Vgl. E. Levinas, *Difficile liberté*, 1963, 232.

ven van anderen, dus je kunt anderen die nu in deze zelfde omstandigheden verkeren, jullie gaven niet onthouden.

De Franse filosoof Alain Finkielkraut beschouwt dit als de aanzet tot de moderne ontdekking van het idee 'mensheid'. Het idee 'mensheid' abstraheert, als typisch modern en Verlicht idee, volgens hem van de concreetheid van onze persoonlijke en collectieve gegevenheden en van onze concrete verbanden met anderen. Het maakt ons allemaal zonder onderscheid onderdeel van dezelfde abstracte totaliteit en dwingt langs deze weg onze onderlinge solidariteit af. Dit idee van 'mensheid' is echter volgens Finkielkraut in de twintigste eeuw in zijn tegendeel verkeerd. Nazisme en communisme waren in zijn ogen pogingen in naam van een abstracte solidariteit de mensheid te genezen van haar kwalen en naar het heil te voeren.[22] Sindsdien heeft het idee 'solidariteit' zijn onschuld verloren.[23] Het is echter van belang te zien dat de Joods-christelijke idee van verbondenheid van mensen onderling niet verloopt via de abstracte totaliteit 'mensheid'. 'Jullie moeten de vreemdeling liefde bewijzen, want jullie zijn vreemdeling geweest in Egypte' (Deut. 10, 19): deze aansporing is niet uit op een mechanische solidariteit met een soortgenoot, maar op een organische solidariteit met een lotgenoot.

Het gaat hierbij om een solidariteit die niet gebaseerd is op een gedeelde identiteit die is voorgegeven – zoals het lidmaatschap van een volk, of het deel zijn van een natie – maar op een identiteit die precies in de solidariteit zelf tot stand komt. De beoogde en de feitelijke lezers van Deuteronomium *zijn* helemaal geen vreemdelingen geweest in Egypte in de zin waarin de bijbel hierover vertelt. Het is in de spiegel van de vreemdeling die ondersteuning en daadkrachtige liefde nodig heeft, dat zij uitgenodigd worden de eigen identiteit te vinden als fundamenteel afhankelijk van hetgeen hen gegeven is en wordt.[24] Jezus' parabel van de barmhartige Samaritaan in het evangelie volgens Lucas (10, 25-37), die een antwoord is op de vraag wie volgens Jezus 'de naaste' is die naar het bijbels gebod bemind moet worden, suggereert uiteindelijk hetzelfde. Naaste is niet een volksgenoot, maar ook niet zonder meer een medelid van het menselijk geslacht. Naaste, dat is degene die jou nodig heeft zoals jij anderen nodig hebt, en met wie jij je verbindt door daadwerkelijk compassie met hem of haar te hebben. Dit is wat mensen soms doen en waar ze dat doen, komt iets aan het licht van de bron van alle werkelijkheid als gave, die de christelijke traditie 'God' noemt.

Het gaat er volgens het evangelie niet om een religieus gebod te volgen. Het is andersom: het feitelijk volgen van het gebod, brengt aan het licht wat religie is. In hetgeen de barmhartige Samaritaan doet – of in

22 A. Finkielkraut, *L'humanité perdu*, 1996.
23 Zie Th. de Wit, 'De verloren onschuld van de solidariteit', 1999.
24 Vgl. mijn *Alexamenos aanbidt zijn God*, 1994, 173-181.

wat degenen doen die, naar een andere parabel van Jezus in het evangelie van Matteüs, hongerigen voeden, dorstigen laven, vreemdelingen huisvesten, naakten kleden en zieken en gevangenen bezoeken (Mt. 25, 31-46) – komt de ongrijpbare samenhang tussen mensen aan het licht die naar christelijke overtuiging van God stamt en naar God verwijst, en die in Jezus' reserveloze overgave zijn ware gestalte heeft laten zien.

Echo's van deze logica klinken door in teksten die aan de oorsprong liggen van de christelijke partijvorming in Nederland. In zijn rede bij de opening van het Christelijk Sociaal Congres in 1891 ging de gereformeerde voorman Abraham Kuyper niet uit van een christelijke visie op de ideale samenleving om vervolgens een programma te schetsen hoe deze te realiseren. In plaats daarvan wees hij in de actualiteit een wat hij noemt 'sociale quaestie' aan:

> ... wie van *een sociale quaestie* spreekt, bedoelt hiermeê in den algemeensten zin, dat er ernstige twijfel is gerezen *aan de deugdelijkheid van het maatschappelijk gebouw, waarin we wonen;* en dat er dientengevolge in de publieke opinie strijd wordt gevoerd over de hechtere grondslagen, waarop een doelmatiger maatschappelijk gebouw, en dat beter bewoonbaar, valt op te trekken. [...] Slechts dit éene is, zal er voor u een sociale quaestie bestaan, noodzakelijk, t.w. dat ge de *onhoudbaarheid* van de tegenwoordigen toestand inziet, en deze onhoudbaarheid verklaart niet uit *bijkomstige* oorzaken maar uit een fout *in den grondslag zelf* van ons maatschappelijk samenleven.

Hierbij lagen voor Kuyper de misstanden zozeer aan de dag in de actuele situatie, dat over de onhoudbaarheid van de sociale toestand naar zijn mening 'onder Christenmannen ... niet wel verschil van opinie [kon] bestaan'. Met een gedateerde, maar imposante retoriek beschreef hij de staat waarin de samenleving in zijn ogen verkeerde:

> Van den Christus raakt onze maatschappij los; voor den Mamon ligt ze in het stof gebogen; en door den rustenloozen prikkel van het brutaalst egoïsme, waggelen, gelijk de Psalmist klagen zou, de fundamenten der aarde. Alle binten en ankers van het maatschappelijk gebouw verschuiven; desorganisatie kweekt demoralisatie; en in de toeneemende brooddronkenheid van den één tegenover het steeds klimmend gebrek van den ander, speurt ge eer iets van de ontbinding van het lijk, dan van den frisschen blos en de gespierde veerkracht eener bloeiende gezondheid.[25]

De rede die de priester-politicus Herman Schaepman in hetzelfde jaar hield over de eveneens in 1891 verschenen encycliek *Rerum Novarum* van paus Leo XIII, expliciteert het principe dat ook aan Kuypers observaties ten grondslag lag: 'Het geheele samenstel van wetten en instellingen

25 A. Kuyper, *Het sociale vraagstuk en de Christelijke religie*, 1891, 25-26.

moet berekend zijn op den bloei van de maatschappij en van ieder harer leden.' Een sociale kwestie ontstaat waar dit niet het geval is en dat is in de actuele samenleving duidelijk het geval.

Voor Schaepman is zo'n sociale kwestie met name aan de orde in wat hij 'het arbeidersvraagstuk' noemde: 'Arbeid en kapitaal staan tegenover elkander; het kapitaal is almachtig.' In deze situatie was volgens hem een houding van compassie en solidariteit met de arbeiders gepast. Vanuit zijn grote verering voor het pausschap – Schaepman is ook de auteur van de paushymne *Aan U, o Koning der eeuwen* – schreef hij de houding die in zijn ogen ideaal was, toe aan paus Leo XIII persoonlijk, die in *Rerum novarum* het arbeidersvraagstuk aan de orde gesteld had:

> Inderdaad roerend en hartverheffend is de grootsche, machtige liefde, die de Paus in deze Encycliek jegens den stand der werklieden openbaart. Niet alleen hun huidige toestand ligt hem aan het hart, niet alleen de nood, de strijd, het lijden der personen noopt hem tot spreken. Neen, wat hem dringt, wat hem prest, dat is het herstel, de vestiging, de plooi van den eerlijken en eervollen stand der werklieden.[26]

Kuyper zag de oplossing van de sociale kwestie in een 'vaderlandsche maatschappij' die 'een van God gewilde *gemeenschap*' is, een 'levend menschelijk *organisme*', een '*lichaam* met ledematen, staande onder de levenswet dat we allen elkaars leden zijn, en dat dus het oog den voet niet, noch de voet het oog ontberen kan.' In dezelfde geest hoopte Schaepman op een samenleving waarin mensen zich het lot van anderen aantrekken op grond van 'de christelijke weldadigheid', die hij 'een gebiedende plicht der liefde' noemt. Deze liefde leert 'dat wij allen ontvangen en dat zij die veel hebben ontvangen, ontvingen om te geven.'[27]

Kuyper en Schaepman meenden dat de oplossing van de sociale kwestie c.q. het arbeidersvraagstuk mogelijk is: 'zóó behoeft het *niet* te blijven, het *kan* beter worden.'[28] Voor de één is de oplossing gegeven in het bijbelse geloof in Christus, voor de ander in de rooms-katholieke kerk als Christus' voortgezette presentie in de geschiedenis: 'Onze maatschappij is uit het Christendom geboren; wil zij zich hervormen, vernieuwen, verjongen, zij keere tot haar oorsprong, het Christendom, terug.'[29] Dat een dergelijke terugkeer illusoir is, en de wens ertoe bovendien eerder de uitdrukking van een 'wil tot macht' dan een uitdrukking van vertrouwen in de toekomst die gegeven zal worden, lijkt onloochenbaar. Maar met het geloofwaardigheidsverlies van ideeën over een bijbelse of kerkelijke

26 H.J.A.M. Schaepman, *'Rerum novarum'*, 1891, resp. 11, 26-27.
27 Resp. Kuyper, *Het sociale vraagstuk*, l.c., 26; Schaepman, *'Rerum novarum'*, l.c., 10.
28 Kuyper, *Het sociale vraagstuk*, l.c., 26.
29 Schaepman, *'Rerum novarum'*, l.c., 10.

blauwdruk voor een hedendaagse goede samenleving, en daarmee van een terugkeer naar het christendom als oplossing voor hedendaagse problemen, lijkt het signaleren van een sociale kwestie van des te groter belang. Toegespitst gezegd: op basis van solidariteit met de situatie van groepen en individuen 'de *onhoudbaarheid* van de tegenwoordigen toestand' concluderen en er verantwoordelijkheid voor nemen, dat is in de huidige situatie bij uitstek de uitdrukking van het sociale besef dat Kuyper met de eerste brief van Paulus aan de Korinthiërs (12, 12-27) uitdrukt met de metafoor van het ene lichaam, waarin 'allen elkaars leden zijn'.

Natuurlijk moeten een religieuze en christelijke visie op het politieke bijdragen aan het oplossen van gesignaleerde sociale kwesties, en er in deze zin op uit zijn de maatschappij te veranderen tot '*in den grondslag zelf* van ons maatschappelijk samenleven'. Maar zij dient toch allereerst nieuwe, actuele sociale kwesties te signaleren en bovenal dit signaleren mogelijk te maken en te bevorderen. Het gaat er allereerst om de solidariteit en onderlinge compassie van mensen waar te nemen, te cultiveren en te versterken.

Geplaatst in een perspectief

Het gaat mij hier om een 'katholieke' benadering van de politiek en de sociale verhoudingen, in de betekenis van 'katholiek' die ik in de inleiding heb aangeduid. Politiek als kunst van het onmogelijke als mogelijk is de kunst de solidariteit in de samenleving te zien, te doorzien en te doen groeien. Het is de kunst mensen binnen een samenleving te doen beseffen – te doen inzien dat zij eigenlijk allang beseffen – dat zij verbonden zijn met elkaars lot, te stimuleren dat zij aan elkaars lot lijden waar dit gepast is en zich zo verantwoordelijk voelen voor een betere inrichting van hun samenleving.

Dit betekent niet dat er een andere inrichting ontworpen zou moeten worden die vervolgens zo efficiënt mogelijk moet worden geïmplementeerd. Het gaat er eerder om de dadendrang en de wil iets te doen, te ontmaskeren als vlucht voor de waarachtige problemen. Kuyper en Schaepman zijn, met al hun verzet tegen de grondideeën van de Franse Revolutie, ten diepste aangeraakt door het moderne ideaal van maakbaarheid. Ook zij houden hun toehoorders voor dat het mogelijk is uit de ingewikkelde dilemma's van het heden te springen en ze definitief achter te laten. Zoals eerder aangetoond is de postmoderniteit verbonden met de ontdekking dat er geen definitieve oplossingen bestaan, dat wij in een risico-samenleving leven en er slechts betere of slechtere manieren zijn met de onontkoombare problemen om te gaan.[30] Dit bete-

30 Vgl. U. Beck, *Risikogesellschaft*, 1986; Z. Bauman, *Modernity and Ambivalence*, 1991, m.n. 1-101.

kent niet het einde van elke mogelijkheid tot welbewuste verandering,[31] maar het maakt wel in zekere zin elke veranderingsgezinde politiek tot de kunst van het onmogelijke. Immers, wat op basis van het bestaande mogelijk is, blijft binnen de horizon van het bestaande. De compassie, de solidariteit met het lot van anderen leidt tot het inzicht dat het onmogelijke niet alleen noodzakelijk is, maar mogelijk en zelfs werkelijk. De andere grondslag van de samenleving is al present in de compassie die de noodzaak ervan doet zien in de spiegel van de vaak schrijnende toestanden van het heden.

Dit maakt de politiek als kunst van het onmogelijke mogelijk. Partieel, gebroken, tekortschietend en steeds weer vragend om verdere voortgang en correctie kan deze solidariteit geïnstitutionaliseerd en gecultiveerd worden, zonder dat de mislukkingen ooit de illusie doen ontstaan dat alles voor niets is, of de successen dat het onmogelijke dan toch is gerealiseerd. Het onmogelijke verschijnt als mogelijke, en daarmee zinvolle opgave binnen een reëel gegeven. Tegelijkertijd blijft het een steeds wijkende horizon.[32]

Heeft een dergelijke anti-messiaanse visie op politiek realiteitswaarde? Ik ben ervan overtuigd dat zij gebaseerd is op iets dat reëel aanwezig is in onze samenleving en cultuur, maar is het reëel om te denken dat deze visie zelf met enig effect naar voren kan worden gebracht in de huidige politieke discussie?

Deze vraag is niet gemakkelijk te beantwoorden. Ik zou bijvoorbeeld kunnen verwijzen naar de nota *Nederland integratieland* van een commissie van het christen-democratische CDA, waarin de integratie van migranten in onze samenleving wordt geïdentificeerd als een sociale kwestie in de zin van Kuyper. [33] Dit biedt een belangwekkend perspectief waarbinnen de chaotische kluwen van discussies kan worden geplaatst die aangeduid wordt als het Nederlandse integratiedebat. De nota schetst geen ideale samenleving, maar roept wel degelijk een beeld op van de maatschappij die wenselijk zou zijn: niet een gesloten gemeenschap van gelijkdenkende mensen, niet een geolied apparaat van efficiënte produ-

31 Voor de ambivalentie van niet alleen het maakbaarheidsideaal in de politiek, maar ook van het verzet tegen de maakbaarheid, zie *Maakbaarheid*, red. J.W. Duyvendak/I. de Haan, 1997.

32 Het zal duidelijk zijn dat er een spanning bestaat tussen deze benadering en de gebruikelijke links-christelijke visie op het realiseren van Gods gerechtigheid als onmogelijke, maar noodzakelijke opdracht. Recent voorbeeld van dit laatste is het zogenoemde Accra-document van de World Alliance of Reformed Churches, *Covenanting for Justice in Economy and the Earth*, 2004.

33 *Nederland Integratieland*, 2004. Deze nota bouwt verder op een eerdere nota van het Wetenschappelijk Instituut van het CDA: P. van der Burg/A. Klink, *Investeren in integratie*, 2004.

centen en mondige consumenten, maar een samenleving van burgers die het heden en de toekomst actief vorm geven op basis van hun verlangens en visioenen, in onderlinge interactie en botsing die voortkomen uit hun betrokkenheid op elkaar. De bronnen hiervoor liggen in de culturele en religieuze tradities die zij in groepsverband en individueel levend houden. Het is hierbij de taak van de overheid ervoor te zorgen dat mensen hun visies op het bestaan, en in het bijzonder die op het onderling samenleven, productief kunnen maken en met elkaar kunnen confronteren. Deze visie doorbreekt de sinds 11 september groeiende angst die elk fundamenteel verschil van mening in de samenleving waarneemt als teken van haar voortschrijdende desintegratie. Het wordt mogelijk de soms felle botsingen en conflicten over grotere en kleinere maatschappelijke kwesties te zien niet als aanwijzingen voor een toenemende versplintering, maar als gestalte van de wijze waarop een plurale samenleving zichzelf vormt en bijeenhoudt. Het naar buiten brengen van afwijkende opvattingen op het snijpunt van religie, cultuur en politiek kan zo verschijnen als bijdrage aan de toekomst van de samenleving en worden onderscheiden van de latent of openlijk gewelddadige vormen waarmee groepen de maatschappij naar hun hand proberen te zetten. Anders gezegd, het wordt mogelijk de onderlinge betrokkenheid – de lotsverbondenheid en de compassie die daarop steunt – te zien als de kracht die een samenleving bijeenhoudt.[34]

Bijzonder aan *Nederland integratieland* is dat de nota niet uitgaat van een ideaalbeeld van de samenleving. Het zal inmiddels duidelijk zijn dat dit in mijn ogen het specifiek *religieuze* is in de benadering van de nota. Zij tekent een samenleving die er uit zichzelf om vraagt op een bepaalde manier gecultiveerd en bijgestuurd te worden. Een solidaire, geïntegreerde samenleving van mensen die zich met elkaar verbonden weten, is geen van buiten komende norm, maar is als perspectief in de samenleving zelf aanwezig. Als zodanig vraagt deze erom dat mensen – individuen, maatschappelijke organisaties, politieke partijen – er verantwoordelijkheid voor nemen. *Nederland integratieland* suggereert niet dat de samenleving in de nabije of verdere toekomst volledig geïntegreerd zal zijn, maar schetst het beeld van een zich voortdurend integrerende en precies in dit integreren sociale samenleving. Op deze manier wordt het transcendente perspectief op een productieve manier teruggebracht in de politiek, en tegelijkertijd het realisme. Het transcendente perspectief zit in de solidariteit en betrokkenheid, die zich steeds partieel realiseren en tegelijkertijd een in deze realiseringen telkens terugwijkende horizon vormen. Zo wordt het mogelijk te wijzen op plaatsen waar de grondslag

34 Vgl. voor compassie als kern van de christelijke visie op het maatschappelijk bestaan J.B. Metz, 'Im Pluralismus der Religions- und Kulturwelten', 1997; id., 'Compassion', 2000.

van de samenleving zich alvast toont, zonder te hoeven vervallen in het hijgerige claimen van een reeks indrukwekkende successen die geacht wordt te bewijzen dat het nagestreefde politieke doel steeds dichterbij komt. Het realisme schuilt in het inzicht dat het onmogelijk is het doel van het leven, ook van het politieke leven, te realiseren. De christelijke traditie zegt dat dit doel ons gegeven is als een ruimte waarin wij mogen leven en in verbinding waarmee wij het goede kunnen en ook moeten doen.

Is dit genoeg? Is er in het huidige tijdsgewricht een politiek mogelijk die weet van haar eigen beperktheid en dat ook uitdraagt? Of is het verkondigen van een illusoire maakbaarheid en oplosbaarheid van alle problemen vandaag de dag onontbeerlijk voor politiek succes? De visie van *Nederland integratieland* heeft zich in de politieke woelingen niet boven water kunnen houden. Of de benadering van de nota hiermee voorgoed gezonken is, of als een soort flessenpost zal aanspoelen als het tij rustiger is, laat zich moeilijk voorspellen. In ieder geval is het goed dat religies niet alleen de blik scherpen voor wat zich als komend aandient, maar ook helpen geduld te cultiveren.

7
Religie als vorm van actueel waardebesef

Als er geklaagd wordt over de teloorgang van het politieke debat, wijzen sommigen naar de opiniepagina's van kranten. Daar worden volop meningen uitgewisseld over allerlei onderwerpen van politieke betekenis. Inderdaad, de functie van het debat zoals dit ooit in de politiek plaatsvond, is niet vacant en wordt ten dele waargenomen door de publicatie van ingezonden stukken in de pers. Maar tegelijkertijd is hiermee iets fundamenteel veranderd aan het debat: het heeft de neiging een vrijblijvende uitwisseling van meningen en ad hoc ideeën te worden. Precies de specifiek politieke betekenis van het debat dreigt te verdampen, omdat deelnemers kunnen schrijven wat hun invalt, of ze nu een achterban hebben of niet en of ze bereid zijn consequenties uit hun opvatting te trekken of niet. Doorslaggevend is niet de inhoud van wat naar voren wordt gebracht, maar of de opinie in de ogen van de verantwoordelijke redacties onverwacht, opmerkelijk of prikkelend is.

Toen er steeds meer geklaagd werd over het verlies aan waarden en normen, wees een in 2003 onder leiding van socioloog Cees Schuyt geschreven rapport van de Wetenschappelijke Raad voor het Regeringsbeleid, getiteld *Waarden, normen en de last van het gedrag*, erop dat Nederlanders wel degelijk tal van waarden hebben, ook gemeenschappelijke of minstens zeer breed gedeelde. Het centrale probleem, aldus Schuyt c.s., is niet dat waarden ontbreken, maar dat men zich niet gedraagt naar de in beginsel eveneens breed onderschreven normen die op deze waarden zijn gebaseerd.[1] Inderdaad, de waarden ontbreken niet in onze samenleving en in tegenstelling tot wat velen ons willen doen geloven is er niet zonder meer een leegte waar vroeger waarden onze maatschappij als geheel en individuele mensen daarbinnen richting gaven in hun denken en doen. Maar het WRR-rapport heeft er geen oog voor dat de waarden die hedendaagse mensen erop nahouden in vergelijking met die van vroeger fundamenteel van karakter zijn veranderd. Precies deze verandering geeft mensen het gevoel dat waarden en normen verloren gaan. Nieuwe vormen van religiositeit die in onze samenleving opkomen, kunnen me-

1 *Waarden, normen en de last van het gedrag*, 2003.

de worden begrepen als reactie op deze verandering, en in zeker opzicht als protest ertegen. Ze zijn te interpreteren als 'zwakke' uitdrukkingen van het waardebesef dat met deze verandering dreigt te verdwijnen; wat dit wil zeggen, zal hopelijk nog duidelijk worden. De slotvraag van dit hoofdstuk is hoe een dergelijk protest theologisch te interpreteren valt, waarbij ik niet voorbij ga aan de kwestie wat het belang kan zijn van een expliciet christelijke interpretatie in een plurale samenleving.

Sociologische waarden

Het besef van waaruit dit hele boek geschreven is en dat in dit hoofdstuk nader wordt geëxploreerd, wordt uitgedrukt in een aforisme van de Franse dichter René Char: 'Notre héritage n'est précédé d'aucun testament', onze erfenis is ons nagelaten zonder enig testament. Wat uit het verleden tot ons komt, is het materiaal waarmee wij de toekomst kunnen en moeten vormgeven, maar hoe dat moet, hoe verleden en toekomst een vruchtbare synthese aangaan, is een open vraag.[2] Reflecterend op Chars aforisme suggereerde de Joodse politiek filosofe Hannah Arendt (1906-1975) dat het antwoord op deze vraag zich alleen laat vinden door denkend en schrijvend heen en weer te pendelen tussen het verleden dat we verliezen en het heden dat door ons handelen een toekomst krijgt.[3] We kunnen het verleden niet herstellen en dus ook niet de traditionele normen of het traditionele aanvoelen van hun autoriteit. Maar de confrontatie met het denken uit het verleden kan ons het besef geven dat we werkelijk een verlies hebben geleden, en zo ruimte scheppen om over het heden en zijn vragen na te denken met het oog op de toekomst. Door met elkaar van mening te verschillen over de betekenis van het heden en over de vormgeving van de toekomst, scheppen we volgens Arendt een gemeenschappelijke wereld waarin hetgeen wij zeggen en doen betekenis heeft en waarin wij vrij kunnen zijn. Arendt meende in 1960 al dat precies het verlies van niet alleen 'wereld' in deze zin, maar ook van het besef van de noodzaak deze gemeenschappelijke wereld te onderhouden, het centrale probleem is van onze tijd.[4] De verandering in ons denken over waarden legt getuigenis af van dit dubbele verlies, maar de actuele religieuze reactie op deze situatie suggereert tegelijkertijd een manier om met dit verlies om te gaan.

Zoals gezegd stelt *Waarden, normen en de last van het gedrag* tegenover het idee dat waarden in het leven van hedendaagse mensen verloren zijn gegaan, vast dat zij tal van waarden in hun leven hebben en nastreven,

2 R. Char, *Feuillets d'Hypnos*, 190, nr. 62.

3 H. Arendt, *Between Past and Future*, 1961, 3-16: 'Preface: The Gap between Past and Present.'

4 Arendt, *Between Past and Future*, l.c., 197-226: 'The Crisis in Culture: Its Social and Its Political Significance'.

en dat dit hen nog altijd met anderen verbindt. Sociologische onderzoeken zoals het grootschalige Europese waardeonderzoek[5] maken duidelijk dat voor vrijwel alle Nederlanders bijvoorbeeld gezondheid een centrale waarde is, evenals een zekere mate van materiële welstand en een goede, veilige en zekere toekomst voor hun kinderen. Vanuit deze constatering slaat het rapport een verfrissend ontnuchterende toon aan. Anders dan cultuurpessimisten ons willen doen geloven, staat de samenleving niet op het punt uit elkaar te vallen in geatomiseerde individuen of volkomen van elkaar gescheiden cultureel-religieuze groepen, alsof de door Samuel Huntington voorspelde *Clash of Civilizations* zich midden in onze maatschappij zou voltrekken.[6] Na de moord op leraar Hans van Wieren van het Haagse Terra College op 13 januari 2004 wees een groep Marokkaanse vrienden van de – toen nog vermoedelijke, later veroordeelde – dader Murat Demir op achtergronden in diens leven die volgens hen ten onrechte in de media geen aandacht kregen. Deze maakten zijn daad in hun ogen begrijpelijker, al rechtvaardigden zij hem niet. Commentatoren ontwaarden direct een onoverbrugbare kloof tussen 'onze' Noord-West-Europese schuldcultuur met de nadruk op eigen verantwoordelijkheid en de noodzaak gewenst aanzien ook te verdienen, en de mediterrane schaamtecultuur waar alles zou draaien om het krijgen en afdwingen van respect.[7] In een dergelijke klimaat is het inderdaad van belang erop te wijzen dat aandacht voor de persoonlijke achtergronden van mensen en voor de subjectieve begrijpelijkheid van hun daden, een waarde is die de verschillende culturele gemeenschappen juist verbindt.

Toch is het belangrijk te zien dat het in *Waarden, normen en de last van het gedrag* gaat om waarden in de sociologische zin van het woord. Het sociologische waardebegrip, dat teruggaat op Max Weber, kent echter specifieke problemen, juist in relatie met de actuele discussie over normen en waarden die het rapport wil verhelderen. 'Waarden' spelen in de sociologie van Weber een centrale, maar dubbele rol. De ene rol is in zekere zin negatief: sociologen moeten volgens Weber als wetenschappers zoveel mogelijk afstand nemen van waarden, van overtuigingen dat het ene feit of fenomeen belangrijker zou zijn dan het andere. Dit is Webers bekende pleidooi voor wetenschappelijke 'waardevrijheid'. Achtergrond van het waardevrijheidsideaal is Webers basisvisie dat er uiteindelijk geen redelijke grond is voor de overtuiging dat het ene doel meer nastrevenswaard zou zijn dan het andere. Volgens hem zijn 'de verschillende waardesystemen van de wereld' uiteindelijk verwikkeld 'in een

5 Vgl. b.v. *Waarden onder de meetlat*, red. H. van Veghel, 2002.

6 S. Huntington, *The Clash of Civilizations and the Remaking of World Order*, 1996.

7 Voor het idee van een eigen en samenhangende mediterrane cultuur, zie F. Braudel, *La Méditerranée*, 1977.

onoplosbare onderlinge strijd'.[8] Maatschappelijk gezien behoren de botsing van en de strijd tussen deze waardesystemen tot het terrein van de politiek en niet tot dat van de wetenschap. De mogelijkheden van de wetenschap liggen naar Webers overtuiging uitsluitend op het gebied van wat hij 'doelrationaliteit' noemt. De sociale wetenschappen kunnen alleen maar onderzoeken of en hoe bepaalde middelen eraan bijdragen bepaalde individuele of maatschappelijke doelen te bereiken. Zij kunnen niet uitmaken of deze doelen inderdaad het nastreven waard zijn.[9]

Tegelijkertijd – en dat is de andere rol die waarden in zijn werk spelen – zijn waarden van prominente betekenis in wat volgens Weber het object is van sociologisch onderzoek. Taak van de sociologie is in zijn ogen het onderzoeken van de verschillende vormen van menselijke cultuur. En als cultuur beschouwt hij datgene waaraan mensen waarde toekennen. Het verrichten van sociaal-wetenschappelijk onderzoek naar 'handel' of 'religie' veronderstelt de herkenning dat deze zaken voor mensen een waarde vertegenwoordigen en dat het gedrag van mensen binnen deze culturele terreinen gericht is op het bereiken of realiseren van deze waarden.[10] Ieder doel van menselijk handelen dat meer is dan het realiseren van de voorwaarden voor het naakte biologische overleven, is in deze visie een waarde. Tegelijkertijd is een waarde ook niet veel meer dan een dergelijk doel dat mensen proberen te realiseren met zo efficiënt mogelijke middelen binnen een bepaalde samenleving, of binnen een segment daarvan. Weber is zich ervan bewust dat deze sociologische visie op waarden zelf typisch modern is. Het denken in termen van doelen en middelen, de dominantie van het denken in termen van doelrationaliteit onderscheidt volgens Weber de moderne, door de kapitalistische economie gedomineerde cultuur van voorafgaande culturen. Dit impliceert dat het beschouwen van waarden als in het leven nagestreefde en te realiseren doelen ook typisch modern is. Het is een bepaalde, allesbehalve algemeen geldige visie op waarden. Het is in zekere zin een buitenstaanderspositie.

Nog opmerkelijker is dat Weber meent dat de moderne dominantie van de doelrationaliteit uiteindelijk tot fundamentele problemen zal leiden. Deze dominantie holt de beleving van waarden tendentieel uit door erbuiten te gaan staan. Zij doet met name het besef eroderen dat zaken omwille van zichzelf nastrevenswaardig zijn, een besef dat voor waarden essentieel is. Anders gezegd: rationaliteit in de zin van doelgerichte efficiëntie dreigt in de moderniteit zelf de centrale waarde te worden die alles aan zich onderwerpt. Dit zal volgens Weber uiteindelijk tot

8 M. Weber, 'Wissenschaft als Beruf', 1919, 603.
9 Id., 'Die Objektivität sozialwissenschaftlicher und sozialpolitischer Erkenntnis', 1904, 149-151.
10 Ibid. 175-176.

het gevoel leiden dat ten diepste niets in zichzelf nog van waarde is. Hierdoor ontstaat de ervaring te leven in een door bureaucratische mechanismen geleide, doodse maatschappij als in een 'stahlhartes Gehäuse', een ijzeren kooi waaruit niet te ontsnappen valt.[11]

Het rapport *Waarden, normen en de last van het gedrag* maakt duidelijk dat er ook in onze huidige samenleving allerlei waarden functioneren in de zin van Weber. Er zijn tal van zaken die mensen voor zichzelf wensen en van waarde achten, allerlei zaken die zij nastreven en als nastrevenswaardig zeggen te beschouwen voor zichzelf en ook voor anderen, binnen de verbanden waartoe zij behoren en in de samenleving als geheel. Anders echter dan Weber signaleert het rapport niet de aardverschuiving die dit waardebegrip betekent in vergelijking met de traditionele opvatting van een waarde. Evenals bij Weber is in de sociologische benadering van de Wetenschappelijke Raad voor het Regeringsbeleid de inhoud van de waarde secundair en heeft deze inhoud zelfs in zekere zin geen belang. Het rapport stelt bijvoorbeeld niet de vraag of de inrichting van de maatschappij die vele moslims op basis van de koran nastreven of zeggen na te streven, inhoudelijk gezien waardevol is. Vraag is slechts of deze maatschappij-inrichting als een nagestreefde waarde in staat is mensen samen te brengen en te verenigen. Anders gezegd, waarden worden zelf beschouwd als middelen om iets anders te bereiken, namelijk verbondenheid met anderen, sociale cohesie. Hiertoe is het nodig of helpt het op zijn minst dat zij dezelfde waarden hebben.

Achtergrond van deze doelrationele reductie van waarden is enerzijds dat de auteurs van het rapport met Weber – en met de in de hedendaagse westerse cultuur toonaangevende visie op rationaliteit – van mening lijken dat een rationele inhoudelijke afweging van waarden onmogelijk is. Zij gaan nog een stap verder dan Weber en vinden een politiek debat over waarden onwenselijk: het is naar hun mening – en in hun termen – niet aan de overheid of aan enige andere maatschappelijke instantie om mensen inhoudelijke waarden voor te schrijven. Anderzijds weerspiegelt de doelrationele reductie van waarden zoals deze in *Waarden, normen en de last van het gedrag* functioneert, een belangrijke verschuiving in het huidige denken over de samenleving. Sociale cohesie fungeert hierin als een soort superwaarde. Andere zaken, waaronder dus ook waarden in de sociologische betekenis van het woord, worden maatschappelijk uiteindelijk als van werkelijke waarde beschouwd naar de mate waarin zij bijdragen aan een grotere maatschappelijke samenhang. Waarom waardenconsensus per definitie de voorkeur zou verdienen boven waardendissensus, wordt nergens verantwoord. Als over waarden inderdaad niet

11 Id., 'Die protestantische Ethik und der Geist des Kapitalismus', 1904-5, 203-206.

rationeel te debatteren valt, dan is een dergelijke verantwoording ook onmogelijk. De plaats van een dergelijke verantwoording lijkt ingenomen door de angst voor het uiteenvallen van de samenleving en de dreigende strijd van allen tegen allen. Deze leiden tot de overtuiging dat gezamenlijkheid de ultieme na te streven waarde is.[12]

Erosie van autoriteit

De auteurs van *Waarden, normen en de last van het gedrag* volgen Webers doelrationele reductie van waarden. Waarden zijn volgens het rapport met name waardevol indien zij bijdragen aan de samenhang en aan de verbondenheid van mensen onderling. De vraag is echter of datgene wat in de maatschappelijke en politieke discussie benoemd wordt als het verlies aan waarden en normen, niet precies te maken heeft met deze doelrationele reductie van het waardebegrip en met de door Weber zelf voorspelde ervaring in een uiteindelijk waarden-loze wereld te leven.

Nu is de theoretische status van het waardebegrip gecompliceerd en ambivalent.[13] Enerzijds dient het onderscheid tussen feiten en waarden precies om te verduidelijken dat oordelen over wat goed en juist is van een andere aard zijn en een andere basis hebben dan oordelen over wat het geval is. Hierbij wordt de basis van oordelen over wat goed en juist is, geacht in zekere zin 'zwakker' te zijn dan die van oordelen over standen van zaken. Het identificeren van waarden en het analyseren van hun eigen status betekenen daarom een verlossing uit het dogmatisme dat doet of waarden op dezelfde manier voorgegeven zijn als feiten. Anderzijds is het eigene van waarden dat er autoriteit aan wordt toegekend. Dit is precies de basis van de gedachte dat oordelen over wat goed en juist is niet willekeurig zijn, noch gebaseerd op een formeel zelfevidente categorische imperatief in de zin van Immanuel Kant, maar dat er 'waarden' aan ten grondslag liggen. Of de bron van de autoriteit van waarden nu uiteindelijk gelokaliseerd moet worden in de geldende cultuur, de menselijke geest, God, of de werkelijkheid zelf die erom vraagt in haar eigen waarde erkend en gerespecteerd te worden, is inzet van debat. Maar iets een 'waarde' noemen, betekent er autoriteit voor claimen, er de status aan toekennen van maatstaf voor het eigen gedrag of voor dat

12 Dit maakt ook dat er in de politiek steeds minder ruimte is voor radicaal andere visies op de samenleving en haar inrichting. Linkse partijen zetten zich steeds minder in voor andere maatschappelijke verhoudingen en profileren zich als kampioenen van de persoonlijke en collectieve vrijheid de eigen levensvisie te cultiveren en de eigen waarden na te streven. Vgl. *Vrijheid als ideaal*, red. B. Snels, 2005; F. Halsema, 'Vrijzinnig links', 2005; id./I. van Gent, *Vrijheid eerlijk delen*, 2005; D. Pels, *Een zwak voor Nederland*, 2005.

13 Vgl. H. Kreß, *Ethische Werte und der Gottesgedanke*, 1990; F. Furger, 'Objektivität und Verbindlichkeit sittlicher Urteile', 1982, 13-32. Zie voor verdere achtergronden en standaardliteratuur: 'Norm', 1984; 'Normen', 1994; 'Normen', 2003.

van anderen, het beschouwen als criterium om te kunnen onderscheiden tussen wat terecht en legitiem wordt nagestreefd en wat onterecht en illegitiem.

Hierbij is een van de complicerende eigenaardigheden van waarden dat zij niet op zichzelf bestaan. Zij moeten in het bestaan gehouden worden. Het respect dat zij krijgen, maakt in hoge mate duidelijk dat zij respect verdienen. Wie meent dat een mensenleven een absolute waarde vertegenwoordigt die niet geschonden mag worden, die bedoelt niet dat het ondenkbaar zou zijn een mensenleven niet te respecteren. Het bestraffen van schendingen – door moord bijvoorbeeld, of door roekeloos rijgedrag – van deze waarde dient er mede toe haar hoog te houden.

Dit alles suggereert dat het gevoel dat de waarden in de samenleving verdampen, samenhangt met het verlies van hun autoriteit. Op het moment dat waarden gaan functioneren als subjectieve preferenties – zoals *Waarden, normen en de last van het gedrag* ze in het spoor van Max Weber ziet – verliezen ze hun klassieke betekenis van bovensubjectieve, autoritatieve oriëntaties voor het handelen.

De filosofe Hannah Arendt heeft geconstateerd dat het fundamentele probleem van de moderne samenleving gelegen is in de erosie van het idee van autoriteit. Naar haar opvatting kan de politiek, als de kunst van het vorm geven aan het menselijk samenleven, niet zonder dit idee. Dit betekent niet dat Arendt meent dat de waarheid simpelweg geponeerd zou moeten worden en dat mensen zich aan haar zouden moeten onderwerpen als aan een ultieme autoriteit. Zich provocerend kerend tegen de visie die in de filosofische traditie dominant is, sluit zij zich aan bij de Verlichtingsfilosoof en -theoloog Gotthold Ephraim Lessing (1721-1781) die met opluchting constateerde dat elk verheven inzicht in de waarheid onmiddellijk na zijn ontdekking tot een mening wordt: omstreden, vermengd met gevoelens en belangen, onderhevig aan uiteenlopende interpretaties. Het gaat er dus niet om tot een onweerlegbare waarheid te komen, zoals filosofen en theologen vaak gemeend hebben. De breuk met het steeds opnieuw dreigende totalitarisme van de ene waarheid en de ontlediging ervan tot een mening naast anderen, maakt het mogelijk dat 'eenieder zegge wat hem waarheid dunkt' – dit houdt volgens Arendt de geschiedenis van het denken open, in beweging en daarmee in leven.[14] Het gaat er haar echter tegelijkertijd om dat mensen door dit levende denken een gezamenlijke wereld scheppen. Hiertoe is volgens haar autoriteit onontbeerlijk. Zonder autoriteit zijn er slechts subjectieve meningen die simpelweg naast elkaar bestaan als particuliere, in zichzelf op-

14 H. Arendt, *Menschen in finsternen Zeiten*, 1968, 17-48: 'Von der Menschlichkeit in finsternen Zeiten: Gedanken zu Lessing.' Het citaat is afkomstig uit een brief van Lessing aan J.A.H. Reimarus van 6 april 1778.

gesloten waarheden. Het is de noodzaak zich te verantwoorden en dus in conversatie te treden met anderen die andere meningen koesteren, die een gezamenlijke wereld schept. Zich verantwoorden wil zeggen: zich verhouden tot instanties die autoriteit hebben en via deze autoriteit een wereld scheppen die mensen, doordat zij erin leven, tot gemeenschap maakt.[15]

Dit betekent ten eerste dat voor Arendt traditie en vrijheid niet tegenover elkaar staan. Vrijheid is niet uitgangspunt – het liberale misverstand! – maar doel van het menselijk bestaan. Vrijheid kan slechts tot stand komen in de ruimte van een traditie en door de traditie in zeker opzicht voort te zetten, door ermee in conversatie en debat te treden.[16] Daarom wordt de vrijheid in Arendts visie bedreigd door de neiging om aan elk subjectief gevoel en aan elke persoonlijke overtuiging en preferentie op zich waarde toe te kennen. Dat is wat Weber op zijn manier doet, en in zijn spoor de auteurs van *Waarden, normen en de last van het gedrag*. Het betekent ten tweede – en dit is in de context van dit boek nog belangrijker – dat voor Arendt de bron van autoriteit tevens de grondslag van de samenleving is. In discussie met de wijze waarop de Romeinse politieke filosofie het concept 'autoriteit' verstaat, stelt Arendt dat autoriteit uiteindelijk de presentie is van de oorsprong en de grondslag van de politieke gemeenschap, datgene wat deze gemeenschap bij elkaar brengt en bij elkaar houdt.[17] Dit maakt Arendts denken over autoriteit bijna circulair. Het belang van autoriteit is dat ze de gemeenschap bij elkaar houdt, doordat deze een gezamenlijke wereld schept via de conversatie over wat ieder voor waarheid houdt. En tegelijk geldt dat wat de oorsprong van de gemeenschap present stelt en zo haar samenhang representeert, autoriteit heeft en is.

Dit leidt er bij Arendt toe dat zij onherroepelijk verval constateert waar het denken in termen van autoriteit en het cultiveren van de ziel in contact met autoritatieve voorbeelden lijkt te verdwijnen, ten gunste van de op onmiddellijke ervaring gerichte massacultuur die vanaf het midden van de twintigste eeuw in ieder geval de westerse wereld veroverd heeft. Zij koestert geen illusies over de mogelijkheid tot herstel en houdt slechts vast aan het heimwee, in de hoop op een wedergeboorte.[18]

15 Voor de verschillende connotaties van 'wereld' bij Arendt, vgl. S. Courtine-Denamy, *Le souci du monde*, Paris 1999.

16 Vgl. J. Kohn, 'Freedom', 2000; zie ook M. Reist, *Die Praxis der Freiheit*, 1990.

17 Arendt, *Between Past and Future*, l.c., 91-142: 'What is Authority?', hier met name 120-128.

18 Ibid. 197-226: 'The Crisis in Culture: Its Social and Political Significance'. In zekere zin vindt Arendt hier een oplossing voor een probleemstelling in haar postuum uitgegeven *Lectures on Kant's Political Philosophy*, 1989. Het gaat erom door het juiste oordeel over de situatie het universele en het particuliere met elkaar te verbinden en de situatie daardoor te onthullen als een ruimte die open is voor vrijheid en voor politiek hande-

Arendt kan in de jaren vijftig en zestig van de twintigste eeuw de typisch laat-moderne concentratie op de zorg voor het zelf niet zien als nieuwe vorm van de klassieke zorg voor de ziel, zoals Michel Foucault dat in de jaren tachtig zou gaan doen.[19] Ze kon deze zorg al helemaal niet zien als de uitdrukking van een nieuw religieus verlangen,[20] of als een hunkering naar heelheid in een wereld die zichzelf steeds weer onthult als getekend door gebrokenheid en onbeheersbaarheid. Toch wil ik hier met name wijzen op de vormen van nieuwe religiositeit die te midden van de geseculariseerde moderniteit opkomen en die niet zonder reden veelal worden beschouwd als vormen van 'zelf-spiritualiteit'.[21] Ik wil deze verschijnselen tonen als uitdrukkingen van het verlangen naar waarden die de persoonlijke smaak en de subjectieve overtuiging te boven gaan en werkelijk autoriteit hebben.[22]

In hoofdstuk 2 heb ik al vermeld dat Max Weber als reactie op de doodse rationalisering van de kapitalistische moderniteit uitbarstingen van irrationaliteit, fanatisme en wilde, subjectieve vormen van religiositeit voorspelde.[23] Deze lijken zich inderdaad aan te dienen, maar zij laten zich, anders dan Weber geloofde, interpreteren als zinvolle vormen van kritiek op wat in de huidige cultuur als 'waarde' is gaan gelden.

De nieuwe presentie van religie

In de beroemde studie van Rudolf Otto over *Het Heilige*, die in hoofdstuk 3 al uitvoerig ter sprake is geweest, wordt religie gepresenteerd als bij uitstek niet-rationeel. Religie breekt met elke vorm van doelrationaliteit en zo is zij de basis van een eigen vorm van redelijkheid. Zij loopt uit op een eigen vorm van ethische bekommernis, zonder zelf ethisch te zijn: 'Iets als "heilig" kennen of erkennen is allereerst een eigensoortige waardering die *zo* alleen op religieus gebied voorkomt.' Als *mysterium tremendum et fascinosum* presenteert het heilige zich dwars door alle ratio-

len. Eerder sprak zij in deze zin over de politieke revolutie als de situatie waarin de oorsprong van de samenleving (op)nieuw vorm krijgt. Op basis waarvan het tot zo'n juist politiek oordeel over de situatie kan komen, maakt Arendt in haar analyse niet duidelijk. Het lijkt om een schepping uit het niets te gaan; vgl. ter achtergrond D. De Schutter, *Het ketterse begin*, Budel 2005, 13-31. Ik probeer in dit hoofdstuk – en in dit boek – een plaats aan te wijzen waar al sporen van een oordeel – en hiermee van de nieuwe oorsprong van de samenleving – te vinden zijn.

19 M. Foucault, 'Les techniques de soi', 1982; id., 'L'éthique de souci de soi comme pratique de liberté', 1984.

20 Zo, mede op basis van M. Foucault en H. Arendt, I.N. Bulhof, 'Levenskunst', 1995; ' "Zorg voor zichzelf" en "in waarheid leven" ', 1998. Vgl. verder mijn 'Eerbiedig denken in de postmoderne tijd', 1998.

21 Vgl. P. Heelas, *The New Age Movement*, 1996.

22 Basis van het volgende is m.n. A. van Harskamp, *Het nieuwe religieuze verlangen*, 2000; id./E. Borgman, 'Nieuwe religieuze bewegingen', 2003.

23 Weber, 'Die protestantische Ethik', l.c., 203-206.

nalisering heen als absolute waarde en autoriteit. Het individu voelt zich overweldigd door, klein tegenover en absoluut afhankelijk van het heilige.[24] Is Otto's visie dus in zekere zin te begrijpen als vorm van verzet tegen de rationaliseringstendens die Weber in de moderne samenleving ontwaart, tegelijkertijd is dit verzet halfhartig. Otto lijkt pessimistisch over de mogelijkheid temidden van de druk tot instrumentalisering de ware religiositeit te redden en te behouden. Zijn aansporing aan zijn lezers om zich te bezinnen op een moment van sterke en zo mogelijk eenzijdige religieuze opwinding, en zijn vraag aan degenen die dat niet kunnen of een dergelijk moment in hun leven nooit hebben gekend, niet verder te lezen, weerspiegelt de marginale positie die religie maatschappelijk gezien heeft.[25] Alleen vanuit een persoonlijke aangedaanheid die tot stand komt in de marges van het leven binnen de gerationaliseerde instituties, meent hij religie op authentieke wijze en in haar oorspronkelijke, omvattende betekenis ter sprake te kunnen brengen.

Hiermee geeft Otto blijk van een scherpe, vooruitziende blik. De hernieuwde presentie van religie in de laat- of postmoderne situatie van de westerse wereld, komt vanuit de marges van de gerationaliseerde en geseculariseerde samenleving. Zij is een reactie op de ongerijmdheden en aporieën ervan, maar stelt niettemin vanuit deze marges fundamentele vragen, bijvoorbeeld over wat een mensenleven samenhoudt, wat mensen identiteit geeft en wat hen de mogelijkheid biedt tot handelen.

In zijn roman *Onze-Lieve-Vrouw van het woud* beschrijft de Amerikaanse schrijver David Guterson de bedompte, neerdrukkende sfeer van het regenwoud in het Noord-Westen van de Verenigde Staten.[26] Karakteristiek hiervoor is niet de uitbundige vruchtbaarheid van het tropische regenwoud, maar een alomtegenwoordige kilte en vochtigheid waarin paddestoelen en mossen goed gedijen, maar mensen vooral reumatiek krijgen. Het is voor Guterson het beeld van het hedendaagse bestaan dat in zijn roman uiteindelijk leven is in een 'dal van tranen' waarin mensen als ballingen zuchtend en wenend om barmhartigheid smeken. Zo wordt de menselijke conditie al verwoord in het zogenoemde 'Salve Regina', een oud Latijns gebed tot Maria dat in *Onze-Lieve-Vrouw van het woud* een belangrijke rol speelt. In Nederlandse vertaling:

> Wees gegroet, Koningin, Moeder van Barmhartigheid, ons leven, onze zoetheid en onze hoop, wees gegroet. Tot U roepen wij, ballingen, kinderen van Eva; tot U smeken wij, zuchtend en wenend in dit dal van tranen. Daarom

24 R. Otto, *Das Heilige*, 1917. Voor de verhouding tussen religie en het waardebegrip bij Otto, zie Kreß, *Ethische Werte und der Gottesgedanke*, l.c., 113-138.
25 Otto, *Das Heilige*, l.c., 8.
26 Vgl. D. Guterson, *Our Lady of the Forest*, 2003.

> dan, onze Voorspreekster, sla op ons uw barmhartige ogen en toon ons na deze ballingschap Jezus, de gezegende vrucht van uw lichaam. O goedertieren, o liefdevolle o zoete maagd Maria.

In de roman van Guterson verschijnt de aangeroepen Maria in dit vochtige, kille tranendal aan Ann Holmes, een weggelopen meisje van veertien met een verleden van drugs en seksueel misbruik. Zij woont in een tent en houdt zich in leven door in het regenwoud paddestoelen te zoeken en die te verkopen, onderweg geregeld rustend om te masturberen of de rozenkrans te bidden. Op een van haar tochten verschijnt Maria haar. Hoewel het later om een hallucinatie blijkt te gaan ten gevolge van overmatig gebruik van medicijnen die haar allergie moeten onderdrukken, heeft deze verschijning grote gevolgen. Het gerucht ervan boort de doorgaans verborgen, maar diepe hunkering van mensen naar een gaaf en zinvol leven aan, en hun latente, maar steeds opnieuw verdrongen inzicht dat de wereld waarin zij leven en de wijze waarop zij dit doen, deze hunkering niet kan vervullen. Sommigen gretig, anderen tegen wil en dank, maar iedereen verandert door de gebeurtenissen die lijken duidelijk te maken dat wij gezien worden door een moederlijke aanwezigheid met een barmhartige en liefdevolle blik.[27]

Zoals het bij een hallucinatie betaamt, verschijnt Maria aan Ann in een gestalte die bekend is uit de traditie van Mariaverschijningen, met de in deze traditie bekende boodschap. Ann is niet katholiek opgevoed en niet gedoopt, maar heeft zich het katholicisme eigen gemaakt en zichzelf de gebeden en gebaren geleerd met behulp van een oude schoolcatechismus die zij heeft gevonden. Schuilend in een openbare bibliotheek heeft zij gelezen over Maria en haar verschijningen. Klaarblijkelijk las zij daarbij ook over de boodschap dat de wereld in groot moreel verval verkeert en Maria niet veel langer in staat is haar Zoon tegen te houden die op het punt staat aan de wereld het oordeel te voltrekken. Het beeld van een God die op wraak uit is en een moeder die hem hiervan moet afhouden dat in nogal wat Mariale boodschappen van de laatste twee eeuwen te vinden is, beantwoordt niet erg aan de bijbelse visie op de Jezus Christus als de icoon van Gods barmhartigheid.[28] Guterson weet het beeld echter tot leven te wekken, niet alleen door de gekruisigde, die schuin voorover boven het altaar van de plaatselijke katholieke kerk hangt, beeldend te beschrijven als een gigantische gier, maar vooral

27 Ik schreef in deze zin over de betekenis van de Mariale volksreligiositeit in 'Op zoek naar Maria ... en verder!', 1993. Voor een krachtig pleidooi om de Mariale devotie te herstellen, juist met het oog op typisch hedendaagse religieuze gevoeligheden, zie C. Pretnak, *Missing Mary*, 2004.

28 Vgl. voor kritiek op deze boodschap al E. Schillebeeckx, 'De plaag van onchristelijke toekomstverwachtingen', 1959, 504-513.

in het beeld dat hij geeft van houthakker Tom Cross en diens verhouding met zijn zoon, Tom Cross junior.

Door de schuld van Cross senior is zijn zoon, die hij altijd een watje en een mietje vond en aan wie hij daarom een steeds grotere hekel kreeg naarmate deze ouder werd en koppig bleef weigeren een echte man te worden, tijdens werk in het bos getroffen door een omvallende boom. Sindsdien is Cross junior vanaf zijn nek volledig verlamd. Door zijn geresigneerde overgave aan zijn lijden en onmacht is een ontmoeting met hem voor iedereen een haast verstikkende confrontatie met de wreedheid van het lot. Voor zijn vader is het bovendien een onuitgesproken, maar verpletterend oordeel, het onder ogen zien van een nooit in de lossen schuld. De hulpeloos in zijn rolstoel zittende, slechts door allerhande hulpmiddelen in leven gehouden jongen die zelfs niet op eigen kracht kan ademen, representeert in *Onze-Lieve-Vrouw van het woud* het oordeel over het kwaad en het geweld in het hart van de wereld, zoals Gods identificatie met de gekruisigde Jezus volgens de christelijke traditie dit oordeel belichaamt. Het oordeel brengt Cross senior echter geen verlossing of bekering en doet hem alleen maar meer volharden in zijn woede: zijn zaak is failliet, het houthakken wordt onmogelijk gemaakt door allerlei milieuregels, zijn huwelijk is kapot, zijn zoon is invalide en hij reageert op alles verkeerd in de ogen van iedereen, met uitzondering van zijn medehouthakkers maar daarvan zijn er steeds minder. Pas de confrontatie met Ann Holmes, en de moederlijke barmhartigheid die zij door haar contact met Maria vertegenwoordigt, maakt het Cross mogelijk zichzelf te zien als iemand die het alleen niet af kan en redding nodig heeft.

Dit inzicht, de schreeuw van pijn en verlorenheid uitgelokt door de dankzij de vermeende Mariaverschijning door barmhartigheid getekende omgeving, betekent in Gutersons roman het begin van de verlossing van Tom Cross senior. Niet dat nu in één keer alles goed is, maar zijn eigen lijden verbindt hem nu met zijn zoon in plaats van dat het hen van elkaar scheidt: ze hebben beiden hulp nodig. De vader kan het van hieruit opbrengen een bijdrage te leveren aan de verzorging van zijn zoon, omdat de situatie waarin deze verkeert hem niet langer confronteert met de onleefbare gedachte dat dood, verval en vernietiging overwinnen, maar met de noodzaak tot en het verlangen naar redding. Omdat hij één keer ervaren heeft dat een dergelijke redding niet geheel en al ondenkbaar hoeft te zijn, één keer heeft kunnen vermoeden dat er inderdaad met barmhartigheid naar hem gekeken wordt, de ruimte waarin hij leeft met compassie is getekend en de noodzakelijke redding op een verborgen manier present, kan hij met deze noodzaak en dit verlangen leven en er vanuit handelen.

Beeld van de door compassie getekende ruimte die het actuele bestaan wordt, is in *Onze-Lieve-Vrouw van het woud* het moeilijk doordringbare en teneerdrukkende regenwoud dat na de verschijningen van Maria aan Ann Holmes door gelovigen vol is gezet met lichtjes, prentjes, beeldjes en andere religieuze parafernalia. Hiermee maakt Guterson duidelijk dat zijn boek gaat over de religie die hernieuwd aan het licht komt als verlangen naar en respons op een spoor van genade en waarheid dat oplicht in het alledaagse, vaak donkere en uitzichtloze bestaan. Wellicht is dit de grondvorm van religie in het algemeen, maar zeker beantwoordt het aan de wijze waarop religie als actuele bestaansverheldering nieuwe vormen aanneemt en laat zien dat wij in een nieuwe religieuze situatie leven. Guterson maakt inzichtelijk dat deze religie potentieel opnieuw 'wereld' schept in de zin van Hannah Arendt, een ruimte die betekenis krijgt door het debat over wat van belang is en hoe daarmee moet worden omgegaan. Het schept in deze ruimte en door het debat opnieuw gemeenschap doordat het opnieuw de oorsprong van deze gemeenschap representeert. Tom Cross senior en junior worden hersteld in de relatie van ouder en kind, waarin de een verantwoordelijkheid heeft voor de ander en de ander zich door de een ook kan laten helpen.

De waarde van het kwetsbare

In zijn brief aan de christenen van Filippi moedigt de apostel Paulus zijn adressaten aan burgers te zijn – *politeuesthe*, schrijft hij, dat wil zeggen: gedraag je als leden van de politieke gemeenschap – op een wijze die het evangelie van de Gezalfde Jezus waardig is (Fil. 1, 27). De geest van dit burgerschap maakt Paulus duidelijk door er verderop in dezelfde brief via de in dit boek al vaker geciteerde hymne op te wijzen hoe deze Jezus zichzelf ontledigde en mens werd, zichzelf vernederde tot de dood aan een kruis, en uitgerekend hierom door God hoog verheven is (Fil. 2, 5-11). In de eerste brief aan de christenen van Korinthe gebruikt Paulus de aan Aristoteles ontleende beeldspraak van het bouwen van een huis om 'het politieke' in christelijke zin te beschrijven. 'Jullie zijn Gods tempel en de geest van God woont in jullie', schrijft hij (1 Kor. 3, 16). Van dit bouwwerk is hij, Paulus, de bouwmeester (1 Kor. 3, 10) die niet het fundament ervan is maar het fundament ervan legt: Jezus Christus (1 Kor. 3, 11).[29] Kort hiervoor had Paulus duidelijk gemaakt dat het hem bij alles gaat om 'Jezus Christus, en die gekruisigd': *Ièsoun Christon kai touton estauromenon* (1 Kor. 2, 2; vgl. 1, 23). In de eucharistie, in het breken van het brood en het delen van de wijn ter gedachtenis aan Jezus' laatste maaltijd, en daarin aan zijn leven, dood en verrijzenis, blijft deze gekruisigde als fundament en oorsprong onder christenen present (1 Kor. 11, 17-34). Deze presentie is ook zichtbaar, allereerst in Paulus zelf die als Jezus om zijn mensen lijdt (Kol. 1, 24) en met Christus gekruisigd

29 B. Blumenfeld, *The Political Paul*, 2001, 95-119, m.n. 107-109.

wordt (Gal. 2, 20), maar eveneens in het lijden van de gemeenten (Rom. 8, 17; 2 Kor. 1, 5) en in Paulus' prediking zonder 'vertoon van welsprekendheid of geleerdheid' (1 Kor. 2, 1). Maar met name is zij zichtbaar in de eenvoudige, machteloze en lage afkomst van de christenen, die nu verheven zijn tot de waardigheid van Gods eigen volk (1 Kor. 1, 26). De christelijke gemeenschap maakt zo gezien in het feit van haar bestaan zelf duidelijk dat 'de dwaasheid van God ... wijzer [is] dan de mensen en de zwakheid van God ... sterker [is] dan de mensen' (1 Kor. 1, 25).

Gezien vanuit Hannah Arendts gedachte dat datgene autoriteit heeft wat de gemeenschap bij elkaar houdt en wat de oorsprong ervan present stelt, geven de christelijke gemeenten zoals Paulus ze beschrijft een uiterst paradoxaal beeld. Binnen het Paulinische christendom heeft klaarblijkelijk datgene autoriteit wat de autoriteitsverhoudingen, het onderscheid tussen hoog en laag en de scheiding tussen binnen en buiten doorbreekt. Het gaat niet om een normatieve traditie met vaste, altijd te respecteren waarden en het gaat ook niet langer om het onderscheid tussen Jood en Griek, barbaar en Skyth, slaaf en vrije, man en vrouw (Gal. 3, 28; Kol. 3, 11). De enige waarde is de gemeenschap in de Gezalfde Jezus, en de erkenning in deze gemeenschap vóór alles *ontvangende* partij te zijn. Niemand is tot deze gemeenschap toegelaten op grond van verdiensten, maar ieder is er deel van dankzij Gods tegendraadse, bevrijdende en verrijzenis brengende liefde voor de kracht van het zwakke, de wijsheid van het dwaze en het zijn van wat niets is (vgl. 1 Kor. 1, 27-28). Deze liefde houdt de gemeente bijeen, is haar oorsprong en heeft in deze zin autoriteit. De erkenning zelf barmhartigheid nodig te hebben, schept barmhartigheid voor anderen als zij deze nodig hebben; het inzicht zelf alleen in de ruimte van betrokkenheid te kunnen leven, schept de verantwoordelijkheid voor anderen een ruimte van betrokkenheid te zijn. Zo is het heilige dat vereerd wordt in de tempel die de christenen gezamenlijk vormen – als teken en instrument van wat de wereld voor God zou moeten zijn – christelijk gezien niet zonder meer Otto's *mysterium tremendum et fascinosum*. Het is de zwakke roep van het kwetsbare om respect en de ook altijd kwetsbare gehoorzaamheid aan deze roep die een heel eigen eerbied en fascinatie heeft.

Anders gezegd en meer in de lijn van het vorige hoofdstuk: christelijk gezien is datgene van waarde wat mensen ruimte geeft het goede, waardevolle leven te kunnen zoeken, ervoor open te staan, het te kunnen ontvangen en het kunnen te cultiveren. Deze ruimte lijken mensen precies te zoeken in de nieuwe vormen van religiositeit die zich aandienen. Zij zijn gericht op bevrijding uit een onverschillige wereld, waarin niets ertoe doet en alles uitsluitend betekenis heeft als middel tot een doel dat nog bereikt moet worden. Ze willen zich tevens bevrijden van de onmogelijke en ondragelijke plicht dit afwezige goede leven op eigen kracht te bereiken en te realiseren. In deze zin zijn de nieuwe vormen van religiositeit te beschouwen als uitdrukkingen van – in traditionele christelijke termen – verlangen naar genade. Aan zichzelf overgelaten hebben religieuze vormen de neiging te suggereren dat dit verlangen overbodig is geworden en God en genade functies van religie zijn, in haar macht zijn en onder haar beheer vallen. In zoverre geldt inderdaad, zoals Karl Barth (1886-1968) ooit krachtig verkondigde: 'Religion ist Unglaube'.[30] De christelijke traditie houdt echter als religie dit verlangen open door te verkondigen dat het verlangen niet vergeefs is, omdat God in Jezus Christus – en eigenlijk al in de schepping – is begonnen het te vervullen. Sindsdien is onze redding aan de gang en het goede leven aan het aanbreken.[31] Dit betekent enerzijds dat leven vanuit verlangen mogelijk is en mensen niet zelf het leven goed hoeven te maken, ook niet – zoals veel nieuwe en oude vormen van religiositeit suggereren – door via spirituele technieken een stevig, tegen de aanvallen van de samenleving bestand ego te scheppen of een ordelijke ziel in een wanordelijke wereld. Mensen hoeven naar christelijke overtuiging niet naar God op te stijgen, omdat God naar ons en onze wereld is afgedaald. Daarom zijn wij in ons verlangen naar God met God verbonden. Anderzijds betekent het dat mensen in de wereld mogen leven in het besef dat het goede leven waarnaar zij verlangen, al bezig is aan te breken. Wie op basis en in anticipatie hierop handelt, draagt eraan bij dit goede leven verder te realiseren in de ruimte van de lotsverbondenheid en de compassie met het kwetsbare.

In de visie die Paulus ontwikkelt, is de christelijke gemeenschap een plaats waar ruimte is voor verschillen. Juist om deze ruimte te behouden is het echter – in de lijn van Hannah Arendt – nodig de oorsprong van de gemeenschap geregeld als autoriteit in herinnering te roepen en present te stellen: Gods tegendraadse liefde voor het kwetsbare en gekwetste, een liefde waar Jezus als gezalfde gekruisigde de icoon van is en onze eigen levens, individueel en gemeenschappelijk, in hun kwetsbaarheid en gekwetstheid, het symbool van zijn. Zo is deze gemeenschap de plaats waar mensen kunnen leren 'katholiek' te zijn 'met joodse hersens', in de zin waarin dit in de inleiding van dit boek werd aangeduid.

30 K. Barth, *Kirchliche Dogmatik*. I/2, 1938, 327. Vgl. voor Barths visie op de verhouding tussen christelijke openbaring en religie, die veel subtieler is dan vaak wordt voorgesteld en religie in feite maakt tot onderdeel van de ontlediging en de vernedering van de christelijke openbaring, heel paragraaf 17: 'Gottes Offenbarung als Aufhebung der Religion', 304-397.

31 Zie voor een op deze gedachte gebaseerde visie op christelijke spiritualiteit mijn 'De duur van het doorbreken van het rijk Gods', 2000, 31-43; id., 'En Gods Geest zweefde over de wateren', 2001, 63-75; id., ' "... want de plaats waarop je staat is heilige grond" (Ex. 3,5)', 2002.

Een dergelijke mythische oorsprong is in een geseculariseerde samenleving niet meer zonder meer present. Ook niet meer in geseculariseerde vorm, zoals ooit in het ideaal van de Verlichting die de samenleving de ruimte wilde laten zijn waar mensen zoeken naar hetgeen het waarachtig goede leven uitmaakt, gezamenlijk en in confrontatie met elkaars ideeën hierover.[32] In onze situatie is uitgaan van een gegeven oorsprong van de samenleving onmogelijk en moet de wereld die ons als gemeenschap bij elkaar houdt doordat het onze gezamenlijke wereld is, opnieuw gecreeerd worden. Het begin hiervan is dat vanuit de verschillende tradities die in onze samenleving aanwezig zijn, geformuleerd wordt wat de verhouding is tussen samenleving en individuen, en deze standpunten in discussie worden gebracht. Het maakt groot verschil of je ervan uit gaat dat de samenleving ontstaat doordat individuen een contract sluiten tot voordeel van alle contractpartners, of dat je meent dat de onderlinge verbondenheid van mensen aan de individuele burgers voorafgaat. Volgens de eerste visie kan de overheid zich bijvoorbeeld beperken tot het uitvoeren van de wensen van de meerderheid van de burgers, volgens de tweede heeft de overheid verantwoordelijkheid voor de kwaliteit van de samenleving, voor haar vermogen een ruimte te zijn waarin mensen zich kunnen ontplooien, zich geborgen weten, worden aangesproken op hun verantwoordelijkheid. Anders gezegd, fundamentele discussie over wat het goede leven voor mensen uitmaakt en hoe dit leven te bevorderen is, is onvermijdelijk. Er bestaat geen levensbeschouwelijk neutrale visie op wat mensen verbindt en een samenleving bij elkaar houdt.[33] Alleen in de confrontatie van en in de discussie over de verschillende visies, waarin 'eenieder zegge wat hem waarheid dunkt', kunnen wij dichter in de buurt van de waarheid komen die – naar een bede die Hannah Arendt van Gotthold Ephraim Lessing citeert – zolang wij in deze wereld leven 'aan God zij toevertrouwd'.

Nu kan men zeggen dat een dergelijke discussie al veronderstelt dat mensen niet zelfgenoegzaam zijn, maar zichzelf, hun opvattingen en de kwaliteit van hun leven van elkaar en de gemeenschap krijgen. Dat is inderdaad zo. Men kan echter met evenveel recht beweren dat de noodzaak van een dergelijke discussie simpelweg een kwestie is van praktisch inzicht.[34] Beide uitspraken zijn niet met elkaar in strijd. Sterker nog, er zijn goede gronden om te menen dat in dergelijke praktische inzichten

32 Dit ideaal probeert Paul Cobben opnieuw centraal te zetten in zijn boek *De multiculturele staat*, 2003.

33 Vgl. H. Vroom, 'Religie en maatschappelijk conflict', 2004; vgl. ook zijn *Een waaier van visies*, 2003.

34 In een van de vervolgstudies van het genoemde WRR-rapport schrijft Gabriël van den Brink over het belang van publieke ruimte waar private normen op elkaar afgestemd worden en wat er nodig is om dit te bevorderen. Vgl. G. van den Brink, *Schets van een beschavingsoffensief*, 2004.

in onze tijd de principiële waarheden bewaard worden. Zoals Europa na de Tweede Wereldoorlog – onderwerp van het volgende hoofdstuk – het fundamentele belang van gemeenschap en lotsverbondenheid uiterst praktisch ontdekte.

8
Het religieuze gehalte van hedendaags Europa

Er is in het recente verleden vaak geklaagd dat Europa geen identiteit heeft. De afwijzing van de in 2005 afgeronde Europese constitutie door de bevolkingen van Frankrijk en Nederland is hier zelfs wel mee in verband gebracht, al zien de meeste commentatoren hun 'neen' als uitdrukking van onbehagen met de onbeheersbare en mogelijk bedreigende effecten van een zich snel uitbreidende en ononverzichtelijker wordende Europese Unie. Het lijkt echter kenmerkend voor het Europa dat zich na de Tweede Wereldoorlog heeft gevormd, om de eigen identiteit te laten voortkomen uit het contact tussen de op vele manieren met elkaar verbonden en met elkaar botsende volkeren, culturen, visies en missies die het Europese subcontinent bepalen. Probleem is dat Europa schijnt te zijn vergeten dat juist in deze actieve vorm van wachten een specifieke vorm van identiteit schuilgaat. In dit hoofdstuk probeer ik de religieuze visie zichtbaar te maken die vervat is in de wijze waarop Europa na het einde van de Tweede Wereldoorlog leerde omgaan met de situatie waarin het zich op dat moment bevond.

In mijn ogen ontleent Europa zijn religieuze en spirituele betekenis dus *niet* aan zijn verleden. Met name katholieken en hun organisaties hebben vaak de christelijke oorsprong van Europa benadrukt, maar al waren de Founding Fathers van de Europese Unie – Konrad Adenauer (Duitsland), Alcide de Gaspari (Italië), Jean Monnet en Robert Schuman (Frankrijk) – allen katholiek, al werd het oprichtingsverdrag van de Europese Economische Gemeenschap getekend in Rome en bezochten de ondertekenaars Paus Pius XII, en al waren er telkens sterke verdenkingen dat het nieuwe Europa een wederopstanding van het Heilige Roomse Rijk zou moeten worden, het moderne Europa is een seculier project.[1] Ik zie deze secularisering niet als verval en Europa, anders dan kardinaal Joseph Ratzinger die inmiddels paus Benedictus XVI is, niet als een ver-

1 De Europese vereniging was politiek wel een sterk christen-democratisch project; vgl. S.M. Thomas, *The Global Resurgence of Religion and the Transformation of International Relations*, 2005, 166-171. Deze zegt zich te baseren op de ongepubliceerde PhD-dissertatie van N.R. Gonzalez, *Ideas, Causes, and Preference Formation*, 2003.

moeid en geestelijk uitgeblust continent.[2] De religieuze betekenis van het Europese project die ik hier verdedig, is juist te vinden in de seculariteit ervan. In de discussie over de vraag of het woord 'God' opgenomen moest worden in de toekomstige Europese grondwet, concentreerde de argumentatie zich op de religieuze oorsprong van de waarden die later geseculariseerd werden.[3] Mij gaat het hier veeleer om de actuele presentie van het religieuze in de actuele Europese cultuur.

De missie om missies overbodig te maken

In de debatten na 11 september 2001 over de strategie om het terrorisme een halt toe te roepen, en met name in die over de legitimiteit van het starten van een preventieve oorlog in Irak, werd de spirituele identiteit van Europa onverwacht een actueel onderwerp. Naar analogie van de stereotype visie op sekseverschillen, weergegeven in de boektitel *Mannen komen van Mars, vrouwen van Venus*, stelde de Amerikaanse politiek analist Robert Kagan dat Amerikanen van Mars komen en Europeanen van Venus.[4] Kagans analyse bouwt voort op de manier waarop *Middle America* seksestereotypen gebruikt om de jonge, vitale en moedige 'mannelijke' Amerikaanse cultuur af te zetten tegen de oude, vermoeide en 'vrouwelijke' Europese beschaving.[5] Toch is er wel iets te zeggen voor zijn visie dat de geest van Europa na de Tweede Wereldoorlog gericht is op het bevorderen van de vrede door middel van een eindeloos netwerk van verdragen, overeenkomsten en afspraken, en dat Europa liever afwachtend reageert op wat er gebeurt dan strijdlustig probeert de geschiedenis de eigen wil op te leggen. Amerikanen zijn er zich volgens Kagan sterk van bewust dat zij leven in een wereld die door Thomas Hobbes (1588-1679) werd omschreven als 'een oorlog van allen tegen allen' en het feit dat alleen macht en geweld hierin enige orde kunnen aanbrengen. De Europeanen brengen daarentegen volgens hem op hun eigen continent Immanuel Kants visioen van een eeuwige vrede in praktijk, waarin de macht in evenwicht wordt gehouden door het recht en waarin het welbegrepen eigenbelang de plaats heeft ingenomen van het nastreven van irrationele doelen.[6] Hierbij heeft Europa echter – aldus nog steeds Kagan – door de langdurige gewenning aan de zelfgeschapen wereld van relatieve vrede, het zicht verloren op de uitzonderlijkheid van de situatie waarin het zich bevindt. De wet van de jungle

2 Zie J. Ratzinger, *Werte in Zeiten des Umbruchs*, 2005, m.n. 69-99: 'Was ist Europa – Grundlagen und Perspektive'; id., 'Was die Welt zusammenhält', 2004.
3 Zie met name paus Johannes Paulus II, apostolische exhortatie *Ecclesia in Europa* (28 juni 2003), no 114.
4 R. Kagan, 'Power and Weakness', 2002; id., *Of Paradise and Power*, 2003. Vgl. J. Gray, *Men are from Mars, Women are from Venus*, 1997.
5 Vgl. T.G. Ash, 'Anti-Europeanism in America', 2003.
6 Vgl. Th. Hobbes, *Leviathan*, 1651; I. Kant, *Zum ewigen Frieden*, 1795.

geldt overal elders nog steeds volop. Omdat Europa dit feit dreigt te vergeten, slaagt het er niet in zijn aanzienlijke economische macht te paren aan een daaraan evenredige invloed op de wereldgeschiedenis.

Europa demonstreerde zijn gebrek aan realisme volgens Kagan en vele andere Amerikaanse analisten – al waren er ook andersdenkenden[7] – door Irak te benaderen als een land waarmee afspraken kunnen worden gemaakt en Saddam Hussein als een leider met wie een duurzame vrede mogelijk was. Wat Kagan en zijn gelijkgestemde collega's echter leken te vergeten, is dat de strategie die Europa volgt in internationale betrekkingen nu juist tot stand is gekomen als antwoord op wat Kagan noemt een 'hobbesiaanse wereld' van oncontroleerbaar en steeds weer terugkerend geweld. Het nieuwe Europa dat in 1952 begon te ontstaan met de vorming van de Europese Gemeenschap voor Kolen en Staal en waaraan nog steeds wordt gebouwd, was een poging om een eind te maken aan extreem geweld door het creëren van een situatie van gedeeld belang en daadwerkelijke solidariteit tussen voormalige vijanden. De geschiedenis van Irak na de Amerikaanse inval suggereert dat Europa's geduld in het opbouwen van duurzame verbanden tussen individuen en groepen ook in de huidige wereldsituatie eerder een kracht is dan een zwakte.[8]

Europa heeft de noodzaak het Europa te worden dat Kagan en de zijnen kritiseren, moeizaam ontdekt. Reeds in 1516/17 publiceerde Erasmus van Rotterdam zijn *Querela Pacis Undique Gentium Eiectae Profligataeque*, 'De klacht van de vrede, die overal door alle volken wordt verstoten en versmaad'.[9] Dit geschrift was bedoeld voor een vredesconferentie in Cambrai die het toenemende geweld tussen nieuwe en nog te vormen nationale staten in Europa moest stoppen. Het voert de vrede op als noodzakelijke voorwaarde voor en fundamentele expressie van werkelijke beschaving. In feite echter zou het zestiende-eeuwse Europa aan het begin blijken te staan van een serie verschrikkelijke uitbarstingen van geweld die hun oorsprong vonden in regionale, sociale en religieuze conflicten. Aanvankelijk bracht dit staatslieden en filosofen tot de overtuiging dat een sterk gezag moest worden ingesteld als redding van de chaos en verwarring waarin de wereld klaarblijkelijk verkeerde. Stephen Toulmin heeft beschreven hoe in het midden van de zeventiende eeuw denken en besturen gefixeerd raakten op zekerheid en veiligheid.[10] Dit resulteerde in een snelle toename van het aantal gemeenschappen en verbanden die zich aangetrokken voelden tot onbetwiste en onbetwistbaar geachte ideeënstelsels, hetgeen uiteindelijk uit zou lopen op het buitensporige,

7 Vgl. T. Judt, 'The Way We Live Now', 2003; id., 'America and the World', 2003.
8 Dat is de stelling van M. Leonard, *Why Europe Will Run the 21st Century*, 2005.
9 D. Erasmus, *De klacht van de vrede*, 1516/17.
10 S. Toulmin, *Cosmopolis*, 1990.

ideologisch gerechtvaardigde geweld van de twintigste eeuw.[11] Voor Toulmin betekende dit inzicht tegelijkertijd een herontdekking van de concrete en praktische rede tegenover het abstracte rationalisme. Hij raakte ervan overtuigd dat problemen niet kunnen worden opgelost door de chaotische werkelijkheid van buitenaf een ordening op te leggen, maar door de gegeven werkelijkheid te analyseren en daarin te zoeken naar mogelijkheden voor verbetering.[12] De revolutionaire intellectuele en spirituele ontdekking van het nieuwe Europa ligt verscholen in het bewustzijn dat het gebouwd is op, temidden van en met de ruïnes van tot ideologie verworden religie, van fascisme en anti-semitisme, van communisme en anti-communisme.

Het nieuwe Europa dat sinds de late jaren veertig van de vorige eeuw wordt opgebouwd, ontstond vanuit de ervaring dat 'allen die naar het zwaard grijpen, door het zwaard zullen omkomen' (Mt. 26. 52) en het vermijden van geweld daarom in ieders eigen belang is. De beste manier om geweld uit te bannen, is zorgen dat het steeds minder een reële optie wordt. Het werkelijk revolutionaire aspect in de ontwikkeling van het nieuwe Europa is dat deze bewust door en door pragmatisch was en is. Er is nooit een blauwdruk geweest die slechts hoefde te worden gerealiseerd. Mogelijkheden om de integratie te vergroten werden benut wanneer zij zich voordeden. Nieuwe afspraken en nieuwe verdragen schiepen nieuwe feiten en nieuwe situaties, op basis waarvan de noodzakelijke volgende stap bediscussieerd werd.[13] Recentelijk is met kracht het bezwaar geuit dat Europa geen langetermijnvisie heeft, geen duidelijk besef van zijn interne en externe missie. Jacques Delors, voormalig voorzitter van de Europese Commissie, bracht herhaaldelijk naar voren dat wij 'een ziel moeten geven aan Europa': spiritualiteit en betekenis. Zoals nog duidelijk zal worden, kaartte Delors hiermee een reële kwestie aan, maar duidelijk moet zijn dat de Europese Unie het resultaat is van een proces dat juist begon met het opgeven van visies die slechts gerealiseerd behoefden te worden om Utopia te laten aanbreken. Dergelijke visies zijn inherent gewelddadig, omdat zij geen ruimte laten voor andere. Het nieuwe Europa moest oorlog overbodig maken door de onderlinge afhankelijkheid van landen te vergroten en bureaucratische en formele besluitvormingsprocedures in te stellen. Als Europa een ziel heeft, spiritualiteit en betekenis, als het nieuwe Europa een religieus symbool is – en ik meen dat dit zo is – dan ligt dit alles geïmpliceerd in zijn pragmatisme.

11 Vgl. M. Mazower, *Dark Continent*, 1999.

12 Toulmin, *Cosmopolis*, l.c.; id., *Return to Reason*, 2001.

13 Overzichten van de geschiedenis van de Europese eenwording zijn te vinden in A.S. Milward, *The European Rescue of the Nation-State*, 1992; A. Moravcsik, *The Choice for Europe*, 1998.

In de zomer van 1993 was het overigens uitgerekend een Amerikaanse die deed wat archetypisch nieuw-Europees kan worden genoemd. Het was oorlog in Bosnië, in voormalig Joegoslavië, en Sarajevo werd belegerd. In deze situatie ging de in 2004 overleden Amerikaanse schrijfster, critica en regisseuse Susan Sontag naar de stad om Samuel Beckets *Wachten op Godot* op te voeren met lokale acteurs. Zij had Sarajevo in april bezocht en wilde de bevolking niet zomaar achterlaten in hun oorlog en naar huis gaan. Spontaan stelde zij een lokale producer voor om terug te komen en een toneelstuk te regisseren. Op de vraag welk stuk zij zou willen doen, stelde zij intuïtief Beckets meesterwerk over verlating en eenzaamheid voor. Hoewel zij dacht dat het opvoeren van dit stuk haar hoofdzakelijk een reden zou geven om terug te gaan en iets praktisch te doen te hebben, bleek zij in feite een liturgische manifestatie met grote impact te hebben georganiseerd – liturgisch in de zin waarin de klassieke Griekse tragedies liturgisch waren. De wanhoop en de angst van de mensen in Sarajevo en hun gevoelens van ontreddering en verlatenheid werden tot uitdrukking gebracht en vertegenwoordigd door de acteurs die Vladimir en Estragon speelden in hun eindeloze wachten op de mysterieuze Godot, die steeds verwacht wordt maar nooit aankomt. Op deze manier gaf Sontag hen de kans te breken met de clichés over de oorlog in de media en met de politieke voorkeuren voor een van de betrokken partijen, die zo vaak het zicht belemmeren op het werkelijke lot van echte mensen.

Terugkijkend schreef Sontag hierover:

> Het was, denk ik, aan het eind van de [derde] opvoering – op woensdag 18 augustus om twee uur 's middags – tijdens de langdurige stilte van de Vladimirs en de Estragons [Sontag had Beckets belangrijkste personages gesplitst in verschillende rollen om meer acteurs te kunnen laten deelnemen aan het stuk – E.B.], die volgt op de aankondiging van de boodschapper dat meneer Godot vandaag niet komt maar zeker morgen zal komen, dat de tranen in mijn ogen begonnen te prikken. Velibor [een van de acteurs – E.B.] huilde ook. Niemand in het publiek maakte ook maar één enkel geluid.[14]

De opvoering van *Wachten op Godot* in Sarajevo was een belichaming van wat ik beschouw als onvervalst Europese religieuze inslag. Het stuk schiep de vreemde maar reële troost van gezamenlijke ontroostbaarheid, van samen volhardend wachten op echte troost en van zich realiseren dat wie samen met anderen wacht, niet volkomen verlaten is temidden van alle verlatenheid. Dit is nauw verwant aan datgene waarvan de christelijke traditie getuigt bij de viering van Goede Vrijdag en aan wat zij bedoelt als zij zegt dat in de Gezalfde Jezus Gods Woord, dat God

14 S. Sontag, 'Waiting for Godot in Sarajevo', 1993, 322.

zelf was, vlees geworden is en onder ons heeft gewoond (Joh. 1, 14). Niet alleen gelaten te zijn in wanhoop anticipeert op een leven voorbij de wanhoop. Goddelijke solidariteit met bedreigde mensen tot en met de dood aan een kruis is de ultieme uitdrukking van hoop voor een wereld vol kruisen.[15]

Ontdekking van lotsverbondenheid

De aandacht van de media en het publiek ging vrijwel uitsluitend uit naar de militaire aspecten. Niettemin was de burgeroorlog in voormalig Joegoslavië vooral vanuit spiritueel en religieus oogpunt een belangrijke test voor de Europese Unie. De Unie zakte uiteindelijk voor deze test, niet zozeer omdat zij niet in staat bleek het geweld te stoppen en Amerika weer eens nodig had om de rommel op te ruimen – zoals Amerikanen het zien en veel leidende Europese commentatoren en politiek adviseurs het naderhand zijn gaan zien –, maar omdat het de slachtpartijen, de deportaties en de massamoorden niet behandelde als haar eigen, onvervreemdbare problemen. De Europese Unie zag de vaak dramatische situaties in het voormalige Joegoslavië niet als vragen die zij onherroepelijk moest beantwoorden, omdat zij er onvermijdelijk bij betrokken was.[16]

Korte tijd en op kleine schaal heeft de Nederlandse regering overigens wel geprobeerd dit uitgangspunt te hanteren. In 1994 zond Nederland een bataljon militairen naar Srebrenica in Bosnië, dat door de vredesmacht van de Verenigde Naties UNPROFOR tot veilig gebied was verklaard. Dit gebeurde ondanks het feit dat de Canadese strijdmacht de enclave verliet en er veel onduidelijk was ten aanzien van het mandaat van de troepen en de bereidheid van andere landen de enclave te beschermen wanneer er problemen zouden ontstaan. Tijdens de gebeurtenissen die uiteindelijk in juli 1995 zouden leiden tot de val van Srebrenica en de overgave aan de militie van de Bosnische Serviërs onder commandant Ratko Mladic,[17] werd 'lotsverbondenheid' de semi-officiële term om het basisprincipe aan te duiden van de Nederlandse politiek met betrekking tot de enclave. 'Lotsverbondenheid' kan, meen ik, gelden voor een redelijk accurate aanduiding van de 'ziel' van het Europa van na de

15 Vgl. D. Toole, *Waiting for Godot in Sarajevo*, 1997.

16 De Oostenrijkse schrijver Peter Handke heeft geprobeerd dit naar voren te brengen, tegen de tendens onder Europese intellectuelen in om de conflicten in het voormalig Joegoslavië in eenvoudige zwart-wit-schema's van goeden tegenover slechten te interpreteren, van relatief beschaafden tegenover Balkan-horden met een gewelddadige cultuur. Hij heeft daarbij echter nogal eens de neiging van de weeromstuit met name het Servische geweld te bagatelliseren. Vgl. P. Handke, *Eine winterliche Reise*, 1996; id., *Unter Tränen fragend*, 2000.

17 Zie voor de geschiedenis D. Rohde, *Endgame*, 1997. Voor een verslag van binnenuit van de belegering en de val van de Srebrenica, zie E. Suljagić, *Postcards from the Grave*, 2005

Tweede Wereldoorlog, de religieuze waarde waarvan het hedendaagse Europa een symbool is. Dat in de tijd vóórdat de Nederlandse regering dit principe onder woorden bracht, lotsverbondenheid een belangrijke rol speelde in de beslissingen, maar nadat het officieel was geformuleerd in hoge mate zijn betekenis verloor, laat iets zien van de ambivalentie van Europa met betrekking tot haar eigen grondslag.

Op 11 juli 1995 legde de Nederlandse regering een officiële verklaring af over de verbondenheid van de Nederlandse eenheid die bekend stond als 'Dutchbat', met het lot van de moslims van Srebrenica. Zij werden gezamenlijk belegerd door de Bosnische Serviërs en de Nederlandse strijdkrachten zouden in deze onzekere situatie blijven zolang het lot van de moslims onzeker was. Dit werd expliciet aangeduid als lotsverbondenheid. Op 13 juli stuurde Dutchbat echter de moslims weg die bescherming hadden gezocht in de compound en verliet Srebrenica om zichzelf in veiligheid te brengen, terwijl duidelijk was dat de levens van met name de moslimmannen en -jongens in groot gevaar verkeerden. Duizenden van hen zouden inderdaad worden gedood. De Nederlandse legerleiding en de minister van defensie meenden op dat moment dat zij geen andere keuze hadden dan hun jongens 'eruit te halen', omdat de NAVO-bondgenoten, en met name Frankrijk, niet de luchtsteun hadden verleend die nodig was om de enclave te verdedigen tegen de Bosnische Serviërs. In de nasleep van deze gebeurtenissen woedde in Nederland een intensieve en zeer lange politieke discussie over de vraag wat er verkeerd was gegaan en wie daaraan schuld had. In april 2002, nadat een officieel rapport over de gang van zaken was verschenen en duidelijk was waar de formele verantwoordelijkheden lagen, viel de Nederlandse regering alsnog over de kwestie Srebrenica.

De discussies voorafgaand aan en volgend op het bijna 3400 pagina's tellende officiële rapport, opgesteld door het Nederlands Instituut voor OorlogsDocumentatie (NIOD), spitsten zich echter toe op de vraag of er eigenlijk wel Nederlandse troepen naar de enclave hadden moeten worden gestuurd. Wat was er misgegaan in het besluitvormingsproces dat Nederlandse militairen in zulke onveilige omstandigheden terecht hadden kunnen komen en hoe zou dit in de toekomst kunnen worden voorkomen?[18] De conclusie was vooral dat er beter voor gewaakt moest worden Nederlandse troepen te sturen naar situaties waarin hun missie en hun mandaat onduidelijk zijn, en de ondersteuning twijfelachtig is. In feite betekent dit het einde van het handelen vanuit het principe van 'lotsverbondenheid', dat per definitie in hoge mate onvoorwaardelijk is en juist van belang in onduidelijke situaties. Het Nederlandse InterKerkelijk Vredesberaad (IKV) mengde zich in de discussie en probeerde de

18 *Srebrenica, een veilig gebied*, Nederlands Instituut voor OorlogsDocumentatie, 2002.

toon daarvan te veranderen met de publicatie van een brochure waarin het naar voren bracht dat de slachting van de duizenden moslimmannen en -jongens had kunnen worden voorkomen als de politiek van 'lotsverbondenheid' consequent was doorgevoerd.[19] Hiermee wordt 'lotsverbondenheid' echter in feite tot een tactisch concept gemaakt. Dat kan het natuurlijk ook zijn, maar de waarde ervan hangt niet af van de effectiviteit in de gebruikelijke betekenis van het woord. 'Lotsverbondenheid' in de zin zoals ik die hier begrijp, is eerst en vooral een waarde in zichzelf en een inzicht in de situatie die aan elke keuze vooraf gaat. Als zodanig is het een belangrijk aspect van de het huidige Europa voor zover het een religieus symbool is.

Het is goed mogelijk de recente geschiedenis van Europa te interpreteren als geleidelijke – en nog onafgesloten – ontdekking van de noodzaak tot lotsverbondenheid, en van de betekenis en de gevolgen ervan. De Europese Gemeenschap werd gegrondvest op de ruïnes van de Tweede Wereldoorlog en mogelijk gemaakt door de acceptatie van de rampzalige economische, politieke en morele situatie als een gezamenlijke erfenis waarmee de Europese landen gezamenlijk moesten zien om te gaan. Natuurlijk valt niet te ontkennen dat eigenbelang hierbij een sterke motiverende factor was en er zou waarschijnlijk nooit een Europese Gemeenschap zijn geweest als de Amerikaanse minister van buitenlandse zaken George Marshall in 1947 de Europese landen geen hulp had aangeboden ter waarde van 13 miljard dollar, op voorwaarde dat zij hun economische herstel gezamenlijk zouden aanpakken. Van belang is echter dat deze voorwaarde de zestien landen die in 1948 de Organisatie voor Europese Economische Samenwerking vormden – waaruit later de Organisatie voor Economische Samenwerking en Ontwikkeling OESO zou ontstaan –, ertoe verplichtte de problemen van alle anderen tot hun eigen problemen te maken. Evenmin valt te ontkennen dat anti-communisme en de wil de competitie met Oost-Europa te winnen een belangrijke motivatie waren voor de landen met een kapitalistische economie om hun krachten te bundelen, maar tussen 1945 en 1989 groeide ook het besef dat de deling van Europa in twee kampen zèlf onderdeel was van de gemeenschappelijke situatie waar Europa verantwoordelijkheid voor moest nemen. Ontspanningspolitiek in de jaren zeventig,[20] protesten in West-Europa tegen kernwapens in de vroege jaren tachtig[21] en de oriëntatie van oppositiegroepen in Midden-Europa op de idee van Europa als een continent van pluralisme, leven in waarheid, vrijheid in verantwoordelijkheid en actief burgerschap in de latere jaren tachtig van

19 M.-J. Faber, *Srebrenica*, 2002.
20 Vgl. W. Loth, *Overcoming the Cold War*, 2002.
21 Vgl. *Europe and Nuclear Disarmament*, ed. H. Müller, 1998.

de twintigste eeuw:[22] het zijn allemaal aspecten van de ontdekking van Europa als een geërfde gemeenschappelijke toekomst voor de landen en volken die het continent vormen.

In het verlengde hiervan kan men de Europese geschiedenis sinds 1945 zien als een voortgaande ontdekking van Europa als een project gericht op het doen ontstaan van eenheid uit alle verscheidenheid, veelvormigheid en onenigheid van en tussen Europese naties, culturen, volkeren en geschiedenissen.[23] Het is echter realistischer de Europese geschiedenis te beschouwen als een serie *kansen* om Europa te ontdekken als een dergelijk project. Václav Havel, de Midden-Europese intellectueel die president werd van de Tsjechische Republiek, hield in 1997 een toespraak waarin hij analyseert waarom het zo moeilijk is voor de Tsjechen – en in feite voor alle Europeanen – de waarden te zien die tot uitdrukking komen in de historie van hun land en continent, en hun verantwoordelijkheid te nemen deze verder te ontwikkelen. Havel verwierp met kracht de gedachte dat de oorzaak hiervan zou liggen in de noodzaak zich aan te passen aan de – a-morele, anti-spirituele en antireligieuze – eisen van de kapitalistische economie. Dit is in zijn ogen geen verklaring, maar maakt in feite zichtbaar dat de economische ontwikkeling zelf het hoogste morele en spirituele doel van de samenleving is geworden. Als gevolg hiervan worden waarden als moraliteit, fatsoen, respect en solidariteit minder belangrijk gevonden, hoewel deze de samenleving bij elkaar houden en ervoor zorgen dat een zekere kwaliteit van leven wordt gerealiseerd. Niet onmiddellijk als gevolg van de economische ontwikkelingen, maar als gevolg van de neiging om de economische ontwikkelingen voorop te stellen, eroderen deze waarden en daarmee de kwaliteit van de samenleving zelf. Om dit proces te stoppen, roept Havel het Tsjechische volk op tot wat hij letterlijk noemt een 'religieuze toewijding' aan wat zij in feite wel degelijk weten dat hun centrale politieke, burgerlijke en persoonlijke waarden zijn.[24]

Iets dergelijks lijkt Europa ook te vragen. De religieuze schat die verborgen ligt in Europa's recente geschiedenis is de geleidelijke ontwikkeling van het idee van lotsverbondenheid. Deze schat blijft echter verborgen, doordat het publieke debat in de Europese Unie vrijwel uitsluitend gaat over economische ontwikkeling. In het oorspronkelijke project van Europese integratie was economische ontwikkeling een middel om een stabiele vrede te bewerkstelligen op een subcontinent dat altijd is beschouwd als potentieel gewelddadig. Zij heeft echter steeds ook de neiging gehad een doel op zichzelf te worden.

22 Zie b.v. G. Konrád, *Antipolitik*, 1984; A. Michnik, *Letters from Prison*, 1985; V. Havel, *Václav Havel, or Living in Truth*, 1986; zie ook id., *Toward a Civil Society*, 1995.

23 Dit is de visie van M. Heirman, *De ontdekking van Europa*, 2003.

24 V. Havel, 'The State of the Republic', 1998.

Religieuze toewijding aan onzekerheid

De eenzijdige gerichtheid op economische ontwikkeling lijkt direct samen te hangen met de ontstaansmythologie van de moderne westerse beschaving. Zoals volgens de Griekse mythologie de orde werd gevestigd door het temmen van de gewelddadige krachten van de chaos, gepersonifieerd door de Titanen, ziet de westerse cultuur zichzelf als gebaseerd op de verovering van de noodzakelijke stabiliteit op het chaotische geweld van de natuur. Een cultuur grondvesten betekent het overwinnen van de natuurlijke tendenties die deze tegenwerken en ze binnen de vereiste grenzen houden. En zoals de technologie wordt voorgesteld als het bedwingen van de natuur in de strikte betekenis van het woord, wordt regeren gezien als de kunst de 'natuurlijke' neiging van mensen tot afgunst en haat, egoïsme en geweld jegens anderen binnen de perken te houden. Of nauwkeuriger: goed regeren wordt gezien als de kunst om tot nut van het algemeen op geraffineerde manier gebruik te maken van deze neigingen, die aan zichzelf overgelaten leiden tot verdeeldheid en conflict.

Volgens een traditie die begint bij Adam Smith (1723-1790) en die voortbouwt op de uitspraak van Bernard de Mandeville (1670-1733) dat private ondeugden kunnen worden omgevormd tot publieke deugden, is dit precies wat de economie doet.[25] In deze gedachtegang leidt, wanneer er eenmaal een industriële en kapitalistische economie is gevestigd, de noodzaak te overleven tot samenwerking en werkt als disciplinerende kracht op anders onvoorspelbaar menselijk gedrag. Van hieruit is het mogelijk en zelfs logisch economische bloei te zien als goed voor de samenhang van de maatschappij, leidend tot vermindering van geweld en bijdragend aan de vrede. Vandaar dat volledige werkgelegenheid een van de belangrijkste doelen is van het beleid van Europese regeringen. Vandaar ook de neiging van Amerikaanse politieke strategen te denken dat met het kapitalisme vanzelf ook de democratie en de vrede worden verspreid.[26] Van hieruit is het logisch te menen dat landen geen spiritualiteit of religieuze toewijding nodig hebben, en de Europese gemeenschap al helemaal niet, omdat de economie op een efficiëntere manier voor de cohesie zorgt die voor het functioneren noodzakelijk is.

Vanaf de zeventiende eeuw ging men bovendien spirituele en religieuze overtuigingen beschouwen als inherent subjectief, willekeurig en

25 Vgl. B. de Mandeville, *Fable of the Bees*, 1714; A. Smith, *An Inquiry into the Nature and Causes of the Wealth of Nations*, 1775.

26 Het is echter opmerkelijk dat juist Francis Fukuyama, die met *The End of History and the Last Man* in 1992 de ongetwijfeld meest invloedrijke verdediging schreef van de idee dat het kapitalisme als vanzelf leidt tot wereldvrede, in 1995 in *Trust* naar voren bracht dat een gemeenschappelijke toewijding aan dezelfde waarden een noodzakelijke voorwaarde is voor een effectieve economie en een functionerende democratie.

gebaseerd op instinct en emotie, en daarom geneigd tot geweld. Onder strikte voorwaarden kan, in de woorden van Thomas Hobbes, religie eraan bijdragen dat mensen zich richten op gezag, wetten, vrede, liefdadigheid en actief burgerschap. De aanwezigheid van religie in het publieke domein moet volgens hem echter beperkt blijven tot het uitoefenen van deze functie: er is altijd het gevaar dat religieuze overtuigingen emoties versterken die kunnen leiden tot gewelddadige botsingen, zoals de godsdienstoorlogen in de zestiende eeuw volgens de meest invloedrijke Europese politieke denkers hebben duidelijk gemaakt. In onze tijd functioneert de dreiging van het 'fundamentalisme' als publieke herinnering aan de voortdurende aanwezigheid van deze mogelijkheid. Het veel geroemde principe van scheiding tussen kerk en staat dat na de Franse Revolutie heilig werd verklaard en waarvan algemeen wordt aangenomen dat het een kernwaarde van de moderne westerse beschaving is, is vanuit deze achtergrond gezien de uitdrukking van de overtuiging dat religie niet een beschavende, maar allereerst een destabiliserende, chaotische en potentieel gewelddadige kracht is.[27] Het mythische geloof dat de secularisering van de samenleving de westerse mensheid heeft verlost van religieuze willekeur, autoritarisme en geweld, wordt overgeplant op de economie en brengt er de politiek toe te vertrouwen op economische krachten om discipline te ontwikkelen en partijen met elkaar te verzoenen.[28] Dit ondanks het onmiskenbaar gewelddadige karakter van veel economische ontwikkelingen.

Er zijn echter ook andere geluiden. Gegeven de sterke neiging sinds de Verlichting streng de scheiding te handhaven tussen de ordenende en pacificerende krachten van de seculiere politiek enerzijds en de chaotische en gewelddadige religie anderzijds, is het hoogst opmerkelijk dat in 1989 de Sociaal-Democratische Partij van Duitsland (SDP) in haar beginselprogramma schreef het een goede zaak te vinden wanneer kerken en religieuze gemeenschappen, kerkelijke groepen en individuele gelovigen het sociale en politieke leven beïnvloeden door kritiek, onderricht en praktische samenwerking, en zich aldus zelf andersom ook blootstellen aan maatschappelijke kritiek.[29] In 2001 benadrukte de Duitse filosoof Jür-

27 Vgl. J. Milbank, *Theology and Social Theory*, 1990, 9-27; W.T. Cavanaugh, *Theopolitical Imagination*, 2002, 15-31.

28 Dit betekent dat de markteconomie zelf kan worden opgevat als een religie, zoals gesteld in R.H. Nelson, *Economics as Religion*, 2001; vgl. ook F.J. Hinkelammert, *Die ideologische Waffen des Todes*, 1981; A.Th. van Leeuwen, *De nacht van het kapitaal*, 1984; F.J. Hinkelammert/H. Assmann, *Götze Markt*, 1989.

29 De Duitse sociaal-democraten 'begrüßen es, wenn Kirchen und Religionsgemeinschaften, kirchliche Grupen und einzelne Gläubige durch Kritik, Anregung und praktische Mitarbeit auf die Gestaltung des gesellschaftlichen und politischen Lebens einwirken und sich damit auch öffentliche Kritik stellen.' Gecit. in W. Thierse, 'Religion ist keine Privatsache', 2000, 7.

gen Habermas, die eerder verklaarde dat de moderne rationaliteit religie overbodig heeft gemaakt, het blijvende belang van een voortgaande seculiere vertaling van de overvloed aan betekenissen en waarden van religieuze tradities. Nog opmerkelijker is dat hij meende dat deze vertaling niet alleen de verantwoordelijkheid is van de aanhangers van deze tradities, maar de taak van elke publieke intellectueel. Blijkbaar moet volgens Habermas de seculiere cultuur een aanhoudende interpretatieve relatie cultiveren met de religieuze tradities waarmee zij verbonden is. De westerse cultuur moet volgens hem bijvoorbeeld voortdurende herbrond worden vanuit de idee dat iedere mens geschapen is naar Gods beeld en daarom een onvervreemdbaar recht heeft op respect.[30] Nog afgezien van het religieuze pluralisme dat een onontkoombare karakteristiek is van de huidige westerse samenleving en het onmogelijk maakt deze interpretatieve relatie te beperken tot slechts één religieuze traditie, lijkt Habermas hier niet te verdisconteren dat religieuze noties zijn ingebed in een religieuze benadering van de gehele werkelijkheid. Religie verstaat deze werkelijkheid, met inbegrip van het eigen bestaan, als te eerbiedigen geschenk en als mogelijke plaats het goede leven dat God voor mensen wil, te ontvangen, te cultiveren en aan anderen te door geven. Naar christelijke overtuiging zijn wij op grond van onze gemeenschappelijke kwetsbaarheid verplicht anderen met hetzelfde respect te behandelen als wijzelf nodig hebben en een dergelijke houding lijkt niet makkelijk los te maken van een levende band van dank voor het ontvangen leven en toewijding aan het cultiveren van het leven.

Dit suggereert dat een volledig seculiere visie op de maatschappelijke en politieke praktijk, in de betekenis van een visie vrij van religieuze noties en overtuigingen, een illusie is. Elk begrip van elke situatie en van wat daarin zou moeten worden gedaan, gaat gepaard met een besef van en een impliciete of expliciete visie op het geheel waarvan deze situatie deel uitmaakt. Dit zicht op de horizon van de realiteit waarbinnen wij leven, wordt verschaft door religies en andere zogenoemde levensbeschouwingen. De visies hierop worden in de pluralistische samenlevingen van Europa nooit door allen gedeeld en er zijn politieke en theologische redenen om niet te proberen dit te veranderen. Volgens het zo genoemde Böckenförde-dilemma is het onmogelijk op democratische wijze de waarden veilig te stellen waarop de democratie rust, zoals vrijheid, gelijkheid en de 'broederschap' die volgens het betoog dat ik hier houd beter 'lotsverbondenheid' kan heten.[31] Dit betekent dat de democratische samenleving afhankelijk is van de visies op deze waarden en de argumenten ervoor die naar voren worden gebracht door de verschil-

30 J. Habermas, *Glauben und Wissen*, 2001, m.n. 20-25; vgl. id., 'Vorpolitische Grundlage des demokratischen Rechtsstaates?', 2004, m.n. 31-33.

31 E.-W. Böckenförde, *Recht, Staat, Freiheit*, 1991, 112 .

lende religieuze en levensbeschouwelijke tradities die erin zijn vertegenwoordigd.[32] Dit voert tot de conclusie dat de pogingen zich in de politieke en maatschappelijke discussies van religie te bevrijden, zouden moeten worden opgegeven. Wij zijn onvermijdelijk verwikkeld in een situatie van discussie, strijd en conflict tussen verschillende religies en levensbeschouwingen.[33] Deze gemeenschappelijke verwikkeling is deel van onze lotsverbondenheid.

De religieuze waarde van kwetsbaarheid

Dit betekent geen overgave aan chaos en irrationaliteit, maar vertrouwen in de rationaliteit van en binnen religies en het probleemoplossend vermogen van religieuze tradities. Zoals de Duitse theoloog Jürgen Manemann duidelijk heeft gemaakt, is het problematisch het nihilistische geweld dat op 11 september 2001 de Twin Towers in New York vernietigde, te interpreteren als een uiting van 'godsdienstwaanzin', zoals bijvoorbeeld het Duitse opinieweekblad *Der Spiegel* deed. Ondanks de religieuze retoriek die werd gebruikt om het geweld te rechtvaardigen, valt goed te verdedigen dat het nihilisme waarvan het getuigde, de haat tegen het bestaande en het zwelgen in vernieling en vernietiging eerder uitdrukking waren van *ongodsdienstige* waanzin. De waanzin komt immers voort uit het ontbreken van het respect voor alles dat begiftigd is met leven, voor het geschenk van het leven zelf en daarmee uiteindelijk voor de Schenker van dat leven, dat religieuze tradities willen opwekken en cultiveren.[34] Dit is geen poging de gewelddadige kanten van religies te ontkennen: zij kunnen de neiging hebben overijverig te worden in het verkondigen en afdwingen van hetgeen zij als waarheid zien en lopen in die mate gevaar gewelddadig te worden. Dit wordt echter in principe in evenwicht gehouden door de oproep tot eerbied als inherente reserve tegen elk nihilisme dat de kern vormt van het geweld, hetgeen het mogelijk maakt religieus geweld op religieuze gronden te bekritiseren. Bovendien is het in deze lijn mogelijk de recente geschiedenis van Europa niet zozeer op te vatten als een geschiedenis van vervreemding van religie, maar de historische poging die Europa de laatste decen-

32 Vgl. voor een genuanceerde poging deze voortdurende discussie te regelen, J. Habermas, 'Religion in der Öffentlichkeit', 2005.

33 Dit is de grondgedachte achter Hans Küngs project een wereldwijde ethiek (Weltethos) te ontwikkelen op basis van de ethische overeenstemming van religies en levensbeschouwingen; zie m.n. H. Küng, *Projekt Weltethos*, 1990; id., *Weltethos für Weltpolitik und Weltwirtschaft*, 1997; id., *Global Responsibility*, 1991. Küng zoekt echter naar een eenheid in de ethische leer van de wereldreligies, die illusoir lijkt of zo abstract is dat ze niets meer zegt.

34 J. Manemann, 'Religiöser Wahn oder Wahnsinn aus Irreligiosität?', 2001; vgl. *Der Spiegel* 55 (2001) no. 41, getiteld: 'Der religiöse Wahn: Die Rückkehre des Mittelalters'.

nia heeft gedaan om het geweld te overwinnen door het versterken van de multilaterale lotsverbondenheid, zelf te lezen als een religieuze geschiedenis. Ik denk dat het niet alleen theologisch belangrijk, maar ook politiek wijs is om dit te doen.

De ontdekking die Europa in de tweede helft van de twintigste eeuw deed – niet in een enkel 'eureka', maar in een complex en nog steeds voortgaand proces van pogingen en soms bijna rampzalige vergissingen – is dat er geen alternatief bestaat voor democratie. De culturele en politieke werkelijkheid kan alleen van binnenuit worden veranderd, door de betrokken mensen zelf. Andere benaderingen zijn inherent gewelddadig en leiden ook feitelijk tot geweld.[35] Dat betekent dat we onvermijdelijk verbonden zijn met elkaars lot en de enige begaanbare weg om ons lot te veranderen, verloopt via deze verbondenheid met het lot van anderen. Democratie is echter, zoals de Duitse filosoof Helmut Dubiel formuleert, 'de geïnstitutionaliseerde vorm om in het openbaar om te gaan met onzekerheid' in de zin dat zij nooit kan uitgaan van een gegarandeerde en stabiele consensus en nooit leidt tot een heldere keuze die onmiskenbaar en automatisch naar een betere toekomst voert. Dubiel noemt de democratie daarom een 'post-traditionele *civil religion*', suggererend dat de democratische gerichtheid op publieke discussie de traditionele religieuze gerichtheid op een heldere, substantiële inhoud zou vervangen.[36] Hiermee signaleert hij iets van groot belang, maar lijkt te vergeten dat de democratische waarden zelf een nieuw type inhoud vertegenwoordigen. Ik denk bovendien dat recente ontwikkelingen in de wereld en in Europa laten zien dat deze inhoud, dat wat ik de religieuze kern van democratie noem, niet als onomstotelijk gegeven kan worden beschouwd. Zij is een gave die moet worden behoed en gecultiveerd door haar onder woorden te brengen en haar belang te beargumenteren.

Hiermee maakt Dubiel zelf een begin met de suggestie dat de religieuze kern van de democratie is gelegen in 'zwakheid'. Hierbij gaat het niet om zwakheid in de zin van niet weten wat te zeggen, wat te doen of wat te voelen, maar in de zin van welbewuste kwetsbaarheid, van inzicht dat het tot de menselijke conditie behoort kwetsbaar te zijn en dat het noodzakelijk is daarvoor verantwoordelijkheid te nemen. Deze zwakheid moet – en dat is inderdaad een paradox! – zelfbewust tot uitdrukking worden gebracht in het soort 'zwakke' theologie die de Duitse dominicaan en theoloog Ulrich Engel met kracht verdedigde als reactie

35 In deze zin lijkt Europa inderdaad, zoals Robert Kagan suggereert, in de tweede helft van de twintigste eeuw te hebben ontdekt wat Immanuel Kant aan het einde van de achttiende eeuw theoretisch analyseerde in zijn *Zum ewigen Frieden*, l.c.; vgl. Th. Mertens, 'From "Pepetual Peace" to the "Law of Peoples" ', 2002.

36 H. Dubiel, *Ungewißheit und Politik*, 1994, m.n. 178-185; vgl. J.B. Metz, 'Religion und Politik an den Grenzen der Moderne', 1997.

op de wereldwijde staat van oorlog waarin wij sinds 11 september 2001 leven.[37] Vanuit christelijk gezichtspunt weerspiegelt deze 'zwakke' theologie het beeld van God die zich verbonden heeft met onze geschiedenis van zwakheid en kwetsbaarheid. Als er al een God genoemd had moeten worden in de Europese grondwet, is het deze. Dit is niet zonder meer de God van christenen en hun overlevering, die dan tevens verondersteld worden de grondslag van Europa te zijn, maar de immer verborgen goddelijke aanwezigheid die schuil gaat in onze lotsverbondenheid, de steeds weer wijkende goddelijke horizon die oplicht in de noodzakelijkerwijs zwakke en kwetsbare pogingen tegen de verdrukking in iets van een goed leven tot stand te brengen, het steeds weer geschonden goddelijk gebod weerstand te bieden aan het verlangen de geschiedenis in één krachtig, maar noodzakelijkerwijs gewelddadig gebaar ten goede te veranderen. Het is deze God die de christelijke tradities ter sprake willen brengen, maar die ook zij nog moeten leren kennen.

Het is in zekere zin hoopgevend dat de Italiaanse filosoof Gianni Vattimo, die een belangrijke rol speelde bij het ontdekken van de zwakheid als religieuze waarde in het hart van de moderniteit en tegelijkertijd in dat van de christelijke tradities (zie hoofdstuk 4), ook lid is van het Europese parlement. Problematisch is echter dat Vattimo er vanuit lijkt te gaan dat de ontdekking van het zwakke onvervreemdbaar onderdeel is van de moderniteit en in zekere zin lijkt te parasiteren op de onverstoorbare onkwetsbaarheid die de moderne vooruitgang enige tijd voor zichzelf leek te hebben georganiseerd. 'In een stad als New York', schreef hij in 1985, 'waar wolkenkrabbers die nog in perfecte staat zijn, worden afgebroken enkel om plaats te maken voor nieuwe, meer winstgevende gebouwen, wordt de toekomst ... gegarandeerd door de automatismen van het systeem.'[38] De zwakheid in ideologische profilering die hiervan het gevolg is, is gebaseerd op de zekerheid uiteindelijk oppermachtig en onverslaanbaar te zijn. Deze zekerheid is op 11 september 2001 definitief en voor iedereen zichtbaar verstoord, en de weerbarstige zwakte die de kern uitmaakt van de open democratische samenleving, is onontkoombaar aan het licht gekomen. Vraag is of onder deze omstandigheden onze lotsverbondenheid in kwetsbaarheid inzichtelijk gemaakt kan worden als religieuze waarde en ruimte van goed leven.

In deze omstandigheden is het niet voldoende de herinnering te koesteren aan een Europa dat zichzelf op een nieuwe manier opbouwde op de puinhopen van de Tweede Wereldoorlog, de Koude Oorlog en de nasleep daarvan in Midden- en Oost-Europa, en in dit proces een

37 U. Engel, 'Religion and Violence', 2002.
38 G. Vattimo, *Jenseits vom Subjekt*, 1985, 19.

nieuwe identiteit vond die gebaseerd is op eerbied voor lotsverbondenheid in zwakheid. De herinnering aan Auschwitz en alles waar die naam voor staat, zou een centrale plaats moeten krijgen in een religieuze visie op Europa. 'Auschwitz' herinnert niet alleen aan de gevaren van een krachtige visie op hoe de wereld zou moeten zijn, maar houdt ook het bewustzijn levend dat achter een ogenschijnlijk bureaucratische en technocratische manier van denken en handelen, de meest verschrikkelijke catastrofes kunnen schuilgaan.[39] Bovenal laat deze herinnering zien hoe middenin een hoog ontwikkelde cultuur het ondenkbare kwaad steeds reëel mogelijk blijft en dat wat werkelijk 'goed' is, niet maakbaar of produceerbaar is.[40]

Naar aanleiding van de herinnering aan de shoah zijn Europese theologen opnieuw gaan nadenken over het verhaal van de Gezalfde Jezus als in de eerste plaats een verhaal over lijden en gedood worden, van wachten op een nieuwe hemel en een nieuw aarde in een situatie waarin mensen vernietigd worden omwille daarvan. De Duitse theoloog Johann Baptist Metz heeft de christelijke visie op Jezus de Christus opnieuw proberen te interpreteren, er niet van uitgaand dat wij na zijn verrijzenis delen in zijn verheerlijkte staat, slechts wachtend op het volledig openbaar worden hiervan – zoals de klassieke theologie meent – maar op basis van het idee dat wij met hem in de situatie na zijn lijden en dood verkeren, wachtend op zijn wederopstanding en hiermee op de voortgang van de verlossingsgeschiedenis die reeds is begonnen, maar steeds opnieuw wordt onderbroken. Wij leven volgens deze voorstelling in de situatie van Paaszaterdag, wachtend op de beslissende doorbraak van het goede, het betekenisvolle, het ware en het heilige dat is aangekondigd, maar een nieuw initiatief nodig heeft om zich door te zetten. In dit wachten zijn goedheid, waarheid en heiligheid in zwakke vorm onder ons, als 'presentie ener Afwezigheid'. Deze presentie werd bekrachtigd in de wederopstanding van Jezus als 'de eerstgeborene uit de doden' (Kol. 1, 18), maar moet nog volledig doorbreken.[41] *Dit* is de ontledigde en vernederde, zwakke en kwetsbare presentie van God in onze geschiedenis die de christelijke tradities thematiseren. Op basis hiervan wordt het onvoorstelbare niet voorstelbaar, maar wordt denkbaar dat het on-

39 Dit is het blijvende belang van Hannah Arendts concept van de banaliteit van het kwaad (*Banality of Evil*), wat er ook mag kloppen van de kritiek op haar analyse van het geval Eichmann die de basis was van de ontwikkeling van dit concept; vgl. H. Arendt, *Eichmann in Jerusalem*, 1963.

40 Zie. m.n. Z. Bauman, *Modernity and the Holocaust*, 1989.

41 Voor de christologie van Metz, zie P. Budi Kleden, *Christologie in Fragmenten*, 2001, hier met name 320-395; voor een poging de theologie van Metz te begrijpen als een 'theologie van Paaszaterdag', contrasterend met de poging van Hans Urs von Balthasar dit te doen, zie M. Zechmeister, 'Karsamstag: Zu einer Theologie des Gott-vermissens', 1998.

mogelijke mogelijk is. Misschien geldt dit zelfs voor de suggestie van de Joodse theoloog Irving Greenberg dat de rookwolk van verbrandende lichamen in Auschwitz overdag en de vuurzuil van de crematoria 's nachts de weg wijzen naar nieuwe vormen van gemeenschap en menszijn, van een door de Grote Vernietiging onmogelijk geworden, maar voor God niettemin mogelijke toekomst.[42]

Met minder kunnen we geen genoegen nemen, gegeven het feit dat, zoals de Franse filosoof Jean-François Lyotard (1924-1998) zegt, 'alleen een denken dat zich beschikbaar houdt voor het wachten op God' zich op de hoogte bevindt van de catastrofe van Auschwitz, en daarmee van de vele echo's die deze catastrofe heeft in de verdere geschiedenis van de moderniteit.[43] Dan moet er iets te verwachten zijn.[44] Volgens de Joodse filosoof Emile Fackenheim (1916-2003) is de basis van de hoop na Auschwitz het verzet in Auschwitz, de gebleken onmogelijkheid om de menselijkheid van de Joden zelfs onder de meest extreme omstandigheden werkelijk te vernietigen:

> De vernietigingslogica van de Nazi's was onweerstaanbaar, *maar zij werd niettemin weerstaan.* Deze logica is een novum in de menselijke geschiedenis, een bron van ongekende en blijvende afschuw, maar het verzet van de kant van degenen die er het meest radicaal aan werden blootgesteld is eveneens een novum in de geschiedenis, en het is een bron van ongekende en blijvende verbazing.

Na Auschwitz toekomst scheppen en de wereld tegen vernietiging behoeden, is volgens Fackenheim mogelijk, omdat de vernietigingslogica van de Nazi's al eerder is weerstaan.[45] Zo bleef een ruimte bewaard waarin mogelijkheden zijn gegeven om zinvol te handelen, en waarin uiteindelijk dit handelen bewaard blijft. Het is op basis van dezelfde, typisch religieuze logica dat de Joodse tradities zeggen dat het Volk leeft in het spoor van en dankzij de Uittocht uit de slavernij in Egypte en dat de christelijke tradities zeggen dat wij leven in het spoor van en dankzij Jezus' redding uit de dood.

Een blijvend open toekomst

De geschiedenis van Europa leert ons onder meer dat wij leven als aan de dood ontrukten. De Joodse en christelijke tradities suggereren dat wij, omdat wij leven als aan de dood ontrukten, mogen hopen opnieuw

42 I. Greenberg, 'Cloud of Smoke, Pillar of Fire: Judaism, Christianity, and Modernity after the Holocaust', 1977, 55.

43 J.-F. Lyotard, *Heidegger et 'les juifs'*, Paris 1988, 127; vgl. F. van Peperstraten, *Jean-François Lyotard*, 1995, 126-129; vgl. id., 'Filosofie "na" Auschwitz', 1995.

44 Voor een theologische visie op de shoah, zie hoofdstuk 10 in dit boek.

45 E. Fackenheim, *To Mend the World*, 1982, 25.

aan de dood te worden ontrukt. Dit maakt de Europese ontdekking van onze lotsverbondenheid in kwetsbaarheid een religieuze ontdekking, en Europa een religieus symbool. Het is een religieus symbool dat niet aan één traditie toebehoort en dat open is naar de toekomst.

De Italiaanse Germanist Claudio Magris, aan wie in 2001 de Erasmusprijs werd toegekend, schreef een boek waarin de rivier de Donau het symbool is van de Europese cultuur. De Donau zoals Magris hem beschrijft, heeft geen aanwijsbaar begin en krijgt er voortdurend water bij van allerlei stroompjes, beekjes en zijrivieren.[46] Dit betekent – en Magris speelt opzettelijk met dit beeld – een omkering van de gebruikelijke visie op culturele oorsprong volgens welke de volle identiteit aan het begin aanwezig is en zich vervolgens verspreidt, maar daarmee ook vervaagt en verwatert. In dit hoofdstuk verscheen Europa niet als een afgeronde entiteit met een welomschreven identiteit. Europa krijgt vorm door zich steeds hernieuwd toe te wijden aan de lotsverbondenheid in kwetsbaarheid, en zo toekomst te scheppen. In deze toewijding is Europa religieus. Het is, het zij nogmaals gezegd, dus niet de oorsprong van Europa die religieus is, maar de wijze waarop het de mogelijkheid krijgt en weet te ontvangen om toekomst te vinden en te cultiveren. Dit Europa is principieel een grenzeloos en open idee, waarvan niets a priori is uitgesloten. De toekomst is wat nog komen moet en lotsverbondenheid kan zich altijd verder uitbreiden, altijd meer mensen, meer volkeren en grotere gebieden omvatten, zoals dat in het Europese verleden ook is gebeurd.

Met dit alles is in ieder geval ook gezegd dat er geen dwingende reden is om landen met bijvoorbeeld een islamitische cultuur niet tot Europa toe te laten. In het volgende hoofdstuk zal ik duidelijk maken in welke zin de islam een eigen bijdrage heeft te leveren aan het religieuze symbool Europa.

46 C. Magris, *Donau*, 1986.

9
De islam als 'Europese' religie

Het valt niet te ontkennen: de concrete aanleiding voor de huidige aandacht voor religie is de ongekende heftigheid waarmee de politieke islam zich de laatste jaren op het wereldtoneel is gaan manifesteren. Een boek over de actuele betekenis van religie moet ook op dit verschijnsel ingaan. Religie verschijnt vandaag de dag in hoge mate als gevaar en bedreiging. Wie een ander beeld wil presenteren van religie, begint vanuit een uiterst nadelige positie. Er valt moeilijk op te boksen tegen de symboliek van de twee vliegtuigen die op 11 september 2001 dood en verderf zaaiend de torens van het World Trade Center in New York binnenvlogen. De betekenis van deze wereldwijd duizenden keren vertoonde beelden lijkt zo evident, dat er weinig ruimte is voor nuanceringen. Hier wordt overduidelijk de vredige en pluralistische, seculiere moderniteit – vredig en pluralistisch *want* seculier, menen vele opiniemakers – aangevallen door het geweld van religieuze fanatici – gewelddadig *want* religieus, in de ogen van dezelfde spraakmakers. Hoeveel er ook met recht tegen deze voorstelling van zaken wordt ingebracht, het beeld lijkt krachtiger dan welk argument ook.[1]

Toch is er verzet noodzakelijk tegen de tendens om de actualiteit te interpreteren in termen van een *Clash of Civilisations*.[2] Deze lijkt uiteindelijk vooral de angstaanjagend toenemende heerschappij van de oorlogsgod Mars over de wereld uit te drukken. De al langer groeiende overtuiging dat geweld de oplossing is voor de ingewikkelde problemen waarmee de globalisering ons confronteert, is theologisch gezien een afgodendienst en moet worden bestreden.[3] De eigen wil, de eigen visie op wat vrede, harmonie en waarheid is, wordt als de uiteindelijke verzoening van alle conflicten opgelegd en neemt zo de plaats in van God, die zich aan elke menselijke greep onttrekt. Gezien vanuit de christelijke tradities is dit rechtstreeks in strijd met het beeld van Jezus Christus, die juist als mach-

1 Voor de druk die de door de media verbreide verbeelding legt op elk spreken over de islam, vgl. 'Preface', in: A.S. Ahmed, *Postmodernism and Islam*, 2004, ix-xv.

2 Vgl. S.P. Huntington, *The Clash of Civilisations*, 1996.

3 M.L. Hadley, 'The Ascension of Mars and the Salvation of the Modern World', 2004; vgl. als achtergrond W. Wink, *The Powers that Be*, 1998.

teloze gekruisigde het beeld is van Gods verzoenende en heilzame aanwezigheid.[4]

Weg met de sluier

Het eerst noodzakelijke is daarom het wegtrekken van de sluier die de islam uniformeert en deze religie reduceert tot een massieve weigering modern en democratisch te worden. De islamitische tradities, en de hedendaagse islam in het bijzonder, moeten allereerst opnieuw intellectuele nieuwsgierigheid wekken.

Te bedenken valt dat terrorisme en het totalitaire verlangen een einde te maken aan de onrustige pluraliteit en de confrontatie met het bedreigende en onzeker makende andere, zelf modern zijn. De Duitse filosoof Jürgen Habermas heeft erop gewezen dat de panische angst voor de moderniteit de schaduwgeschiedenis van de moderniteit zelf is; de in 2004 overleden Franse filosoof Jacques Derrida heeft beklemtoond dat de westerse democratieën hun eigen vijanden zo niet geschapen, dan toch versterkt en bewapend hebben.[5] De nadruk die de invloedrijke Egyptische islamistische denker en grondlegger van het fundamentalisme Sayyid Qutb (1906-1966) legt op de islam als omvattend systeem, gaat uit van een visie op coherente gedachtesystemen die in hoge mate modern is. De overtuiging van ayatollah Ruhulah Khomeini dat een islamitische revolutie noodzakelijk is, sluit aan bij een modern idee van revolutie.[6] Analyse maakt duidelijk dat de ideologie van Osama bin Laden en Al-Qaida minstens zozeer afhankelijk zijn van linkse theorieën over de noodzaak van terroristische actie die in de jaren zeventig en tachtig in Europa de ronde deden, als van de islamitische traditie.[7] De agressieve kritiek op het goddeloze Westen die sterk leeft in het publieke bewustzijn van de islamitische wereld, blijkt vooral modern-westerse voorouders te hebben.[8] En *last but not least*, verdedigers van een politieke islam of een islamitisch traditionalisme verschillen onderling sterk. Zij maken bovendien deel uit van een levendig debat, waarin ook heel andere en tegengestelde posities naar voren worden gebracht die zich evenzeer

4 T. Gorringe, 'Terrorism', 2004.

5 Zie G. Borradori, *Philosophy in a Time of Terror*, 2003.

6 Voor het eerste, zie W. Shepard, *Sayyid Qutb and Islamic Activism*, 1996; id., 'Islam as a "System" in the Later Writings of Sayyid Qutb', 1989. Voor het tweede, zie R. Khomeini, *Islam and Revolution*, 1981.

7 Vgl. hiervoor M. Ruthven, *A Fury of God*, 2002; J. Gray, *Al Qaeda and What it Means to Be Modern*, 2003. Voor de gedachtewereld en de motieven van islamistische terroristen, zie J. Stern, *Terror in de Name of God*, 2003.

8 I. Buruma/A. Margalit, *Occidentalism*, 2004. Voor een overzicht van het denken over het Westen in de islamitische tradities, zie J. Waardenburg, 'Reflections on the West', 2004; voor een indruk van de stemming in de islamitische wereld, zie R. Rotthier, *De koranroute*, 2003.

menen te kunnen beroepen op de islamitische traditie, en dat ook doen.[9]

Maar het feit dat het hedendaagse moslim-terrorisme eerder een politieke dan een religieuze oorsprong heeft, weerlegt nog niet de visie die met name veel westerse intellectuelen bevestigd zien in de gebeurtenissen van 11 september en hun nasleep, inclusief het optreden van de Amerikaanse president George Bush. Volgens deze visie is religieus geloof in zichzelf een sterke, uiteindelijk onredelijke overtuiging die de waarachtige democratie ondergraaft en bedreigt.[10] Ook als de gewelddadigheid in de religie van moderne oorsprong blijkt, dan nog haalt volgens deze visie de religie klaarblijkelijk de meest bedreigende aspecten van de moderne cultuur naar boven. Ook als aangetoond kan worden dat de islam een sterke traditie kent van vrije discussie en zijn eigen Verlichting heeft gehad, evenals zijn eigen vorm van liberaal modernisme met name in de negentiende eeuw, dan leidt dit in het huidige klimaat vooral tot het stellen van de retorische vraag: *What Went Wrong?*[11] In de lijn van de rest van dit boek is het uitgangspunt van dit hoofdstuk dat de vragen naar de basis van samenleven en omgang met gevaar zelf religieuze en theologische vragen zijn. Ik bestrijd hierbij niet het geweldpotentieel van religies in het algemeen of van de islam in het bijzonder. Maar ik wil laten zien dat de islam aan de noodzakelijke reflecties op de religieuze aard van dit fundament van de samenleving een belangrijke bijdrage levert die ook buiten islamitische kring gehoor verdient. De concentratie van de islamitische traditie op gedrag, ook in de publieke sfeer, en op het gehoorzamen van de wet (*sjaria*) als religieuze plicht, impliceert een eigen, belangwekkend accent.

Vaak wordt gesuggereerd dat de scheiding tussen kerk – moskee – en staat binnen de islamitische traditie onmogelijk is. Zoals nog duidelijk zal worden, klopt dit niet zonder meer. Tegelijkertijd is in mijn ogen de weerstand die de islam biedt tegen secularisatie volgens westers-liberaal model, niet per se negatief. Het is deel van de bijdrage die de islam levert aan onze collectieve zelfreflectie.

9 W. Shepard, 'The Diversity of Islamic Thought', 2004. Voor een beeld van het debat, zie *Modernist and Fundamentalist Debates in Islam*, ed. M. Moaddel/K. Talatoff, 2000.

10 Zie, naast het geruchtmakende artikel van Richard Dawkins, 'Religion's Misguided Missiles', 2001, bijvoorbeeld – de voorbeelden zijn tamelijk willekeurig – B. Lincoln, *Holy Terrors*, 2003; S. Harris, *The End of Faith*, 2004.

11 Aldus de titel van een bekend boek van de islamoloog Bernard Lewis over de stagnerende ontwikkeling in de islamitische wereld: *What Went Wrong?*, 2002. Voor de prominente plaats van de vaak verrassend vrije filosofie binnen de islam, zie M. Leezenberg, *Islamitische filosofie*, 2001. Voor het met name negentiende-eeuwse islamitisch modernisme, zie B.M. Nafi, 'The Rise of Islamic Reformist Thought', 2004. Dat de liberale stroming binnen de islam wel degelijk tot op de dag van vandaag bestaat, wordt zichtbaar in *Liberal Islam*, ed. C. Kurzman, 1998.

Maar het blijft om te beginnen essentieel te zien dat 'de islam' niet zo maar een standpunt heeft over wat dan ook. De moslimgemeenschap, de *oemma*, is een gemeenschap van discussie en debat, soms chaotisch en soms gewelddadig, zoals elke religieuze en uiteindelijk elke menselijke gemeenschap. Wie benieuwd is naar een islamitische bijdrage aan de discussie over de belangrijke kwesties van onze tijd, die ontkomt er niet aan zich in te laten met het interne islamitische debat. Dat zal ik in dit hoofdstuk daarom ook doen, het bijbehorende ongemakkelijke gevoel op de koop toe nemend dat ik mij op vreemd terrein begeef.

In 2003 schreef de uit Iran afkomstige en nu in Parijs wonende antropologe Chahdortt Djavann een geruchtmakend pamflet tegen het dragen van een sluier door islamitische vrouwen.[12] Haar voornaamste bezwaar is dat de sluier (*hidjab*), die volgens veel interpretaties van de koran voor vrouwen verplicht of minstens aanbevolen is, vrouwen onderwerpt aan de macht van mannen en van hun individualiteit berooft. Daarom is de sluier onderdrukkend en mag het dragen ervan in de openbare ruimte niet worden toegestaan door een democratisch land, waarvan de overheid immers de plicht heeft de rechten van het individu te beschermen. 'Ik heb tien jaar de sluier gedragen. Het was de sluier of de dood. Ik weet waar ik het over heb', zo begint Djavann haar tekst. Zij maakt geen fundamenteel onderscheid tussen de door een overheid opgelegde *chador* die het hele lichaam bedekt en de door moslima's in het Westen vrijwillig gemaakte keuze een hoofddoek te dragen als teken van een islamitische identiteit die zij zelf willen vorm geven. De verhalen van deze vrouwen lijken voor haar niet interessant en bestaan in zekere zin niet. Voor haar telt alleen de sluier en wat zij ziet als de eenduidige betekenis ervan.[13] De eveneens Iraanse schrijfster en literatuurwetenschapster Azar Nafisi breekt nu juist met een dergelijke monolithische visie op de islam en bevrijdt hiermee zichzelf en anderen uit de gevangenschap van de onkenbaarheid. Ook voor Nafisi is de in haar land verplicht opgelegde *chador* een keurslijf dat vrouwen in hun individualiteit onzichtbaar maakt en hen in hun eigenheid fnuikt. Om deze individualiteit te bewaren en te exploreren las ze met een groepje studentes in Teheran enkele klassieke werken uit de westerse literaire canon. Nadat zij was uitgeweken

12 C. Djavann, *Bas la voiles!*, 2003. Wat ik in het navolgende schrijf, geldt in mijn visie in hoge mate ook voor de positie van de uit Somalië afkomstige Nederlandse politica Ayaan Hirsi Ali ten opzichte van de islam. Ook voor haar doen de visies die vrouwen van binnen uit de islam formuleren niet ter zake en is de islam per se onderdrukkend; vgl. bijvoorbeeld A. Hirsi Ali, *De zoontjesfabriek*, 2002, id., *De maagdenkooi*, 2004; id., *Submission*, 2004, 35-51: 'De noodzaak tot zelfreflectie: Het antwoord van Ayaan Hirsi Ali aan haar critici'.

13 Zie hiertegenover, voor een geslaagde poging wel achter de sluier te kijken, met als boodschap 'De hoofddoek *an sich* is geen verhaal. Het zijn er velen', N. Dala, *Als sluiers vallen*, 2005.

naar de Verenigde Staten heeft zij over deze leesgroep een boek geschreven, waarin zij vertelt hoe deze studentes op het gelezene reageren en het verbinden met hun eigen ervaringen in het geïslamiseerde Iran. Zo richtte zij voor hen, naar haar eigen besef, een plaats in waar zij ongesluierd kenbaar zijn. Ze worden gekend 'zolang jullie mij in jullie ogen houden, beste lezers'.[14] Nafisi en haar studentes worden niet ontsluierd, zij ontsluieren zelf.[15]

Nu kunnen deze lezers in eerste instantie gemakkelijk de indruk krijgen dat Nafisi meent dat de bevrijding van de islam uit het Westen komt en alleen de westerse literaire canon haar studenten kan bevrijden. Zoals ook de Canadese, uit Oeganda afkomstige lesbische journaliste en schrijfster Irshad Manji het heil vooral uit het Westen lijkt te verwachten.[16] In haar geruchtmakende boek *Het islamdilemma* roept Manji zich uit tot wat zij noemt 'moslimrefusnik': zij weigert zich nog langer door de officiële woordvoerders van haar religie te laten vertellen wat zij moet vinden en hoe zij zich moet gedragen. Zij stelt de politieke en intellectuele openheid van het Westen aan haar geloofsgenoten ten voorbeeld. Het Westen staat volgens haar ervaring niet alleen open voor een inbreng vanuit de islam, maar westerse intellectuelen blijken ook nog beter dan de religieuze specialisten van haar eigen traditie in staat de betekenis van de islam duidelijk te maken.[17] Als ik echter hier spreek over de islam als een 'Europese' religie, bedoel ik niet dat moslims van Europeanen en hun traditie moeten leren hun religie open en tolerant te maken en zo te voldoen aan vermeende Europese normen. Ik bedoel in zekere zin het omgekeerde. In de islamitische tradities zit een stroom die overeenkomt met de gerichtheid op een voor verschillen, pluraliteit en verandering openstaande gemeenschap die ik in het vorige hoofdstuk het religieuze gehalte van hedendaags Europa heb genoemd. Er zijn binnen de islam ook tegengestelde stromen, zoals die er ook zijn binnen het christendom en evenzeer binnen het Europese seculiere denken. Hier ben ik erop uit de islamitische traditiestroom naar voren te halen die 'Europees' genoemd

14 A. Nafisi, *Reading Lolita in Tehran*, 2003. De geciteerde zin is de laatste van de hoofdtekst van het boek en komt uit een fragment dat gepresenteerd wordt als een brief van een vrouw die behoorde tot Nafisi's studenten in Teheran. Het boek is echter geenszins alleen documentair en maakt gebruik van tal van literaire stijlmiddelen.

15 Dit is de subtiele impact van de titel van de autobiografische notities van de in Engeland geboren islamitische publiciste van Pakistaanse afkomst Naema Tahir, *Een moslima ontsluiert*, 2004.

16 I. Manji, *The Trouble with Islam*, 2003. Voor nadere informatie, zie het voorwoord van Margreet Fogteloo in de Nederlandse vertaling: *Het islamdilemma*, 2004, 9-19.

17 Manji is vooral onder de indruk van K. Armstrong, *Islam*, 2000, die de religieuze betekenis van de islam benadrukt, met name de gerichtheid op 'sociale rechtvaardigheid, gelijkheid, tolerantie en praktische compassie' en die meent dat een gezonde en sterke islam van belang is voor niet-moslims in de westerse wereld.

kan worden in de zin die dit woord in het vorige hoofdstuk gekregen heeft.[18]

Irshad Manji's *Het islamdilemma* is hierbij belangrijk, omdat dit journalistieke en toegankelijk geschreven boek een fundamenteel en diepzinnig theologisch punt maakt. Manji stelt de gedachte aan de kaak volgens welke het ware geloof eens en voorgoed gevestigd is door Mohammed en vervolgens slechts hoeft te worden bewaard en doorgegeven. In plaats daarvan gaat het er religieus gezien volgens haar om in de eigen situatie te doen wat Mohammed in zijn situatie deed: temidden van gewelddadig conflict, onrecht en gerichtheid op valse goden een vredige, harmonieuze, rechtvaardige en op God gerichte gemeenschap stichten. In iets diplomatiekere termen wijst ook de in Zwitserland werkende islamitische filosoof Tariq Ramadan elke terugtrekkende beweging en elke obsessie met het verleden en de eigen identiteit voor moslims af. In plaats daarvan bepleit hij voor moslims die in westerse samenlevingen wonen een 'authentieke dialoog, als met gelijken, met al onze medeburgers, met respect voor het feit dat onze respectievelijke waarden gelijkelijk universeel zijn, welbewust open voor wederzijdse verrijking en erop gericht om uiteindelijk partners te worden in actie'. Moslims moeten volgens hem alle pogingen laten varen als minderheid een eigen plaatsje te veroveren in de marge van de westerse samenleving, afgesloten van de hoofdstroom. In plaats daarvan moeten zij enerzijds zich alles eigen maken 'wat door mensen is voortgebracht en dat goed, rechtvaardig, en menselijk is – intellectueel, wetenschappelijk, sociaal, politiek, economisch, cultureel enzovoort'. Anderzijds moeten moslims het als hun religieuze plicht zien 'overal waar de wet hun integriteit respecteert en hun vrijheid van geweten en godsdienstuitoefening' gunt, de plaats waar ze wonen als hun thuis te beschouwen en zichzelf met hun medeburgers in te zetten om de samenleving te verbeteren.[19] Waar Manji zich baseert op haar onbehagen als moslima in de Canadese samenleving, daar concentreert Ramadan zich op de bronnen van de islam en boort deze, vanuit de nieuwe situatie van een Europese c.q. een westerse islam *in statu nascendi*, op een nieuwe manier aan.

Ramadan spreekt nadrukkelijk de gedachte tegen dat de islam zich zou moeten aanpassen aan haar minderheidspositie, ruimte zou moeten scheppen voor een profane publieke maatschappelijke sfeer waar moslims hun religieuze overtuigingen buiten houden. Volgens Ramadan moet de islam niet de pretentie opgeven op universele geldigheid. Dit maakt hem omstreden en volgens sommigen een crypto-fundamentalist.

18 Dit betekent uiteraard ook een keuze binnen de islam; vgl. B. Tibi, 'Muslim Migrants in Europe between Euro-Islam and Ghettoization', 2002; id., *Islam Between Culture and Politics*, 2005; id., 'From Islamist Jihadism to Democratic Peace', 2005.

19 T. Ramadan, *Western Muslims and the Future of Islam*, 2004, 3-7.

Maar zijn punt is dat juist omdat de islam universeel wil zijn, moslims in fundamentele dialoog moeten treden met anderen. Juist vanwege de universele gerichtheid van hun religie is het niet voldoende als zij zich alleen uiterlijk onderschikken aan het gegeven dat er andere posities zijn. Zij moeten werkelijk van binnenuit de diversiteit accepteren en ermee leren omgaan. Met het oog hierop ontwikkelt Ramadan een methode om vanuit de situatie van Europese moslims de koran en de islamitische overlevering (*soenna*) opnieuw te interpreteren.[20] Zo kan een verandering van de islam van binnenuit plaatsvinden – of liever: worden voortgezet. Tariq Ramadan is ervan overtuigd dat de toekomstig islam waaraan hij wil bijdragen, al aan het vorm krijgen is onder moslims in het Westen.

Op zoek naar een adequate verbeelding

De verwarring rond de sterke groei van wat in de westerse publieke opinie gezien wordt als fundamentalistische stromingen in de islam, wordt verbeeld in de roman *Sneeuw* van de Turkse schrijver Orhan Pamuk.[21] Dit boek is volgens de datering van de auteur zelf tussen april 1999 en december 2001 geschreven, dus in de periode dat het door Samuel Huntington ontworpen script voor een botsing van de beschavingen realiteit leek te worden. Dit thematiseert Pamuk. Het gaat hem niet alleen om de dreigende en feitelijke botsingen, maar misschien nog wel meer om het feit dat politiek en religie in de huidige constellatie van de wereld in hoge mate vormen zijn van toneel en theater, gebaseerd op fictionele scripts die tegelijkertijd op bloedige wijze reëel zijn. Tot twee keer toe worden er in *Sneeuw* toneelstukken opgevoerd die een karikaturaal beeld van de werkelijkheid geven, maar tegelijkertijd vergaande gevolgen hebben in deze werkelijkheid. Twee bekende, met elkaar verbonden scripts worden steeds weer uitgespeeld. Volgens het ene beschermen de vertegenwoordigers van de seculiere, moderne Turkse staat vrouwen tegen uitbuiting, onder meer door het dragen van de hoofddoek in openbare ruimten te verbieden. Volgens het andere weigeren vrome, toegewijde en onschuldige jonge vrouwen in toenemende mate uit onzelfzuchtige trouw aan hun geloofsovertuiging hun hoofddoek af te doen, zelfs als hen dit bijvoorbeeld hun schoolcarrière kost.

Op een wijze die te gecompliceerd is om in kort bestek uit de doeken te doen – *Sneeuw* heeft het in zich een klassieke roman over het islamisme in Turkije te worden en verdient een uitvoerige literatuurwetenschappelijke analyse die het huidige bestek te buiten gaat – laat Pamuk

20 Vgl. voor de uitwerking behalve Ramadan, *o.c.*, ook id., *To Be a European Muslim*, 1999. Voor een uitvoerige kritische bespreking van Ramadans positie en de vermeende integralistische tendens in zijn denken, vgl. C. Fourest, *Frère Tariq*, 2004.

21 O. Pamuk, *Sneeuw*, 2003; in het Turks: *Kar*.

zien dat dit dubbele script, waarop ook in de westerse discussies steeds opnieuw wordt teruggegrepen, oneindig ver afstaat van de realiteit, maar tegelijkertijd deze realiteit bepaalt. Het zichzelf als progressief beschouwende secularisme is in de politieke vorm die het in Turkije heeft gekregen, in Pamuks voorstelling direct verbonden met machtswellust en het verlangen het volk te beheersen. Het schijnbaar hyperreligieuze islamisme is verweven met uitermate wereldse begeerten en op tal van punten rechtstreeks erfgenaam van het ultra-linkse activisme en terrorisme van vorige generaties jongeren. De strijd tussen islamisme en secularisme wordt vooral gevoerd op het terrein van de politieke symboliek, waarbij de ene partij recht op vrijheid en de waardigheid van alle mensen naar voren schuift en de andere het belang van gehoorzaamheid aan religieuze voorschriften. Vertegenwoordigers van beide posities zijn in belangrijke mate te kwader trouw en worden, zo laat Pamuk subtiel zien, uiteindelijk verenigd door een gemeenschappelijk gebrek aan hoop. Omdat ze niets meer verwachten, rest hen nog slechts de – uiteindelijk uiteraard ijdele – poging de werkelijkheid met geweld naar hun hand te zetten of met behulp van absolute regels in de greep te houden. Dat wat zich presenteert als inzet voor menselijke vrijheid, is het daarom geenszins. Dat wat in het dubbele script 'religie' heet, is het nog minder: hier wordt nergens meer in geloofd en er is geen sprake van enige vorm van waarachtige 'islam', van ware overgave.

Temidden van dit alles beweegt zich de hoofdpersoon, de dichter Kerim Alakusoglu – kortweg en Kafkaësk: Ka –, die na twaalf jaar in eenzame ballingschap in het Duitse Frankfurt te hebben gewoond, kort in zijn vaderland Turkije verblijft. Hij bezoekt als gelegenheidsjournalist de geïsoleerde provincieplaats Kars waar *Sneeuw* – in het Turks *Kar* – zich afspeelt, met het oogmerk de achtergronden op te sporen van het opmerkelijk hoge aantal zelfmoorden van militant-islamitische meisjes die vanwege het dragen van een hoofddoek van school zijn gestuurd. Deze zelfmoorden brengen niet alleen de secularistische overheid in grote verlegenheid, maar evenzeer de islamisten: het plegen van zelfmoord geldt in principe als een anti-islamitische daad. Ka wordt door alle partijen beschouwd als een verwesterde atheïst, maar op een onnadrukkelijke wijze suggereert Pamuk dat deze angstige, op zijn kleine eigen belang gespitste, met allen in contact staande maar van iedereen vervreemde en in zichzelf gekeerde man, in zijn taaie hoop op geluk, zijn angst voor pijn en teleurstelling en zijn gevoeligheid voor de dubbelzinnigheden van de situaties waarin hij terechtkomt, de ware bron van de religiositeit vertegenwoordigt: de ontvankelijkheid. Voor Pamuk lijken de dichtkunst en de literatuur de 'religie vóór de religie' te vertegenwoordigen, een vorm van religiositeit die nog niet is aangeraakt door pogingen haar te manipuleren en beheersen, tot inzet te maken in de strijd tussen belangen en visies.

Men zou als lezer kunnen denken dat dichtkunst en literatuur voor Pamuk ook de 'religie na de religie' vertegenwoordigen, de religie die de kop opsteekt als zij de leerstellingen, structuren en instituties doorbreekt die haar lange tijd in de greep hielden. Maar het loopt met Ka, die dichtkunst en literatuur belichaamt, slecht af. In de doodse anonimiteit van het Frankfurt waarnaar hij terugkeert, wordt hij op onachterhaalbare wijze vermoord. De ware, poëtische religie krijgt geen kans in de moslimwereld met zijn strijd tussen islamisme en secularisme en zij sterft af in het volledig geseculariseerde Westen. Om dit over te brengen maakt Pamuk gebruik van een derde script dat in de islamitische wereld rondgaat, naast het secularistische en het islamistische. Volgens de klassieke Arabische traditie wordt de dichter direct en als door een externe instantie geïnspireerd. In *Sneeuw* komen de gedichten op de beslissende momenten kant en klaar tot Ka en hoeft hij ze alleen maar te noteren. Zo krijgt de dichtkunst zelf quasi-mythische trekken en wordt zij onmiddellijk geïdentificeerd met wat goed is in religie: overgave aan de poëzie die de diepere lagen openbaart van het bestaan en van de afzonderlijke gebeurtenissen. Op deze manier vermijdt Pamuk de vraag welke verhalen in staat zijn de actuele, hybride en dubbelzinnige situatie goed in beeld te brengen, welk script werkelijk kan helpen uit de actuele impasses te breken, en waar en hoe dit script te vinden is. Het is ook mogelijk dat hij op deze manier laat zien niet te geloven dat een dergelijk script er is.

Niettemin doet dit hoofdstuk een bescheiden poging in gesprek met posities in de islamitische tradities, zicht te krijgen op de wereld en de manier waarop men zich door God 'op de juiste weg' kan laten leiden: de weg van, zoals de koran het zegt, hen aan wie God genade geschonken heeft, op wie Gods toorn niet rust en die niet dwalen (Koran 1, 6-7).[22] Zoals in de andere hoofdstukken in dit boek, breek ik hierbij met een visie op religie en religieuze tradities die in het nadenken over de positie van de islam nog dominanter en nog desastreuzer is dan op andere terreinen. Het moderne denken maakt een scherp onderscheid tussen het te kennen object en het kennend subject. De kennende subjecten worden gezien als de producenten van zin, betekenis en identiteit, en de wereld van objecten als grondstof van de ordenende en zin- en betekenisgevende activiteiten. In deze voorstelling ligt het voor de hand religies te beschouwen als orde-, zin-, betekenis- en identiteitgevende visies die de volheid van hun overleveringen inbrengen in een zonder deze inbreng zin- en betekenisloze, chaotische en lege wereld. Zo dreigt uit het zicht te verdwijnen dat religieuze tradities zichzelf zien als gericht op en beantwoordend aan een transcendente werkelijkheid die niet van hen

22 Vert. F. Leemhuis.

afhankelijk is. In het moderne denkschema verschijnt de positie die uitsluitend uit de eigen religieuze overlevering put aan voor- en tegenstanders ervan als traditioneel en orthodox, omdat zij gebaseerd lijkt op een sterk geloof. Zij is echter bij uitstek modern doordat zij het subject als producent van zin- en betekenis centraal stelt. De positie die religieuze tradities nadrukkelijk beschouwt als antwoord op een transcendente realiteit die zich temidden van het leven als mysterie openbaart, verschijnt in het moderne denkschema als modernistisch en vrijzinnig. Deze geeft echter juist, direct aansluitend bij de traditie, ruimte voor het zoeken naar en het wachten op de God die om overgave en geloof vraagt.

Het aan mijn leermeester Edward Schillebeeckx ontleende uitgangspunt van dit boek is dat in de christelijke traditie dit verwachtende verlangen centraal staat, samen met het aan de geschiedenis van leven, lijden, sterven en verrijzen van Jezus ontleende vertrouwen dat God als heilzame toekomst onverbrekelijk verbonden blijft met kwetsbare en gekwetste mensenlevens.[23] Vergelijkbare opvattingen zijn te vinden bij denkers binnen de islam en enkele daarvan haal ik in de rest van dit hoofdstuk naar voren, als bijdrage aan de uiteindelijk religieuze zoektocht naar een antwoord op de vraag van Wisława Szymborska: 'hoe moet ik leven?' De koran spoort zijn lezers aan met de andere 'mensen van het boek' – Joden en christenen – te discussiëren op basis van de volgende veronderstelling: 'Wij geloven in wat naar ons is neergezonden en wat naar jullie is neergezonden, onze God en jullie God is één en wij geven ons over aan hem' (Koran 29, 46). Niet de verschillende religieuze tradities hebben het laatste woord, maar de God wiens boodschap deze tradities pretenderen te vertolken en waaraan deze tradities zich willen overgeven. Wat deze overgave betekent, daarover kan vervolgens dan tussen de verschillende tradities open worden gesproken, zoekend naar wat de ander in de gemeenschappelijke zoektocht heeft in te brengen.

Humanisme en islam

In 2004 kende de Stichting Praemium Erasmianum voor het eerst sinds de oprichting in 1958 de Erasmusprijs toe aan 'drie cultuurdragers uit het islamitische cultuurgebied', die door 'hun open en kritische opstelling en hun verlichte denkbeelden over godsdienst en samenleving' goed aansluiten bij 'het gedachtegoed van Erasmus, de naamgever van de prijs'.[24] De stichting plaatste de toekenning van de prijs nadrukkelijk in

23 Dat een 'sterk' geloof in religieuze, maar ook in seculiere overtuigingen en waarden de rede bedreigt, is de stelling van S. Harris, *The End of Faith*. l.c. Hoewel nadrukkelijk anti-religieus, schuift Harris opmerkelijk genoeg meditatievormen uit de oosterse mystiek naar voren als weg naar een seculiere en humanistische ethiek.

24 M. Sparreboom, 'Religie en moderniteit', 2004, 10. Cijfers tussen haakjes in de tekst verwijzen naar pagina's van *Religie en moderniteit*, 2004.

de context van 'het intellectuele debat over de verhouding tussen godsdienst en moderniteit', waarin de vraag wordt gesteld 'wat de positie is van de godsdienst ten opzichte van maatschappelijke moderniseringsprocessen, zoals ontwikkeling van kennis, secularisering, individualisering en democratisering'. De vraag 'of religie een hinderpaal vormt voor modernisering' in deze zin, wordt dus niet a priori met 'ja' beantwoord, zoals sinds 11 september 2001 steeds meer gewoonte lijkt geworden. De Erasmusprijsstichting pleit ervoor onder ogen te zien 'dat moderniseringsprocessen misschien niet altijd verlopen volgens in het Westen ontwikkelde modellen'.[25] De drie moslimintellectuelen die de Stichting Praemium Erasmianum naar voren heeft geschoven, zijn in de rest van dit hoofdstuk de ingang tot het intellectuele debat binnen de islam over de verhouding tussen godsdienst en moderniteit, en over de specifieke bijdrage van de religie aan de moderniteit. Het eigensoortige humanisme dat deze intellectuelen representeren, verdient het te worden gehoord binnen de debatten hierover in de westerse wereld.[26]

De in het Westen meest bekende Erasmusprijslaureaat van 2004 is zonder twijfel Fatema Mernissi (Fez, 1940). Deze politicologe en sociologe, die onder meer studeerde in Rabat en Parijs en doceert aan de Mohammed V universiteit van Rabat, vergaarde roem met haar autobiografische verhalen over het leven in een harem, een verdwijnende wereld waarin zij nog opgroeide, met haar studies over de positie van de vrouw in de veranderende moslimwereld en haar kritisch-feministische herlezing van de oorsprong van de islam.[27] Voor Mernissi is de islam geen monolithisch religieus en cultureel geheel, maar een brede waaier aan visies en standpunten waarmee groepen mensen proberen de wereld te doorgronden en er een zinvol bestaan in te leiden. Soms strijden de verschillende opvattingen met elkaar, soms staan ze – en daaraan geeft Mernissi in principe de voorkeur – in hun verschillen naast elkaar als even zovele expressies van manieren van zien. Mernissi representeert in haar onderzoek en haar schrijverschap bij uitstek het idee van de sterke, intel-

25 Zie 'Erasmusprijs 2004 toegekend aan Sadik Jalal Al-Azm, Fatema Mernissi en Abdulkarim Soroush', te vinden op: http://www.erasmusprijs.org/nl/page.cfm?paginaID=2. Er lijkt overigens sprake van een zekere spanning binnen het bestuur van de Erasmusprijs met betrekking tot de verhouding tussen secularisering en modernisering. Sparreboom, 'Religie en moderniteit', l.c., 9, spreekt over 'moderniteit, met daarbinnen een centrale plaats voor het secularisme' als een project met een politiek doel dat een complexe geschiedenis kent met talrijke varianten (vgl. T. Asad, *Formations of the Secular*, 2003). De formulering hier doet, anders dan de tekst op de website, vermoeden dat de wenselijkheid van dit doel niet ter discussie staat.

26 Vgl. ook mijn 'Religie en moderniteit hernieuwd op de agenda', 2004.

27 Voor het eerste, zie haar *Dreams of Trespass*, 1994. Voor het tweede, zie haar proefschrift, *The Effects of Modernization of the Male-Female Dynamics*, 1974, later bewerkt tot *Beyond the Veil*, Cambridge 1975, en *Le Maroc raconté par ses femmes*, 1984. Voor het derde, zie haar *Le harem politique*, 1987.

lectuele en zelfstandige vrouw die tegelijkertijd onderdeel is van de islamitische traditie die volgens de heersende opvattingen in het West en Oost niet kan bestaan, maar die volgens Mernissi juist altijd zeer prominent is geweest in de moslimwereld. Behalve aan de koran en de tradities over de profeet (*ahadit*) hecht zij veel waarde aan de veelkleurige overgeleverde verhalen zoals deze bijvoorbeeld zijn neergeslagen in de *Vertellingen van duizend-en-één-nacht*. Als schrijfster spiegelt zij zich aan de fictieve vertelster ervan, Sheherazade. Ook de vrouwelijke presentatrices op de snel in aantal en belang toenemende Arabische nieuwszenders representeren volgens haar deze mythologische uitvindster van het avonturenverhaal (75).[28]

Dat Arabische satellietzenders zich in toenemende mate ontwikkelen tot 24-uurs nieuwsstations als al-Jazeera en, meer recent, al-Arabiyya, dat het vooral vrouwen zijn die de informatie presenteren, en dat de vrouwen die dit doen 'niet jong en onzeker zijn' zoals bij de amusementzenders, maar 'juist rijpheid zowel in leeftijd als in emotionele evenwichtigheid tentoonspreiden', een 'cerebraal charisma en een gedurfdheid', en mannen dit aantrekkelijk blijken te vinden (74): deze zaken zijn voor Mernissi van grote culturele betekenis. Ten eerste ontkracht het volgens haar 'het stereotype ... dat islam met archaïsme associeert'. Ten tweede betekent het feit dat 'van de ene naar de andere zender zappen ... een nationale sport geworden [is] in de Arabische wereld', dat macht voortaan op communicatie gebaseerd moet zijn. De macht verschuift 'van de staatsbureaucratische elite en de particuliere olielobby's naar burgers' (64-65). Ten derde wordt met de hiervoor noodzakelijke communicatie een oeroud islamitisch ideaal gerealiseerd. De *oemma*, de wereldwijde gemeenschap van gelovigen, is volgens Mernissi niet een statisch gegeven, maar een 'dynamische, door communicatie voortgedreven groep' die tendentieel de hele wereld omvat. De 'droom van de moslims over een door debatten verbonden planetaire gemeenschap' die hierin besloten ligt, is volgens haar door de satellietzenders 'in een virtuele werkelijkheid veranderd' (62-63). Ten vierde – en dat is voor Mernissi vanuit haar vrouwenstudies-achtergrond zeker niet de minste doorbraak – impliceert de actieve en zelfbewuste rol van de presentatrices bij de nieuwszenders de 'afwijzing van de archaïsche rol van de dominante man, wiens mannelijkheid toeneemt met de passiviteit van de vrouw' (75).

De losse en creatieve wijze waarop Mernissi actuele vragen verbindt met culturele en religieuze tradities, blijkt duidelijk wanneer zij de betekenis van de satellietzenders in bijna mystieke termen aanduidt. Zoals de soefische mystici vieren de nieuwszenders in haar ogen de diversiteit van

28 F. Mernissi, 'De satelliet, de prins en Sheherazade', 2003.

de wereld door deze te weerspiegelen. Diversiteit leidt tot verwarring en deze brengt angst voort, maar hierin is voor Mernissi precies ook de mystieke betekenis van de satelliettelevisie gegeven: angst maakt het verlangen los te weten wat bang maakt, teneinde het via de verworven kennis op te nemen als verrijking van zichzelf (76-77). Op verhelderende en tegelijkertijd vermakelijke wijze keert zij het breed aanvaarde beeld om van de Amerikaanse cultuur als open en gericht op de wereld en de Arabische als gesloten. Mernissi verbindt Amerika met de angstige, zich tegen vreemdelingen wapenende en verschansende houding van de cowboy, en de Arabische met die van Sinbad, de over de wereld rondzwervende, steeds met vreemden in vreemde omgevingen handeldrijvende en communicerende zeeman uit de *Vertellingen van duizend-en-één-nacht*.[29] In een tekst die het midden houdt tussen een verhaal en een essay, exploreert Mernissi de bruikbaarheid en de grenzen van deze twee metaforen, ze volgend waar ze verhelderen en ze doorbrekend wanneer ze gangbare clichés ten onrechte dreigen te bevestigen. Ze speurt naar de cowboys-van-de-geest in de Arabische geschiedenis – en lijkt de belangrijkste niet toevallig in Bagdad te lokaliseren! –, onderzoekt wat er in de Arabische traditie voor gezorgd heeft dat Sinbad in hoge mate door de cowboy werd verdrongen en probeert manieren te vinden de Sinbad-houding in de islamitische wereld in ere te herstellen.

Meer nog dan voor Mernissi is de islam voor de tweede Erasmusprijslaureaat, Sadam Al-Azm (Damascus 1934), in de eerste plaats de culturele traditie waar hij deel van uitmaakt, eerder dan een religie. Deze emeritushoogleraar moderne Europese filosofie aan de universiteit van Damascus is een seculier en politiek links denker die zichzelf beschouwt als moslim 'qua cultuur, erfgoed en geschiedenis'. Hij is erop uit zijn traditie open en dynamisch te maken en te houden. In dit kader verdedigde hij Salman Rushdie toen deze naar aanleiding van zijn roman *De duivelsverzen* door een fatwa van ayatollah Khomeini met de dood werd bedreigd.[30]

Een maand na 11 september 2001 schreef Salman Rushdie een column waarin hij ertoe opriep de mogelijkheid onder ogen te zien dat de op deze dag in Amerika gepleegde aanslagen wel degelijk te maken had-

29 id., 'De cowboy of Sinbad?', 2004.

30 Vgl. voor zijn verhouding met Rushdie, S. Al-Azm, 'De duivelsverzen *post festum*', 2000; zie ook id., 'The Importance of Being Earnest about Salman Rushdie', 1991; id., *Beyond the Tabooing Mentality*, 1992. Als beroepsfilosoof heeft Al-Azm twee technische studies over Kant op zijn naam staan (*Kant's Theory of Time*, 1967; id., *The Origin of Kant's Argument in the Antinomies*, 1972). Hij zet zich niet alleen in voor een Verlichte islam, maar heeft ook de achtergronden van het verzet ertegen bestudeerd; vgl. S. Al-Azm, *Unbehagen in der Moderne*, 1993; id., 'Islamic Fundamentalism Reconsidered', 1993/4.

den met de islam. Hij meent dat de relaties tussen islam en terrorisme door steeds meer moslims en seculiere analisten met wortels in de moslimwereld worden onderzocht, die op basis hiervan zouden pleiten voor een interne hervorming van de islam.[31] Al-Azm, die zich al sinds de jaren zestig inspant voor een dergelijke hervorming, is zeker een van hen. Waar Rushdie echter, zoals veel westerse intellectuelen, het heil verwacht van een islam als 'persoonlijk, geprivatiseerd geloof' en haar 'depolitisering', daar neemt Al-Azm een positie in waarvoor hij zich op een ouder opstel van Rushdie beroept. In dit opstel duidde Rushdie aan dat het in de turbulente wereld waarin wij leven, onmogelijk is zich terug te trekken op een windstil, buiten-politiek gebied.[32] Rushdie neemt hierbij een beeldspraak over van de Britse schrijver Georg Orwell, die de positie van de schrijver vergelijkt met die van Jona. 'De buik van de walvis is simpelweg een baarmoeder groot genoeg voor een volwassene' en vanuit een dergelijke plaats kan alle verschrikking in de wereld geaccepteerd worden, omdat niets meer bedreigend is. In 1984 betoogde Rushdie dat er in deze zin geen veilige walvis meer is en wij onherroepelijk verbannen zijn 'buiten de walvis'. 'In place of the whale' als surrogaatuterus brak hij een lans voor 'the protesting wail'. In feite wil dit zeggen – maar dit signaleert noch Rushdie noch Al-Azm – dat hij pleit voor een terugkeer naar de bijbelse Jona en het klaag- en protestlied dat deze aanheft als de mythische vis hem heeft opgeslokt:

> Uit het rijk van de dood schreeuw ik om hulp,
> Jij hoort mijn stem!
> Jij slingerde mij de diepte in, naar het hart van de zee;
> door kolkend water ben ik omgeven,
> zwaar slaan jouw golven over mij heen. [...]
> Nu mijn levenadem mij verlaat, roep ik jou aan' (Jona 2, 3-10).

Het klagen dat Rushdie voor ogen staat, moet volgens hem vorm krijgen in een literatuur die een betere kaart van de werkelijkheid schetst dan de gebruikelijke en nieuwe talen ontwikkelt die ons helpen de wereld beter te begrijpen.

Op basis van de gedachtegang van Rushdie uit 1984 stelt Al-Azm dat het onmogelijk is de religie naar de privé-sfeer te verbannen zoals dezelfde Rushdie in 2001 voorstelt. In plaats hiervan probeert Al-Azm de islam en haar heilige teksten te redden als waardevol deel van het eigen cultureel erfgoed.[33] Hierbij is een liefst zo ver mogelijk geseculariseerde

31 S. Rushdie, 'November 2001: Not About Islam?'

32 'An Interview with Sadik Al-Azm', 1997, 121; vgl. S. Rushdie, 'Outside the Whale', 1984, m.n. 93-100.

33 'An Interview with Sadik Al-Azm', l.c., 116.

context wat hem betreft het uitgangspunt. In een polemisch artikel keert hij zich tegen de binnen het actuele internationale debat populaire gedachte dat de islam niet tot secularisering in staat zou zijn. De bewering dat de islam niet vatbaar zou zijn voor secularisatie, in 1990 expliciet gedaan door antropoloog en islamoloog Ernest Gellner, is volgens Al-Azm allereerst simpelweg in strijd met de feiten. Hij meent dat feitelijk in islamitische landen als Egypte, Irak, Syrië, Algerije en Turkije de godsdienst teruggedrongen is naar de rand van het openbare leven en nauwelijks een rol speelt buiten 'de sfeer van eigen status, individueel geloof en persoonlijke godsvrucht of goddeloosheid'. In economie, politiek bestuur, de media en het onderwijs zou nog maar zeer weinig van religie te merken zijn. Al-Azm wijst erop dat precies het feit dat de islam zich in de richting beweegt van 'privatisering, personalisering en zelfs individualisering' en hierdoor de samenleving seculariseert, de achtergrond is van de gewelddadige reacties van radicale islamisten (153-155).[34] Hij meent zelfs dat het in de toespraken van leidende *molla's* in Iran niet draait om religieuze zaken, maar veeleer om 'economische planning, sociale hervorming, herverdeling van rijkdom, het recht op privé-bezit tegenover het recht op verdelende rechtvaardigheid, imperialisme, economische afhankelijkheid, ontwikkeling en de rol van de massa's tegenover die van technocratische elites' (152).[35]

Al-Azm vat zijn antwoord op de vraag of de islam in staat is tot secularisatie zelf samen als: 'dogmatisch gezien is de islam daartoe niet in staat, historisch gezien wel.' De geschiedenis laat volgens hem onweerlegbaar zien dat de islam niet het dogmatische en starre systeem is dat voor- en tegenstanders geneigd zijn erin te zien. Feitelijk is het een 'levend, zich dynamisch ontwikkelend geloof dat zich aan zeer verschillende omgevingen en snel veranderende historische omstandigheden kan aanpassen'. Religies ontwikkelen zich voortdurend volgens historische lijnen die niet anders dan onmogelijk kunnen schijnen voor wie alleen oog heeft voor hun dogmatische systeem. Zo was 'de eenvoudige, egalitaire en onopgesmukte islam van Mekka en Medina' dogmatisch gezien onverenigbaar met het erfelijke kalifaat, dat niettemin eeuwenlang de klassieke regeringsvorm van de Arabische en islamitische wereld zou blijven 'totdat Mustafa Kemal Atatürk het kort na de Eerste Wereldoorlog officieel afschafte'. Als analogie ziet Al-Azm de strijd binnen de rooms-katholieke kerk rond het Tweede Vaticaans Concilie. Hij vindt

34 S. Al-Azm, 'Islam en secularisatie', 1996, 148-159. E. Gellner zou zijn uitspraak in 1990 hebben gedaan in een lezing aan de universiteit van Princeton. Vgl. zijn *Conditions of Liberty*, 1994.

35 Behalve een zich tegen de moderniteit verzettende religie bekritiseert Al-Azm ook een zich tot machten ontwikkelende wetenschap en technologie; vgl. zijn *Kritiek of godsdienst en wetenschap*, 1996.

de beweging van Mgr. Marcel Lefevre en zijn volgelingen in Europa en de Verenigde Staten een voorbeeld van hoe een deel van deze kerk blijft vasthouden 'aan het puristische dogmatische "neen" tegen de heersende paradigma's van deze tijd' en het concilie zelf 'een even treffend voorbeeld van hoe in de rooms-katholieke kerk het historische "ja" het klassieke dogmatische "neen" overwon' (149-150).

In de jaren zestig schreef Al-Azm een boek getiteld: *Kritiek van het religieuze denken.* Het laat zien dat de islam een hoogst problematisch systeem is van verbeelding, met interne tegenstrijdigheden die er uiteindelijk toe dienen religie onmisbaar te maken.[36] Later benadrukt hij vooral dat religie geen eigen substantie heeft. Hetgeen geacht wordt te behoren tot de dogmatische kern van een religie, is in zijn visie de uitkomst van historische ontwikkelingen. Hierbij is niets a priori uitgesloten. Vanuit deze overtuiging keert Al-Azm zich tegen elke vorm van fundamentalisme en ijvert hij voor een islam die te verenigen is met de moderniteit en haar verworvenheden, zoals zelfstandige wetenschapsbeoefening en politieke secularisering.[37] Al Azm is de laatste jaren vooral een commentator van ontwikkelingen en trends in het intellectuele leven van de moslimwereld.[38] Zijn eigen interesse is een islamitische cultuur die op het wereldtoneel opnieuw een rol van betekenis kan spelen. Hij keert zich tegen het religieuze verzet 'tegen het moderne systeem van wetenschapslogica en het begrijpen van en het handelen in de wereld', want dat komt neer op een 'zich overleveren aan het vuilnisvat van de geschiedenis'.[39] Hij zoekt een religieuze verbeelding die hierbij past en die democratie en openheid voor wetenschappelijke inzichten bevordert. De eigenheid van de islam en de grenzen die zij aan een authentieke herinterpretatie oplegt, lijken hem echter niet te interesseren. Voor hem lijken dergelijke grenzen er niet te zijn.

Het humanisme van God

Toen in 1982 Edward Schillebeeckx de Erasmusprijs ontving, was er uitvoerige lof voor zijn humanistische instelling. Enerzijds werd erop gewezen dat hij theologie bleef beschouwen 'als een menselijke inspanning om God recht te verstaan, niet als soevereine proclamatie van eeuwige, onbetwistbare waarheid', anderzijds dat hij zich consequent liet leiden door 'de overtuiging dat het God om de mens te doen is'.[40] Schille-

36 Vgl. het deel uit het in 1969 verschenen boek dat in het Nederlands is vertaald onder de titel 'De tragedie van de Duivel'.

37 Vgl. zijn 'Islamitisch fundamentalisme op de keeper beschouwd', 2004.

38 Vgl. zijn 'Trends in Arab Thought', 1998; id., 'The View from Damascus', 2000; id., 'Islam, Terrorism, and the West Today', 2004.

39 Gecit. in S. Wild, 'Ten geleide', 2004, 9.

40 'Laudatio door Z.K.H. prins Bernard der Nederlanden', 1983.

beeckx zelf voelde zich door de toekenning van de prijs uitgedaagd zijn eigen visie op de verhouding tussen christelijk geloof en humanisme nog eens te bepalen.[41] Zijn hele theologische leven had Schillebeeckx al beweerd dat christelijk geloof een vorm van humanisme is. Op basis van deze verbondenheid signaleerde hij in 1982 scherp de gewelddadige kant van het humanisme zoals dit sinds de Renaissance in de westerse wereld vorm had gekregen: 'We kunnen ... niet vergeten dat de ideologische kortzichtigheid van alle overgeleverde, westerse vormen van humanisme sinds de moderne tijd vreemde culturen heeft beroofd van haar eigen humanisme.'[42] Juist de nadruk in het westers humanisme op autonomie en zelfverwerkelijking bedreigt volgens hem de humaniteit waarop het gericht wil zijn en ondergraaft de culturen waarmee anderen hun humaniteit vorm geven en beschermen. In deze zin vraagt het westers humanisme naar Schillebeeckx' overtuiging 'om heil: om bevrijding en verlossing' uit haar eigen duistere machten en krachten.[43] Schillebeeckx interpreteert dit als nieuwe vorm waarin de religieuze vraag naar een 'menslievende, bevrijdende heilsmacht die het kwade overwint' zich stelt. Van deze macht moeten theologen vanuit de christelijke traditie volgens hem hernieuwd getuigen, tevens bekennend dat de godsdiensten en kerken 'het gezicht van Gods menselijkheid vaak hebben verborgen en zelfs verminkt'. Want uiteindelijk is er voor Schillebeeckx naar eigen zeggen geen 'ander, niet-grimmig en universeler humanisme dan het "humanisme van God" '.[44]

Voor alle drie de Erasmusprijslaureaten van 2004 is het duidelijk dat religie mensenwerk is en een product van de menselijke verbeelding. Zij hebben in deze zin alle drie een humanistische visie op religie. Het is voor hen ook duidelijk dat de religie de menselijkheid moet bevorderen en onderdrukking moet tegengaan en onder voorwaarden is het mogelijk dat religie er mensen toe inspireert zich hieraan te wijden, ook op de andere terreinen van het leven. In deze zin is religie niet privé. Maar bij de laureaat van 2004 die nog niet ter sprake is geweest, Houssein Dabbagh, die publiceert onder het pseudoniem Abdulkarim Soroush (Teheran, 1945), wordt dit evenals bij Schillebeeckx gedragen door een geloof in wat deze laatste 'het humanisme van God' noemt. In de *laudatio* werd Soroush 'de Erasmus van de islam' genoemd en zeker is dat hij van de drie het dichtst bij de Nederlandse christen-humanist staat. Soroush probeert door nauwkeurig analyseren en zorgvuldig redeneren, en op basis van hedendaagse filosofische inzichten in religie en wetenschap, een al-

41 Voor de verhouding van Schillebeeckx tot het humanisme, zie mijn 'Deus humanissimus?', 2005.
42 E. Schillebeeckx, 'Dankrede van Edward Schillebeeckx', 1983, 37.
43 Ibid. 38.
44 Ibid. 41.

ternatief te ontwikkelen voor enerzijds het secularisme van westerse snit en anderzijds de religieuze dictatuur zoals deze gestalte heeft gekregen in zijn geboorteland Iran. Als student in Engeland was Soroush betrokken bij de oppositie tegen de sjah en na de islamitische revolutie keerde hij in 1979 naar Iran terug. In 1980 werd hij lid van de door ayatollah Khomeini ingestelde Raad voor de Culturele Revolutie, maar verliet deze weer in 1982 en accepteerde nadien geen overheidsfuncties meer. Hij werd docent islamitische mystiek aan de universiteit van Teheran en lid van de Iraanse academie van wetenschappen. Vanwege zijn toenemende kritiek op de Iraanse geestelijkheid verloor hij echter zijn posities en kreeg hij te maken met censuur en bedreigingen. In 1996 verliet hij zijn land en sindsdien doceert hij aan universiteiten in het Westen.[45]

Evenals Al-Azm keert ook Soroush zich nadrukkelijk tegen de populaire visie op de verhouding van de moderniteit tot de religie in het algemeen en de islam in het bijzonder. In zijn geval gaat het met name om het idee dat religie vanwege haar inherent autoritaire aard onverenigbaar zou zijn met democratie. Soroush treedt in uitvoerige discussie met een artikel, verschenen in 1994 in het tijdschrift *Kiyan*, waarbij hij zelf vanaf de oprichting betrokken is, waarin Hamid Paydar beweert: 'Islam en democratie kunnen niet gecombineerd worden, tenzij de islam door en door geseculariseerd wordt' (189).[46] Dit bestrijdt Soroush, niet door – de meest voor de hand liggende strategie – aan te tonen dat er in de islamitische juridische traditie ruimte is voor open discussie en volksraadpleging, en dus voor democratisch overleg, maar door erop te wijzen dat religie leeft van geloof. Geloof nu is volgens hem, als ieders persoonlijk antwoord op basis van de telkens actuele omstandigheden, bij uitstek meervoudig en pluralistisch. Wie religie, en met name de islam, ziet als in zichzelf autoritair en dictatoriaal, die identificeert haar volgens Soroush ten onrechte met de gestalte die zij aanneemt in haar juridische en politieke tradities. In zijn visie hoort echter de 'voortdurende vernieuwing van inzicht' en de 'veelheid van geloven' wezenlijk tot de religie, die daarom uiteindelijk 'duizend maal meer' geschikt is als bedding voor de democratische cultuur dan het secularisme. Dit betekent volgens Soroush dat het handhaven van religieuze wetgeving op zich de religie eerder doodt dan in leven houdt en een islamitische wetgeving alleen waarachtig religieus blijft als zij de uitdrukking is van een religieuze samenleving (202-207). De wet zelf kan deze samenleving volgens Soroush niet religieus maken of houden.

45 Voor verdere achtergronden, zie V. Vakili, *Debating Religion and Politics in Iran*, 1997; M. Sadri/A. Sadri, 'Introduction', 2000; id., 'Intellectual Autobiography', 2000.

46 A. Soroush, 'Verdraagzaamheid en bestuur', 2000 Vanwege de kwaliteit van de Nederlandse vertaling is gebruik van de Engelse versie aan te raden: 'Tolerance and Governance', 2000.

Hierbij is het voor Soroush evenals voor Al-Azm van belang dat religie niet uitsluitend uit haar interne principes leeft. Ze moet leren van de democratische en rationele houding zoals deze in de moderniteit ontdekt en ontwikkeld zijn. 'Aan de wortels van de democratie ligt een nieuw inzicht dat de mensheid over zichzelf en de beperkingen van de menselijke kennis heeft verworven'. Wanneer dit denken in termen van menselijke waardigheid, openbare rationaliteit en beperktheid van elk inzicht wordt overgenomen binnen de religie, 'zal het resultaat een religieuze democratie zijn' (186). Het grote verschil met Al-Azm is echter dat voor Soroush ook dit serieus nemen van niet direct uit de religie voortvloeiende ontdekkingen, uiteindelijk van religieus belang is:

> Uitbreiding van kennis heeft geleid tot uitbreiding van macht en verdere demystificering van de natuur, de samenleving en de economie. Als we dit proces als een evolutie beschouwen (hetgeen niet ondenkbaar is), als wij alle waarheden zien als commensurabel en convergent (hetgeen onvermijdelijk is) en als wij verder de mensheid min of meer succesvol achten in het ontdekken van de waarheid (opnieuw, een plausibele aanname), dan zullen we moeten zeggen dat de Odyssee van de menselijk kennis in zijn geheel gericht is op het geluk en welzijn van de mensheid en uiteindelijk dienstbaar is aan het begrijpen van de ware boodschap van de goddelijke openbaring (168-169).[47]

Zoeken naar waarheid en gerechtigheid, niet het poneren ervan is de essentie van de democratie. Het is volgens Soroush tegelijkertijd de essentie van de religie. Religie verbiedt mensen zich als God te gedragen en dan rest het rationele debat 'over rechtvaardigheid, mensenrechten en de methode van bestuur', dat volgens Soroush niet gezien moet worden als intern-religieus (210). Religie is in de visie van Soroush niet een bron voor juiste wetten of gedragsregels, zoals voor veel moslims. Religie draagt er volgens hem zorg voor dat de wetten die naar beste weten rechtvaardigheid, mensenrechten en bestuurlijke billijkheid bevorderen – waarden die ook religieus gezien van belang zijn – niet verschijnen als uiterlijke beperkingen van de eigen vrijheid, maar als moreel verplichtend. De religieuze superioriteit van de democratie blijkt voor hem niet in de laatste plaats uit het feit dat waar dictatuur en totalitarisme intrinsiek corrupt zijn, democratie afhankelijk is van morele, het leven bevorderende principes, zonder welke zij tot de ondergang is gedoemd (216-218).

Het is gezien zijn openheid voor democratie en moderniteit in eerste instantie verrassend dat Soroush de filosofie nadrukkelijk beschouwt als vijand van de religie. Zijn redenering in dit verband is gecompliceerd,

47 'De betekenis en essentie van secularisme', 1994; vert. gecorr. op basis van Engelse tekst: 'The Sense and Essence of Secularism', 1994.

maar het lijkt hem met name te gaan om de Griekse filosofie en de traditie die op haar voortbouwt. De Griekse filosofie legt de wereld vast in metafysische categorieën. Dit gaf de wereld en de dingen hun autonomie ten opzichte van God, hetgeen rationeel denken erover mogelijk maakte, maar tevens Gods taak in het vervolg beperkte tot het verwerkelijken van de tevoren vastgestelde essenties van de dingen. 'God was niet langer de schepper van de essenties, maar degene die ervoor zorgt dat ze zich realiseren.' Hiermee werden volgens Soroush de dingen onttoverd en werd God een mechanische oorzaak naast andere oorzaken. De dingen en God raakten verwijderd uit de sfeer van de religie, waar de gelovige er een levende relatie mee onderhoudt (177-178). Op vergelijkbare manier verliest ook een autonoom opgevatte juridische rationaliteit voor hem haar religieuze betekenis. Handelen op basis van dwingende regels vervangt de gelovige overgave, die voor Soroush het fundamentele kenmerk is van de religie. Soroush is er uiteindelijk op uit de rationele afwegingen van wetenschap, politiek, bestuur en recht te plaatsen binnen de ruimte van het religieus geloof dat ze beschouwt in het licht van God.[48] Het is niet steeds duidelijk hoe hij zich dit voorstelt, maar met een groeiend aantal filosofen en theologen in het Westen is hij ervan overtuigd dat – in zijn beeldspraak – de sluier die de seculiere rede van de religie scheidt, de metafysische rede is. Het is van levensbelang voor zowel de hedendaagse cultuur als voor de hedendaagse religie deze metafysische sluier weg te scheuren en cultuur en religie weer in waarachtig onderling contact te brengen (182).[49]

Vooral opmerkelijk is Soroush' ongereserveerd hermeneutische visie op de islam. 'Het is aan God om een religie te openbaren', schrijft hij, 'maar het is aan ons om haar te begrijpen en te realiseren. Het is hier dat religieuze kennis geboren wordt, volledig menselijk en onderworpen aan alle regels van de menselijke kennis.' Het doorgaans bij islamitische auteurs zo fundamentele onderscheid tussen het constante in de religie, dat van God zou komen, en het veranderlijke, dat cultureel bepaald zou zijn, is voor hem zelf onderdeel van dit religieuze kennisverwervingsproces. Naar Soroush' overtuiging is de geschiedenis een in principe eindeloos proces van religieuze herleving en hervorming die de maatschappelijke en politieke hervorming dient te omvatten en te doordringen.[50] Uiteindelijk is het menselijk leven, ook het politieke en maatschap-

48 Voor de politiek-religieuze discussie waarop Soroush voortbouwt, zie H. Dabashi, *Theology of Discontent*, 1993. Voor plaatsing van Soroush in het bredere debat in Iran rond de politieke betekenis van de islam, voor en na de revolutie, zie A. Martin-Asghari, 'Abdolkarim Sorush and the Secularisation of Islamic Thought in Iran', 1997; J.G.J. ter Haar, *In de stilte van de shari'a*, 1998.

49 Vgl. voor de discussie hierover in de westerse filosofie en theologie *Religion after Metaphysics*, ed. M.A. Wrathall, 2003.

50 'Islamic Revival and Reform', 2000, 31-32.

pelijke leven, in de ogen van Soroush een religieuze zoektocht. Andersom bedreigt de goed begrepen religie de democratie niet, maar is er juist de adequate basis voor. Fatema Mernissi en Sadik Al-Azm laten zien dat in de islamitische wereld zich heel goed een visie kan ontwikkelen die positief staat tegenover openheid, democratie en pluralisme. Abdulkarim Soroush maakt duidelijk dat dit juist als religieuze islamitische visie mogelijk is.

Zoals gezegd sprak het Erasmusprijscomité in de laudatio over Soroush als 'de Erasmus van de islam'. Inderdaad weet hij de islamitische traditie niet alleen met het humanisme te verbinden, maar maakt hij haar zichtbaar als religieuze bron van humanistische nieuwsgierigheid voor wat er te weten valt en openheid voor wat zich aan mogelijkheden aandient om het goede te doen. Hij maakt zonneklaar dat ook in de islam het idee thuis is dat God, die als erbarmer en barmhartige wordt aangeroepen, een bij uitstek op menselijkheid bedachte God is, een *Deus humanissimus.*

Men kan zich natuurlijk sceptisch afvragen hoe representatief Abdulkarim Soroush voor de islam is. Of hoe representatief de uit Egypte afkomstige Nasr Hamid Rizk Abu Zaid en de uit Algerije afkomstige Mohammed Arkoun zijn, omstreden denkers die net als Soroush de dominante wijze waarop de islamitische wereld tegen de eigen traditie aankijkt, onder kritiek stellen en er een radicaal hermeneutisch alternatief voor ontwikkelen.[51] Het gaat hier om geleerden en geschoolde filosofen en daarmee zijn zij per definitie al niet representatief. Hoe groot hun aanhang is, is moeilijk in te schatten, maar de richting die zij vertegenwoordigen heeft de wind niet mee. Anderzijds wijst onderzoek uit dat moslims zich opmerkelijk open positioneren in de westerse samenleving, zonder zich te verschansen in hun eigen gelijk maar ook zonder zich in een eigen getolereerd hoekje terug te trekken.[52]

Maar het gaat hier uiteindelijk niet om representativiteit. Soroush laat zien – zoals andere islamitische denkers dat op hun manier doen – dat religie, dat juist ook de islam die sinds 11 september 2001 zo nadrukkelijk met geweld geassocieerd wordt, in zichzelf een bron van verzet kan aanboren tegen haar dreigende gewelddadige uitwerking. Juist als religie,

51 Vgl. N.H. Abu-Zaid, *Islam und Politik*, 1996; id., *Vernieuwing in het islamitisch denken*, 1996; id., 'Divine Attributes in the Qur'an', 1998; id., *The Qur'an*, 2000; id., *Rethinking the Qur'an*, 2004; vgl ook P. Derkx, 'Een humanistische interpretatie van de Koran?', 2005. M. Arkoun, *Lectures du Coran*, 1991; id., *Rethinking Islam*, 1993; id., *Critique de la raison islamique*, 1994; id., *La pensée arabe*, 1996, id., 'Islam, Europe, the West', 1998; id., *The Unthought in Contemporary Islamic Thought*, London 2002; id., *Humanisme et Islam*, 2005.

52 Vgl. T. Sunier, *Islam in beweging*, 1996; *Islam in de multiculturele samenleving*, K. Phalet/C. van Lotharingen/H. Entzinger, 2000; T. Sunier/M. van Kuijeren, 'Islam in the Netherlands', 2002.

die uiteindelijk niet een bevestiging is van een veroverde identiteit maar een voortdurend zoeken naar waarheid, biedt zij daar weerstand tegen.[53] Soroush vreest dat moslims zich in hun confrontatie met de westerse beschaving zullen wenden tot de islam als hun identiteit, in minstens potentieel gewelddadige strijd tegen andere identiteiten. Daar tegenover pleit hij voor het herstel van de 'islam van de waarheid' als een religieuze respons op de actuele situatie, in dialoog met andere vormen van respons, seculier of religieus.[54] Of een dergelijk herstel uiteindelijk lukt, is van allerlei factoren afhankelijk. Maar er wordt aan gewerkt.

De islam staat niet tegenover Europa en tegenover de religiositeit waar Europa het symbool van is. Zij is potentieel een 'Europese' religie. Zij zou er aan bij kunnen dragen dat onze seculiere inspanningen om het publieke leven te ordenen, de rechtvaardigheid te bevorderen en de waarheid te vinden, ook weer gezien worden als wat zij tevens zijn: religieuze inspanningen als vormen van eredienst aan wat heilig is.[55]

53 Evenals in Jodendom en christendom, is in de islam een sterk bewustzijn van de gebrekkigheid van elke visie, overtuiging en belijdenis tegenover God, die uiteindelijk de enige en absolute norm is; vgl. R. Aslan, *No god but God*, 2005.

54 Sadri/Sadri, 'Intellectual Autobiography', l.c., 23-25.

55 Zie hiervoor, zij het vanuit een niet-religieus perspectief, ook G. van den Brink, *Tekst, traditie en terreur*, 2004, m.n. 58-59.

Deel III

Uitgelokte belijdenissen

10
Christelijk geloof na Auschwitz: vervreemding als identiteit

Beroemd is het fotoboek van Roman Vishniac, *A Vanishing World*, dat het leven in de Joodse getto's van Oost-Europa in de jaren dertig van de vorige eeuw in beeld brengt.[1] In een opmerkelijk artikel heeft de Amerikaanse kunsthistorica Carol Zemel laten zien dat wij de beelden van Vishniac en zijn collega's heel anders bekijken dan degenen voor wie zij oorspronkelijk werkten.[2] Op basis van historisch en iconografisch onderzoek stelt zij vast dat zij bestemd waren voor de ogen van moderne, Amerikaanse Joden. Deze konden aan wat de foto's afbeeldden, trots ontlenen met betrekking tot hun eigen maatschappelijke succes en met opluchting vaststellen dat zij niet meer behoorden tot – zoals Zemel het uitdrukt – deze 'verdoemde mensen' die 'geen andere uitweg' hebben uit hun ellende dan 'extreme vroomheid'. Tegelijkertijd zijn de foto's volgens Zemel bewust iconen van het verleden die ook het gevoel van nostalgie oproepen naar een eenvoudiger wereld met overzichtelijker verhoudingen.[3] Als Zemel gelijk heeft, worden wij hier geconfronteerd met een bijzonder effect van de shoah op onze ervaringen en onze manier van kijken. Doorgaans wordt Auschwitz en alles waar het voor staat, vooral gezien als de plaats waar niet alleen een onvoorstelbaar aantal mensen werd vermoord, maar waar ook noties als medelijden, erbarmen en liefde definitief zijn aangetast. Maar als Zemels reconstructie klopt, dan opent Auschwitz blijkbaar ook ogen. Na de shoah zien wij deze foto's als pogingen licht te laten vallen op niet geziene mensen.[4] Waar zij eerst slechts vertegenwoordigers waren van een wereld van armoede en achterlijkheid die met de moderniteit definitief haar relevantie had verloren, al stemde dit melancholiek, verschijnen ze na de shoah als mensen die op iets anders hun hoop hadden gesteld dan op de vooruitgang. Hun

1 R. Vishniac, *A Vanished World*, 1983.
2 C. Zemel, '*Z'chor!* Roman Vishniac's Photo-Eulogy', 2001.
3 Enerzijds zegt Zemel dat wij na de shoah zo niet meer naar deze foto's kunnen kijken, anderzijds maakt ze duidelijk dat haar eigen vervreemding ervan en fascinatie ervoor als moderne Amerikaanse Joodse het mogelijk maakte deze volgens haar oorspronkelijke blik te reconstrueren.
4 Vgl. de titel van *To Give Them Light*, ed. M. Wiesel, 1993.

vroomheid is niet langer een uitdrukking van een gelukkig inmiddels ophefbaar gebrek, maar toont hun gerichtheid op iets dat de voortgaande geschiedenis overstijgt. In plaats van het heilbrengend vermogen van de moderniteit te bevestigen, ontmaskeren zij nu haar heilspretenties.

Dit maakt ze overigens niet weer levend, deze mensen waarvan – en daarom vragen hun foto's zo dwingend aandacht – de meesten verdwenen zijn in de gaskamers en de crematoria van de vernietigingskampen. Het maakt het niet minder verschrikkelijk dat zij niet anders dan door deze foto's tot de wereld van na de shoah kunnen spreken. Als Auschwitz ons, met de Franse filosoof Jean-François Lyotard, tot het inzicht brengt dat de Joden 'de achterkant' (les arrièrres) belichamen van 'het weten, het hebben, het willen en het hopen' zoals die in het westerse denken vorm krijgen, datgene wat vergeten, verdrongen, buitengesloten en gedood moest worden om onze cultuur mogelijk te maken, en als in de afkeer van deze achterkant het anti-semitisme wortelt en de Joden hierom uiteindelijk ook zelf vernietigd werden, dan betekent dit inzicht geen verzoening met de zesmiljoenvoudige moord.[5] Een dergelijk fundamenteel inzicht in onze cultuur is alleen geloofwaardig als aanklacht tegen deze moord, klacht over het ware gezicht van wat ooit vooruitgang en beschaving leek en protest tegen het feit dat degenen die buiten deze beschaving stonden en staan en hun hoop op iets anders vestigden, er niettemin kansloos slachtoffer van werden. De klacht dat hun hoop zinloos bleek, is een verduisterde, maar enig mogelijke bevestiging van hun hoop.

Hoop na en met betrekking tot de shoah. Hierbij is wat mij betreft de herinnering gepast aan het verhaal van de drie jongemannen in de vuuroven uit het derde hoofdstuk van het bijbelboek Daniël. Drie Joodse mannen willen niet buigen voor het beeld dat koning Nebukadnessar opgericht had en worden daarom door hem in het vuur geworpen. Volgens de Griekse versie van dit verhaal – en daarmee volgens de bijbel van de vroege kerk en de katholieke bijbel tot op vandaag – prijzen deze mannen temidden van de vuuroven God en roepen door hun loflied een engel tevoorschijn die in de oven een klimaat schept 'alsof er een dauwwind doorheen woei' (Dan. 3, 24 e.v.). In de vroege kerk gold dit verhaal als beeld van de redding die religieus geloven betekent. Na Auschwitz is echter de vraag wat hiervan overblijft nu wij onontkoombaar weten dat geloof en trouw niet tot redding leiden en de dauwwind *niet* is opgestoken toen het er echt op aan kwam. Wat betekenen geloof en trouw dan en hoe zijn ze mogelijk?

5 J.-F. Lyotard, *Heidegger et 'les juifs'*, 1988, 47. Vgl. ook Z. Bauman, *Modernity and the Holocaust*, 1989, en met betrekking tot het voortduren van deze logica, met telkens nieuwe slachtoffers, id., *Wasted Lives*, 2004. Bauman baseert zich hierbij in belangrijke mate op de filosofische reflecties van G. Agamben, m.n. in diens *Homo sacer*, 1995 en *Means without Ends*, 1996.

Reflecteren over de gedaanteverandering van God impliceert in de huidige wereld ook reflecteren op deze vraag, die in zekere zin de vraag bij uitstek is naar de toekomst van de religie, in ieder geval de christelijke.

Wachten op God

Na Auschwitz, zo meent de Joodse theoloog Irving Greenberg, 'zou [er] geen uitspraak gedaan mogen worden, theologisch of anderszins, die niet geloofwaardig is in de aanwezigheid van verbrandende kinderen'.[6] Wie dit bekend geworden aforisme goed tot zich door laat dringen, kan weinig anders doen dan zwijgen.[7] Greenberg zelf pleit inderdaad voor stilte in de theologie, voor een zwijgen over God in antwoord op Gods zwijgen in Auschwitz; voor de Joodse theoloog André Neher (1914-1988) betekent Auschwitz de ballingschap van het woord.[8] Bestaat er wel een woord dat geloofwaardig is in de aanwezigheid van kinderen die levend verbranden, omdat hun vernietigers gas willen besparen, afgezien misschien van de uitspraak dat het spreken binnen de cultuur die dit mogelijk heeft gemaakt, definitief elke betekenis verloren heeft? Een cultuur die mensen rigoureus in tweeën deelde en de ene groep de onontkoombare plicht tot sterven oplegde en de andere het exclusieve recht op leven, zoals tijdens de shoah gebeurde, is definitief uit elkaar gevallen. Zij is niet alleen moreel failliet, haar taal heeft haar coherentie, en daarmee elke betekenis verloren. Over Auschwitz, zegt de Franse filosoof Jean-François Lyotard (1924-1998), kunnen wij niets zeggen omdat Auschwitz het 'wij' definitief heeft gesplitst. Wij kunnen Auschwitz volgens hem geen betekenis geven, want dan zouden wij beurtelings SS-er en gedeporteerde moeten zijn.[9]

Maar we zouden Auschwitz helemaal geen betekenis moeten willen geven. De vraag is welke betekenis ons spreken, welke betekenis ons leven en ons handelen heeft – kan hebben – na Auschwitz. Niet Auschwitz moet zin krijgen – alleen al de gedachte dat dit mogelijk zou zijn, ontkent datgene waar de Grote Vernietiging voor staat! – maar ons geloven en spreken, ons hopen en handelen moeten in het heden zin krijgen, en bij de karakterisering van dit heden speelt de aanduiding 'na Auschwitz' een sleutelrol. Lyotard geeft een aanwijzing wat dit zou kunnen betekenen wanneer hij schrijft dat 'alleen een denken dat zich beschikbaar houdt voor het wachten op God' zich op de hoogte bevindt

6 I. Greenberg, 'Cloud of Smoke, Pillar of Fire', 1977, hier 23.

7 Voor een poging om tot theologisch spreken te komen dat in deze situatie wel geloofwaardig is, vgl. *Theologie für gebrannte Kinder*, Hg. R. Jochum/C. Stark, 1991.

8 Vgl. A. Neher, *L'exil de la parole*, 1970.

9 J.-F. Lyotard, *Le différend*, 1983, 152; voor Lyotard is zijn hele filosofie een poging de vraag te beantwoorden hoe nog te spreken na Auschwitz.

van de catastrofe van Auschwitz.[10] Een denken, een spreken, een handelen, en in dit alles een geloven als een wachten op God: dat kan misschien zelfs in zekere zin geloofwaardig zijn voor het aangezicht van de slachtoffers van de shoah. Omdat ook zij op God wachtten en wachten – vooralsnog tevergeefs.

Lyotard kan tot zijn uitspraak komen, omdat hij zich door Auschwitz getroffen weet, ook al was hij geen gedeporteerde, en omdat hij tegelijkertijd weet dat hij deel heeft aan de cultuur die Auschwitz mogelijk maakte, al was hij geen SS-er. Direct slachtoffer noch zelf rechtstreeks dader, maar met beiden op verschillende manieren verbonden: dat geldt ook voor de christelijke traditie. Het is van belang deze dubbele gebondenheid nader te exploreren.[11]

Het christendom vatte zichzelf al heel vroeg op als opvolger en erfgenaam van het Jodendom. Deze zelfinterpretatie lijkt al direct na de verwoesting van de tempel in het jaar 70 van onze jaartelling te ontstaan, en uitdrukkingen van deze visie zijn daarom al te vinden in een belangrijk deel van de geschriften van het Nieuwe Testament zelf. Auschwitz heeft aan het licht gebracht hoe verwoestend het was dat christenen gingen menen dat zij nu de partners zijn in Gods verbond met de mensen en dat het verbond met de Joden zijn rechtsgeldigheid verloren zou hebben. Volgens deze gedachtegang was het Jodendom in religieus opzicht achterhaald, waardoor de vraag ontstond of het niet beter was te zorgen dat het Jodendom inderdaad zou ophouden te bestaan. Joden het leven zo zwaar en moeilijk mogelijk maken, ze dwingen zich tot het christendom te bekeren, ze fysiek uitroeien: het kon van hieruit verschijnen als aan God welgevallige activiteiten. Tegelijkertijd is het christendom getroffen door Auschwitz. Wat bevrijdende tradities willen en pretenderen te zijn, blijken tradities van massieve onderdrukking en massale dood te kunnen worden. Dit impliceert voor deze tradities een aanklacht die ze niet naast zich neer kunnen leggen. Deze dubbele betrokkenheid van de christelijke tradities bij Auschwitz, als schuldig eraan en als erdoor getroffen, vervreemden de christelijke tradities van zichzelf. Christenen kunnen niet langer ongebroken en naïef hun eigen erfgoed poneren en de opvattingen en visies die daarin gestalte krijgen, beschouwen als de enige en omvattende waarheid. Alleen vervreemd van zichzelf kan de christelijke traditie na Auschwitz geloofwaardig getuigen van de heilzame waarheid die van God is. Volgens de Amerikaanse theoloog Darrell Fasching, wiens visie ik hier in grote lijnen volg, betekent dit dat christenen na Auschwitz alleen als willens en wetens vervreemd van hun

10 Lyotard, *Heidegger et 'les juifs'*, l.c., 127; vgl. F. van Peperstraten, *Jean-François Lyotard*, 1995, 126-129; vgl. id., 'Filosofie "na" Auschwitz', 1995.

11 D.J. Fasching, *Theology after Auschwitz*, 1992.

christelijke identiteit geloofwaardig kunnen spreken, als mensen die uit hun vanzelfsprekende verband zijn gestoten.

Hiermee opent zich religieus gezien een nieuwe weg om te gaan: christendom en Jodendom op zoek naar en zich beschikbaar houdend voor de God van leven na hetgeen in Auschwitz de definitieve overwinning van de dood lijkt. Het is een theologie van onderweg-zijn zonder dat iemand weet waarheen de weg zal leiden. Zelfs of de weg ergens heen zal leiden, is niet zeker, er is alleen de gelovige zekerheid dat het gaan en de openheid zelf verwijzen naar een realiteit die geen illusie *kan* blijken. Theologie is dan 'praten onderweg', reflectie op de weg waarop Joden en christenen na Auschwitz zijn gezet, en op wat het betekent op deze weg gezet te zijn.[12] Het geeft de theologie de omstredenheid en de zwakheid die zij misschien altijd als mogelijkheid in zich had en die zij waarschijnlijk altijd had behoren te hebben, maar die zij in haar hang naar zekerheid en identiteit steeds weer verdringt en onzichtbaar maakt. In de lijn van de islamitische denker Abdolkarim Soroush, die in het vorige hoofdstuk uitvoerig aan het woord kwam, valt te zeggen dat het zoeken naar externe zekerheid – in culturele hegemonie, in wetenschap of filosofie – de vijand is van het waarachtige geloof. De zin uit de Hebreeënbrief die in de Middeleeuwen gold als definitie van geloof, noemt het: de vaste grond van het verhoopte en het bewijs van de dingen die onzichtbaar zijn (Heb. 11, 1). Thomas van Aquino begrijpt op grond hiervan geloof als een zekerheid die niet te rechtvaardigen is op basis van hetgeen in de wereld van de fenomenen voorhanden is, maar die de werkelijkheid in een specifiek licht stelt en in dit licht voor sommige zaken meer aandacht heeft dan voor andere.[13] De zekerheid komt uit het geloof voort, zij is haar specifieke product en heeft een eigen, religieuze aard. In ieder geval is het niet andersom en is de ervaren zekerheid *niet* de grond van het geloof.

Wellicht is de specifieke gestalte van de gelovige zekerheid in de wereld na Auschwitz het blijven staan in de vuuroven waarin de verkoelende dauwwind niet is opgestoken, biddend in het spoor van degenen die in Auschwitz zijn blijven bidden. Het is het weten daar te moeten blijven staan, blijven roepen om en zingen van een *Deus humanissimus*, een bij uitstek menselijke God die in zijn afwezigheid aanwezig zal blijken te zijn. De Joodse feministische theologe Melissa Raphael spreekt over de *Shechinah*, de vrouwelijke personificatie van de goddelijke aanwezigheid, in Auschwitz:

12 P.M. Van Buren, *A Theology of the Jewish-Christian Reality*, I, 1980, 13-17, spreekt – in verband met de ook volgens hem noodzakelijke verandering van de christelijke houding tegenover het Jodendom – over theologie in termen van 'talk as we walk'.

13 Thomas van Aquino, *Summa theologiae* III, Q. 1, art. 4.

> In Auschwitz zal de Shechinah in haar pijn haar verschroeide, zwartgeblakerde vleugels om zich heen geslagen hebben, waardoor ze leek te verdwijnen. Maar zij was er toch, omdat er geen plaats is waar zij niet is. Als de Shechinah het [vrouwelijke] beeld is van de presentie van God wier presentie precies vrouwelijke zorg voor en intimiteit met haar volk in ballingschap impliceert, dan moet Auschwitz absoluut tegelijkertijd haar plaats en niet haar plaats zijn. [...] Auschwitz hield God buiten de poort omdat het niet bedoeld was als de verblijfplaats van het Jodendom, maar als zijn eindpunt. Maar in de ruimte die werd geschapen in en door de gemeenschap van belichaamde zorg, openden de hekken zich ook naar de mogelijkheid van verlossende bevrijding.[14]

Verlossende bevrijding tot in Auschwitz: hoe onwaarschijnlijk dit ook klinkt, christenen zijn evenzeer als Joden afhankelijk van het antwoord op de vraag ernaar.

Geen morele afrekening, maar gedachtenis

Maar ligt een andere benadering niet veel meer voor de hand? Zouden we niet een morele balans moeten opmaken van de verhouding tussen christelijke tradities en shoah en op basis daarvan tot een morele afrekening? Er blijft dan niet veel anders over dan het christendom failliet te verklaren, om in de termen van deze financiële analogie te blijven.

De Amerikaanse historicus Daniel Goldhagen heeft met name in verband met de katholieke tradities voor een dergelijke afrekening gepleit en de rooms-katholieke kerk aangesproken op 'haar onvervulde plicht tot herstel' van wat zij mede heeft aangericht.[15] Maar wat kan tegenover zes miljoen doden 'herstel' betekenen? Om de medeplichtigheid van het (katholieke) christendom aan de shoah duidelijk te maken, kan Goldhagen zich beroepen op een groot aantal studies die een doorgaande lijn laten zien van hardnekkig en virulent anti-Judaïsme dat minstens de acceptatie vergemakkelijkte van de plannen van Adolf Hitler over te gaan tot de vernietiging van het Joodse volk. Er is veelvuldig gewezen op de desastreuze gevolgen van de zogenoemde vervangingstheologie, volgens welke de kerk na de verrijzenis van Jezus de Joden vervangt als Gods uitverkoren volk.[16] Ook kan Goldhagen teruggrijpen op studies die laten zien dat de katholieke kerk tijdens het Derde Rijk als instituut een zeer dubbelzinnige politiek voerde ten aanzien van Joden. Zij keerde zich nauwelijks tegen de Jodenvervolging als zodanig en kwam doorgaans

14 M. Raphael, *The Female Face of God in Auschwitz*, 2003, 154.

15 D.J. Goldhagen, *A Moral Reckoning*, 2002.

16 Ik noem slechts R. Hilberg, *The Destruction of the European Jews*, 1961; R.R. Ruether, *Faith and Fratricide*, 1974; H. Kühner, *Der Anti-Semitismus der Kirche*, 1976; H. Jansen, *Christelijke theologie na Auschwitz*, 1981; H.A. Oberman, *Wortels van het antisemitisme*, 1986; J. Carroll, *Constantine's Sword*, 2001; D.I. Kertzer, *The Popes Against the Jews*, 2001.

alleen in het geweer tegen de vervolging van tot het katholicisme toegetreden Joden.[17] Op basis hiervan meent Goldhagen dat de katholieke kerk de morele balans moet opmaken, haar schuld aan de shoah zou moeten erkennen en inlossen, en zichzelf zodanig moet hervormen dat een dergelijke medeplichtigheid niet opnieuw kan ontstaan.

Nu is onder leiding van paus Johannes Paulus II in 1994, met het oog op het naderende begin van het derde millennium, een proces gestart om de rooms-katholieke kerk levendiger bewust te maken van

> de zonden van haar kinderen, terugdenkend aan al die situaties in de loop van haar geschiedenis waarin haar kinderen afgeweken zijn van de geest van Christus en zijn evangelie en, in plaats van aan de wereld een getuigenis te geven van een door geloof geïnspireerd leven, in denken en handelen een schouwspel hebben geboden dat een waar anti-getuigenis was en een schandaal.[18]

De medeplichtigheid van katholieken aan de shoah werd hierbij door de toenmalige paus nadrukkelijk ingesloten. In 1998 presenteerde de Vaticaanse commissie voor religieuze betrekkingen met de Joden een document dat stelt dat de shoah, behalve om historisch onderzoek naar wat er precies heeft plaatsgevonden, vraagt om 'morele en religieuze herinnering' en met name christenen oproept 'om ernstig na te denken wat de oorzaak ervan is geweest'. Deze tekst, waarvan de conclusies door paus Johannes Paulus II zijn overgenomen als officiële standpunten van de kerk, spreekt berouw uit voor de fouten uit het verleden 'aangezien wij, als leden van de kerk, zowel met de zonden als met de verdiensten van al haar kinderen verbonden zijn'. Nadrukkelijk wordt afstand genomen van de vervangingstheologie en wordt de blijvende verbondenheid benadrukt van christenen met het Joodse volk, op basis van de bijbel en op basis van 'onze smart om de tragedie die het Joodse volk in deze eeuw heeft ondergaan'.[19] Met name deze tweede verbondenheid leek op religieuze wijze te worden uitgedrukt toen paus Johannes Paulus II in maart

17 Zie b.v. M. Phayer, *The Catholic Church and the Holocaust, 1930-1965*, 2000; S. Zuccotti, *Under His Very Windows*, 2000.

18 Johannes Paulus II, apostolische exhortatio *Tertio millennium adveniente* (10 nov. 1994), no. 33.

19 *Wij herinneren ons: Een overweging over de shoah* (16 mrt. 1998); begeleidende brief van paus Johannes Paulus II. Al in de verklaring over de verhouding van de kerk tot de niet-christelijke godsdiensten *Nostra aetate* (28 okt. 1965) no. 4, sprak de rooms-katholieke kerk op het Tweede Vaticaans Concilie plechtig uit dat God het Joodse volk trouw blijft en dat, ook wanneer de kerk het nieuwe volk Gods is, de Joden noch als door God verworpen, noch als vervloekt mogen worden gepresenteerd, 'alsof dit uit de heilige Schriften zou volgen.' Overigens had nog veel eerder, op 6 sept. 1938, paus Pius XI al gezegd: 'Anti-semitisme is onaanvaardbaar. In geestelijk opzicht zijn we allen Semieten.'

2000, als kromgebogen, moeilijk lopende en breekbare Parkinson-patiënt de katholieke kerk vertegenwoordigend, in Israël het Yad Vashem-monument binnenging, het monument voor de vermoorden tijdens de Grote Vernietiging. Hij citeerde hierbij uit psalm 31:

> Als gebroken vaatwerk ben ik geworden.
> Ik merk het gefluister der mensen:
> dreiging aan alle kanten,
> als zij tegen mij samenspannen
> een aanslag op mijn leven beramen.
> Maar ik vertrouw op U, Heer;
> ik zeg: Gij bent mijn God. (Psalm 31, 13-15)

In 1997 had de paus al gezegd dat de shoah niet alleen een volkerenmoord van ongekende omvang is, maar tevens een uitdrukking van 'haat tegen Gods reddingsplan in de geschiedenis' die, naar deze weet, ook gericht is tegen de kerk.[20] Het suggereert dat de kerk in haar lot verbonden is met dat van het Joodse volk.[21]

Er zijn echter twee zaken die een hypotheek leggen op de schuldbelijdenis van de katholieke kerk, en daarmee op de rituele uitdrukking door paus Johannes Paulus II van de lotsverbondenheid van de katholieke kerk met het geschonden Joodse volk. Op een dubbele manier lijkt in de al genoemde documenten geprobeerd te worden de schuld van de kerk aan de shoah te verkleinen. Dit ondermijnt de getroffenheid van de kerk door het lot van de slachtoffers ervan. Ten eerste wordt er een scherp onderscheid gemaakt tussen christelijk anti-Judaïsme en een antisemitisme dat gebaseerd is op een vermeend verschil in ras; dit laatste zou in strijd zijn 'met de leer van de kerk ten aanzien van de eenheid van het menselijk ras en de gelijkwaardigheid van alle rassen en volkeren'. De Nationaal-socialistische ideologie wordt hierbij gepresenteerd als 'weigering een transcendente werkelijkheid te erkennen als de bron van het leven en het criterium voor het moreel goede', waarbij een bepaalde groep mensen zich een absolute status toeëigenden en zich tegen iedere instantie keerden die deze status bestreed. Conclusie:

> De shoah was het werk van een door en door modern neo-heidens regime. Het antisemitisme van dit regime had zijn wortels buiten het christendom en heeft bij het nastreven van zijn doelstellingen niet geaarzeld om ook de kerk te bestrijden en haar leden te vervolgen.[22]

20 Paus Johannes Paulus II, 'Toespraak bij de opening van een symposium over de wortels van het anti-Judaïsme' (31 okt. 1997).

21 Vgl. J. Sachs, 'John Paul's Blow Against a Virus of the Soul', 2005.

22 'Wij herinneren ons', l.c., no. 4.

Historisch onderzoek heeft echter laten zien dat het christelijke anti-Judaïsme soms uitliep op redeneringen die minstens proto-racistisch moeten heten. Aan Joden werd erdoor een eigen, van die van christenen afwijkende, perverse natuur toegeschreven. In het spoor van Jezus' uitspraak in het Johannesevangelie – 'Waarom begrijpen jullie niet wat ik zeg? Omdat jullie mijn woorden niet kunnen aanhoren. Jullie vader is de duivel en jullie doen maar al te graag wat jullie vader wil' (Joh. 8, 43-44) – werd de oorsprong van het Jodendom wel aan de duivel toegeschreven. Inderdaad was de Nazi-ideologie 'door en door modern' en een extreme variant van de seculiere religie van het moderne nationalisme.[23] Zeker waren de christelijke kerken, en met name ook de katholieke kerk, hiervan mede het slachtoffer. Maar dit sluit geenszins een christelijke en kerkelijke medeverantwoordelijkheid voor het anti-semitisme en een ontvankelijkheid ervoor uit. De commissie voor religieuze betrekkingen met de Joden onder leiding van curiekardinaal Idris Cassidy lijkt te willen suggereren dat de kerk niet aan de kant van de daders stond, maar allereerst aan de kant van de slachtoffers. Het document dat de commissie publiceerde, suggereert bovendien dat tegenover gelovigen die over de Joden foute opvattingen hadden of foute daden stelden en goede nalieten, waarvoor schuld beleden moet worden, ook steeds gelovigen stonden met een juist inzicht die, op basis van hun waarachtige geloof in Jezus Christus, het juiste deden.

Het gevoel van dubbelzinnigheid wordt nog versterkt doordat vanaf het begin van het hele proces dat tot het curiedocument over de shoah leidde, de katholieke kerk wel schuld wilde belijden voor de wandaden van haar leden, maar eraan vasthield dat deze schuld niet de kerk als zodanig trof. Nu berust het in de pers veelvuldig geventileerde vermoeden dat dit een poging is van de kerk om uiteindelijk buiten schot te blijven, in eerste instantie op een misverstand. Volgens de katholieke leer hoort het tot het wezen van de kerk dat zij 'heilig' is, ook al bergt zij in haar schoot alleen zondaars.[24] Als kerk, dat wil zeggen als verbonden met de bij God levende Christus die haar Hoofd is, kent zij geen ander leven dan door de genade. Dit impliceert dat de zondigheid van haar leden per definitie niet tot de kerk zelf behoort. Waar gelovigen zich laten voeden door de genade waaruit de kerk leeft, worden zij door de kerk geheiligd en in de mate waarin zij in zonde vervallen, onttrekken zij zich klaarblijkelijk aan de heiligende genade die de kerk is toevertrouwd. Zo lijdt de kerk enerzijds onder de zonden van haar leden en doet er boete voor. Dit drukte de paus op 23 maart 2000 in Israël, in Yad Vashem, uit. Dit drukte ook de commissie voor de religieuze betrekkingen met de Joden

23 Vgl. J.R. Llobera, *The God of Modernity*, 1994.
24 Vgl. m.n. *Katechismus van de Katholieke Kerk*, 1993, no. 823- 829.

in 1998 uit: 'Wij betreuren de fouten en de nalatigheid van deze zonen en dochters van de kerk ten diepste.' Tegelijkertijd heeft de kerk de macht haar 'zonen en dochters' door de haar toevertrouwde genade van zonde te bevrijden. Dat de rooms-katholieke kerk als zodanig niet schuldig zou zijn aan Jodenhaat en Jodenvernietiging, beschouwt zij met andere woorden zelf als een uitspraak op het niveau van de geloofsbelijdenis. Deze uitspraak relativeert in principe niet de schuld van de reëel bestaande kerk als gemeenschap van altijd zondige gelovigen en ambtsdragers.

Maar bij dit alles blijft de kerk vertrouwen op de christelijke en katholieke tradities die zij doorgeeft. Zij blijven voor haar de authentieke toegang tot Gods heilsboodschap en terugkeer naar wat zij te zeggen hebben, is gelovig gezien het juiste antwoord op de schuld die de shoah betekent. De al genoemde Irving Greenberg heeft gezegd dat in de shoah het klassieke christendom sterft om tot een nieuw leven wedergeboren te worden.[25] De vraag is daarom wat 'terugkeer' in dit verband betekent. De voorstelling die Johannes Paulus II hiervan geeft, lijkt uiteindelijk toch de geloofwaardigheid van zijn schuldbelijdenis te ondermijnen:

> Het is inderdaad zo dat er in de christelijke wereld – ik zeg niet van de kant van de kerk als zodanig – al te lang onjuiste en onrechtvaardige interpretaties van het Nieuwe Testament hebben gecirculeerd met betrekking tot het Joodse volk en zijn vermeende schuld, die haatgevoelens jegens dit volk hebben teweeggebracht. Deze foutieve interpretaties hebben ertoe bijgedragen dat het geweten van heel wat mensen is ingeslapen zodat, toen Europa werd overspoeld door een golf van vervolgingen ingegeven door een heidens antisemitisme dat ook wezenlijk anti-christelijk is, er naast christenen die alles hebben gedaan om zelfs met gevaar voor eigen leven de vervolgden te redden, velen waren die niet die geest van verzet opbrachten die de mensheid van leerlingen van Christus mocht verwachten.[26]

Opnieuw wordt zo benadrukt dat er naast de verkeerde reacties op het anti-semitisme van katholieke kant ook goede en dappere reacties waren. Opnieuw ook wordt onderstreept dat het bij het Nazisme ging om een heidense en anti-christelijke ideologie. Uiteindelijk lijkt dit er allemaal toe te dienen om te suggereren dat het bij anti-semitisme van katholieken eenduidig handelde om een foutieve interpretatie van de Nieuwtestamentische bronnen, om verduistering van de wet tot naastenliefde, om het vergeten van de christelijke basisovertuiging dat ieder mens gescha-

25 I. Greenberg, 'New Revelations and New Patterns in the Relationship of Judaism and Christanity', 1979.

26 'Toespraak bij de opening van een symposium over de wortels van het anti-Judaïsme', l.c., no. 1.

pen is naar Gods beeld.[27] Terugkeer naar de christelijke en katholieke tradities betekent volgens deze voorstelling dat gelovigen zich opnieuw wenden tot een ware interpretatie, een zuivere wet en een onaangetaste basisovertuiging die de katholieke kerk altijd zuiver bewaard zou hebben.

De verklaringen van de rooms-katholieke kerk in verband met de medeplichtigheid van gelovigen aan de Jodenvernietiging, gaan ongekend ver. Toch nemen zij de dubbelzinnigheid van de eigen christelijke geschiedenis uiteindelijk niet werkelijk serieus. Het meest verontrustende is dat degenen die door de eeuwen heen gemeend hebben dat de vervolging van de Joden Gods wil was, gronden hadden om te menen dat zij door deze overtuiging trouw waren aan de christelijke tradities. Het bracht de Amerikaanse theoloog Roy Eckhardt al in de jaren zeventig tot de vertwijfelde vraag of dit niet betekende dat hij eigenlijk voor de duivel sprak en hij, gegeven het feit dat zijn 'religie doortrokken is van anti-semitisme', door te getuigen van het christelijk geloof de vernietigden van Auschwitz niet opnieuw verraadde.[28] Ook wie deze vraag uiteindelijk ontkennend beantwoordt, kan niet ontkennen dat de katholieke kerk, evenals de andere christelijke kerken, slechts heel moeizaam het inzicht heeft verworven dat de vervangingstheologie gebaseerd is op een foutieve interpretatie van het Nieuwe Testament – en dat ze nog steeds bezig zijn alle implicaties van dit inzicht te ontdekken. Het is bovendien moeilijk vol te houden dat anti-Judaïsme vreemd zou zijn aan het Nieuwe Testament en de bijbelse geschriften dus eenduidig zouden aantonen dat het strijdig is met het christelijk geloof.[29] Dat alle mensen geschapen zijn naar Gods beeld en dat dit betekent dat er geen onderscheid gemaakt mag worden tussen rassen en volken, is een inzicht dat slechts in de loop van de kerk- en theologiegeschiedenis is bereikt, in een vaak felle strijd met christenen die het tegenovergestelde beweerden. Het inzicht dat het christelijke gebod tot naastenliefde Joden insluit en zwaarder weegt dan de gehoorzaamheid die onderdanen zijn verschuldigd aan een wettig regime, hebben de christelijke kerken mede bereikt door zich de verschrikkingen van de shoah te realiseren.

Het is zeker mogelijk aan het feit dat dit leerproces heeft plaatsgevonden en nog aan het plaatsvinden is, vertrouwen te ontlenen in de blijvende kracht van de christelijke tradities. Dit kan een stimulans zijn naar deze tradities terug te keren teneinde de fundamentele vragen te verhel-

27 Ibid. no. 4.

28 A.R. Eckhardt, *Your People – My People*, 1974.

29 Vgl. b.v. P.J. Tomson, *'Als dit uit de hemel is ...'*, 1997; *Antijudaismus im Neuen Testament?*, D. Henze e.a., 1997; *Anti-Judaism and the Gospels*, ed. W.R. Farmer, 1999; *Anti-Judaism and the Fourth Gospel*, ed. R. Bieringer, 2001; *Jesus, Judaism and Christian anti-Judaism*, ed. P. Frederiksen/A. Reinhartz, 2002.

deren waar het feit dat wij leven 'na Auschwitz' ons voor stelt. Maar de noodzakelijke waarheid is in deze tradities niet aanwezig als een heldere schittering. Evenals alle andere religieuze tradities zijn ook de christelijke chaotische en kakofonische kluwens van debat en conflict. Het zijn historisch gesitueerde pogingen tot formulering van theoretische en praktische inzichten in wat het betekent te leven in Gods genade zoals deze gestalte heeft aangenomen in Jezus van Nazaret als de Christus van Gods. Deze pogingen blijken telkens weer tekort te schieten en de bereikte resultaten worden, terecht en ten onrechte, steeds opnieuw tegengesproken en ter discussie gesteld. Het geloof in de levenskracht en het blijvende belang van de christelijke tradities wordt daarom beleden door de discussies te voeren hoe, in het licht van de actuele omstandigheden, deze tradities op een authentieke manier kunnen worden voortgezet.

Dit impliceert tegelijkertijd de onmogelijkheid van een morele afrekening zoals Goldhagen die voorstaat. De zesmiljoenvoudige moord van de shoah laat zich niet vatten in de logica van schending van morele principes en van het toeschrijven van individuele en collectieve schuld. De mogelijkheid om te denken in morele termen staat in de shoah zelf mede op het spel en er zijn uiteindelijk geen morele categorieën om de medeplichtigheid aan de shoah adequaat te beoordelen.[30] Dit betekent dat na Auschwitz in zekere zin de moraal opnieuw moet worden uitgevonden, als antwoord erop. Wat is een goed leven, nadat is gebleken dat het leven zo grondig vernietigbaar is en het antwoord op deze vernietiging zozeer is uitgebleven? Het beantwoorden van deze vraag begint niet met het opmaken van de balans van wie in welke mate waarvan precies dader is. Het begint bij het herdenken van de catastrofe die de Grote Vernietiging betekent, om daar te ontdekken hoe diep het gezamenlijke menszijn geschonden is. In deze zin is de biddende herdenking van de catastrofe zonder weerga, en het uitspreken van de hoop op God waarin gezien deze catastrofe alleen onze redding kan bestaan, door paus Johannes Paulus in 2000 vorm gegeven door in Yad Vashem een deel van psalm 31 te citeren, het juiste begin. De Nederlandse shoah-specialist Hans Jansen gaat een stap verder door in reactie op de verklaringen vanuit het Vaticaan over de kerkelijke medeplichtigheid aan de shoah, en op wat hij beschouwde als de tekorten ervan, met paus Johannes Paulus II een denkbeeldige excursie te maken door het Vaticaanse Ar-

30 Dit laatste wordt wat mij betreft al duidelijk in D.J. Goldhagen, *Hilter's Willing Executioners*, 1996, waarin elke Duitser afzonderlijk verantwoordelijk gemaakt lijkt te worden voor het niet-verzet en de soepele medewerking aan de shoah. Door deze algemeenheid wordt echter in feite elke individuele schuldtoerekening toch weer zinloos. Goldhagen verdedigt zijn benadering in 'The Paradigm Challenged', 1998.

chief en Aartsbisschoppelijk Archief van Toledo. Daar lezen zij samen anti-Judaïstische en proto-anti-semitische teksten.[31]

Een dergelijke gedachtenis leidt tot het inzicht dat de christelijke traditie tot in de kern opnieuw moet worden doordacht, omdat de shoah er enerzijds mede uit voortkomt en er anderzijds fundamenteel mee in tegenspraak is.

Moed tot niet-identiteit

Volgens de Amerikaanse theoloog Darrell Fasching kan geloof na Auschwitz niet langer bestaan in het vasthouden aan een duidelijke overtuiging. Geloof na Auschwitz is volgens hem vooral een kwestie van volharden in de klacht. Naar de overtuiging van de Duits-Joodse filosoof Theodor W. Adorno (1903-1969) kan in het verkeerde leven – in een wereld die op talloze wijzen verbonden is met datgene wat Auschwitz veroorzaakte en waarin steeds opnieuw verwante verschrikkingen plaatsvinden – niet juist geleefd worden.[32] Wat overblijft, is het levend houden van dit bewustzijn om aldus te verkeren in de afwezige presentie van God.

Fasching zoek in zijn reflecties aansluiting bij de Joodse traditie van de *choetzpah.* Hij ziet daarin een alternatief voor de nadruk op gehoorzaamheid aan God, de onderschikking aan de machtige Koning der Wereld die in het Jodendom eveneens een belangrijke rol speelt. Maar waar Fasching in het christendom vanaf het begin een dreigende reductie waarneemt van geloof tot onvoorwaardelijke onderschikking, daar bestaat in het Jodendom naast gehoorzaamheid nog een andere vormgeving van de verbondsrelatie van het volk Israël met God. Hierbij is het 'alsof God en het Joodse volk samen opgroeiden en daarom met elkaar omgaan met de vertrouwdheid van oude vrienden of geliefden' (45).[33] Het verbond wordt opgevat als een wederzijds contract: het Joodse volk neemt het op zich te leven naar Gods geboden en God neemt het op zich beschermend en richtingwijzend bij zijn volk te zijn. Waar een van beide partijen volgens de andere de verbondsafspraken niet nakomt, is ruimte voor discussie, klacht en verwijt. Niet alleen kan God het volk, maar het volk kan ook God verwijten maken en tot de orde roepen. In dit laatste geval is sprake van *choetzpah*, van 'vrijmoedigheid jegens de hemel'. 'De ethiek van de *choetzpah* beroept zich op God tegen God in de naam van Gods schepping', volgens Fasching (53). Abraham in zijn debat met God over de vernietiging van Sodom (Gen. 22), Jacob in zijn

31 H. Jansen, *De paus en de Jodenvervolging*, 1998, 61-79: 'Een reis met Johannes Paulus II door de kerkgeschiedenis'.

32 Th.W. Adorno, *Minima moralia*, 1951, 43: 'Es gibt kein richtiges Leben im falschen.'

33 Fasching, *Theology after Auschwitz*, l.c. Cijfers tussen haakjes in de tekst verwijzen naar dit boek. – Fasching citeert hier A. Laytner, *Arguing with God*, 1990, xvi-xvii.

worsteling met de vreemdeling aan de rivier de Jabbok (Gen. 32, 22-32) en vooral Job in zijn aanklacht tegen God belichamen deze traditie. Dezelfde *choetzpah* is volgens Fasching aan het woord in het aanklagen van de God die in de kampen zijn volk niet terzijde stond, zoals met name de Joodse schrijver Elie Wiesel deze in zijn boeken verwoordt (47-48).[34]

Het fundamentele probleem van de christelijke tradities is volgens Fasching dat zij uiteindelijk onvoorwaardelijke onderwerping eisen aan Gods wil en elke opstand daartegen interpreteren als hoogmoed, *hybris*. Dit maakt de christelijke houding verwant aan die van de uitvoerders van de shoah. Zij cijferden zichzelf en hun eigen beoordelingsvermogen weg en stelden zich geheel in dienst van de 'zaak' waarvoor zij meenden te moeten staan: de totale vernietiging van het Joodse volk. Hiertegenover beklemtoont Fasching de religieuze noodzaak tot tegenspraak. 'Niets verdient ooit onze absolute, onkritische loyaliteit, zelfs onze God niet, omdat dit altijd leidt tot de mogelijkheid van SS-loyaliteiten', zegt hij Irving Greenberg na (52)[35]. Zo creëert hij ruimte om God op een nieuwe plaats te vinden, in een nieuwe vorm van aanwezigheid: in de afkeer van en het lijden onder de verschrikkingen, in de noodzaak dat de catastrofe wordt afgewend, ook al gebeurt dit niet. De uitspraak dat *choetzpah* een beroep is op God tegen God in de naam van Gods schepping, suggereert echter dat in de klacht over de shoah God tegenover God staat. Alsof God in de verschrikkingen van de shoah is evenzeer als in de afkeer ervan.[36]

Irving Greenberg gaat op dit punt een beslissende stap verder door op uiterst gewaagde manier de beelden voor Gods aanwezigheid in het boek Exodus te verbinden met hetgeen er in de vernietigingskampen plaatsvond. Zijn beeldspraak is schokkend en onmogelijk, maar daarin adequaat: het maakt duidelijk in welke onmogelijke situatie het spreken over en geloven in God na Auschwitz verkeert. Greenberg suggereert in deze situatie de onmogelijke mogelijkheid dat de rookkolom van verbrandende lichamen overdag en de vuurzuil van de crematoria 's nachts de weg wijzen naar een nieuwe vorm van gemeenschap en van menszijn[37]. Als God aanwezig was in Auschwitz, dan door de weg te wijzen

34 Voor de behandeling van de traditie van *choetzpah* in het Joodse denken van na de shoah, vgl. 54-59. Fasching volgt in zijn visie op *choetzpah* in hoge mate B. Lane, '*Hutzpa K'lapei Shamaya*: A Christian Response to the Jewish Tradition of Arguing with God', 1986.

35 Greenberg, 'Cloud of Smoke, Pilar of Fire', l.c., 38.

36 Hier lijkt Faschings lutherse achtergrond hem parten te spelen. Zoals bekend heeft bij Luther God ook een donkere kant en blijft ten dele een *Deus absconditus*. Auschwitz lijkt mij echter bij uitstek duidelijk te maken dat een dubbelzinnige God niet de God kan zijn van het verbond van heil en bevrijding. De bijbelse belijdenis is echter dat de schijnbare dubbelzinnigheid van God altijd-al is opgelost ten gunste van de gerichtheid op leven.

37 Greenberg, *o.c.*, 55.

waarlangs een uittocht uit Auschwitz mogelijk is, een exodus uit de cultuur die de shoah mogelijk maakte. Zoals de klacht van de bijbelse Job tegen God vanuit de onrechtvaardigheden die hem overkomen, uiteindelijk gedragen wordt door een belijdenis:

> Want ik weet, ik ben er zeker van: mijn verdediger leeft, tenslotte zal hij deze wereld binnentreden. En al ben ik nog zo diep geschonden, ik zal God zien vanuit dit lijf. Aan mijn zijde zal ik hem zien met eigen ogen (Job 19, 25-27).

Deze belijdenis draagt het vertrouwen dat Gods vrije, genadige en volledige goedheid aan het licht zullen komen, ook al is deze goedheid in geen velden of wegen te bekennen.[38]

Fasching weigert te zoeken naar een identificeerbare kern van het christendom. Hij pleit daartegenover voor

> een overgave aan de rede: niet aan een of ander idee van de rede, maar aan het radicale, onzeker makende vermogen tot het stellen van vragen dat de basis vormt van alle theorieën en dat ons van verte naar verte voert, van theorie naar theorie, van verhaal naar verhaal (99).[39]

Volgens Fasching kan de vraag die Auschwitz betekent niet worden beantwoord door een nieuwe versie van het christelijk verhaal, waarin een duidelijke visie op het menselijk bestaan en duidelijke normen en waarden worden verkondigd. Voor hem maakt de autobiografie van Albert Speer duidelijk dat bij de Nazi's alles gedomineerd werd door verhalen, woorden, schema's, dat wil zeggen door het verlangen de geschiedenis vorm te geven.[40] Ze maakten het onverwachte en 'het andere', datgene wat niet in het verhaal en het schema paste onzichtbaar en gingen uiteindelijk over tot de vernietiging ervan. Fasching keert zich ook tegen het idee van zijn collega Stanley Hauerwas dat alleen binnen de tradities waarbinnen de bijbelse verhalen een rol spelen, de shoah belangrijker is

38 Vgl. voor deze interpretatie van het boek Job, G. Gutiérrez, *Gerechtigheid om niet*, 1986; vgl. ook G. Theobald, *Hiobs Botschaft*, 1993; H. Häring, 'Wer trägt die Verantwortung?', 2004. Zie voor een veelheid van hedendaagse Job-interpretaties *Concilium* 40 (2004), no. 4.

39 Dit citaat is bij Fasching een uitspraak over het geloof van Augustinus zoals dat naar voren komt in diens *Belijdenissen*. Fasching gaat uitvoerig in op Augustinus (p. 109-122) en beschouwt de *Belijdenissen* als een exemplarisch verhaal van een gelovige.

40 Zie A. Speer, *Erinnerungen*, Berlin 1969; Fasching bespreekt Speers autobiografie relatief uitvoerig: 82-88. De concentratie op Speer en de vergelijking met Augustinus stammen overigens van Hauerwas, in: *Truthfulness and Tragedy*, S. Hauerwas e.a., 1977. Ook Hauerwas ziet Auschwitz als 'a decisive test case for anyone attempting to think ethically as a Christian'; vgl. S. Hauerwas, *Against the Nations*, 1985, 65. Vgl. voor Hauerwas' narratieve christelijke ethiek, G.F. Heeley, *The Ethical Methodology of Stanley Hauerwas*, 1987; B.J. Kallenberg, *Ethics as Grammar*, 2001.

dan andere catastrofes in de menselijke geschiedenis. Alleen zij zouden duidelijk maken dat de shoah niet alleen een aanval betekende op het Joodse volk, maar op de God van de Joden die de God is van het hele menselijke ras.[41] Voor Fasching geldt het omgekeerde. De klacht die de shoah betekent, en het criterium voor elk spreken over God dat in deze klacht is geïmpliceerd, liggen in de gebeurtenissen zelf. Niet de – christelijke of Joodse – tradities geven Auschwitz betekenis, Auschwitz stelt deze tradities in het licht van een fundamentele, open vraag en maakt wat zij te zeggen hebben, voorgoed onzeker.

Fasching verkondigt allereerst de noodzaak voor christenen de hand in eigen boezem te steken, hun zekerheden af te leggen en opnieuw 'vreemdelingen en bijwoners' te worden (Ps. 119, 19; 1 Ptr. 2, 11). Het lijkt echter zinvol te onderzoeken of de christelijke tradities een eigen bijdrage te leveren hebben aan de vormgeving van de *choetzpah*.

De christelijke tradities suggereren bijvoorbeeld dat de *choetzpah* niet gezien moet worden als verzet tegen God, maar als roep om Gods ware gezicht tegen de menselijke vertekeningen ervan in. *Choetzpah* is in deze visie de oervorm van gebed. Gebed betekent volgens de Duitse theoloog Johann Baptist Metz: roepen, smeken, eisen dat God voor mij en voor ons God is – 'sis mihi Deus?!', 'wees Jij voor mij God?!' – en zuchten en klagen dat de vervulling hiervan zo lang en zo grondig uitblijft.[42] Dit is christelijk gezien uiteindelijk navolging van Jezus in zijn afdaling tot de dood aan een kruis: 'God mijn God, waarom hebt Jij mij verlaten' (Mt. 27, 46; Mc. 15, 34; Psalm 22, 1). Delen in de ondragelijke Godverlatenheid is daarom gezien vanuit de christelijke tradities tegelijkertijd delen in de aanwezigheid van de God van wie Jezus de icoon is (vgl. 2 Kor. 4, 4; Kol. 1, 15).

We zagen al dat het antwoord van de Joodse filosoof Emile Fackenheim op de vraag hoe er na Auschwitz nog hoop mogelijk is, luidt:

> De vernietigingslogica van de Nazi's was onweerstaanbaar, *maar zij werd niettemin weerstaan*. Deze logica is een novum in de menselijke geschiedenis, een bron van ongekende en blijvende afschuw, maar het verzet van de kant van

41 Hauerwas, *Against the Nations*, l.c., 71.

42 ' "Wenn ich Gott sage ..." ', 2005, 62. Vgl. over het gebed ook al J.B Metz, 'Ermutigung zur Gebet', 1977. – Metz en Tiemo Rainer Peters hebben zich als katholieke theologen meer dan hun collega's met de situatie van de theologie na Auschwitz beziggehouden: zie J.B. Metz, 'Christen und Juden nach Auschwitz', 1978; id., 'Im Angesicht der Juden: Christliche Theologie nach Auschwitz', 1984; id., *Kirche nach Auschwitz*, 1993; id., 'Auschwitz (theologisch)', 1993; id., *Kirche nach Auschwitz*, 1993; T.R. Peters, *Johann Baptist Metz; Theologie des vermissten Gottes*, 1998, 125-137; id., 'Thesen zu einer Christologie nach Auschwitz', 1998, 2-5; id., 'Unbegreifliche Nahe Gottes', in: *Christologie nach Auschwitz*, 2001.

degenen die er het meest radicaal aan werden blootgesteld is eveneens een novum in de geschiedenis, en het is een bron van ongekende en blijvende verbazing.

Het verzet *in* Auschwitz is de basis van het verzet *na* Auschwitz tegen de dreigende eindoverwinning van de logica die de Joden wilde uitroeien en hen alles wilde afnemen, tot en met hun leven, hun waardigheid en zelfs hun dood.[43] De eveneens al eerder geciteerde Joodse feministische theologe Marcella Raphael breidt Fackenheims redenering uit tot Gods aanwezigheid: het is slechts mogelijk *na* Auschwitz over Gods aanwezigheid te spreken omdat en in zoverre God *in* Auschwitz aanwezig was. Zij bekritiseert van hieruit de klassieke Joodse Auschwitz-theologie die in het falen van God zijn volk te redden, het bewijs ziet van Gods dood en afwezigheid. Zij meent dat de *patriarchale* God van een deel van de Joodse tradities in Auschwitz zijn irrelevantie heeft aangetoond, maar dat er in de zorgpraktijken van vrouwen in de kampen en hun reflecties erop, een nieuw gezicht van God oplicht.[44]

Vraag is echter: is dit werkelijk een nieuw gezicht *van God?* Raphael verwijst naar Gods *Shechinah*, Gods zorgzame aanwezigheid in de ruimte waarvan mensen tot in Auschwitz stonden en die belichaamd werd in de zorg en solidariteit die er, tegen alle verdrukking en verontmenselijking in, verbijsterend genoeg steeds weer bleek te zijn. Maar of het hier om meer ging dan om een tijdelijke opschorting van de allergrootste verschrikkingen, of in deze ontledigde en 'zwakke' gebaren uiteindelijk Gods macht verborgen present was, moet nog blijken. Het is niet voldoende dat God met ons lijdt aan het uitblijven van zijn definitieve openbaring in het ware, volle leven, en door gebaren van barmhartigheid en tekenen van troostende nabijheid voorkomt dat we helemaal ten onder gaan. Gods reserveloze solidariteit, die christelijk gezien in het leven, het lijden en de dood van Jezus als Gods Gezalfde gestalte krijgt, is uiteindelijk alleen werkelijk verlossend als anticiperende presentie van een definitieve vervulling.[45] Lijden en temidden van het lijden in solidariteit en zorgzaamheid overleven, het zijn christelijk gezien vormen van met God wachten op God. Maar dan moet deze God wel komen.

43 E. Fackenheim, *To Mend the World*, 1982, 25.

44 Raphael, *The Female Face of God in Auschwitz*, l.c.; vgl. ook id., *Rudolf Otto and the Concept of Holiness*, 1997, 105-109; id., 'When God Beheld God', 1999; id., 'Holiness *in extremis:* Jewish Women's Resistence to the Profane in Auschwitz', 2003.

45 Vgl. ' "Wenn ich Gott sage ..." ', l.c., 66-75, waar Metz – terecht – het gevaar benadrukt dat door te spreken over Gods medelijden het lijden ophoudt een theologisch probleem te zijn en Peters – even terecht – benadrukt dat God christelijk gesproken ook in het lijden al bij ons aanwezig is. Voor deze spanning, met name ook bij de verschillende vormen van bevrijdingstheologie, zie mijn *Sporen van de bevrijdende God*, 1990, 108-112.

Coalitie van messiaans vertrouwen

Dit brengt ons terug bij Darrell Fasching, die uiteindelijk uit is op verbondenheid van christenen met Joden na en vanwege Auschwitz. Hiertoe combineert hij twee lijnen van denken die niet zo probleemloos samengaan als hij suggereert. De ene lijn loopt uit op de stelling dat Jezus door zijn leven en dood het Joodse Verbond met God heeft opengebroken naar 'de volkeren', de niet-Joden die er eerder van waren uitgesloten. Tegenover de klassieke overtuiging dat na de dood en de verrijzenis van Jezus niet langer de Joden, maar de christenen de dragers zijn van Gods verbond met de mensen, stelt Fasching op basis van een uitgewerkte exegese van Paulus' brief aan de christenen van Rome:

> Paulus' zienswijze is precies de omgekeerde van die van sommige christenen, die redeneren dat alleen Joden die Jezus aanvaarden 'complete Joden' zijn. Voor Paulus zijn Joden compleet in hun eigen verbond, want Gods verkiezing en belofte kan nooit herroepen worden. Het zijn de heidenen die incompleet zijn wanneer ze niet aanvaarden dat het 'de [Joodse, EB] wortel' is die hen heilig maakt. Heidenen die in hun arrogantie weigeren hun afhankelijke status te aanvaarden, zullen zonder aarzeling worden 'weggekapt' (36).

De vraag is niet zozeer in hoeverre deze uitleg van de Romeinenbrief adequaat is en niet te weinig oog heeft voor de dubbelzinnigheden in Paulus' tekst zelf.[46] De vraag is veeleer of de herlezing van Paulus in deze zin een adequate christelijke reactie is op Auschwitz. Is de les uit de verschrikkingen en de eigen verwevenheid ermee vooral dat christenen meer de Joodse wortels van hun eigen tradities moeten eren? Dat kan hooguit een begin zijn.[47] Het is opvallend dat wanneer Fasching op eigen kracht zijn standpunt verwoordt over de verhouding tussen Joden en christenen, hij schrijft dat leven en dood van Jezus begrepen kunnen worden als 'het middel om de heidenen te enten op de messiaanse verwachting van de Joden' (104). Hoewel de metafoor van het enten uit Paulus' Romeinenbrief stamt (Rom. 11, 11-24), gaat het hier niet meer om een bijbels-theologisch geconstrueerde verbondenheid van christenen met Joden. Het gaat om het delen van het messiaanse verlangen dat zich uitdrukt in *choetzpah*.

Dit laatste sluit aan bij Faschings afkeer van elke vorm van onvoorwaardelijke gehoorzaamheid. In zijn ogen is de nadruk op gehoorzaamheid in het christendom verbonden met de overtuiging dat de verlossing van de mensheid door God altijd-al geheel en al voltrokken is. Als God

46 Fasching baseert zich vooral op K. Stendahl, *Paul among Jews and Gentile*, 1976 en L. Gaston, *Paul and the Torah*, 1987. Vgl. recent K. Kuula, *The Law, the Covenant and God's Plan*. Vol. I, 1999; Vol II, 2003; A.A. Das, *Paul and the Jews*, 2003.

47 Zo terecht J. Pawlikowski, *What Are They Saying About Christian-Jewish Relations*, 1980, 30.

zozeer alles al gedaan heeft, dan is de onvoorwaardelijke onderschikking aan deze God de weg tot redding. Bovendien redt God volgens de traditionele christelijke visie op de verlossing de mensheid door te doden. God laat immers volgens de klassieke verzoeningsleer zijn Zoon sterven om de gerechtigheid te herstellen en zo eeuwig leven in verbondenheid met God mogelijk te maken. Precies het idee dat heil offers vraagt en dat het ter genezing van de kwalen van de wereld nodig is dat er mensen gedood worden, ligt volgens Fasching ook ten grondslag aan het denken van degenen die meewerkten aan de shoah (109-116).[48] Tegenover deze voorstelling van de verlossing en de daaruit voortvloeiende noodzaak tot onderwerping aan God, pleit Fasching ervoor dat christenen zich aansluiten bij de Joodse overtuiging dat zolang er geen messiaanse tijd van vrede en gerechtigheid is aangebroken, de Messias klaarblijkelijk nog niet gekomen is. Hij meent dat 'Jezus ... in ieder geval "nog niet" Messias is' en dat de christelijke verwachting van de wederkomst van Jezus als de Christus de gedachte impliceert dat Jezus nog in de volle zin Messias moet worden (42). Evenals de Joden, zij het op iets andere wijze, wachten 'ook de christenen nog steeds op de komst van de Messias' (104).

In Faschings voorstelling staat Jezus in de Joodse traditie van *choetzpah*. Hij stelt in naam van de menselijke waardigheid alle autoriteit onder kritiek, zelfs als deze autoriteit zich beroept op God. Dat christenen nu al aan deze Jezus de titel 'Messias' of 'Christus' toekennen, ziet hij als

> een eschatologische daad van geloof en hoop dat op een dag het nieuwe tijdperk dat door Jezus is verkondigd zal aanbreken, en dat lijden, onrecht en dood niet langer de menselijke waardigheid kunnen bedreigen (104).

Dit zou volgens Fasching christenen ertoe moeten brengen in navolging van Jezus de *choetzpah* in zichzelf wakker te roepen, de vrijmoedigheid en de volharding om vol ongeduld te blijven vragen: God, hoe lang nog? Na Auschwitz zijn Joden en christenen, zo zegt Fasching Irving Greenberg na, geroepen om 'de ware rol van Israël/Jacob te herstellen die worstelt met God en met mensen omwille van God en de mensheid' (43).[49] Het gaat om een broederlijk zoeken van Joden en christenen naar een nieuwe invulling van het verbond met God, een manier die adequaat en geloofwaardig is in een wereld waarin de shoah heeft plaatsgevonden en de echo's ervan nog altijd plaatsvinden.

48 Fasching baseert zich hier met name op R.J. Lifton, *The Nazi Doctors*, 1986.

49 Fasching citeert hier uit een opmerkelijk artikel van I. Greenberg, 'The Relationship of Judaism and Christianity', 1984, 10-11, waarin deze benadrukt dat Jodendom en christendom na Auschwitz allebei moeten veranderen door met elkaar in gesprek te gaan.

'De Jood houdt de Christusvraag open', schreef Dietrich Bonhoeffer al in 1941.[50] Dit is echter bij nader inzien een dubbelzinnige formulering die terecht van Joodse zijde de vraag oproept: 'Wat hopen jullie uiteindelijk voor ons? [...] Moeten wij, minstens aan het einde van de geschiedenis, er toch in geloven dat Jezus de Messias is?'[51] Dit is een toespitsing van een algemener Joods ongemak met elke materialisering van de messiaanse gedachte. De voorgangster van de 'Alte Synagoge' in Essen, Edna Brocke, noemt hiertegenover 'het wachten-op-zich de functie van het messiaanse idee'.[52] Elie Wiesel meent dat religieuze problemen beginnen wanneer mensen menen dat de Messias al gekomen is: 'Dan beginnen de oorlogen, burgeroorlogen, godsdienstoorlogen.' Daarom is voor hem de essentie van het Joodse Messiasgeloof niet de specifieke voorstelling van de Messias – 'wij weten niet of de Messias een persoonlijke Messias is, een individueel mens of een tijd; misschien is het een epoche' – maar het wachten: 'Wij allen geloven in het wachten.'[53] Anders gezegd, een 'coalitie van messiaans vertrouwen' tussen Joden en christenen 'tegenover de apotheose van de banaliteit en de haat in onze wereld',[54] vraag om een nadere bezinning op de eigen aard van het christelijk Messias- of Christusgeloof.

Dat christenen de Messias, die volgens hun belijdenis in Jezus is gekomen, als bezit hebben geclaimd en zich in zijn naam het recht hebben toegeëigend de aarde aan zich te onderwerpen en uit te maken wat recht van bestaan heeft, valt niet te ontkennen. Er is echter een interpretatie van de christelijke tradities mogelijk die juist kan bijdragen aan een verbondenheid met de slachtoffers van Auschwitz die niets anders hadden dan hun hoop en hun geschokte, wankelende vertrouwen dat zich uitdrukte in soms actief, zorgend en solidair, maar vaker wanhopig, apathisch en passief 'wachten op God'. Is de God wiens koninkrijk in de christelijke tradities wordt aangekondigd, ook 'God met hen'? De christelijke tradities van nadenken over Jezus van Nazaret als – in de woorden van Edward Schillebeeckx – 'heil van Godswege' hebben een praktische gerichtheid. Het zijn pogingen om de navolging van zijn wijze van leven te verantwoorden, aan te geven en uit te leggen in welke zin

50 D. Bonhoeffer, *Ethik*, 1949, 95; vgl. Peters, 'Unbegreifliche Nahe Gottes', l.c. 169. Bonhoeffer heeft deze passage volgens de reconstructie van de voortgang van zijn werk in 1941 geschreven. Voor kritiek op deze benadering, vgl. J. Manemann, 'Echte Brüderlichkeit als Alterität', 2005.

51 Aldus Edna Brocke, geciteerd in H. Heinz, 'Um Gottes willen mit einander verbunden', 2000, 29.

52 E. Brocke, 'Von objektiven Begrenzung eines theologischen Gespräches zwischen Christen und Juden', 2000, 43.

53 *Trotzdem hoffen: Mit Johann Baptist Metz und Elie Wiesel in Gespräch*, 1993, 95.

54 Op een dergelijke coalitie hoopt Metz, in 'Christen und Juden nach Auschwitz', l.c., 47-48.

een leven in het spoor van deze roemloos gekruisigde zinvol is. Ook de belijdenis dat Jezus de Gezalfde Gods is, gered uit de doden en in zijn vernedering door God verhoogd, heeft een praktische strekking en drukt een bekering uit. De op het eerste oog evidente mislukking van zijn leven die zijn leerlingen ertoe bracht afstand van hem te nemen, gingen zij in tweede instantie zien als juist een openbaring van Gods blijvende presentie in een gebroken, Godverlaten wereld. Het feit dat zij afstand hadden genomen van dit leven, zien zij van hieruit als falen, als ontrouw waarvoor zij vergeving nodig hebben. Deze vergeving wordt, gezien de hernieuwde presentie onder hen van Jezus en diens Geest, blijkbaar gegeven.[55] Misschien beantwoordt dit ten diepste zelfs aan een bekeringservaring van Jezus zelf, aan een ervaring van zijn kant van Gods machteloosheid in de wereld zoals deze is. Jezus' conclusie hieruit is niet dat hij zich bij deze machteloosheid neerlegt, maar dat trouw aan God bestaat in het volgehouden roepen om God.[56]

In deze lijn is duidelijk dat '(w)ie de boodschap van de opwekking van de Christus zo hoort dat de schreeuw van de gekruisigde onhoorbaar geworden is, ... niet het evangelie' hoort, dat immers juist gericht is op mensen die de schreeuw van de gekruisigde leven, maar een abstracte overwinningsmythe.[57] De schreeuw van Jezus om God, dat is de plaats waar de verrijzenis zich aankondigt en deze verrijzenis maakt precies dit duidelijk. Wie vol ongeduld en vol pijn wacht op God, die doet dat daarom niet in Godverlatenheid, maar met en in de God zoals deze in Jezus is verschenen: dat is de kern van de christelijke belijdenis dat Jezus de Messias is en de grond van het anti-messiaanse messianisme dat in hoofdstuk 6 centraal stond. Hij of zij kan zich hierdoor, temidden van alle pijn en verschrikking, getroost weten.[58]

Wat christenen voor Joden – en uiteindelijk voor alle andere mensen, inclusief zichzelf – hopen, is dus niet dat iedereen aan het einde van de geschiedenis gelooft dat Jezus de Messias is. De christelijke tradities zijn erop uit mensen ertoe te verleiden hun leven op te hangen aan en alles

55 E. Schillebeeckx, *Jezus, het verhaal van een levende*, 1974, 310-324.

56 Dit suggereert J.B. Metz, 'Kampf um jüdische Traditionen in die christliche Gottesrede', 1987.

57 id., 'Theologie als Theodizee?', 1990, 105; zie ook id./D. Sölle, *Welches Christentum hat Zukunft?*, 1990, 37; id., *Kirche nach Auschwitz*, l.c., 10; id., 'Die Rede von Gott angesichts der Leidensgeschichte der Welt', 1995, 45. Zie voor de christologie van Metz, waarop ik mij hier oriënteer, P. Budi Kleden, *Christologie in Fragmenten*, 2001, m.n. 358-395: 'Theodizee-empfindliche Christologie'.

58 Vgl. Metz., 'Christen und Juden nach Auschwitz', l.c., 38, waar Metz enerzijds als het gevaar van het christelijke Messias-verstaan een te snelle verzoening ziet met het lijden en de afwezigheid van God, maar anderzijds meent dat 'die Gefahr jüdischer Messianität darin besteht, das sie alle Versöhnung für die Gegenwart immer wieder suspendiert.'

op het spel te zetten voor de hoop dat de God waarvan Jezus in leven en sterven de icoon is, de God van allen en alles zal blijken te zijn. Dat *is* christelijk gezien geloof in Jezus als de Messias: niet geloven *dat* hij het is, maar in verbondenheid met hem uitzien naar de definitieve doorbraak van de heerschappij van de God die hij verkondigde. Geloven in christelijke zin betekent hunkeren naar en volhardend wachten op deze God, ondertussen wetend dat God in zwakheid aanwezig is en blijft in het niet aflatende roepen om God.[59] Ook en juist in een wereld waarin Auschwitz heeft plaatsgevonden en in een geschiedenis waarin vernietiging en dood telkens weer de ontknoping lijken te zijn.

59 Vgl. 'Voraussetzungen des Betens: Ein Gespräch mit Johann Baptist Metz', 1978, m.n. 128.

11
De religieuze waardigheid van tot sterven geworden leven

Dit hoofdstuk gaat over dood en sterven, en de hedendaagse omgang ermee. Het benadrukt het belang van deze omgang voor de cultuur in het algemeen. Ik probeer in dit hoofdstuk duidelijk te maken dat de extreme terughoudendheid die de christelijke traditie steeds gekenmerkt heeft tegenover het beëindigen van een leven omdat het mensonwaardig zou zijn geworden, een religieuze grondslag heeft die voor de hele cultuur van belang is. Een dergelijk onderwerp dient omzichtig te worden benaderd. De christelijke weerstand tegen euthanasie en haar legalisering dreigt altijd een militant Pro-Life-standpunt te worden dat geen recht doet aan de ingewikkelde dilemma's die zich bij de huidige stand van ontwikkeling in de medische wetenschappen voordoen in de omgang met het levenseinde en het behandelen van terminale of anderszins ernstig lijdende patiënten. Met omzichtigheid ontwikkel ik daarom wat ik beschouw als een christelijke visie op de waardigheid van leven dat nog slechts sterven lijkt.

Volgens Thomas van Aquino is het menselijk leven gericht op gemeenschappelijk geluk.[1] In de termen van hoofdstuk 6 in dit boek: wij zijn in ons verlangen gericht op de gemeenschap buiten ons bereik. De wet, verstaan als de interne regel waaraan het menselijk handelen gehoorzaamt en dat het tot goed handelen maakt,[2] moet op deze gemeenschap gericht zijn. Maar wat betekent dit voor de omgang met vormen van leven die in zichzelf buiten het gemeenschappelijke goede leven lijken te vallen en slechts lijden en dood lijken te representeren? Een van de basisovertuigingen van dit boek is dat de fundamentele overtuiging van de religie luidt dat, anders dan de bijbelse Prediker suggereert, alles *geen* ijdelheid is. De Amerikaanse filosoof en pionier van de godsdienstpsychologie William James maakt duidelijk dat religies niet de moeilijkheden en bedreigingen van het leven ontkennen en daar integendeel juist veel oog voor hebben, maar dat hun ondertoon is dat het leven in en met deze moeilijkheden en bedreigingen hoe dan ook zin en beteke-

1 Thomas van Aquino, *Summa theologiae* I-II, Q. 1, art. 7 en 8; Q. 2, art. 7, Q. 3, art. 1.
2 Ibid. Q. 91, art. 2.

nis heeft.[3] Voor de apostel Paulus is de dood de laatste vijand die nog altijd over het menselijk bestaan heerst (vgl. 1 Kor. 15, 26), maar hij is tegelijkertijd volgens Paulus in het leven, het sterven en het verrijzen van Jezus de Christus 'eigenlijk' al verslagen. Om de betekenis van deze paradoxale belijdenis gaat het in dit hoofdstuk, en om de vraag welke vorm van rationaliteit erbij past. Het idee dat de werkelijkheid waarin wij leven en waarvan wij deel zijn, Gods schepping is, impliceert volgens de christelijke tradities onder meer dat het rationeel begrijpen van deze werkelijkheid mogelijk is, en op basis hiervan een goed ordenen van deze werkelijkheid. Hierbij gaat het om een rationaliteit die de werkelijkheid zoals zij is, probeert te doorgronden. In de hoop temidden van chaos, wanhoop en dood de sporen van een 'in gang zijnde redding' aan te treffen.[4]

Rationaliteit door rationaliteitskritiek

De Duits-Joodse filosoof Theodor W. Adorno meent in zijn *Negative Dialektik* dat de ware rationaliteit alleen te redden is door de gesloten en onderdrukkende gerationaliseerde totaliteit die in de twintigste eeuw de werkelijkheid overheerst, fundamenteel te bekritiseren.[5] Alleen dan kan zij iets van de belofte waarmaken het ware en het goede te onthullen en te bevorderen. Adorno is geen theoloog en wil dit ook nadrukkelijk niet zijn. Niettemin verheldert een nadere reflectie op zijn 'negatieve dialectiek' de eigen rationaliteit van het theologische denken.[6]

In Adorno's kritiek op de beheersende en onderdrukkende rationaliteit speelt de dood een centrale rol. Adorno stelt in zijn *Negative Dialektik* dat sinds Auschwitz de dood vrezen betekent: meer vrezen dan de dood. Hiermee bedoelt hij niet dat in de vernietigingskampen van de shoah het leven erger was dan de dood en daarom in sommige gevallen het leven meer moest worden gevreesd dan het sterven. Hij bedoelt ook niet alleen dat het sterven in de kampen gestalten aannam die daarvóór onvoorstelbaar waren, in de verschrikking en de ontmenselijking die ze impliceren. Hij bedoelt dat we voortaan in de dood deze verschrikkingen vrezen. Na Auschwitz worden we in elke dood geconfronteerd met Auschwitz. De vernietigingskampen hebben volgens Adorno definitief het beeld van de dood veranderd en na de shoah beleven wij de dood als teken dat de vernietiging voortgaat. De dood, en met name de langzame

3 W. James, *The Varieties of Religious Experience*, 1902, 37-39.

4 G. Vattimo, *Ik geloof dat ik geloof*, 1996, 41.

5 Th.W. Adorno, *Negative Dialektik*, 1966.

6 Adorno's werk heeft mede hierom wel altijd sterk in de theologische belangstelling gestaan; vgl. H. de Vries, *Theologie im pianissimo*, 1989; R. Buchholz, *Zwischen Mythos und Bilderverbot*, 1991; R. Frisch, *Theologie im Augenblick ihres Sturzes*, 1999; M. Martinson, *Perseverance Without Doctrine*, 2000.

dood door aftakeling en uitdoving van de geest, verschijnt na Auschwitz als onthulling van het wezen van onze werkelijkheid. In Adorno's woorden:

> Wat de dood maatschappelijk veroordeelden aandoet, laat zich biologisch anticiperen aan geliefde mensen van hoge leeftijd; niet alleen hun lichaam maar hun Ik, alles waarmee zij zich als mensen zelf bepaalden, brokkelt af.[7]

Voor Adorno impliceert dit onder meer dat het concept van een onsterfelijke ziel en een persoonlijk leven na de dood ongeloofwaardig geworden zijn. Deze zijn volgens hem gebaseerd op de ervaring van continuïteit van de menselijke geest, ondanks de vergankelijkheid en de veranderlijkheid van het lichaam. Na Auschwitz is duidelijk dat er geen onveranderlijke en onaantastbare kern is in de mens die onafhankelijk zou zijn van het vergankelijke lichaam. De geestelijke vernietiging is even reëel en onherroepelijk als de lichamelijke.

Dit dwingt ons volgens Adorno de gedachte onder ogen te zien dat de dood het laatste woord is. Volgens hem is echter deze gedachte niet tot het einde te denken. In discussie met Friedrich Nietzsche stelt hij dat als de dood het absolute zou zijn waar de filosofie zich tevergeefs tegen verzet, alles überhaupt niets is en elke gedachte in de leegte is gedacht; niets zou zich nog op enigerlei wijze met waarheid laten denken.[8] Echter, gelovigen die hieruit zouden willen concluderen dat geloof in een leven na de dood of een verrijzenis uit de doden dus noodzakelijk is – met een variant op Immanuel Kants argument voor de onsterfelijkheid van de ziel vanuit de praktische rede: we moeten om te kunnen leven en denken veronderstellen dat de dood overwonnen is of wordt – die vindt Adorno zelf op zijn weg: 'Van alle smadelijks dat met recht tegen de theologie is ingebracht, is de ernstigste het vreugdegehuil over de vertwijfeling van de ongelovigen waarin de positieve religies uitbarsten.'[9] Adorno constateert slechts de vertwijfeling en meent daarbij te moeten blijven. De volgehouden vertwijfeling bij het inzicht dat de dood volgens alle aanwijzingen het laatste woord is, is voor hem het enige waarachtige protest ertegen. Deze vertwijfeling is voor hem na Auschwitz de enige geloofwaardige gestalte die de belijdenis kan aannemen dat de dood het laatste woord niet kan zijn.

Deze schijnbaar zo abstracte gedachtegang heeft vergaande consequen-

7 Ibid. 364: 'Was der Tod gesellschaftlich Gerichteten antut, ist biologisch zu antezipieren an geliebten Menschen hohen alters; ihr Körper nicht nur sondern ihr Ich, alles, wodurch sie als Menschen sich bestimmten, zerbröckelt ...'

8 Ibid.

9 Ibid. 365: 'Von alle Schmach, die mit Grund der Theologie widerfuhr, ist die ärgste das Freudengeheul, in welche die positiven Religionen über die Verzweifelung der Ungläubigen ausbrechen.'

ties. De dood heeft zich in Auschwitz voor Adorno definitief onthuld als het laatste woord van alles wat is. Dit betekent – en dat is wat Adorno zijn 'negatieve dialectiek' noemt – dat vanuit deze dood en in sympathie met het lijden van alles wat verworpen wordt door wat is, dat wat is gedacht moet worden. Het zijnde loopt uit op lijden en dood en staat daarom altijd-al onder de fundamentele kritiek die in de vertwijfeling bij dit lijden en deze dood besloten ligt. Dit 'nihilisme' – zijn eigen aanduiding – tegenover al het bestaande beschouwt Adorno als de positie die een filosoof verplicht is in te nemen, maar iedere 'denkende' moet volgens hem altijd toegeven dat hij zich deze positie te weinig eigen heeft gemaakt, uit gebrek aan sympathie voor wat lijdt en wie lijden.[10] Hierbij beschouwt hij het als taak van de theologie te blijven herinneren aan de noodzaak van dit nihilisme. De theologie moet volgens Adorno niet troosten door Gods nabijheid ter sprake te brengen, maar het verzet levend houden tegen de 'Diesseitsgläubigen' en de transcendentie bewaken.

Adorno's gedachtegang lijkt op de logica van God waar in het Nieuwe Testament de apostel Paulus over spreekt. Deze God heeft volgens Paulus' getuigenis wat niets is uitverkoren om teniet te doen wat (iets) is (1 Kor. 1, 28). Er is echter een fundamenteel verschil. Bij Adorno ligt alle nadruk op het feit dat de sympathie voor wat lijdt, dat wat iets is onthult in zijn fundamentele nietigheid. Bij Paulus gaat het echter minstens evenzeer om de uitverkiezing van wat niets is door God in Jezus de Christus. Dit impliceert het gegeven – het is uiteraard het geloof van Paulus en degenen voor wie hij schrijft, maar het geloof in iets dat hen naar hun overtuiging letterlijk 'gegeven' wordt – dat in iedereen die en alles dat in deze Christus is opgenomen, een nieuwe schepping aanbreekt waarin de nietigheid van wat is, overwonnen wordt (vgl. 2 Kor. 5, 17). Uiteindelijk is alles in Christus opgenomen en daarmee in de dynamiek naar een nieuwe schepping: 'Hij bestaat voor alles, en alles bestaat in hem' (Kol. 1, 17).

Paulus maakt op deze wijze duidelijk dat het denken vanuit het niets dat Adorno 'nihilisme' noemt, het impliciete geloof veronderstelt dat in dit niets *iets* aan het licht komt dat van fundamenteel belang is. Misschien is dit 'iets' alleen als 'niets' te benoemen, te ervaren en te denken, maar het moet uiteindelijk alles wat 'iets' is overtreffen en omvatten. Dit is precies waar het om gaat in de christelijke verkondiging van de verrijzenis en verheerlijking van Jezus de Christus. Deze verkondiging heeft niet alleen betrekking op hem, maar zegt iets over de wereld waarin wij leven en de geschiedenis waarvan wij deel zijn. In Jezus' leven, lijden en

10 Ibid. 373.

dood komt naar christelijke overtuiging aan het licht dat wij niet alleen gelaten zijn. In het menselijk verlangen en streven naar geluk en vervulling, maar evenzeer in teleurstellingen en mislukkingen, gaat een goddelijke aanwezigheid schuil als ruimte waarin te leven valt. De verhalen van Jezus' verrijzenis en hemelvaart verkondigen dat strevingen en successen evenals vernederingen en mislukkingen zijn opgenomen in een beweging naar een ongedachte vervulling.[11] Helemaal, tot en met onze dood, onze aftakeling en onze reductie tot niets die wij volgens Adorno sinds Auschwitz met en in de dood vrezen, zijn wij naar christelijke overtuiging deel van een door God omvatte wereld en een door God gedragen geschiedenis.

Verbondenheid en compassie

De waarheid van de religieuze overtuiging dat in Jezus de Christus zichtbaar wordt dat de dood niet het laatste woord is, hoeft voor Adorno niet bewezen te worden. Zij is de overtuiging van een traditie en volgens hem bewaren religieuze tradities precies in het bewustzijn dat zij tradities zijn, het besef dat zij de werkelijkheid op een niet-vanzelfsprekende manier interpreteren. Het woord 'traditie' duidt op een zekere particulariteit en geeft zo aan dat er altijd ook een andere interpretatie van de werkelijkheid mogelijk is.[12] Van belang is echter wel dat er een ervaring mogelijk is die een door religieuze tradities naar voren gebrachte overtuiging geloofwaardig kan maken. Zoals gezegd is een dergelijke ervaring met betrekking tot de christelijke belijdenis van de verrijzenis uit de doden volgens Adorno na Auschwitz onmogelijk. In de plaats ervan komt de vertwijfeling bij de opdoemende onontkoombaarheid van de gedachte dat de dood het laatste woord heeft, een vertwijfeling die de verantwoordelijkheid impliceert om, in sympathie en verbondenheid met al het lijdende, nihilist te zijn tegenover dat wat dit lijden produceert. Maar wil dit geen willekeurige eis zijn, dan is de vraag of en hoe voor hedendaagse mensen de morele ervaring mogelijk is dat het lijden, de dood en het 'meer dan de dood' dat we er sinds Auschwitz in vrezen, om verbondenheid en solidariteit vragen.[13]

Het is duidelijk dat mensen feitelijk deze ervaring opdoen. Op tal van plaatsen en op tal van manieren is er zorg voor ernstig zieken, hoogbejaarden, mensen die ten dode zijn opgeschreven, mensen die diep be-

11 Vgl. voor een poging om dit theologische inzicht te herformuleren op een manier die in de hedendaagse situatie betekenisvol is: D.S. Dawson, *Jesus Ascended*, 2004.

12 Voor de wederwaardigheden van het traditiebegrip in het moderne denken, vgl. S.H. Watson, *Tradtion(s)*, 1997; id., *Hermeneutics, Ethics, and the Dispensation of the Good*, 2001.

13 Voor het idee 'morele ervaring', vgl. P. van Tongeren, 'Ethiek als hermeneutiek van de morele ervaring', 1999.

schadigd zijn en mensen die ten prooi zijn aan het 'meer dan de dood'. Natuurlijk is er niet alleen deze zorg en is er kritiek mogelijk op wat vanuit deze zorg wordt gedaan, maar het blijft opmerkelijk dat zowel op institutioneel als op existentieel vlak volop in verbondenheid en compassie met lijdenden en stervenden geleefd en gehandeld wordt. De noodzaak hiertoe wordt blijkbaar ervaren. Hedendaagse maatschappelijke mechanismen en culturele schema's dreigen ernstig zieken en stervenden voortdurend tot uitgeslotenen te maken, tot mensen die levend uit het land van de levenden verbannen zijn en nog voor ze zijn gestorven al toebehoren aan de dood. Hier staat echter tegenover dat mensen individueel en georganiseerd contact met hen zoeken, zich toewijden aan hun verzorging, hen steeds opnieuw willen brengen tot een in hun situatie optimale vorm van goed en autonoom bestaan. Waarop is dit gedrag gebaseerd, welk inzicht ligt eraan ten grondslag en op basis waarvan is dit gedrag eigenlijk 'goed' te noemen?

Nu kan men vinden dat deze vragen er eigenlijk niet toe doen. Men kan bijvoorbeeld menen dat sympathie voor ten dode opgeschrevenen in zekere zin 'natuurlijk' is, een spontane menselijke reactie op anderen wanneer deze niet anders meer kunnen dan hun kwetsbaarheid tonen. Dit lijkt echter naïef, gezien de ervaring met de shoah en de talrijke gebeurtenissen naar beeld en gelijkenis ervan die in de twintigste eeuw hebben plaatsgevonden. Deel van onze angst voor de dood die na Auschwitz angst is voor meer dan de dood, komt juist voort uit de wetenschap overgeleverd te zijn aan de goodwill, de hulp, de zorg en de liefde van anderen die niet vanzelfsprekend zijn. Men kan zelfs vinden dat de vraag naar de grondslag van de lotsverbondenheid met lijdenden en stervenden gevaarlijk is. De Frans-Joodse filosoof Emmanuel Levinas (1906-1995) meent dat alleen het gelaat van de ander mij werkelijk confronteert met mijn verantwoordelijkheid voor haar of zijn leven. Hij geeft er zich ten volle rekenschap van dat er geen enkele garantie is dat ik deze verantwoordelijkheid ook accepteer en op mij neem. Het gaat juist om het appèl mijn vrijheid te onderwerpen aan wat als weerloze eis van buiten komt, mij te laten gijzelen door de ander.[14] In deze lijn van denken is de vraag naar de basis van de verbondenheid met zieken en stervenden gevaarlijk, omdat deze als vanzelf tot een nadere kwalificatie voert van de verplichting die de ander voor mij betekent. De confrontatie met sterven en dood is de confrontatie met een uitzonderingstoestand, een toestand die buiten elke regulering valt. Kenmerk van de uitzonderingstoestand is dat er geen tevoren opgestelde regels gelden en de macht van de sterkste daarom vanzelfsprekend is.[15] Het ontstaan van

14 E. Levinas, *Totalité et Infini*, 1961, m.n. 159-225.

15 Het idee van de 'uitzonderingstoestand' als grensbegrip van de politieke en maatschappelijke orde is in de hedendaagse politieke filosofie van fundamentele betekenis, in het

waarachtige betrokkenheid bij het lot van een ander dat dit recht van de sterkste onderbreekt, is in deze visie het altijd kwetsbare, maar voor een menselijk bestaan noodzakelijke wonder.[16]

Er is echter een belangrijke spanning tussen de visie dat verbondenheid en compassie met anderen steeds opnieuw uit het niets moeten ontstaan en de christelijke tradities in minstens hun katholieke varianten.[17] Deze laatste leggen er de nadruk op dat wereld en kosmos uiteindelijk door God ten leven geordende schepping zijn, en Jezus Christus het begin markeert van een nieuwe schepping waarbinnen waarachtig goede leven mogelijk is. Natuurlijk, de werkelijkheid waarin wij bestaan en waarvan wij deel zijn, doet zich ook aan christenen geregeld voor 'als oorlog', zoals het zich naar een formulering van Levinas aan het wijsgerig denken zou openbaren. Deze oorlog is voor hen echter niet – en dat is van fundamenteel belang – wat Levinas 'de waarheid ... van het werkelijke' noemt.[18] Deze waarheid ligt in de gerichtheid op het goede leven als een 'in gang zijnde redding' waaraan mensen deel hebben door in hun handelen op het goede gericht te zijn. Deelnemen aan de gerichtheid van alles op God, op het gemeenschappelijke geluk en de gelukzalige eenheid met God die de goedheid zelf is, noemt Thomas van Aquino deugd.[19] Dus de vraag is in welke zin zorgzame verbondenheid van mensen met elkaar, en met name met lijdenden en stervenden, eigenlijk in deze zin een deugd kan worden genoemd.

De vraag waarom mensen eigenlijk voor elkaar willen zorgen, staat centraal in de roman *Langzame man* van de Zuid-Afrikaanse, in Australië wonende schrijver en Nobelprijswinnaar John M. Coetzee.[20] Zoals altijd

bijzonder via de hernieuwde belangstelling voor de Duitse staatsrechtgeleerde Carl Schmitt. Vgl. m.n. diens *Politische Theologie*, 1922. Zie ook G. Agamben, *State of Exception*, 2003.

16 Vgl. S. Crichley, *The Ethics of Deconstruction*, 1992, 146-156. Vgl. ook A. van Harskamp, *Over fundi's, spirituelen en moralisten*, 2003, m.n. 87-106.

17 G. Rose, *Judaism and Modernity*, 1993, suggereert dat er ook een fundamentele spanning bestaat met de Joodse traditie, met haar sterke nadruk op gehoorzaamheid aan de Wet, de *halacha*.

18 Levinas, *o.c.*, IX.

19 Er is op dit punt een duidelijk verschil tussen Thomas en hedendaagse vertegenwoordigers van een zogenoemde deugdethiek als Stanley Hauerwas (*Vision and Virtue*, 1974; id., *Christians Among the Virtues*, 1997) en Alasdair MacIntyre (*After Virtue*, 1985; id., *Whose Justice, Which Rationality*, 1989; id., *Three Rival Versions of Moral Inquiry*, 1990; id., *Dependent Rational Animals*, 1999). Deze voorstanders van een deugdethiek hebben de neiging de deugden, de tradities die ze beschermen en de gemeenschappen die ze hoog houden, te zien als de woonplaats van het goede. Hoewel anti-modern in inzet, is een dergelijke visie op deugd eerder modern. Vgl. *Virtues and Practices in the Christian Tradition*, ed. N. Murphy e.a., 1997; R.S. Smith, *Virtue Ethics and Moral Knowledge*, 2003.

20 J.M. Coetzee, *Slow Man*, 2005.

bij deze auteur, is het antwoord dat de roman geeft diffuus en gelaagd.[21] Om ons in te kopen in de zorg van anderen, is een van de mogelijke antwoorden, en zo onze angst te bezweren onverzorgd achter te blijven of genoegen te moeten nemen met vakkundige verpleging en af te moeten zien van liefdevolle handen. Als de hoofdpersoon van *Langzame man*, Paul Rayment, aangereden wordt op zijn fiets en zijn verbrijzelde been als hij ontwaakt geamputeerd blijkt te zijn, wordt hij hardhandig geconfronteerd met zijn afhankelijkheid van de zorg van anderen. Hij krijgt spijt van zijn kinderloosheid en wil bijdragen aan de zorg voor de kinderen van de Kroatische verpleegster die hem goed verzorgt en voor wie hij genegenheid opvat. Hij schrijft uiteindelijk een pathetisch verzoek aan haar man de 'peetvader' van hun kinderen te mogen zijn: 'Ik vraag alleen om in hun buurt te mogen zijn, mijn gemoed te mogen luchten [...], en om de zegeningen van mijn hart over je gezin te mogen uitstorten.' Om ertoe te doen, is hiermee een tweede gesuggereerd antwoord op de vraag waarom mensen voor anderen zorgen. Ze zijn erop uit het eigen bestaan te rechtvaardigen en betekenis te geven. Bovendien willen ze via anderen deel krijgen aan de toekomst. Het onbegrip voor de veranderingen en de aankondigingen van een toekomst waar hij geen deel aan zal hebben, spelen Rayment het hele boek parten. In de bewust brief schrijft hij:

> De peetvader is degene die naast de vader voor het doopfont staat, of boven het hoofd zweeft, en het kind zijn zegen geeft en zijn levenslange steun belooft ... [D]e peetvader [is] de personificatie van de heilige Geest. Zo zie ik het tenminste. Een onstoffelijke, spookachtige figuur, de woede en begeerte voorbij.

Ook om hun schuld af te kopen zorgen mensen voor elkaar, suggereert *Langzame man*. Drago, de zoon van de verpleegster voor wie Rayment aanbiedt het collegegeld te betalen van een dure school, bouwt om hem te bedanken met grote zorg een fiets waarop hij met zijn handen kan trappen en die hij met zijn ene, onbeschadigde voet kan besturen. Dit maakt het mogelijk dat hij onder zijn nieuwe omstandigheden kan doen wat hij daarvoor ook deed: fietsen. Rayment is ontroerd en beschaamd vanwege de toewijding die de fiets vertegenwoordigt, vanwege de uren dat eraan gewerkt is en de aandacht die aan elk detail is besteed. Maar de fiets kan hij alleen zien als 'nep', net als de prothese voor zijn verloren been die hij ook niet wil, net als de zakelijke seks met een vrouw die door kanker blind is geworden en zich dus evenzeer moet behelpen als hij. Net als elke verzoening met het lot, in het boek op een vreemde en dubbelzinnige manier vertegenwoordigd in het personage van de schrijf-

21 Over het werk van Coetzee, vgl. D. Attwell, *J.M. Coetzee*, 1993; D. Head, *J.M. Coetzee*, 1997; M. Canepari-Labib, *Old Myths – Modern Empires*, 2005.

ster Elizabeth Costello, die hem vraagt met haar samen te gaan wonen opdat zij elkaar tot steun kunnen zijn.[22] Neen, zegt hij tenslotte, 'dit is geen liefde. Dit is iets anders. Iets minders.'

Mensen zorgen uiteindelijk voor elkaar in het verlangen de gebrokenheid teniet te doen, en de vervreemding van de wereld en elkaar op te heffen die dit met zich meebrengt. Dit is, zo blijkt, zowel noodzakelijk als onmogelijk – althans, voor Rayment. De Kroatische verpleegster Marijana Jokić is katholiek en niet alleen de wijze waarop zij met zorgzame liefde Rayment verzorgt, maar ook haar naam verwijst naar Maria. In haar omgeving wordt de wereld als vanzelf een geheel, een ruimte van zin- en betekenisvol, zij het niet per se gemakkelijk leven. Zij heeft haar vak van restaurateur van oude kunstwerken moeten opgeven, omdat daar in haar nieuwe land Australië geen vraag naar is, en haar man, ooit beroemd als degene die als enige een oude mechanische eend had weten te repareren, werkt in een fabriek. Zij hebben moeilijkheden met de opvoeding van hun kinderen en soms ook met elkaar. Niettemin blijft er in hun leven een onzichtbare presentie: wat gebeurt, doet ertoe. Rayment daarentegen woonde als kind in de Franse Mariabedevaartplaats Lourdes, tot zijn Nederlandse stiefvader zijn moeder en hem meenam naar Australië. Als hij als volwassene terugkeert, blijkt hij in Frankrijk net zo min thuis als in Australië, waar hij zich vervolgens vestigt. Sindsdien heeft hij geen thuis, hij heeft alleen verblijfplaatsen. Hij wordt fotograaf, iemand die de veranderende wereld probeert vast te houden, en fotoverzamelaar, iemand die zich meer op zijn gemak voelt bij afbeeldingen van het verleden dan bij de hedendaagse realiteit.

Wat in het wereldbeeld van Rayment 'nep' is – een prothese, de speciale fiets, alles wat suggereert dat er continuïteit is tussen zijn bestaan vóór en na zijn ongeluk – is in de wereld van Jokić een stadium in het voortgaande leven. Miroslav, Marijana's man, is hobby-imker. Zijn vrouw legt in haar gebroken Engels aan Rayment uit wat dat betekent: 'Mijn man, zijn familie houdt altijd bijen. [...] Zijn vader, en daarvoor zijn grootvader. Dus hij houdt ook bijen, hier in Australië.' Een teken van continuïteit. De suggestie is dat Marijana symboliseert wat de Maria belichaamt die in Lourdes verschenen zou zijn: de Onbevlekte Ontvangenis, dat wil zeggen een leven buiten de invloedssfeer van de erfzonde. Bij haar is het leven niet verstoord door vervreemding van de wereld, van andere mensen en van God, van het leven zelf. Eén keer voelt Rayment zich dankzij haar zelfs heel even verzoend met zijn lot en zijn handicap. Hij wordt door de geheelde wereld van Marijana aangetrokken, maar de toegang ertoe wordt geblokkeerd door zijn argwanende ge-

22 Elizabeth Costello is in een eerder boek door Coetzee geïntroduceerd als een soort *alter ego*, de personificatie van het schrijverschap met zijn dilemma's, ongemakken en aporieën, eerst in *The Lives of Animals*, 1999, en vervolgens in *Elizabeth Costello*, 2003.

dachten, zijn afkeer van 'nep' en zijn walging van alles wat lelijk of geschonden is. Het lijkt erop dat Paul Rayment voor Marijana en de rest van de familie Jokić wil zorgen in de hoop dat hij zo toegang krijgt tot de liefde die hij nodig heeft om in te leven. Het lukt hem uiteindelijk niet deze liefde te ontvangen, naar het schijnt omdat hij niet kan leven met de ambiguïteit waarvan Coetzee ooit in een interview gezegd heeft dat de schrijver er zijn brood mee verdient en het leven eruit bestaat. In het laatste verhaal in Coetzees eerdere boek over de schrijfster Elizabeth Costello zorgt haar gevoel voor ambiguïteit ervoor dat zij geen toegang krijgt tot de hemel: zij kan niet eenduidig zeggen dat ze ergens in gelooft.[23] In *Langzame man* lijkt juist het gebrek aan gevoel voor ambiguïteit de toegang te blokkeren tot een in zekere mate verzoend en geheeld leven. Rayment voelt zich onontkoombaar de Don Quichotte, de dappere maar in de vergeefsheid van zijn strijd belachelijke strijder tegen het noodlot die Elizabeth Costello in hem ziet – mijn 'ridder van het droevige gelaat' noemt zij hem als hij een proefritje maakt op de fiets die vader en zoon Jokić voor hem hebben gemaakt, naar een epitheton dat Miguel de Cervantes voor zijn held gebruikt – in plaats van een man gekoesterd in zorg en genegenheid. Het vijandige lot, dat hij op Costello als schrijfster projecteert – zij zou erop uit zijn hem interessant te maken met het oog op een boek dat zij wil schrijven – heeft hem een kunstje geflikt door hem zijn been te ontnemen, en hem zo in elke zin van het woord verlamd en pootje gelicht. Niets kan en mag de herinnering daaraan ongedaan maken.

Maar het verlangen naar een verzoend leven laat zich niet onderdrukken. Het steekt de kop op in de neiging om voor anderen te zorgen en zo deel te hebben aan de gemeenschap die buiten ieders bereik is, maar waarvan wij leven.

De heiligheid van het naakte mensenleven

Compassie als uitdrukking van het verlangen zelf in een wereld te leven waarin compassie is; liefde als poging mede de ruimte te scheppen waarin leven mogelijk is. Dergelijke motieven hebben onder de actuele verhoudingen haast vanzelf een marginale positie en spelen een verborgen rol. De dubbelzinnigheid van Paul Rayment ten opzichte van zijn verlangen weerspiegelt de dubbelzinnigheid van de hedendaagse cultuur.

Rayment ziet zichzelf als slachtoffer, teruggeworpen op zijn naakte leven. In een boek met deze titel spreekt de Italiaanse filosoof Giorgio Agamben over de *homo sacer* in de betekenis die deze term had in het klassieke Romeinse recht: degene die alleen zijn naakte leven heeft.[24] De

23 Ibid., 193-225: 'Lesson 8: At the Gate'.
24 G. Agamben, *Homo sacer*, 1995.

homo sacer staat buiten de samenleving en buiten de categorieën die de wereld ordenen, buiten de beschaving, maar heeft alleen het leven zelf, zonder garanties dat dit gerespecteerd wordt. Hij kan niet worden geofferd, want hij heeft niets om te offeren. Hij kan wel straffeloos worden gedood, want omdat hij buiten de samenleving staat, wordt hij niet door de samenleving en zijn wetten beschermd. Voor Agamben werpt de *homo sacer* licht op de hedendaagse situatie. Naar zijn visie heeft de moderne staat de tendens zijn macht uit de breiden tot alle sferen van het leven en zich niet te beperken tot het politieke leven, het samenleven van burgers in een maatschappij. De macht van de moderne staat reikt tot en met het lichaam en 'het naakte leven' zelf. Hier sluit Agamben zich aan bij Michel Foucault, die heeft laten zien dat juist ook de seksualiteit, die hedendaagse mensen beschouwen als bij uitstek de ruimte waarin zij hun vrijheid gestalte geven, bij uitstek het terrein is van macht, beheersing en reglementering.[25]

Volgens Agamben is moderne politiek bio-politiek geworden, politiek met het 'naakte leven' als inzet. In de klassieke visie op politiek als het regelen van de zaken van de *polis* als politieke gemeenschap, was dit ondenkbaar – behalve dus in het geval van de *homo sacer*. De centrale vraag van de moderne bio-politiek is wie onder welke voorwaarden mag bestaan en behoort tot degenen die rechten hebben en kunnen doen gelden. De politieke discussies rond vluchtelingen bijvoorbeeld maken duidelijk hoezeer de hedendaagse politiek mensen terugbrengt tot hun 'naakte leven' en erover beslist. Als 'echte vluchteling' met de bijbehorende rechten gelden slechts diegenen die kunnen aantonen in hun naakte leven bedreigd te worden. Voor Agamben belichaamt het *Lager* – het kamp in de zin van de concentratie- en vernietingskampen in Nazi-Duitsland, en de gevangenen- en werkkampen in stalinistisch Rusland – bij uitstek wat hij noemt 'het bio-politieke paradigma van onze tijd'. In het kamp kan alles gebeuren, is geen structuur waar een beroep op gedaan kan worden, heerst de pure macht van de beslissing en is iedereen teruggebracht tot 'puur leven' dat volkomen is overgeleverd aan de absoluut soevereine macht die beslist over zijn bestaan. Het is de angst tegenover een dergelijke macht te staan die Paul Rayment in Coetzees *Langzame man* na de amputatie van zijn been doet zoeken naar mogelijkheden zo snel en grondig mogelijk te ontsnappen aan de greep van de zorgsector. In deze lijn suggereert Agamben nu dat onze samenleving de neiging heeft ook de zieke, en met name de terminaal zieke, in de positie van *homo sacer* te dringen. Teruggebracht tot het 'naakte leven' is hij of zij geheel onderworpen aan de macht van de medische wetenschap met haar regels en protocollen.

25 M. Foucault, *Histoire de la sexualité*. I: *La volonté de savoir*, 1976.

Ik beschouw dit als een toespitsing van Adorno's gedachte dat sinds Auschwitz de dood vrezen betekent: erger vrezen dan de dood. Dit 'erger' is het bestaan als levende dode, naakt, zonder verweer en dankzij de ziekte en de regelgeving gezamenlijk zonder 'zelf', tot de wortel vernietigd worden door de dood en haar macht. De *muzelman* uit het *Lager* als de moderne variant van de *homo sacer*, op zijn beurt teruggevonden in degene die willoos is overgeleverd aan het eigen onherroepelijke stervensproces. Tegelijkertijd is dit 'erger' bij Agamben de vrees dat de zo onthulde troosteloze, gewelddadige en willekeurige vernietiging de uiteindelijke 'waarheid ... van het werkelijke' is, om Levinas' woorden nog eens te citeren. Het is de angst dat de gemeenschap waarvan wij leven niet alleen buiten ons bereik is, maar dat wij buiten deze gemeenschap vallen en dat deze gemeenschap ten diepste helemaal niet bestaat.

'Heilig' – *sacer* – duidt voor Agamben de dubbelzinnigheid aan van 'het naakte leven' dat de macht creëert door het buiten het leven van de cultuur te plaatsten. Zo, als buitengesloten, is het geheel afhankelijk van de willekeur van de macht en onderworpen aan zijn absolute soevereiniteit. Het moderne adagium dat het menselijk leven 'heilig' zou zijn, slaat er voor Agamben op dat het naakte leven de basis vormt van de moderne macht. Door te laten zien dat het er volledig aan onderworpen is, toont het de absolute soevereiniteit van deze macht aan. Er is echter op basis van het mechanisme dat Agamben blootlegt, ook op een andere manier zinvol over de heiligheid van het leven te spreken. Deze heiligheid is dan verborgen in het feit dat het naakte leven uiteindelijk ontsnapt aan iedere geregelde omgang ermee. Juist als 'puur leven' dat zichzelf niet kan verdedigen, ontregelt en ondermijnt het elke regeling en structurering. Het leven kan uiteindelijk door geen macht geborgd worden – dit inzicht contesteert de totalitaire aspiraties van de macht fundamenteel –, maar in zijn kwetsbaarheid doet het naakte leven een appèl op de betrokkenheid en de compassie van anderen. Religieus laat zich dit verbinden met de overtuiging dat het leven altijd-al geborgd is in God.[26] Zo kan het naakte, kwetsbare en gekwetste leven op de manier die in hoofdstuk 7 in confrontatie met Hannah Arendt is ontleed, een bron worden van nieuwe vormen van gemeenschap door de oorsprong van de politieke gemeenschap te representeren: de verbondenheid met elkaars kwetsbaarheid. Precies hierin bestaat dan zijn heiligheid. Hiermee zijn we terug bij de omgang met lijden en sterven en de verbondenheid met lijdenden en stervenden, waarom het in dit hoofdstuk begonnen is.

26 Vgl. voor deze interpretatie van Agamben, D. Meerman, 'Hulp bij zelfdoding en de heiligheid van het leven', 2003.

Volgens Agamben is de centrale bekommernis van de macht de eigen absolute zeggenschap aan te tonen. De macht toont en bevestigt zichzelf door steeds weer opnieuw te laten zien als enige over leven en dood te beschikken. Het belang van de wet verschijnt als duidelijk wordt dat buiten de wet geen bestaan mogelijk is. Dit suggereert met betrekking tot de omgang met zeer ernstig lijdenden en terminaal zieken, dat pogingen euthanasie in heldere wettelijke regels te vangen en de pogingen het te verbieden niet heel ver van elkaar af staan. Beide verzetten zich tegen de ultieme ongrijpbaarheid van lijden en dood en de onzekerheid van de omgang ermee, beide willen de rommeligheid en de vertwijfeling rond de ontluistering van het levenseinde terugbrengen tot een overzichtelijk systeem van procedures en handelingen, van rechten en plichten. De wanhopige vraag 'wat nu, in Godsnaam?' wordt voordat ze opkomt, gesmoord in wetgeving en protocollen, of in een absoluut verbod. De verrassing is echter dat in Nederland na het in werking treden van de nieuwe 'Wet toetsing levensbeëindiging op verzoek en hulp bij zelfdoding' op 1 april 2002, precies de vraag 'wat nu, in Godsnaam?' terug is op de agenda. Misschien staat ze er zelfs wel voor het eerst op.[27] De Nederlandse discussie rond euthanasie was, sinds de psycholoog en filosoof Jan Hendrik van den Berg in de late jaren zestig de medische macht om altijd door te behandelen op ethische gronden aan de kaak stelde, sterk gepolitiseerd.[28] Een standpunt ten gunste van een wetgeving die euthanasie mogelijk maakt, werd als onlosmakelijk onderdeel gezien van een progressieve politiek. Hoewel de goedkeuring van de 'Wet toetsing levensbeëindiging op verzoek en hulp bij zelfdoding' een nederlaag betekende voor degene die met de *Katechismus voor de Katholieke Kerk* menen dat het de plicht is van de overheid het leven te beschermen in alle vormen en stadia,[29] bleek er na de goedkeuring nieuwe ruimte te ontstaan voor discussie. Bijvoorbeeld discussie over de vraag wat het betekent wanneer men zegt dat elk menselijke leven onvoorwaardelijk respect verdient.

27 Voor de tekst van de wet, zie <www.nvve.nl/nvve/pagina.asp?pagkey=44589>. Voor de geschiedenis van het Nederlandse euthanasiedebat, vgl. J.-P. Wils, *Sterben*, 1999; J. Kennedy, *Een weloverwogen dood*, Amsterdam 2002. Voor een vergelijking tussen de Nederlandse en de Belgische wet, zie P. Schotsmans/T. Meulenbergs, *Euthanasia and Palliative Care in the Low Countries*, 2005; voor een vergelijking tussen de Noord-Amerikaanse, de Nederlandse en de Duitse praktijk, zie M.P. Battin, *Ending Life*, 2005, 47-68: 'Euthanasia: The Way We Do It, The Way They Do It'.

28 Zie J.H. van den Berg, *Medische macht en medische ethiek*, 1969. Voor het belang van Van den Bergs boekje voor een heroriëntatie van de medische ethiek, zie H. Zwart, 'Terug naar het begin', 1995, 21-34; over het werk van Van den Berg in het algemeen, vgl. id., *Boude bewoordingen*, 2002.

29 *Katechismus van de Katholieke Kerk*, 1993, no. 2273. Voor de reacties van de christelijke kerken op het Nederlandse euthanasiedebat, zie *De dood in het geding*, red. F. de Lange/J. Jans, 2000.

Een uitvoerig evaluatieonderzoek naar de nieuwe Nederlandse euthanasiewet loopt.[30] Er zijn echter tekenen dat de nieuwe wet niet geleid heeft tot de installatie of consolidatie van een 'cultuur van de dood', zoals in kerkelijke kringen wel werd gevreesd en wordt beweerd. Het afronden van de discussie over de wetgeving blijkt een mogelijkheid te bieden tot hernieuwde bezinning op wat in actuele omstandigheden een waarachtige cultuur van het leven zou kunnen zijn.[31] Er is een hernieuwde belangstelling voor palliatieve zorg en voor terminale sedatie als alternatieven voor euthanasie. Bij dokters lijkt de weerstand te groeien in te stemmen met verzoeken om een verondersteld mensonwaardig leven te beëindigen. Er worden vragen gesteld bij het uitgangspunt dat mensen als autonome individuen hun leven kunnen evalueren om van daaruit te beslissen of het de moeite waard is het voort te zetten. Er worden vraagtekens gezet bij de beelden van een waardig en vervuld menselijk leven dat de huidige westerse cultuur presenteert. Centraal staat niet langer de vraag of euthanasie is toegestaan en onder welke omstandigheden al dan niet strafbaar is, maar de discussies omvatten het medisch bedrijf, de samenleving waarvan dit deel uitmaakt, de cultuur die de opvatting van leven, lijden, sterven en de omgang ermee bepaalt. Zo suggereren zij 'zwak' en op kleine schaal dat rond het 'naakte leven' een vorm van gemeenschap kan ontstaan die niet gebaseerd is op macht en beheersing, maar op compassie en betrokkenheid, juist wanneer er sprake is van tragiek en uitzichtloosheid.[32]

De gerichtheid van de christelijke traditie op leven

Giorgio Agamben verbindt zelf zijn gedachten over de *homo sacer* met de christelijke traditie. Uitvoerig gaat hij in op hetgeen de apostel Paulus schrijft in zijn brief aan de christenen van Rome.[33] Voor Agamben is Paulus daarin niet een verkondiger van een christelijke geloofsvisie, maar een messiaans denker die gedreven wordt door de doorbraak van het goede en ware. Deze doorbraak betekent het einde van de geschiedenis zoals wij haar kennen.[34] Volgens Agamben representeert Paulus het le-

30 Zie: <http://www.zonmw.nl/nl/programmas/evaluatie-regelgeving/lopende-evaluaties.html>.

31 Voor een pleidooi om deze gelegenheid te baat te nemen, zie P.A. van Gennip, *Verlegenheid en toewijding*, 2003. Vgl. voor de praktijk in de zorg, en de reflectie hierop, C. Leget, *Ruimte om te sterven*, 2003.

32 Hoewel het hier gaat om indrukken en niet om resultaten van systematisch onderzoek, worden ze door mensen uit het veld van de gezondheidszorg bevestigd; zie *Reacties op* Verlegenheid & Toewijding, red. H. Geerts/C. Leget, 2003; voor een eerste evaluatie van wat hierin aan het licht komt, vgl. mijn 'Leven op de grens met de dood', 2003.

33 G. Agamben, *Le temps qui reste*, 2000.

34 Agamben is een specialist in het werk van de Duits-Joodse filosoof Walter Benjamin en de redacteur van de Italiaanse vertaling van diens verzameld werk. Zijn beeld van de betekenis van het messiaanse is sterk door de visie van Benjamin getekend.

ven in de Messias en hij meent dat de vraag die Paulus beantwoordt, de vraag wat het betekent om in de Messias te leven, in de situatie waarin de macht mensen voortdurend reduceert tot hun naakte, kwetsbare leven, de centrale vraag is en moet zijn.[35] Leven in de Messias betekent namelijk uitbraak uit deze situatie, bevrijding van de soevereiniteit van de macht. Deze uitbraak gaat volgens Agamben paradoxaal schuil in de acceptatie ervan. Hij laat zien hoe Paulus in de Romeinenbrief steeds een rechtstreekse verbinding legt tussen uitgestoten zijn uit de wereld van de macht – die hij afwisselend aanduidt in Joodse en in heidens-Griekse termen – en het leven in een nieuwe situatie, onder een nieuwe wet volgens welke het zwakke de gestalte is van wat waarachtig sterk is. Wie in de wereld van de macht weerloos is – tot het naakte leven gereduceerd, *homo sacer* gemaakt – die wordt niet alleen niet langer door de macht beschermd, maar ook niet langer door de wereld van de macht bedreigd. Dit inzien komt volgens Agambens lezing van Paulus' Romeinenbrief neer op het gaan leven in de Messias: leven waar de heersende macht zijn greep verliest en dus al verslagen is.

Volgens Agamben komt het dus uiteindelijk aan op het besluit voortaan te leven buiten de wereld van de macht die mensen reduceert tot het naakte leven en hen afhankelijk maakt, en zo een bestaan te gaan leiden in de messiaanse tijd waarin de geschiedenis in de gebruikelijke zin van het woord al is opgeheven – of minstens zijn belang heeft verloren. Wat er vanuit het oude bestaan onder de heerschappij van de macht uitziet als toewijding aan de dood, is gezien vanuit het nieuwe bestaan verbondenheid met de doorbraak naar het ware, volle leven. Het zijn twee parallelle werelden die elkaar raken, maar nergens overlappen; ons bestaan is de plaats waar de twee visies op elkaar botsen. Er rest ons volgens Agamben uiteindelijk niets anders dan te kiezen voor de ene of voor de andere visie, met een absolute soevereiniteit waaraan niet te ontkomen valt.

Zijn compassie en verbondenheid met lijdenden en stervenden inderdaad in deze zin een mogelijkheid waarvoor wij slechts soeverein en ongefundeerd kunnen kiezen? Worden degenen wier leven tot sterven geworden is met dit feit zelf *homo sacer* in de zin van Agamben, mensen die niets anders tot hun beschikking hebben dan het weerloze appèl hen niet los te laten en met hen verbonden te blijven, hen de waardigheid te blijven toekennen die hen volgens de christelijke traditie zou toekomen? Zijn zij afhankelijk van de soevereine beslissing van anderen al dan niet op dit appèl in te gaan en zijn zij gedwongen ten aanzien van hun eigen leven een even soevereine beslissing te nemen? De christelijke tradities

35 Ibid. 36.

suggereren dat er een alternatief is. De overtuiging dat ook het zwakke en uitdovende leven bescherming verdient en om ons engagement vraagt, is niet gebaseerd op een arbitraire keuze, maar op inzicht. De grond van dit inzicht is echter een religieuze visie op het bestaan. Alle omtrekkende bewegingen in dit hoofdstuk tot nog toe waren erop gericht deze visie aan het licht te kunnen brengen.

In zijn eerste brief aan de christenen van Korinthe benadrukt Paulus dat, indien Christus niet verrezen is, ons geloof 'leeg' is en 'waardeloos' (1 Kor. 15, 12 en 17). Dit geloof, inclusief de overtuiging in een messiaanse realiteit te leven, is voor hem alleen van waarde omdat en voor zover wij 'in Christus' na diens verrijzenis al deel uitmaken van een beweging in de richting van een toekomstig, vol leven. Omdat Christus Jezus als de minste mens is gestorven, zijn zelfs de gestorvenen, de stervenden en zij die leven in de uitdoving van het zelf dat wij sinds Auschwitz volgens Adorno meer vrezen dan de dood, opgenomen in deze beweging. Dit maakt het vervolgens voor Paulus mogelijk elk menselijk verlangen naar een goede toekomst en een koesterende, zorgzame en zegenende presentie in het heden, te interpreteren in het licht van de boodschap dat God ons in Jezus de Christus heeft gered, en vice versa. De wederzijdse doordringing van existentieel verlangen en religieuze belofte wordt uitgedrukt in een van de aangrijpendste passages uit Paulus' brief aan de Romeinen: de Geest zelf doet ons uitroepen 'Abba', Vader, en bevestigt in deze roep met onze geest dat we kinderen zijn van God (Rom. 8, 15-16). In het licht van de geschiedenis en de verrijzenis van Jezus de Gezalfde is alles van waarde, inclusief de roep om leven en nabijheid die mensen in hun diepste machteloosheid en verlatenheid ongewild uitstoten. Elk nakend sterven kondigt voor Adorno na Auschwitz de ultieme overwinning aan van de dood als het alles uitdovende en zinloos makende niets. Voor Paulus kondigt elk sprankje leven na de verrijzenis van Jezus Christus de al begonnen overwinning aan van God, die als schepper en behoeder van hemel en aarde en al wat zij omvatten een God is van levenden en niet van doden.

Dit is de religieuze grond van de christelijke eerbied voor alle leven, ook in zijn vaak ontluisterde gestalten. Deze ligt dus niet in de vaak gebruikte redenering dat God als de gever van het leven de enige is die de macht toekomt het terug te nemen. Dit laatste neemt de logica over van de soevereine macht die over het naakte leven beslist, zoals dat volgens Agamben karakteristiek is voor de moderne staat, alleen wordt de soevereine beslissingsmacht over het naakte leven nu bij God gelegd. De religieuze grondslag van de christelijke eerbied voor alle menselijk leven is echter dat het leven – elk leven, hoe zwak, beschadigd en dicht bij de dood ook – zich intrinsiek verzet tegen het simpelweg nemen van een soevereine beslissing erover. Naar christelijke overtuiging *is* elk leven, hoe geschonden het ook is, of hoezeer ook bezig uit te doven, een verwijzing naar, een verbinding met en een gestalte van het volle leven dat God aan alle mensen gunt en God uiteindelijk zelf is.[36]

Dat alle leven, hoe zwak en deficiënt ook, niet anticipeert op een catastrofaal laatste woord van de dood, maar op het volle leven, juist waar dit leven gemist wordt, laat zich niet goed aannemelijk maken buiten het christelijke geloof in de verrezen Christus om. Dit is in overeenstemming met Paulus' constatering dat indien Christus niet verrezen is, het geloof 'leeg' is, geen substantie en geen grond heeft. Dit maakt pogingen de absolute beschermwaardigheid van elk leven in de wetgeving van een plurale en geseculariseerde samenleving als de onze vast te leggen problematisch, juist op religieuze gronden. Religieuze argumenten kunnen volgens het heersende rechtsgevoel geen algemeen geldende wetten motiveren en de specifiek christelijke grondslag voor de eerbied voor alle leven laat zich niet vertalen in de taal van de huidige seculiere cultuur. De moderne seculiere wetgeving is bovendien gericht op handelingen die zij strafbaar stelt, niet op de geest die het handelen stuurt. Zij beïnvloedt deze geest echter wel degelijk: in een samenleving waarin levensbeëindiging op verzoek onder bepaalde omstandigheden mogelijk is, zullen burgers de neiging hebben de kwaliteit van hun leven te evalueren volgens de criteria die de wet hun suggereert.

Onder deze omstandigheden lijkt de belangrijkste inbreng vanuit de christelijke tradities de eigen deugd te zijn in de zin van Thomas van Aquino, het actief deelhebben aan de 'geest' waarvan we volgens Paulus in de Romeinenbrief zelf 'schuldenaars' zijn (Rom. 8, 12), bij wie we zelf in het krijt staan. Wij leven niet en blijven niet in leven door onszelf in leven te houden of omdat wat wij zijn en wat wij doen onontbeerlijk zou zijn. Religieus gezien suggereert dit dat het leven ons actief wordt gegund, dat er een genadig gunnen bestaat dat aan ons vooraf gaat en ons omvat, dat ons draagt en opvangt en aanvult, dat dat gemeenschap met ons wil vanwege deze gemeenschap zelf. Inzicht in de eigen afhankelijkheid van wat genadig gegeven is en wordt, impliceert verantwoordelijkheid voor anderen die er evenzeer afhankelijk van zijn de geest van genade te belichamen en levend te houden. Coetzees inzicht in *Langzame man* dat wij voor elkaar zorgen om bij te dragen aan een gemeenschap waarin wij zelf thuis zijn en de zorg ontvangen die wij nodig hebben, blijkt zo een religieuze dimensie te hebben en te beantwoorden aan een theologische logica.

36 'Het menselijk leven is heilig omdat het vanaf zijn oorsprong getekend is door Gods scheppende activiteit en voor altijd een speciale relatie blijft bewaren met zijn Schepper, zijn enige einddoel', zegt de *Katechismus van de Katholieke Kerk*, l.c., in no. 2258. Hiermee wordt echter onmiddellijk de gedachte verbonden dat God alleen de soevereine Heer over het leven is; vgl. ook de instructie van de Congregatie voor de Geloofsleer *Donum vitae* (22 feb. 1987) no. 5.

De hedendaagse tendens tot liberalisering van de euthanasiewetgeving wortelt niet alleen in een liberale ideologie van zelfbeschikking en autonomie die eenzijdig wordt opgevat als onafhankelijkheid. Zij zou niet moeten leiden tot christelijke acties voor het handhaven of het herstel van een absoluut verbod. Wie zal ontkennen dat er vormen van lijden en sterven zijn waarbij maar weinig valt in te brengen tegen de wens het te bekorten? Hierbij slechts het gebod 'Gij zult niet doden' herhalen, betekent weigeren zich in te laten met het kwetsbare en gekwetste menselijk leven waarmee God zich naar christelijke overtuiging nu juist wel verbonden heeft en in verbondenheid waarmee Gods presentie sindsdien is te vinden. Wetgeving zoals deze in een seculiere samenleving vorm krijgt, lijkt ook niet echt in staat deze verbondenheid uit te drukken als een verbond ten gunste van het goede leven. Eerder dan een streng verbod op euthanasie en hulp bij zelfdoding zijn nieuwe vormen van religieus leven nodig die zich op een radicale manier toewijden aan zorg en aandacht voor zieken en stervenden, die laten zien dat het verschil uitmaakt wanneer terminaal zieken en stervenden niet uit de gemeenschap worden gedreven en teruggeworpen op hun naakte leven, maar worden opgenomen in een solidaire gemeenschap waar, voor zover dat onder de gegeven omstandigheden mogelijk is, het goede leven de ruimte krijgt zich te ontplooien. Er zijn vormen van palliatieve zorg aan stervenden waar dit religieuze leven fragmentarisch gestalte krijgt.[37] Er zijn vormen van zorg aan dementerenden die zich laten begrijpen als pogingen het onherroepelijk uitdoven van de geest niet de aankondiging te laten zijn van de dood als het laatste woord, maar tot deel van een voortgaand leven waarin nog altijd, naast de tragische momenten, momenten mogelijk zijn die herinneren aan het volle leven dat naar christelijke overtuiging de menselijke bestemming is.

Ik spreek in dit verband van vormen van religieus leven, omdat het belijdenissen zijn in praktische gestalte.[38] Omgang met lijdende, terminaal zieke, stervende of uitdovende levens behoudt de weerbarstigheid

37 Vgl. *Spirituality and Palliative Care*, ed. B. Rumbold, 2002; M. Steemers van Winkoop, *Geloven in leven*, 2003.

38 Het boek van Annelies van Heijst, *Liefdewerk*, 2002, en via deze omweg ook de praktijk van de religieuzen die het beschrijft, wordt in de zorgsector wel gebruikt als inspiratie voor het eigen werk. Hierbij dreigt echter het aspect van toewijding aan het menselijk en maatschappelijk gezien onooglijke als een vorm van verdienstelijke gehoorzaamheid aan God, en zo het typisch religieuze van de zorg van religieuzen, buiten beeld te blijven. Het lijkt van belang te zoeken juist ook naar toekomstmogelijkheden hiervan, omdat het een principiële verbondenheid schept tussen zorgvrager en zorgverlener die in de heersende organisatie van de zorg nu juist onder sterke druk staat, met alle nadelige gevolgen van dien. In haar *menslievende zorg*, 2005, dat direct op de eigen tijd is gericht, doet Van Heijst daartoe een poging met behulp van de begrippen 'compassie' en 'gecompassioneerdheid'. Vgl. ook mijn 'Tolk van de stille opstand van de ziel: De ambtelijke professionaliteit van de geestelijk verzorger', 2001.

die de christelijke tradities thematiseren door eraan vast te houden dat ook een bestaan in pijnlijk gemis zinvol en in bepaald opzicht goed kan zijn, omdat in het gemis, de hunkering en het verlangen het afwezige goede leven op een paradoxale manier aanwezig is. Daarom betekent geloven in christelijke zin niet alleen het navolgen van Jezus' leven van inzet voor en verkondiging van het goede, maar eveneens – zoals christenen van oudsher weten – van zijn lijden en sterven. Toewijding aan het gekwetste leven is een vorm van belijdenis en anticipeert op het doorbreken van het moment dat God als het waarachtig volle en omvattende leven 'alles in allen' zal zijn. Deze belijdenis doet iets fundamenteel anders dan soeverein beslissen dat wat door de macht wordt buitengesloten en onderworpen, de ware kern van het leven is, zoals in Agambens interpretatie van Paulus. De religieuze toewijding aan het goede leven juist voor degenen die aan de rand van dit leven worden gedreven, sluit aan bij het verlangen van de betrokkenen zelf om niet van het leven van de gemeenschap te worden uitgesloten, bij het latente inzicht van velen dat we alleen in een zorgzame gemeenschap menswaardig kunnen leven. Dat dit verlangen niet vergeefs is, maar een reëel perspectief biedt op een vervulling die al begonnen is en vorm krijgt in de momenten waarop een ander de zorg krijgt die hij of zij nodig heeft, laat zich niet beargumenteren en vraagt een geloof dat zich niet laat afdwingen. Hetgeen de mogelijkheid impliceert dat het ook *niet* tot stand komt.

Hierbij blijft het cruciaal dat de inzet het leven in zijn beschadigde vormen zoveel mogelijk waarde *te geven*, en de herkenning en de opluchting die deze pogingen oproepen, naar christelijke overtuiging voortkomen uit de waarde die dit leven in zichzelf *heeft*. Op deze manier verkondigen de christelijke tradities dat deze inzet, die mensen vaak ten koste van veel moeite opbrengen, geen arbitraire keuze is en geen vergeefse poging het uiteindelijk onafwendbare uit te stellen. Het is een vorm van gehoorzaamheid en toewijding die van ultiem belang is.[39] Het is de getuigenis dat de dood het laatste woord niet is en wanhoop niet het enige dat ons rest. Het feitelijke leven, dat is wat ons rest. En daarin verschuilt zich de kiem van het volle leven.[40]

39 Voor een beeld van de praktijk van de mantelzorg in Nederland, de inzet hiervoor en de frustraties ervan, vgl. K. Emous, *De loden mantel*, 2005.

40 Stanley Hauerwas (*Suffering Presence*, 1986; id., *Naming the Silences*, 1990) benadrukt terecht het getuigende karakter van (mede)lijden als 'taking the risk of caring'. Onduidelijk blijft echter bij hem dat niet de kerk als 'caring community' het lijden zinvol maakt, maar de opname ervan in Gods 'in gang zijnde redding', waarnaar de solidariteit van gelovigen vooruitwijst.

12
De christelijke traditie als herinnering aan Gods kenotische nabijheid

De teksten van de Duitse schrijver Winfried Georg (Max) Sebald (1944-2001) zijn een kruising van fictie, autobiografie en essayistiek. Ze gaan over de onmogelijkheid de shoah in herinnering te houden en de gelijktijdige onmogelijkheid niet aan deze onmogelijkheid te worden herinnerd. Als beeld voor de betekenis van de herinnering aan Auschwitz citeert Sebald in zijn laatste boek *Austerlitz* een beschrijving van een uitgeputte en verlaten diamantmijn in Kimberley, Zuid-Afrika. De duizenden meters diepe kuilen die van de mijn zijn overgebleven, zijn niet omheind en

> (h)et was werkelijk angstaanjagend ... om één stap vanaf de vaste grond zo'n leegte te zien opdoemen en te begrijpen dat er geen overgang was maar alleen die rand, met aan de ene kant het vanzelfsprekende leven en aan de andere kant het onvoorstelbare tegendeel daarvan.

Het is een beeld voor het verdwenen collectieve en persoonlijke verleden, van het vernietigde Europese Jodendom en van de Europese cultuur waar dit Jodendom een integraal onderdeel van was.[1] Dit beeld van een zich openende bodemloosheid van de cultuur en uiteindelijk van het menselijk bestaan zelf, maakt duidelijk dat de shoah geen recht wordt gedaan als zij wordt behandeld als 'gewone' historische tragedie, slechts in schaal en doelgerichtheid verschillend van eerdere pogingen tot volkerenmoord. Het is een openbaringsmoment en het levend houden van de herinnering eraan is daarom een religieuze act.[2] Het Nederlandse Auschwitz-monument in Amsterdam van schrijver en beeldhouwer Jan Wolkers bestaat uit grote scherven spiegel die plat op de grond liggen en die zo een hemel tonen die sinds de Grote Vernietiging voorgoed gebroken is.

1 W.G. Sebald, *Austerlitz*, 2001, 415; Sebald parafraseert hier naar eigen zeggen D. Jacobson, *Heshel's Kingdom*, 1998.

2 Voor een beschrijving van de religieuze aspecten in de omgang met de herinnering aan de Tweede Wereldoorlog, in het bijzonder aan de shoah, vgl. J. Oegema, *Een vreemd geluk*, 2003.

Naar een christelijke theologie van de religie

Het gedenken van de shoah religieus noemen – in plaats van het bijvoorbeeld te zien als het einde van alle religie – veronderstelt een specifiek religiebegrip. Het is in ieder geval nodig afscheid te nemen van het idee dat er een soort algemene, 'natuurlijke' en authentiek menselijke religie zou zijn die door de historische religies geconcretiseerd wordt. Het begrip 'religie' is een westerse uitvinding en vanaf het begin verbonden geweest met pogingen de chaotische en verwarrende religieuze veelheid in de greep te krijgen en tot eenheid te brengen.[3] Het is het uitgangspunt van dit boek dat de wijze waarop religie de laatste jaren is teruggekeerd in de publieke discussie, niet alleen vragen doet rijzen over de veronderstelde band tussen moderniteit en secularisatie, maar misschien nog wel meer over het religiebegrip zelf. Het komt erop aan oog te krijgen voor de levenskracht van de veelkleurige en veelvormige, vaak warrige en weinig gesystematiseerde religieuze vormen die schuil gaan onder de oppervlakte van de mondiale rationalisering. Religie lijkt steeds opnieuw te ontstaan uit de confrontatie met de ongerijmdheden van het individuele en collectieve bestaan, uit het verlangen naar ordening in de chaos, uit de drang naar leven temidden van de dreigende dood, uit de soms wanhopige hoop op een dragende kracht die bevrijdt van de onmogelijke taak zelf het eigen leven te maken. Religies hebben de neiging dergelijke ongerijmdheden te willen oplossen en de vragen van het leven van een definitief antwoord te voorzien. Maar religies laten zich ook begrijpen als vormen van omgang met de aporieën van het bestaan, als pogingen om temidden ervan, ermee, en zelfs er vanuit te leven.

In de eerste hoofdstukken heb ik proberen aannemelijk te maken dat de actuele veelheid van diffuse religieuze vormen en de veelkleurige religieuze verschijnselen allereerst uitnodigt tot openheid en nieuwsgierigheid. Zij verzetten zich tegen pogingen ze in het keurslijf van een nieuwe definitie te dwingen. Als ik hier religie opvat als omgang met de ongerijmdheden en de aporieën, doe ik niet de zoveelste poging haar te reduceren tot een vermeende functie, bijvoorbeeld die van culturele en psychologische beheersing van de menselijke contingentie en kwetsbaarheid (*Kontingenzbewältigung*).[4] Ik geef een eerste aanzet tot wat ik beschouw als een christelijk-theologische benadering van religie. Theologisch gezien is religie het menselijk antwoord op sporen van God die zich voordoen in de realiteit en in de wijze waarop mensen met deze realiteit omgaan. Het identificeren van deze sporen impliceert een beeld

3 Zie D. Dubuisson, *L'Occident et la religion*, 1998; T. Fitzgerald, *The Ideology of Religious Studies*, 2000.

4 Vgl. m.n. N. Luhmann, *Funktion der Religion*, 1977; vgl. H. Lübbe, *Religion nach der Aufklärung*, 1986.

van God. Volgens de christelijke traditie is God een God van betrokkenheid bij en bevrijding uit lijden en dood. Van hieruit ligt het voor de hand bij het zoeken naar een christelijke theologie van de religie en het religieuze met name te kijken naar momenten waarop de schijnbare geslotenheid van het bestaande wordt opengebroken en er een nieuwe omgang ontstaat met de situatie van bodemloosheid en onzekerheid die eruit voorvloeit. Aan zo'n moment is het christendom ooit ontsprongen en het zet zich voort waar deze oorsprong zich opnieuw present stelt.

Lange tijd gold het christendom in het Westen vanzelfsprekend als *de* religie, maar vanaf de negentiende eeuw zag het zich geconfronteerd met andere, op het eerste oog zeker even hoogstaande vormen van religiositeit. Dit deed op toegespitste wijze de vraag opkomen naar het eigene van het christendom en naar de rechtvaardiging van haar superioriteitsclaim. In de tweede helft van de twintigste eeuw kreeg de confrontatie met het religieus andere een nieuwe toespitsing. Ten eerste werd in het kielzog van de groeiende kritiek op het westerse kolonialisme de vraag brandend in hoeverre de superioriteitsclaim van het christendom een weerspiegeling was van en een legitimatie voor het westerse streven naar overheersing van de wereld. Ten tweede gingen christenen in toenemende mate inzien dat hun tradities geen gesloten verzameling opvattingen en visies op God waren, maar hun betekenis ontleenden aan hun relatie met de context. Dit leidde ertoe dat zij op een nieuwe manier gedwongen werden de plaats te bepalen van hun eigen religieuze traditie ten overstaan van heel andere vormen van religieus geloof die hen omgaven. Eerst was dit het geval voor christenen in het Zuiden van de wereld, met name in Azië, die zich in hun context een structurele minderheid wisten. Vervolgens werd dit ook acuut voor christenen in het Westen, enerzijds doordat door de toenemende migratie ook daar grote gemeenschappen ontstonden van aanhangers van andere religies en anderzijds doordat velen het christelijk geloof van hun voorouders achter zich lieten en zich nu geconfronteerd zagen met een verwarrende veelheid van religieuze tradities.

De discussie die hieruit ontstond, kreeg in 1987 een sterke impuls door het verschijnen van de bundel *The Myth of Christian Uniqueness*.[5] De ondertitel van dit boek 'Toward a Pluralistic Theology of Religions' drukt uit dat de artikelen erin op zoek zijn naar de theologische betekenis van de veelvoud van religies. Een variant van de gezochte 'pluralistische theologie van de religies' werd ontwikkeld door de Engelse theoloog John Hick, een van de twee redacteuren van het boek. In Hicks visie verwijzen alle religies naar dezelfde absolute waarheid, waarvan ze

5 *The Myth of Christian Uniqueness*, ed. J. Hick/P.F. Knitter, 1987.

allemaal even ver afstaan, omdat ze het product zijn van eindige en feilbare mensen die onderdeel zijn van een specifieke geschiedenis.[6] Dit lijkt echter de fundamentele verschillen tussen religieuze tradities te weinig serieus te nemen en alle religieuze passie, polemiek en strijd, ook de gewetensstrijd van de gelovigen over wat authentiek te geloven valt, bij voorbaat zinloos te verklaren: van God zelf staat het allemaal even ver af. Mede als reactie hierop probeert de andere redacteur van *The Myth of Christian Uniqueness*, de Amerikaanse missiewetenschapper Paul F. Knitter, de confrontaties en botsingen tussen de religies wel degelijk ernstig te nemen. Hij beschouwt ze als onderdelen van de – soms gepassioneerde – dialoog over het ware heil, de volle gerechtigheid en de omvattende bevrijding.[7] De ondertitel van het boek waarin hij zijn positie nader uitwerkt, spreekt over een dialoog tussen verschillende geloofsovertuigingen en mondiale verantwoordelijkheid. Dit suggereert dat het Knitter niet gaat om de religieuze meervoudigheid als theoretisch probleem, maar om de vraag wat religies van elkaar kunnen leren met het oog op hun gemeenschappelijke verantwoordelijkheid voor de wereld.[8]

Het voert te ver om hier de geschiedenis te schrijven van de theologische reflectie op het religieuze pluralisme of de verschillende theorieën hierover te evalueren.[9] Mij gaat het hier om een specifieke kwestie. In de pleidooien voor een theologie van het religieus pluralisme wordt telkens gewezen op de vermeende fundamentele tegenstelling tussen God als absoluut en verheven en het eindige, aan de beperktheden van de historische context en het lichaam gebonden menselijke en relatieve. Het oproepen van deze tegenstelling dient vooral om duidelijk te maken dat geen enkele menselijke visie op of belijdenis van God gelijkgesteld kan worden met God of de goddelijke waarheid zelf, ook niet – en dat is voor christenen verstrekkend – de visie op God zoals Jezus van Nazareth deze verkondigde en belichaamde. Omdat God groter is dan elke religie, kan geen enkele religie beweren andere religies overbodig te maken. In plaats daarvan moeten religies met elkaar in gesprek om van elkaar te leren. Nu verdedig ik in dit boek een visie volgens welke religieuze tradities in het algemeen en de christelijke tradities in het bijzonder allereerst ruimte bieden om de waarheid te zoeken en te vinden, en ze

6 Vgl. m.n. J.H. Hick, *God Has Many Names*, 1980; id., *An Interpretation of Religion*, 1989. Voor een beschrijving van Hicks positie en de ontwikkelingen daarin, zie id., *An Autobiography*, 2002; P.R. Eddy, *John Hick's Pluralist Philosophy of World Religions*, 2002; D. Cheetham, *John Hick*, Aldershot 2003.

7 P.F. Knitter, *One Earth, Many Religions*, 1990.

8 Voor het belang van de ethische vragen voor Knitter, zie ook zijn *Jesus and the Other Names*, 1996. Voor een vergelijkbare gerichtheid op een confrontatie tussen de religies met het oog op mondiale ethische vragen, zie H. Küng, *Weltethos*, 1990; vgl. J. Rahm, *Erziehung zum Weltethos*, 2002.

9 Voor een overzicht, zie P.F. Knitter, *Introducing Theologies of Religions*, 2002.

niet worden gezien als schatkamers waarin de waarheid als een bezit ligt opgeslagen. Zoals nog duidelijk zal worden, past hierin openheid voor wat andere religieuze tradities in hun zoektocht menen ontdekt te hebben. Echter, het zien van een tegenstelling tussen algemeen en absoluut enerzijds en particulier en relatief anderzijds, zoals deze in het debat over de verhouding tussen religies steeds opnieuw wordt geponeerd, is in strijd met de christelijke basisovertuiging dat God zich nu juist als absoluut openbaart *in verbinding* met het particuliere en beperkt menselijke.

De expressie van deze overtuiging vindt haar hoogtepunt in de hymne die Paulus citeert in het tweede hoofdstuk van de brief aan de Filippenzen: de Gezalfde Jezus is door God hoog verheven niet ondanks, maar dankzij het feit dat hij zich niet heeft willen vastklampen aan zijn gelijkheid met God en zich ontledigd heeft en aan de mensen gelijk is geworden. De verklaring *Dominus Iesus* van de Romeinse Congregatie voor de Geloofsleer wijst er terecht op dat het een basisovertuiging is van heel de christelijke traditie dat Jezus Christus de openbaring van God belichaamt in haar omvattendheid en volheid (*universalitate et plenitudine*).[10] De verklaring concludeert hieruit dat openheid van christenen voor andere religieuze tradities slechts zeer beperkt mogelijk is: zij dienen vast te houden aan de omvattende christelijke waarheidsclaim. Hiermee lijkt de Congregatie voor de Geloofsleer echter op háár beurt de paradox te negeren dat deze omvattendheid en volheid van openbaring gelegen is in Jezus' overgave aan de relativiteit en de beperktheid van de menselijke geschiedenis, zijn ontlediging en vernedering 'tot de dood, ja de dood aan een kruis' (Fil. 2, 8).

In deze paradox ligt echter het aanknopingspunt voor een christelijke theologie van de religies. Want Jezus' geschiedenis die uitloopt op zijn dood aan het kruis openbaart God allereerst in *afwezigheid*, in het nog ontbreken van de uiteindelijke openbaring van Gods waarheid in de wereld zoals deze is.[11] Precies de christelijke overtuiging dat in Jezus' overgave aan deze goddeloosheid en in zijn bereidheid eraan te gronde te gaan, zichtbaar werd hoe God is, maakt het onmogelijk te claimen dat christenen en hun kerk als erfgenamen van Jezus alle waarheid in bezit zouden hebben. De christelijke tradities verkondigen dat we in Gods presentie wachten op het aanbreken van Gods volledige aanwezigheid.

10 Verklaring *Dominus Iesus* over het unieke karakter en de heilbrengende universaliteit van Jezus Christus en de kerk (6 aug. 2000), no. 5; vgl. P.J. Griffith, 'On *Dominus Iesus:* Complementarity Can Be Claimed', 2003.

11 Vgl. het verzet tegen Hick in G. Loughlin, 'Noumenon and Phenomenon', 1988.

Kenosis: de zwakte van het kruis
In het Nieuwe Testament wordt Jezus geportretteerd als iemand die de denk- en geloofssystemen openbreekt die God maken tot een bezit waarover te beschikken valt.[12] In de lijn van Wet, Profeten en Geschriften – de Joodse bijbel die christenen het Oude Testament noemen – maar in de nieuwe situatie waarin hij leeft op een nieuwe en omstreden manier, schept Jezus ruimte voor de altijd verrassende, heilzame aanwezigheid van God. Temidden van alle vormen van beklemming en gevangenschap die deel uitmaken van het leven van kwetsbare mensen, opent zijn nabijheid mogelijkheden te leven in de ruimte van de bevrijding die aan het aanbreken is. Hij praktiseert en belichaamt de overtuiging dat niet een bepaalde waardigheid, niet bepaalde opvattingen of bepaalde gedragingen, niet maatschappelijk of economisch succes mensen dicht bij God brengen, maar het naakte feit dat zij deel uitmaken van een wereld die door God geschapen is, leven temidden van een geschiedenis die door God naar zijn voltooiing wordt gevoerd en met deze voltooiing verbonden zijn doordat zij verlangen naar heil en bevrijding zoals deze alleen kunnen aanbreken als God alles in allen is. Op deze manier incarneert en openbaart Jezus de volheid van God die de kosmos, de geschiedenis en alle mensen afzonderlijk nabij is en draagt: er ontbreekt niets aan zijn getuigenis. Jezus is degene 'door wie, met wie en in wie' de mensheid en de schepping worden verzameld 'in de eenheid van de heilige Geest' tot een lofzang die de Naam van deze God heiligt, zoals het in de christelijke liturgie wordt uitgedrukt.[13]

Dit is echter fundamenteel iets anders dan dat Jezus' woorden en daden alle waarheid over God zouden bevatten, dat de bijbel deze waarheid zou vastleggen en dat de kerk deze waarheid van hem geërfd zou hebben om ervan uit te delen. Juist in zijn ontlediging belichaamt Jezus Gods volle waarheid, maar is het tegelijkertijd duidelijk dat dit geen waarheid is die elk ander inzicht in God en Gods heil overbodig maakt, tot niets reduceert en met overmacht wegdrukt. Jezus belichaamt een waarheid die geen bezit kan zijn, maar een ruimte die steeds opnieuw wordt ontvangen op plaatsen waar dat het minst te verwachten is. Het ultieme symbool hiervoor is Jezus' dood aan het kruis: het feit dat zijn leven niet met volheid eindigt, maar met ultieme leegte. 'God, mijn God, waarom heb je mij verlaten?!', is volgens de evangelies van Marcus

12 Het navolgende is sterk geïnspireerd door R. Williams, *On Christian Theology*, 2000, m.n. 93-106: 'The Finality of Christ'; 131-147: 'Trinity and Revelation'; 167-180: 'Trinity and Pluralism'. Iets verder op de achtergrond staat E. Schillebeeckx, *Jezus*, 1974.

13 Voor een hedendaagse uitwerking van het idee dat het christelijk geloof niet zozeer gericht is *op* Jezus Christus als object, maar gestalte krijgt als leven *in* Jezus Christus, zie B. Standaert, *De Jezusruimte*, 2000.

en Matteüs Jezus' laatste gebed (Mt. 27, 46; Mc. 15, 34). Dit portretteert hem als belichaming van psalm 22: trouw aan God in de gestalte van wanhoop over Gods afwezigheid, vanuit de overtuiging dat God 'geen afschuw en geen verachting' kent 'voor het ongeluk van de ongelukkige' (Psalm 22, 25). De God die door deze Jezus in zijn omvattendheid en volheid wordt geopenbaard, is een God die aanwezig is tot in zijn afwezigheid, zelfs voor hen die 'slapen in de aarde' en 'neerliggen in het stof' (Psalm 22, 30). Dit is geen boodschap die met vertoon van macht en met uitdagend zelfbewustzijn verkondigd kan worden, als stond ze onomstotelijke vast. Het is veeleer het definitieve einde van de vanzelfsprekende geldigheid van elke boodschap over Gods onomstotelijke presentie. God *is* er niet zonder meer en kan niet door een krachtig project van wie of wat dan ook present gesteld worden, ook niet door een kerk wier taak het is de getuigenis van deze God levend te houden en evenmin door een theologie wier taak het is op sporen van deze God te reflecteren. God moet er telkens opnieuw weer *blijken te zijn*, als heilzame aanwezigheid in de kosmos, als dragende kracht in de geschiedenis en het leven van individuele mensen. Het is de opdracht van de theologie zoals ik haar in dit boek probeer te beoefenen, om deze God ter sprake te brengen als bron, verlosser en voltooier van het breekbare en gebroken bestaan zoals het geleefd wordt, en om andersom dit bestaan te belichten als zich uiteindelijk voltrekkend in de ruimte van deze God.[14]

Zo gezien heeft het kruis als symbool van datgene waar het in de christelijke traditie om gaat, een werking die vergelijkbaar is met die van het Auschwitz-monument in Amsterdam dat ik aan begin van dit hoofdstuk noemde, of de verlaten diamantmijn die voor Sebald de onmogelijke, maar noodzakelijke herinnering aan de shoah verbeeldt. Het kruis is de dood van de 'god' die zijn macht manifesteert in het schijnbaar onaantastbare gegevene of de onstuitbare voortgang van het bestaande. Zo wordt het de mogelijkheid tot opstanding voor de God die het goede leven vanuit de bodemloosheid genadig schenkt. Op deze manier is het kruis herontdekt door de twintigste-eeuwse theologie. In zelfkritische reflectie op wat door de kerk wereldwijd aan leed en verwoesting is aangericht vanuit haar vermeende plicht haar waarheid op te leggen aan degenen die rondstrompelen in de duisternis van de dwaling, en met name in zelfkritische reflectie op haar medeplichtigheid aan de vernietiging van het Joodse volk in het Derde Rijk, gingen theologen inzien dat Jezus' lijden en dood voor alles in herinnering moest worden gehouden, in alle pijn en onverzoendheid, en in zijn lijden en dood het lijden van alle

14 Zie de gedachte van Cornelius Ernst dat Jezus als Christus de 'meaning of meaning' is, de diepere betekenis die de betekenissen die mensen zelf in het leven ontdekken niet vervangt, maar draagt en tot samenhang brengt; zie zijn *Multiple Echo*, ed. F. Kerr/ T. Radcliffe, 1979, 84-86.

lijdenden en de dood van alle zinloos gestorvenen. Het kruis is geen symbool van een abstracte verzoening tussen mensen en God, maar een afschuwelijk martelinstrument dat de overweldigende aanwezigheid van het kwaad in de wereld met angstaanjagende concreetheid zichtbaar maakt. Jezus' dood is geen abstract offer aan God, maar betekende allereerst het dramatische einde van een aan God welgevallig levensproject.

Als niettemin in dit kruis en deze dood God aan het licht komt, zoals de christelijke tradities suggereren, dan wordt deze God niet geëerd door sterke en potentieel gewelddadige projecten die hem onomstotelijk bekend willen maken. Deze God wordt allereerst geëerd in de herinnering aan en de solidariteit met de slachtoffers van dergelijke projecten. Het volhouden van deze solidaire herinnering betekent het vasthouden aan de hoop en het geloof dat hun lijden en dood uiteindelijk niet voor niets zullen zijn, dat het kwaad hen aangedaan verzoend zal worden en zij, met en in de Gezalfde Jezus, zullen verrijzen.[15]

Openheid voor het andere dan zichzelf is in deze lijn van denken voor de christelijke tradities geen concessie. De open dialoog met hetgeen andere religies en geloofsvormen aandragen, is ook niet allereerst een ethische plicht, ook al is respect voor elk mens als beeld van God, en daarmee ook voor diens vrijheid op religieus gebied, wezenlijk voor de christelijke traditie.[16] Openheid voor wat andere religieuze tradities te zeggen hebben, is inherent aan een religie die niet een sterke identiteit propageert, maar eerder wil verlokken tot wat misschien het best 'het waagstuk van de niet-identiteit' genoemd kan worden.[17] De christelijke tradities nodigen mensen uit om als Jezus 'icoon van de onzichtbare God' te worden (vgl. Kol. 1, 15), niet door Jezus' verkondiging en de verkondiging van christenen over hem als de ultieme en volledige waarheid aan te nemen, maar door hun eigen geschiedenis in die van hem te spiegelen en samen te voegen met die van anderen die hetzelfde doen. Zo ontstaat er in de Gezalfde Jezus een nieuwe gemeenschap die steeds oude en nieuwe schatten opdelft uit de volheid van God die hij aan en in en door

15 Het idee van het christelijk geloof als 'memoria passionis, mortis et resurrectionis Jesu Christi' en daarin als 'gevaarlijke herinnering' aan alle lijden, stamt met name van J.B. Metz; vgl. met name diens *Glaube in Geschichte und Gesellschaft*, 1977, 87-103: 'Zukunft aus der Gedachtenis des Leidens: Zur Dialektik des Fortschritts'; id., 'Politische Theologie', 1969, m.n. 47-57; id., 'Im Eingedenken fremden Leids', 1996, 3-20. Voor de verbinding met de herinnering aan Auschwitz, zie onder andere zijn 'Im Angesicht der Juden: Christliche Theologie nach Auschwitz', 1984; id., *Kirche nach Auschwitz*, 1993; id., 'Auschwitz (theologisch)', 1993, 1260-1261.

16 Ook al heeft de christelijke, en met name de katholieke traditie er lang over gedaan om dit ook in te zien; vgl. de verklaring over de godsdienstvrijheid *Dignitatis humanae* (7 dec. 1965) van het Tweede Vaticaans Concilie.

17 Zie de titel van de feestbundel bij gelegenheid van J.B. Metz' zeventigste verjaardag: *Vom Wagnis der Nichtidentität*, Hg. J. Reikestorfer, 1998.

hen onthult. Voordat zij een theologie van Gods aanwezigheid kan zijn, is christelijke theologie een theologie van het missen van God. Precies in de pijn van het missen wordt Gods aanwezigheid en nabijheid geopenbaard.[18]

De Joodse filosoof Peter Ochs heeft dit op een verrassende manier in verband gebracht met het christelijke beeld van God als drie-eenheid.[19] Nu presenteerde in 1977 de Franse theoloog Christian Duquoc al Gods drie-eenheid als ruimte voor verscheidenheid en pluraliteit in God, en daarmee als intern-christelijke relativering van de absoluutheid van het christendom.[20] Ochs volgt echter niet de inmiddels bekende, maar twijfelachtige redenering dat de meervoudigheid van de triniteit bevrijding betekent van het onderdrukkende monotheïsme dat de onderwerping vraagt aan één God, en aan één heerser als diens representant.[21] In Ochs' visie is het spreken over Gods triniteit de manier waarop de christelijke traditie ervan getuigt dat zij een levende religie is. Het spreken over de God die geopenbaard is in de Gezalfde Jezus, komt steeds tot stand vanuit de aanwezigheid van de heilige Geest die mensen telkens opnieuw nieuwe en verrassende sporen van God doet ervaren. Ochs wijst erop dat het Joodse denken over de verhouding tussen God, Wet (thora) en verbondsvolk een gelijkaardige structuur heeft als die tussen God als Vader, Zoon en Geest in de christelijke traditie. Deze constatering lijkt in enigszins verzwakte zin uitbreidbaar naar andere religieuze tradities en gemeenschappen. Religie thematiseert dat er zich in de confrontatie met de bodemloosheid, breekbaarheid en onbeheersbaarheid van het bestaan ruimte aandient om te leven. Christelijk gesproken komt dit voort uit de heilzame nabijheid van de Geest van de God die hemel en aarde geschapen heeft als ruimte voor goed leven en die zich in Jezus' geschiedenis ontledigd heeft en geïncarneerd is in een lichaam dat lijdt onder en sterft aan het feit dat de reëel bestaande wereld vaak helemaal niet zo'n ruimte is, en die daarin en daardoor nieuw leven opent.

De katholieke hindoe-filosoof en -theoloog Raimundo Panikkar heeft gewezen op de opaciteit, op het duistere en ondoorzichtige van het op deze wijze opgevatte werken van de Geest. Van veel vormen van religie, van veel reacties op wat ervaren werd en wordt als sporen van God zowel binnen gevestigde religieuze tradities als in nieuwe religieuze bewegingen en door individuen zonder institutionele religieuze binding, is

18 Vgl. de ondertitel van de studie over Metz' theologie van T.R. Peters, *Johann Baptist Metz*, 1998.

19 P.W. Ochs, 'Trinity and Judaism', 2003; vgl. ook id., 'A Jewish Reading of Trinity, Time and the Church', 2003.

20 Chr. Duquoc, *Dieu différent*, 1977.

21 Deze redenering is geïntroduceerd in E. Peterson, *Theologische Traktate*, München 1951, 45-147: 'Monotheismus als politisches Problem'. Sindsdien is zij in de discussie over de betekenis van de triniteit talloze malen herhaald.

onduidelijk wat de relatie is met de geschiedenis van Jezus' leven, lijden, dood en verrijzenis, en met de God die daarin zichtbaar is geworden. Volgens Panikkar moet dit niet leiden tot het afwijzen van deze vormen, maar tot het vasthouden aan het idee dat – in mijn woorden – de God van Jezus de God is van hemel en aarde, de geschiedenis en van ieder persoonlijk. Zolang het einde van de geschiedenis niet is aangebroken, kan de pluraliteit van visies, ervaringen, verlangens en dus van religies niet worden opgelost zonder essentiële inzichten in God en het menselijk leven af te snijden.[22] Dit wil niet zeggen dat de gedachte van de eenheid van God geen betekenis meer heeft en wij genoegen moeten nemen met de gegeven pluraliteit. Het betekent wel dat wij niet weten hoe de eenheid van God eruit ziet. De gelovige zekerheid van christenen dat God op een unieke manier in Jezus was en dat Gods gezicht in hem op een niet meer achterhaalbare of overtrefbare manier aan het licht is gekomen, wil niet zeggen dat wij ook doorgronden wat dat betekent. De betekenis van Gods openbaring in Jezus' geschiedenis wordt duidelijk in het voortdurende proces van confrontatie van hetgeen wij hierover al denken te weten met oude en nieuwe ervaringen van onszelf en anderen, ook als ze hiermee in spanning staan. Of, in trinitaire taal gezegd: de eenheid van de Vader, de Zoon en de Geest, de identiteit van God, is in onze geschiedenis slechts kenbaar in de wisselwerking tussen onze ervaringen van en reflecties over de drie goddelijke 'personen' en hun onderlinge gemeenschap.[23] Elk inzicht dat we hierover verwoorden, is een momentopname temidden van deze steeds voortgaande beweging.

Met deze onzekerheid en relativiteit lijkt religieus goed te leven. Naar christelijke overtuiging is God kenbaar niet omdat wij God in zijn verhevenheid kunnen naderen, maar omdat God ons in onze beperktheid en kwetsbaarheid nabij is gekomen en ons omvat en draagt. Dit impliceert dat wij ook in ons zoeken naar de waarheid van God zoals deze zich openbaart in de Gezalfde Jezus, gedragen worden door deze zelfde God die zich voortdurend doet kennen en ons tegelijkertijd steeds weer ontsnapt. Hiermee is niet gezegd dat onze gedachten, onze discussies en onze polemieken niet meer belangrijk zouden zijn en allen even ver af zouden staan van God zelf. Integendeel. Recente ontwikkelingen lokaal, regionaal en op wereldschaal maken duidelijk dat religies en reli-

22 R. Panikkar, 'The Jordan, the Tiber, and the Ganges', 1987.

23 Vgl. ook de visie van F.-W. Marquardt, die meent dat het christelijk spreken over God in termen van een triniteit betekent dat we de eigen eenheid van God nog niet kunnen doorgronden in diens *Was dürfen wir hoffen, wenn wir hoffen dürften?*, III, 1996, 212-235; id., *Eia, wärn wir da!*, 1997, 539-566. Zie verder het idee van G. D'Costa dat geen acht slaan op andere religies een vorm is van ongeloof vanwege de mogelijkheden die zij bieden om te komen tot grotere goedheid en waarheid die God erin gelegd heeft, in diens *The Meeting of Religions and the Trinity*, 2000, 133.

gieuze overtuigingen nog altijd en weer opnieuw van groot belang zijn voor de manier waarop mensen zich opstellen tegenover anderen. Duidelijk is dat het uitsluitend bestrijden van aanhangers van andere religieuze tradities en praktiseerders van andere vormen van geloof gewelddadig is en tegengeweld oproept. Het feit echter dat juist een dergelijk optreden vaak met religieuze argumenten wordt gerechtvaardigd, laat zien dat het simpelweg aanvaarden van de pluraliteit aan religieuze opvattingen evenzeer problematisch is. De onderscheiding van de geesten of ze van God komen, naar christelijke overtuiging bij uitstek een religieuze activiteit (vgl. 1 Joh. 4, 24), is juist ook met betrekking tot de verschillende religieuze visies die zich aandienen van het grootste belang.

In dit verband lijkt de gerichtheid van de monotheïstische godsdiensten op universele geldigheid opnieuw actueel. In naam van een God die bevrijder wil heten, moet onderdrukking bestreden worden, en daarmee religieuze vormen die onderdrukking mogelijk maken of zelf onderdrukkend zijn. In naam van een God die zich heeft ontledigd en zwak heeft gemaakt in compassie, moet verzet worden aangetekend tegen machtspolitiek en ondoordacht gebruik van geweld, en tegen gewelddadige aspecten van religie.[24] Anders gezegd, de openheid voor wat andere religies te zeggen hebben, kan en moet soms de vorm aannemen van felle polemiek. De overtuiging dat andere geloofsovertuigingen een bijdrage zijn aan het menselijk zoeken naar de waarheid van God en diens heil, kan en moet soms leiden tot het bestrijden van bepaalde visies en opvattingen. Dit is ook religieus gezien legitiem. Immers, het is niet alleen binnen de christelijke maar evenzeer binnen de islamitische traditie een basisovertuiging dat geloof voor ontsporingen behoed wordt door de rede. Een waarachtige dialoog tussen aanhangers van verschillende religies en vormen van geloof heeft noodzakelijkerwijs zijn scherpe kanten en gaat die niet uit de weg.

De blijvende dubbelzinnigheid van religie en de bevrijdende God

De christelijke traditie bewaart de herinnering aan het feit dat het bestaan van meerdere religies ook conflict impliceert over de God waarnaar alle religies pretenderen op zoek te zijn. In dergelijke conflicten, zowel met het veelvormige heidendom aan het begin van onze jaartelling als met het Jodendom zoals dat in deze tijd vorm kreeg, ligt de oorsprong van het christendom. Tegelijkertijd zou de christelijke traditie zich er vanuit haar eigen geschiedenis bewust van moeten zijn dat het fixeren van een dergelijk conflict tot excessief geweld kan bijdragen en

24 Vgl. voor deze redenering J.B. Metz, 'Theologie versus Polymythie', 1990; id., 'Im Eingedenken fremden Leids', l.c. Voor het debat, vgl. *Monotheismus*, ed. J. Manemann, 2002.

dat het overwinnen van dit geweld tijd en inspanning kost. Het vraagt om het ontwikkelen van elementen uit de traditie waar eerder de aandacht minder naar uitging. Naar bijbelse voorstelling is God strijdbaar en treedt in het krijt om zijn dienaren te behoeden en te bevrijden, maar deze interventies zijn tegelijkertijd gericht op het uitschakelen van geweld en het bevorderen van vrede. De strijdbaarheid benadrukken kan het streven naar vrede feitelijk tot een farce maken en het lijkt erop dat onder de huidige mondiale en lokale conflictueuze verhoudingen alleen een evenwichtig beeld kan ontstaan van wat de christelijke tradities 'verlossing' noemen, wanneer de gerichtheid op vrede en verzoening centraal wordt gesteld en Gods strijdbaarheid wordt begrepen in functie hiervan. De vraag of het christendom gewelddadig is, is dus niet zomaar te beantwoorden en de christelijke tradities zijn evenals andere religieuze tradities op dit punt dubbelzinnig.[25] De interpretatie van de tradities is de onvervreemdbare verantwoordelijkheid van hedendaagse gelovigen.

Juist vanuit de christelijke traditie is het mogelijk bij te dragen aan een realistisch beeld van de confrontatie tussen religies. Dit zou wellicht een einde kunnen maken aan het zoeken naar een Gouden Eeuw van vreedzaam interreligieus samenleven, zoals deze bijvoorbeeld wel gevonden is in het middeleeuwse islamitische Spanje van *al-Andalus*.[26] En het zou duidelijk kunnen worden dat het zinloos is eigen idealen van tolerantie en geweldloosheid op een andere religieuze traditie te projecteren, zoals dit gebeurd is in de westerse visies op het boeddhisme.[27] In plaats daarvan kan er dan temidden van de chaotische en bedreigende geschiedenissen van individuen, volkeren en godsdiensten weer zicht komen op de bevrijdende presentie van God temidden van deze situatie. Zo zou er bijvoorbeeld authentieke verwondering kunnen ontstaan over de verrassende en creatieve wegen waarop de figuur van Jezus de islamitische traditie weet te lokken. Op deze manier verenigt Jezus wat onverenigbaar schijnt en weet tegelijkertijd zelf uit te stijgen boven de gescheiden religieuze milieus: het milieu waaruit hij voortkomt (het Jodendom), waarin hij groot werd (het christendom) en dat hem adopteerde (de islam).

In een gedicht van de modernistische Irakese dichter Badr Shakir al-Sayyab (1926-1964) bevestigt Jezus Christus – de islamitische orthodoxie volgend – na zijn kruisiging dat hij niet werkelijk gestorven is: 'mijn wonden | en het kruis waarop zij mij heel de namiddag | en de avond genageld hadden | hadden mij niet gedood.' Maar in hetzelfde gedicht presenteert hij zich vervolgens als wel degelijk gestorven, maar juist zo

25 Zie voor een verkenning van deze dubbelzinnigheid J.-P. Wils, *Sacraal geweld*, 2004.
26 Vgl. voor dit beeld, en de ontmaskering ervan, met uitgebreide literatuurverwijzing, S. Schreiner, 'Auf der Suche nach einem "Goldenen Zeitalter" ', 2003.
27 Zie P. van der Velde, 'Luisteren naar een westers boeddhisme', 2003.

als ruimte van en brood voor de toekomst, een toekomst die in de armoede van de uitzichtloosheid ontkiemt:

> Ik was in de beginne en in de beginne was Armoede.
> Ik stierf opdat men brood zou eten in mijn naam,
> opdat men mij zou planten in het juiste seizoen.
> Hoeveel levens zal ik leven! Want in elke voor in de aarde
> ben ik een toekomst, ben ik zaad geworden.
> Ik ben een mensenras geworden, in elk menselijk hart
> een druppel van mijn bloed, of een druppeltje.[28]

Op basis van de christelijke en de islamitische tradities zou in deze lijn verder kunnen worden gereflecteerd, nieuwe wegen inslaand om de actuele religieuze betekenis van Jezus te exploreren. Of vanuit een christelijke achtergrond zouden er pogingen gedaan kunnen worden op vergelijkbare wijze Mohammed als profeet te interpreteren en de islam te begrijpen als religieuze innovatie op punten waarop de christelijke traditie dreigt te stagneren.[29]

En er ontstaat ruimte te onderzoeken wat mensen werkelijk uitdrukken en vinden in de verschillende vormen van wat wordt aangeduid als New Age-spiritualiteit, en in andere pogingen het leven in zijn geheel op een nieuwe manier religieus vorm te geven en de betekenissen op te delven die in het alledaagse bestaan verborgen liggen. Er is veel kritiek mogelijk op 'New Age' en veel vormen doen nauwelijks anders dan de autonomie die het eigentijdse leven in het Westen vraagt, religieus ondersteunen en legitimeren, zo de last van deze autonomie verzwarend in plaats van verlichtend. Dit inzicht diskwalificeert deze vormen van religie echter niet zonder meer, maar bevestigt slechts de realistische visie op religie waartoe de christelijke tradities stimuleren. Voordat de syncretistische, vaak half gnostische vormen van spiritualiteit die op tal van plaatsen binnen onze cultuur de kop opsteken bekritiseerd kunnen worden, gaat het er theologisch om te achterhalen welk verlangen erin belichaamd wordt en aan welke hunkering ze blijkbaar beantwoorden. Op basis hiervan kunnen vervolgens de christelijke tradities verschijnen als wellicht een toegang biedend tot een andere omgang met dit verlangen

28 Zie T. Khaladi, 'Islam: Jesus and the World of Dialogue', 2003; vgl. ook id., *The Muslim Jesus*, 2001. Voor de achtergronden van de dichter, zie T. DeYoung, *Placing the Poet*, 1998.

29 Vgl. voor een poging tot interpretatie van de islam in het kader van een christelijke theologie R. Leuze, *Christentum und Islam*, 1994; ook al id., *Gotteslehre*, 1989. Zie ook *De islam als na-christelijke godsdienst*, red. J. Peters, 1997; en *Mohammed onder de profeten?*, red. E. Borgman/J. Vandikkelen, 1993. Daarnaast zijn er uiteraard allerhande christelijke pogingen om de islam als authentieke, zij het andere godsdienst neer te zetten; vgl. b.v. K. Armstrong, *Islam: A Short History*, 2000; H. Küng, *Der Islam*, 2004.

en deze hunkering.[30] Basis en uitgangspunt hiervoor is niet een abstracte theoretische confrontatie, maar dat wat in de documenten van de Aziatische bisschoppenconferentie 'de dialoog van het leven' genoemd wordt.[31] Dit betekent geen anti-intellectualistische reductie van religieuze tradities tot de geleefde praktijk en de hierin opgedane directe ervaringen. De verbinding van het interreligieuze contact met de kwesties die zich praktisch aandienen, is gebaseerd op de overtuiging dat het de individuele en collectieve missie van christenen is om de Geest te volgen en deel te nemen aan het volle, concrete menselijke leven, in navolging van Jezus de Christus die ontledigd het leven van mensen in het Palestina van het begin van onze jaartelling deelde. Het is vervolgens de taak van de theologie om op basis van de overtuiging dat in dit ontledigde leven de sporen van God te vinden zijn, en van daaruit in openheid voor en in dialoog met de levensbeschouwelijke en religieuze beelden en theorieën die in de context functioneren, te ontdekken wat waarachtig leven is in het spoor van Jezus, voor het aanschijn van diens God.

Een belangrijke bijdrage vanuit de christelijke tradities aan de confrontatie tussen religies en geloofsvormen bestaat in het wakker houden van het besef van wat christelijk 'erfzonde' heet. Hierbij gaat het om de onontkoombaarheid van de paradox dat, hoewel wij met het oog op het goede geschapen zijn en naar het goede verlangen, het kwaad ons altijd-al omvat en doordringt. Religies zijn onderdeel van deze situatie, ook de christelijke religie is dat: machtsmisbruik, manipulaties en schuldige blindheid voor de consequenties van visies en denkbeelden zijn evenzeer onderdeel van de religies als van andere gestalten van menselijke cultuur. Wie dat inziet, die kan de overgeleverde religieuze vormen en de vormen die nieuw ontstaan, waar nodig onbevangen bekritiseren en tegelijkertijd de momenten signaleren waarop deze situatie religieus doorbroken wordt en zich opnieuw en verrassend uitzicht opent op het goede leven. Waar religieuze tradities bijdragen aan dit laatste, daar getuigen zij van de Geest van de God die zich in het leven en de lotgevallen van Jezus van Nazaret manifesteerde en die naar christelijke overtuiging de God is van de geschiedenis wier verlossing ondanks alle suggesties van het tegendeel aan het aanbreken is. Dit maakt ze voor de christelijke

30 Vgl. voor een sterk negatief oordeel over New Age, P. Heelas, *The New Age Movement*, 1996, en, vanuit de katholieke kerk, het document van de pauselijke raden voor de cultuur en de interreligieuze dialoog: *Jezus Christus: drager van het water van het leven. Een christelijke reflectie op 'New Age'* (3 feb. 2003). Voor de gnostische achtergronden van New Age en de stroom van religiositeit waar het deel van uitmaakt, zie W.J. Hanegraaff, *New Age Religion and Western Culture*, 1996. Voor een poging te onderzoeken wat er in New Age religieus en spiritueel gezien aan de hand is en reflecties op een christelijke en katholieke reactie erop, vgl. E. Borgman/A. van Harskamp, 'Nieuwe religieuze bewegingen', 2003.

31 Zie J.X. Labayan, 'Dialogue of Life', 1990.

theologie, en voor de theologische reflectie op het actuele bestaan, van groot belang, onafhankelijk van de vraag of hetgeen zij zeggen of zichtbaar maken, lijkt op wat binnen de christelijke traditie al eerder gezegd en gezien is.

Volgens de *hadit*, de islamitische tradities over het leven van de profeet Mohammed, zou deze gezegd hebben: 'wie een *dhimmi* kwaad doet, doet mij kwaad.' Een *dhimmi* is een lid van een religieuze minderheid, met name een Jood of een christen die in een islamitisch gebied leeft en daarmee onder islamitische bescherming valt. Wellicht is dit profetenwoord geïnspireerd door het woord van Jezus dat wat aan de minsten gedaan wordt, aan hem wordt gedaan (Mt. 25, 40 en 45). Maar hoe dit ook zij, Mohammeds uitspraak kan op zijn beurt ertoe inspireren de strekking van Jezus' uitspraak expliciet uit te breiden naar degenen die een andere religie belijden. In ieder geval ligt het in de lijn van dit hoofdstuk om het als een christelijke taak te zien zich ervoor in te zetten dat vertegenwoordigers van andere religieuze tradities vrijuit en zonder belemmeringen hun religie kunnen uitoefenen, zelfs voor zover deze voor christenen vals en godslasterlijk zou zijn. Dit betekent geen onverschilligheid ten opzichte van religieuze verschillen: het vervolgens waar nodig onthullen en bekritiseren van deze eventuele godslastering is evenzeer een christelijke missie. Dit laatste kan echter alleen authentiek gebeuren wanneer deze strijd tegen het schenden van de waardigheid van God en het minachten van diens sporen, zich in navolging van Jezus tot kwetsbaarheid ontledigd heeft. Dit is in de christelijke geschiedenis de ontdekking die in de dertiende eeuw de zogenoemde bedelorden deden, de franciscanen en de dominicanen. Deze ontdekking geldt nog steeds.

De christelijke overtuiging dat God de ultieme waarheid is en de waarheid ons vrijmaakt, is slechts geloofwaardig als degenen die zich met de christelijke tradities verbinden, de 'zwakte' en de kwetsbaarheid van de waarheid in onze wereld niet proberen teniet te doen door zich tegelijkertijd te verbinden met politieke macht. Deze macht helpt weliswaar anderen de eigen wil op te leggen, maar maakt zo de vrijheid ongedaan die nodig is voor de erkenning van de waarheid als waarheid. Waarheid die wordt opgelegd, wordt niet als waarheid, maar als onontkoombare macht erkend door wie ermee instemt.[32] Naar christelijke overtuiging

32 Dit is het principiële probleem van het stellen van grenzen aan de vrijheid van katholieke theologen door het ambtelijk leergezag, zoals dit onder paus Johannes Paulus II in toenemende mate is gebeurd. Thomas van Aquino stelt dat ook een dwalende rede en een dwalend geweten bindend zijn voor zover mensen authentiek geloven dat een handeling goed of een uitspraak waar is, in deze zin van God komen en daarom dienen te worden gehoorzaamd (*Summa theologiae* I-II, Questio 19, art. 5). Objectief zijn de

ligt de ware verhevenheid van de waarheid niet in een dergelijke macht, maar in de bereidheid zich van deze macht te ontdoen om ontledigd uiteindelijk als de volheid aan waarheid erkend te worden. Dit vraagt om navolging van deze ontlediging door degenen die zichzelf in dienst willen stellen van deze waarheid.

waarheid en de goedheid verplichtend, maar deze zijn slechts toegankelijk via de subjectieve overtuiging van waarheid en goedheid. Een individu kan het in geweten als plicht beschouwen dat wat het ambtelijk leergezag als geloofswaarheid voorhoudt ook te geloven – in beginsel; een dergelijk uitbesteden van de eigen verantwoordelijkheid is na de verschrikkelijke gevolgen van de collectivistische ideologieën van de twintigste eeuw moreel moeilijk verdedigbaar –, maar het is de taak van de theologie en de theoloog de waarheid en de geloofwaardigheid van de christelijke tradities te onderzoeken, en daarmee de plausibiliteit van de claim dat zij rede en geweten dienen te binden. Deze taak kan alleen overtuigend worden uitgeoefend als het oordeel over deze plausibiliteit vrij tot stand komt en de waarheid dus als waar, het goede als goed erkend kan worden en daarom verplichtend (en dus niet als met dwingende autoriteit voorgehouden en dáárom verplichtend). Dat dit niet in strijd is met de overtuiging dat katholieke theologen niet op eigen gezag doceren, maar krachtens de zending van de kerk, wordt in het volgende hoofdstuk duidelijk.

13
De erosie van de hiërarchie en de verbinding met het heilig begin

'Erosie van de hiërarchie' lijkt een adequate karakterisering van de tijdgeest sinds halverwege de vorige eeuw. Als tenminste het woord 'hiërarchie' breed genoeg wordt opgevat. Ik gebruik in dit hoofdstuk het woord 'hiërarchie' niet als synoniem voor de structuur volgens welke de rooms-katholieke kerk geleid wordt. Deze hiërarchie werd 153 jaar geleden in Nederland volgens officieel rooms-katholiek gezichtspunt 'hersteld', maar is op dat moment in feite ingevoerd: de bisschoppelijke hiërarchie die in 1559 door Philips II in Nederland was ingesteld en waaraan de Opstand in 1568 een einde maakte, was een heel andere dan die van na 1853.[1] 'De hiërarchie' is in kerkelijke contexten de gebruikelijke aanduiding geworden van de officiële ambtsstructuur van de katholieke kerk, het organisatorisch bouwwerk van paus, kardinalen, bisschoppen, priesters en diakens. Ik kom verder in dit hoofdstuk op de kerkelijke structuur nog terug, maar mijn uitgangspunt is hier allereerst dat het idee van hiërarchie zelf is weggesleten. Sociale wetenschappers en met name bedrijfswetenschappers spreken van 'erosie van de hiërarchie' in verband met het verval van een maatschappelijke structuur waarin de machts- en zeggenschapsverhoudingen eenduidig zijn. Er is een netwerksamenleving in opkomst waarbinnen de verhoudingen veel diffuser zijn. Ook bij dit niveau blijf ik echter niet staan.

Letterlijk betekent het woord 'hiërarchie': *hiera archè*, 'heilig begin'. Het drukt de overtuiging uit dat de waarde van zaken bepaald wordt door de oorsprong ervan en de nabijheid tot, de verbinding met deze oorsprong. Volgens het derde hoofdstuk van het boek *Over de hemelse hiërarchie* van pseudo-Dionysios de Areopagiet, een tekst van rond 500 na Christus die het denken over hiërarchie sterk heeft beïnvloed, ligt de oorsprong van alles in God. Alles wat is, bestaat en heeft waarde dankzij de plaats die het heeft in relatie tot God in de door God gewilde orde. Naar deze zijnshiërarchie verwijst de hiërarchische structuur van de katholieke kerk, evenals de hiërarchische ordening van de samenleving en de staat.[2]

1 Vgl. *Staf en storm*, red. J. Vis/W. Janse, 2003.
2 Vgl. R.F. Hataway, *Hierarchy and the Definition of Order in the Letters of Pseudo-Dionysios*, 1969; R. Roques, 'Introduction', 1970.

Het westerse denken over politiek leiderschap maakte zich gedurende de achttiende en negentiende eeuw van deze visie op hiërarchie los. Met name na de Franse Revolutie van 1789 werd 'hiërarchie' in organisatorisch verband een aanduiding van een bureaucratisch, functionalistisch rangenstelsel binnen een organisatie. In de twintigste eeuw ging men het woord in het algemeen spraakgebruik opvatten als simpelweg een synoniem van 'rangorde', of deze nu te vinden is binnen moleculaire systemen, dierpopulaties of menselijke organisaties.[3]

De katholieke kerk hield wel vast aan het idee van een organisatorische hiërarchie die verwijst naar de hiërarchische zijnsorde. Voor haar was de maatschappelijke verschuiving naar het functionalisme lastig, maar niet onoverkomelijk. Het gaf haar de kans zich te profileren als weliswaar een organisatie met een rangorde van ambten en functies, maar één die niet uitsluitend functioneel is. Zij presenteerde zich als een organisatie waarin de uiterlijke structuur verwijst naar het hogere en diepere, als een tegenbeeld van de moderne samenleving die naar de ervaring van velen steeds bureaucratischer en onbezielder werd.[4] Sinds de jaren zestig van de vorige eeuw echter ligt de gedachte aan een hiërarchie in de werkelijkheid die een band zou garanderen met een heilige oorsprong nog veel radicaler onder vuur. Ik laat in dit hoofdstuk allereerst zien dat zij haar geloofwaardigheid principieel verloren heeft. Ik suggereer vervolgens hoe vanuit de christelijke en katholieke tradities tegen dit gegeven kan worden aangekeken en dat verzet tegen dit plausibiliteitsverlies onnodig is. Er is altijd een sterke spanning geweest tussen het denken in termen van hiërarchie zoals dit via het neoplatonisme in het christendom vaste voet kreeg, en een centrale lijn in de christelijke traditie die bij uitstek een anti-hiërarchische visie op de werkelijkheid lijkt te willen uitdrukken. Neem dit citaat van de apostel Paulus:

> Wat voor de wereld dwaas is, heeft God uitverkoren om de wijzen te beschamen; wat voor de wereld zwak is, heeft God uitverkoren om het sterke te beschamen; wat voor de wereld van geringe afkomst is en onbeduidend, heeft God uitverkoren; wat niets is om teniet te doen wat iets is (1 Kor. 1, 27-28).

Het is daarom niet uitgesloten dat in de erosie van de hiërarchie zoals deze zich in de tweede helft van de twintigste eeuw manifesteert, chris-

3 H. Rausch, 'Hierarchie', 1982.

4 De flirt van het katholieke denken met het organische en natuurlijke, en de daaruit voortvloeiende positionering tegenover bureaucratisering en economisering, maar ook tegenover maatschappelijke strijd en politisering, begint ten tijde van de Verlichting en leidt uiteindelijk tot de organologische opvatting van de mens en de samenleving zoals deze wordt uitgewerkt in de katholieke sociale leer in de encycliek *Rerum novarum* (15 mei 1891) van paus Leo XIII en in *Quadragesimo anno* (15 mei 19931) van paus Pius XI.

telijke motieven meespelen. En dat de christelijke traditie waardevolle aanwijzingen in zich draagt, hoe deze erosie te interpreteren en er op een vruchtbare manier mee om te gaan.

Teloorgang van de orde van het heilig begin

De erosie van de hiërarchie lijkt samen te hangen met de problemen die wij inmiddels hebben met de verbinding tussen een vaste ordening van de dingen en God. Of toegespitst en wat cryptisch gezegd: de erosie van de hiërarchie hangt samen met de specifiek laat twintigste-eeuwse herontdekking van het probleem van de negatieve theologie. Ik licht dit toe.

Volgens het middeleeuwse besef weerspiegelde de orde van de samenleving een orde die God in de geschapen werkelijkheid heeft gelegd.[5] Met de opkomst van de moderniteit verscheen de ordening van de maatschappij steeds meer als toevallig en veranderlijk, en met de opkomst van de politiek en het bestuur als relatief zelfstandige maatschappelijke sfeer, werd deze ordening bovendien steeds meer gezien als product van menselijke handelen en uitkomst van menselijke beslissingen. Het fameuze boek *Utopia* van Thomas More (1478-1535) presenteerde in 1515/16 – anders dan doorgaans wordt gedacht – niet een blauwdruk van de ideale samenleving, maar een mentale verkenning van de verwarrende nieuwe mogelijkheden die opdoemen als de samenleving niet langer als gegeven verschijnt, maar een project is dat vorm krijgt op basis van menselijke afwegingen.[6] Met het ontstaan van de democratie als idee en als realiteit was de inrichting van de maatschappij niet langer een verwijzing naar de eeuwige wil van God, maar verscheen als een uitdrukking van het volk en haar wensen.[7] Wie na de Franse Revolutie spreekt van een 'natuurlijke orde' van de dingen, doet in feite een sterk politiek getinte uitspraak. Met de afwijzing van de gedachte dat de samenleving een product is van menselijk handelen en menselijke keuzes, wordt een andere vormgeving van de samenleving gepropageerd dan die na 1789 in Europa gestalte kreeg. Het is de logica van elke vorm van conservatisme in de moderniteit die in de actualiteit het meest duidelijk aan het licht komt in het fundamentalisme: formeel wordt de vrijheid afgewezen de goede inrichting van de samenleving te kiezen, maar hiermee wordt feitelijk een inrichting van de samenleving gepropageerd die men als beter beschouwt dan als die te prefereren wordt voorgehouden. Ook voor deze betere inrichting moet gekozen worden en voor de realisering ervan is een krachtige inzet nodig.[8]

5 Vgl. G. Duby, *Les trois ordres*, 1978.
6 Voor deze interpretatie, zie A. Fox, *Utopia*, 1993.
7 B.J. De Clercq, *Macht en principe*, 1986, 147-178.
8 Vgl. mijn 'Religies: tradities van openheid', 2003.

In de moderniteit kan degene die een ordening propageert die teruggrijpt op een als heilig geponeerde traditie, hier niet mee volstaan. Hij of zij moet laten zien dat deze ordening beter is dan de orde die zich zegt te baseren op vrije keuze van mensen. Aan deze logica ontkwam ook de katholieke kerk niet. In de negentiende eeuw stelde zij tegenover een liberale maatschappij die vrijheid en menselijke zelfbeschikking als centrale waarde had, maar die in haar ogen precies hierdoor in allerlei problemen raakte, zichzelf voor als een zelfstandige 'perfecte samenleving' die naar God verwees in haar hiërarchisch ordening die was ingesteld door Jezus Christus, de incarnatie van God zelf op aarde. Zij probeerde duidelijk te maken dat zij van hieruit in staat was een tegenwicht te bieden tegen de middelpuntsvliedende krachten die de liberale samenlevingen dreigden te verscheuren en mensen dreigden te verpletteren.[9]

Evenals de goede maatschappelijke inrichting weerspiegelde ook de ware kennis volgens middeleeuwse overtuiging de orde die door God in de geschapen werkelijkheid is gelegd. In de late Middeleeuwen doorbrak het nominalisme de nauwe band tussen de scheppende God en de orde die in de schepping is verborgen. Zo bereidde het de dubbele ontdekking van de moderniteit voor.[10]

De eerste moderne ontdekking, verbonden met de filosofie van Immanuel Kant, is dat de menselijke kennis nooit tot het wezen van de werkelijkheid zelf kan doordringen. Mensen blijven gebonden aan hun eigen perspectief op de wereld. Hoeveel wij ook weten, hoeveel wij ook kunnen verklaren en voorspellen, de 'Dinge an sich' blijven zich aan onze inzichten onttrekken. Kant wordt vaak gezien als een rationalist belust op orde en zekerheid, maar zijn filosofie legde juist de fundamentele onzekerheid van het moderne bestaan en de aporieën van het moderne denken bloot.[11] Wat betekent het als het menselijk bestaan niet langer begrepen kan worden als onderdeel van een kosmische en metafysische ordening, en het menselijke denken als bewustzijn van deze ordening? Wat betekent het als elke orde het product blijkt van ordenende activiteit door de menselijke geest en het menselijk handelen? Deze in de zoektocht naar zekerheid ontdekte onzekerheid werd door Friedrich Nietzsche in *De vrolijke wetenschap* (1882) samengevat in de uitroep 'God is dood! God blijft dood! En wij hebben hem gedood!'

Tegenover deze ontdekking die zich steeds meer opdrong, profileer-

9 É. Poulat, *L'Eglise, c'est une monde*, 1986.

10 L. Dupré, *Passage to Modernity*, 1993.

11 Vgl. hiervoor al H. Heine, 'Zur Geschichte der Religion und der Philosophie in Deutschland' (1834/1852), 81 e.v. Voor systematische pogingen Kant te herlezen als filosoof van de (post)moderne onzekerheid en haar aporieën, zie *Kant after Derrida*, ed. Ph. Rothfield, 2003.

de de katholieke kerk zich vanaf halverwege de negentiende eeuw als instantie die wèl inzicht had in het wezen van de dingen en van de werkelijkheid als geheel. Zij pretendeerde niet te weten wat bijvoorbeeld natuurkundig de diepste aard en structuur van de materie is, maar presenteerde zichzelf als drager van een openbaring van een God waarnaar de werkelijkheid verwijst zonder deze God uit zichzelf te onthullen. De neothomistische filosofie en de neoscholastieke theologie die in de katholieke kerk tussen 1850 en 1950 de absolute hegemonie hadden, representeerden tegenover de moderne onzekerheid de mogelijkheid tot een gelovige zekerheid te geraken van God die de werkelijkheid doortrekt en omvat. Deze God blijft zonder de kerk en de aan haar toevertrouwde openbaring van de goddelijke waarheid verborgen, maar is door en in haar voor mensen kenbaar.[12] Deze benadering betekent niet eenvoudig de ontkenning van de moderne onzekerheid. Zij maakt juist gebruik van de onoverbrugbare afstand – het hedendaagse denken spreekt van de 'differentie' – die de moderne kennistheorie heeft blootgelegd tussen elk kennen en de werkelijkheid zoals zij in zichzelf is. In de ruimte van deze differentie ontwikkelen neothomisme en neoscholastiek een eigen, katholieke visie op de werkelijkheid. De pointe van deze visie was dat de werkelijkheid, anders dan de hoofdstroom van het moderne denken steeds nadrukkelijker beweerde, in haar ordening naar God als haar schepper en voltooier verwijst. [13] Modern was de neoscholastieke opvatting echter doordat ook zij ervan uit ging dat de mogelijkheid deze verwijzende ordening waar te nemen, afhankelijk was van het innemen van een bepaalde – in dit geval gelovige – positie ten opzichte van de werkelijkheid. Voor deze positie moest gekozen worden, in de visie die eruit voortvloeide moest geloofd worden.

Het moderne denken doet echter nog een tweede ontdekking. Niet alleen wordt het geconfronteerd met de onontkoombare afhankelijkheid van alle kennen van het menselijk subject, en zo op de blijvende verborgenheid van de werkelijkheid in zichzelf. De moderne wetenschap van haar kant legt, voor zover zij er wel in slaagt door te dringen in het mysterie van de realiteit, daar geen orde maar eerder willekeur en wanorde bloot. Het idee van Charles Darwin (1809-1892) van de ontwikkeling van de biologische soorten, inclusief de mens, door een evolutionair

12 Vgl. nog altijd P. Thibault, *Savoir et pouvoir*, 1972.

13 In dit licht is het te begrijpen dat het Eerste Vaticaans Concilie in de constitutie *Dei Filius* (24 apr. 1870) het tot een *geloofswaarheid* verklaart dat God als oorsprong en doel van alle dingen 'met het natuurlijke licht van de menselijke rede uit de geschapen dingen met zekerheid kan worden gekend.' In de zogenoemde modernistenstrijd aan het begin van de twintigste eeuw en in de encycliek *Pascendi dominici gregis* (8 sept. 1907), in de strijd om de zogenoemde 'nouvelle théologie' en de encycliek *Humani generis* (12 aug. 1950), en ook in de encycliek *Fides et ratio* (14 sept. 1998), speelt dit in de katholieke positiebepaling tegenover het moderne denken een centrale rol.

proces van mutatie en selectie is hiervan het meest duidelijke voorbeeld. De ideeënhistorische schok die de evolutietheorie van Darwin betekent, ligt er niet in dat deze niet in overeenstemming te brengen is met het bijbelse scheppingsverhaal, hoezeer 'creationisten' hiermee ook worstelden en nog altijd worstelen.[14] Deze ligt ook niet in het idee dat de mens uit evolutie is ontstaan en dat het daarmee onduidelijk wordt vanaf wanneer er sprake is van een menselijke ziel, hoezeer dit ook een rol speelde in de discussie over een mogelijke katholieke acceptatie van Darwins visie.[15] Beslissend is dat Darwin erin slaagde de ontwikkelingen in de natuur te verklaren op basis van een chaotisch proces dat niet door een wet, regel of ander ordenend principe wordt geleid.[16]

Op vergelijkbare manier stuitten de psychoanalyse van Sigmund Freud (1856-1939) op de irrationaliteit van de menselijke geest en natuurwetenschappers aan het begin van de twintigste eeuw op de onzekerheid die onvervreemdbaar deel is van de kwantummechanica. Hiermee verdampte het idee van een vaste, natuurlijke orde en daarmee de geloofwaardigheid van een God die de 'heilige oorsprong' zou zijn van deze orde en als zodanig kenbaar. Dit maakt het verbinden van de natuur en God niet onmogelijk, maar een verbinding die loopt via een fundamentele orde die in de werkelijkheid zou zitten en waar God het fundament van zou vormen, is hierdoor ongeloofwaardig geworden.

De herontdekking van de negatieve theologie

Uiteindelijk beslissend bij de erosie van de hiërarchie lijken echter niet de wetenschappelijke ontwikkelingen, maar het culturele bewustzijn. Historisch onderzoek maakt onontkoombaar duidelijk dat filosofische, maar ook wetenschappelijke theorieën behalve pogingen om de werkelijkheid te begrijpen, ook uitdrukkingen zijn van de cultuur waarbinnen zij functioneren.[17] Filosofische theorieën die de afstand van de menselijke kennis tot de werkelijkheid benadrukken en wetenschappelijke theorieën die willekeur en onbeslisbaarheid in het hart van de werkelijkheid lokaliseren, geven niet alleen vorm aan de verhouding van de actuele cultuur tot de werkelijkheid waar zij deel van is, maar drukken evenzeer de bestaande verhouding uit. En de beslissende aanleiding voor de fundamen-

14 Voor de geschiedenis van het debat tussen creationisten en evolutionisten, zie M. Ruse, *The Evolution Wars*, 2000; voor een overzicht van het huidige debat, zie L.A. Witham, *Where Darwin Meets the Bible*, 2002.

15 Vgl. m.n. Piux XII, encycliek *Humani generis* (12 aug. 1950).

16 Zie hiervoor D.C. Dennet, *Darwin's Dangerous Idea*, 1995. De theorie van het zogenoemde Intelligent Design verzet zich om redenen die gepresenteerd worden als wetenschappelijk maar uiteindelijk existentieel en religieus zijn, tegen precies dit aspect van Darwins visie; vgl. voor een theologische kritiek mijn 'Intelligent ontwerp of prachtig toeval?', 2005.

17 S. Toulmin, *Cosmopolis*, 1990.

tele wending in het wereldbeeld van de laatste halve eeuw, lijkt Auschwitz en alles waarvoor deze naam is komen te staan.

De shoah onthult de contingentie en de kwetsbaarheid van de structuren die een humaan leven mogelijk maken en ondersteunen. Zij blijken zomaar ineens te kunnen verdwijnen. Maar zeker zo belangrijk is dat de shoah de inherente gewelddadigheid zichtbaar maakt van elke ordening. Een ordening in hoog en laag, goed en slecht, waardevol en waardeloos blijkt niet alleen geen zekerheid te kunnen bieden, maar in letterlijke zin vernietigend te kunnen zijn voor degenen die zichzelf aantreffen aan de kant van het lage, slechte en waardeloze.[18] Toen zij een sterk zelfbewustzijn had, presenteerde de moderniteit zichzelf als promotor van het waarachtig goede, verhevene en waardevolle. Dan is er kritiek mogelijk op wat hierbij als goed, verheven en waardevol wordt gepresenteerd en heeft het in principe zin daar een andere visie tegenover te stellen. Maar na de shoah is het idee van hiërarchie zelf principieel verdacht geworden. Het één als verheven beschouwen, als representant van het absoluut verhevene en waardevolle, impliceert dat het ander laag en waardeloos is. Wie het één goed noemt, impliceert dat het andere slecht is. De twintigste eeuw heeft geleerd hoe bedreigend dit kan zijn.[19]

In de filosofische en theologische reflectie drukken de erosie van de hiërarchie en de problematiek die dit impliceert, zich uit in een hernieuwde belangstelling voor de zogenoemde negatieve theologie.[20] Klassiek vraagt de negatieve theologie hoe de menselijke taal, die immers aan de schepping gebonden is, ooit recht kan doen aan God, die oneindig boven deze schepping verheven is. Het traditionele antwoord luidt: door ontkenning van alles wat onvolmaakt is, dat wil zeggen door tegen te spreken dat God goed, vader of persoon is zoals wij deze woorden in de wereld verstaan. Actueel ontspringt de hernieuwde belangstelling voor de negatieve theologie uit de ontdekking van het illusoire en gewelddadige van elke ordening die het denken en het spreken met zich meebrengen. Hierdoor ontstaat een nieuwe toespitsing en wordt de negatief-theologische vraag: hoe kan in menselijke taal, die altijd verbonden is met de ordenende, en dus uitsluitende machten van deze wereld, en die zelf ordent en daarmee uitsluit, gesproken worden over God die buiten alle orde staat en alle uitsluitende macht doorbreekt? Hoe valt te voorkomen dat God door het spreken wordt opgenomen in de orde van de taal en zo ophoudt God te zijn? De klassieke negatieve theologie verwees door het ontkennen van alle ongoddelijke connotaties van begrippen naar God, die deze begrippen weliswaar te boven ging maar uitein-

18 Zie Z. Bauman, *Modernity and the Holocaust*, 1989; J.R. Watson, *Between Auschwitz and Tradition*, 1994.

19 Vgl. Z. Bauman, *Wasted Lives*, 2004.

20 Zie *Flight of the Gods*, ed. I.N. Bulhof/L. ten Kate, 2000.

delijk in een hiërarchische zin: te *boven*. De hedendaagse vormen van negatieve theologie kunnen deze strategie niet meer volgen, omdat de eigen ordenende aard van de taal het centrale probleem is geworden.

Daarom maakt filosoof en theoloog Jean-Luc Marion een fundamenteel onderscheid tussen een beeld van God en een icoon die doorschijnend is naar een God 'zonder zijn' (*sans être*), die alleen pure gave kan zijn en slechts als zodanig kan worden geaccepteerd.[21] Daarom ook zegt filosoof Jacques Derrida dat God de naam is van de eindeloze verwoesting van de taal, een verwoesting die echter als een gebeurtenis – *événement* – in deze taal aankomt.[22] God kan alleen nog gedacht worden als van geheel andere orde dan de orde van de taal, en daarmee van het denken en het handelen. God breekt van buitenaf de taal binnen en is niet langer Datgene of Diegene waarnaar of naar wie de orde van de dingen verwijst als naar haar Oorsprong en Heer.[23]

Kortom, God kan niet meer op de klassieke manier worden gedacht als *hiera archè*, als 'heilig begin'. Maar hoe dan wel?

Hiërarchie en de orde van de katholieke kerk

Om deze vraag te beantwoorden, maak ik nu een omweg via de hiërarchische visie op de katholieke kerk. De katholieke kerk is niet hiërarchisch, omdat zij geleid wordt met behulp van een orde van paus en kardinalen, bisschoppen en priesters. Zij vormen de hiërarchie *in* de kerk, maar de katholieke kerk wil via de hiërarchische wijze waarop zij geordend is, verwijzen naar Jezus Christus als haar Oorsprong en Heer, en via hem naar God als haar grond.[24] In deze hiërarchische keten van verwijzingen heeft het bisschopsambt sinds het Tweede Vaticaans Con-

21 J.-L. Marion, *Dieu sans être*, 1982. Vgl. R. Welten, *Fenomenologie en beeldverbod bij Emmanuel Levinas en Jean-Luc Marion*, 2001; id., 'De paradox van Gods verschijnen', 2003; B.E. Benson, *Graven Ideologies*, 2002; R. Horner, *Rethinking God as Gift*, 2001.

22 J. Derrida, 'Comment ne pas parler?', 1987; id., *Sauf le nom*, 1993. Vgl. R. Sneller, *Het Woord is schrift geworden*, 1998 ; id., 'God als oorlog', 2003; R. Gasché, *Inventions of Difference*, 1994, 150-170: 'God, For Example'.

23 Anders dan vaak gedacht wordt, staat ook bij het klassieke katholieke denken in termen van analogie tussen God en schepping de afstand tussen God en wereld zeker zo centraal als Gods nabijheid aan de wereld. Bij Thomas van Aquino is God niet een hoogste zijnde, zoals hem in het spoor van M. Heidegger wel verweten wordt (vgl. hiervoor J.D. Caputo, *Heidegger and Aquinas*, 1982), en de grondlegger van het denken over de 'analogia entis' in de moderniteit, E. Przywara, benadrukt anders dan Karl Barth dacht, ook juist het oneindig kwalitatieve verschil tussen God en de geschapen werkelijkheid (vgl. M. Zechmeister, *Gottes-Nacht*, 1997). In de hedendaagse toeëigening van de negatieve theologie is echter de eigen aard van Gods afstand en Gods nabijheid aan de orde, de vraag hoe de afwezige God aanwezig kan komen zonder op te houden afwezig te zijn en zonder toch weer te worden opgenomen in de ordeningen van de taal.

24 H. Dombois, *Hierarchie*, 1971; P. Eicher, 'Hierarchie', 1991.

cilie (1962-1965) een sleutelpositie.[25] In de dogmatische constitutie over de kerk van dit concilie, *Lumen Gentium*, heet het:

> Tussen de verschillende ambten die vanaf het begin in de kerk uitgeoefend worden, komt naar het getuigenis van de traditie op de voornaamste plaats het ambt van degenen die, in het episcopaat opgenomen, dankzij een opvolging van bij het begin, de vrucht van het zaad van de apostelen bezitten. Aldus, zo getuigt Ireneus, hebben zij die door de apostelen tot bisschoppen werden aangesteld en hun opvolgers tot op onze dagen de apostolische overlevering aan de hele wereld bekendgemaakt en bewaard (no. 20).[26]

Historisch onderzoek heeft inmiddels afdoende duidelijk gemaakt dat het uiterst onwaarschijnlijk is dat bisschoppen rechtstreekse opvolgers zijn van de apostelen. Historisch was er naar alle waarschijnlijkheid in de vroege kerk een diversiteit aan leiderschapsvormen die na verloop van tijd werden samengebracht in één drievoudige hiërarchische ordening van bisschop, presbyter (priester) en diaken. Er bestond bovendien met betrekking tot het bisschopsambt een veelvoud van opvattingen en praktische vormgevingen.[27] Niettemin zijn de bisschoppen volgens *Lumen Gentium*, dat hiermee in het voetspoor treedt van kerkvader Ireneus van Lyon (gest. 202), 'krachtens goddelijke instelling' in de plaats van de apostelen getreden 'als herders van de kerk: wie hen aanhoort, aanhoort Christus en wie hen versmaadt, versmaadt Christus, en Degene door wie Christus gezonden werd' (no. 20), God dus. Het document wijdt vervolgens uit over het sacramentele karakter van de bisschopswijding en het bisschopsambt, krachtens welke 'in de bisschoppen ... die door priesters en diakens worden bijgestaan, ... de Heer Jezus Christus, de Opperpriester, temidden van de gelovigen aanwezig' is. De bisschoppen vervullen volgens Vaticanum II uiteindelijk 'op eminente en zichtbare wijze de rol van Christus zelf als Leraar, Herder en Hogepriester, en treden in zijn persoon op' (no. 21).

Hier tekenen zich bij nader inzien twee sporen van denken over het bisschopsambt af, die in het spreken van de katholieke kerk door elkaar lopen sinds Ireneus ze in de tweede eeuw met elkaar verbond.[28] Met het oog op de huidige erosie van de hiërarchie is het van belang ze nadrukkelijk te onderscheiden. Het eerste denkspoor kan hiërarchisch in de sterke zin worden genoemd. Volgens deze lijn van denken is de waardigheid van het bisschopsambt en de mate waarin het naar Jezus en zijn God verwijst, gelegen in de oorsprong ervan. Jezus de Gezalfde heeft

25 T. van Eijk, *Teken van aanwezigheid*, 2000, 340-346.
26 Dogmatische constitutie over de kerk *Lumen gentium* (21 nov. 1964).
27 F.A. Sullivan, *From Apostles to Bishops*, 2001.
28 K. Ware, 'Patterns of Episcopacy in the Early Church and Today', 1982, 12.

bisschoppen in zijn kerk gewild en daarom heeft hij de apostelen geroepen, en het voortbestaan van het bisschopsambt toont aan dat de huidige kerk nog altijd de kerk is die Jezus heeft gewild. Nog afgezien van de historische problemen erodeert de plausibiliteit van deze visie onherroepelijk tegelijk met de erosie van de hiërarchie. Het is voor het forum van het hedendaagse denken moeilijk te verdedigen dat een constante organisatorische structuur de rechtstreekse waarborg zou zijn voor de authenticiteit van de kerk en haar verbondenheid met God en Jezus. Bovendien gaat het hierbij feitelijk om een organisatorische structuur die teveel lijkt op de Verlichte despotische regimes van de negentiende eeuw in confrontatie waarmee zij in haar huidige vorm ontstond, om niet geraakt te worden door het woord van Jezus dat de heersers van de volken hen met ijzeren vuist regeren en dat de groten misbruik maken van hun macht over hen, maar dat dit bij zijn leerlingen niet het geval mag zijn (Mt. 20, 25-26; Mc. 10, 42-43; Lc. 22, 25-26).

In de tweede lijn van denken over het bisschopsambt in *Lumen Gentium* ligt de nadruk op de authenticiteit van de representatie. In de bisschoppen, die door priesters en diakens worden bijgestaan, is Jezus Christus sacramenteel temidden van de gelovigen aanwezig. Tal van eerdere vernieuwende reflecties samenvattend over aard en betekenis van de sacramenten[29] – de uiterlijke tekenen waaronder Jezus de Christus en zijn God naar katholieke overtuiging op bijzondere wijze in de kerk aanwezig zijn – zegt de concilieconstitutie over de liturgie, *Sacrosanctum Concilium*:

> De sacramenten zijn gericht op de heiliging van de mensen, de opbouw van [de kerk als] het lichaam van Christus, en de eredienst die wij God moeten brengen. [...] Zij veronderstellen niet alleen het geloof, maar voeden het, versterken het, [en] brengen het tot uitdrukking (no. 59).[30]

De sacramenten worden in dit document, in de lijn van de katholieke overlevering, teruggevoerd tot Jezus Christus als hun oorsprong. Niettemin wordt in het spreken van het Tweede Vaticaans Concilie over de sacramenten benadrukt dat diens blijvende aanwezigheid erin en erdoor zichtbaar gemaakt en bewerkt wordt temidden van de wereld, en in het bijzonder temidden van zijn gelovigen. *Lumen Gentium* noemt de kerk als geheel 'als het ware sacrament', 'dat wil zeggen het teken en het instrument van de innige vereniging met God en van de eenheid van heel het menselijk geslacht' (no. 1). Dit betekent dat de kerk 'het geheim van de liefde van God tegelijkertijd manifesteert en realiseert' (no. 45). Sacramenten verwijzen volgens het concilie niet allereerst naar hun oorsprong, maar vooral naar de actuele presentie van de Levende Jezus de

29 C.E. O'Neill, 'Die Sakramententheologie', 1969.
30 Constitutie over de heilige liturgie *Sacrosanctum Concilium* (4 dec. 1963), no. 59.

Christus, die het uiteindelijke sacrament van de Godsontmoeting is die de sacramenten in zijn spoor realiseren en manifesteren.[31]

In deze gedachtegang gaat uiteindelijk een theologische revolutie schuil. De documenten van het Tweede Vaticaans Concilie presenteren God voor alles als Schepper en Verlosser van de wereld, die als zodanig in de kerk op bijzondere wijze gekend wordt en aanwezig is (*Lumen Gentium*, no. 2-4). De kerk is er niet voor zichzelf, maar is een teken en een instrument van de beweging waarmee God de mensheid en de wereld in zijn eigen leven opneemt. Het meest opmerkelijke document van het concilie, de pastorale constitutie over de wereld van deze tijd *Gaudium et Spes*, verkondigt in deze lijn dat de kerk midden in de wereld vorm krijgt en tot stand komt.[32] Zij staat niet eerst buiten de wereld als ontvanger en beheerder van Gods openbaring om zich vervolgens met de wereld te verbinden, maar wordt midden in de wereld gevormd 'door mensen die, in Christus verenigd, door de heilige Geest geleid worden op hun tocht naar het rijk van de Vader'. Zo, 'intiem verbonden met de mensheid en haar geschiedenis', ontvangen de gelovigen die de kerk vormen, een heilsboodschap die aan allen verkondigd moet worden (no. 1). Het gaat volgens *Gaudium et Spes* in de kerk uiteindelijk om de 'wereld van de mensen', een wereld 'die het toneel is van de geschiedenis van de mensheid, getekend door haar inspanningen, haar nederlagen en haar overwinningen'. Van deze wereld geloven christenen

> dat zij uit liefde door de Schepper is geschapen en in stand wordt gehouden, weliswaar onder de slavernij van de zonde staat, maar door Christus, de Gekruisigde en Verrezene, door het breken van de macht van de zonde werd bevrijd, om naar Gods raadsbesluit te worden omgevormd en tot voltooiing te komen (no. 2).

Het is niet de taak van de kerk te laten zien dat zij in de structuur die zij heeft, gewild is door Jezus en zijn God. Zij moet Jezus' verlossende boodschap en zijn bevrijdende presentie representeren. Het is de bijzondere verantwoordelijkheid van de bisschoppen ervoor te zorgen dat deze boodschap inderdaad klinkt.

In deze lijn van denken over het bisschopsambt is de blik niet eenzijdig gericht op de legitimiteit ervan, en daarmee van de hiërarchie in het algemeen. De aandacht gaat uit naar de mate waarin dit ambt en de bekleders ervan bijdragen aan het realiseren van een kerk die een 'licht voor de volkeren' is (*Lumen Gentium*, no. 1) en werkelijk verbonden met 'de vreugde en de hoop, het verdriet en de angst van de mensen van vandaag' (*Gaudium et Spes*, no. 1). Dit spoor van denken laat zich karak-

31 Vgl. E. Schillebeeckx, *Christus, sacrament van de Godsontmoeting*, 1959.

32 Pastorale constitutie over de kerk in de wereld van deze tijd *Gaudium et spes* (7 dec. 1965).

teriseren als hiërarchisch in de zwakke zin. De waarde van het bisschopsambt wordt niet langer gezien in een verwijzen naar een heilige oorsprong bij Jezus en zijn apostelen, in het teken dat het is en in de tekenen die het weet te realiseren van de aanwezigheid van Degene die de christelijke tradities verkondigen: Jezus de Christus en het in hem komende rijk van God. Dit denken is hiërarchisch in een volle, zij het nieuwe betekenis. Het verzet zich tegen de functionalisering van het leiderschap die in de moderniteit gebruikelijk is geworden. Het bisschopsambt wordt niet beschouwd als simpelweg een meer of minder efficiënte vorm van leiding geven aan een gemeenschap die toevallig kerk heet, maar als uiteindelijk gericht op en verwijzend naar een Transcendentie die noch de bisschop, noch de kerkgemeenschap in bezit hebben. Deze kan alleen present worden gesteld als altijd ook afwezig, altijd opnieuw komend en daarin nieuw 'heilig begin', *hiera archè*.

Dit zwak hiërarchisch denken biedt een antwoord op de erosie van de hiërarchie in het hedendaagse aanvoelen en denken. Deze erosie is niet zonder meer het verdwijnen van elke notie van verwijzing naar het niet direct ervaarbare. Met de titel van een boek van alweer enige tijd geleden is dat goed aangeduid: *Ons ontbreken heilige namen.*[33] Het is in de hedendaagse cultuur niet zo dat deze namen, de woorden die verwijzen naar de bron en het doel van de werkelijkheid, er simpelweg niet of niet meer zouden zijn. *Ze ontbreken* ons, we missen ze. Juist in dit gemis, in de woorden, gebaren en personen die dit gemis thematiseren en present stellen, blijft hun verwijzende kracht in een nieuwe vorm behouden. Het maakt deze verwijzing wel onbestemder. De zekerheid dat zij uiteindelijk gericht is op een krachtige en funderende Presentie die onze werkelijkheid samenhoudt, is verdwenen. In plaats daarvan wordt de verwijzing een ruimte waarin wat de schepping draagt en de menselijke geschiedenis uitzicht geeft, kan oplichten en kan aankomen. De wel 'postmodern' genoemde argwaan tegen elke orde die zegt Presentie te garanderen, schept ruimte voor wat present wil komen.[34] Dat moet echter vervolgens gezien en benoemd, ontvangen en verkondigd worden. Dit is de taak van de kerk in de wereld en de bisschop moet erop toezien dat de kerk deze taak blijft vervullen en in het vervullen van deze taak een voorganger zijn.

De sacramentele presentie van het heilig begin

Tijdens het Tweede Vaticaans Concilie vond in de rooms-katholieke kerk een revolutie plaats waarvan de ontwikkeling van een zwak hiërarchisch denken slechts één aspect is. De kern van deze revolutie is dat de

33 Vgl. *Ons ontbreken heilige namen*, red. I.N. Bulhof/L. ten Kate, 1992.

34 J.D. Caputo, *The Prayers and Tears of Jacques Derrida*, 1997; R. Kearney, *The God Who May Be*, 2001; P. Zeillinger, *Nachträgliches Denken*, 2002.

wereld niet langer theologisch vanuit de kerk wordt bekeken, maar de kerk vanuit de wereld. Niet de kerk is van God en dat straalt uit naar de wereld, maar de wereld is van God en dat verdicht zich in de kerk. Deze revolutie is nauw verbonden met de dominicaan Marie-Dominique Chenu. Zijn naam heb ik in de inleiding van dit boek genoemd als een van de inspiraties voor hetgeen ik hier probeer te doen. Chenu kwam in de jaren dertig van de vorige eeuw tot de overtuiging dat theologie reflectie is op de eigentijdse menselijke situatie en op Gods betrokkenheid erbij. Dit was zijn interpretatie van het uitgangspunt van Thomas van Aquino dat geloof het leven beleeft en theologie de wereld bestudeert 'onder het opzicht van God'. Behalve theoloog was Chenu ook historicus. Hij stelde vast dat de grote theologische visies uit het verleden niet in zichzelf gesloten systemen waren, maar intellectuele en rationele reflecties op de eigentijdse situatie vanuit een specifieke spiritualiteit en een welbepaalde cultuur. Gods openbaring is niet zomaar in de bijbel en de kerkelijke overlevering te vinden, maar in het voortgaande, op de telkens nieuwe situatie reagerende geloof van mensen en in de reflecties hierop.[35] Chenu was op het Tweede Vaticaans Concilie aanwezig. Hij spande zich in niet alleen de deelnemende bisschoppen op de hoogte te brengen van de laatste stand van de theologie, maar hij wilde dat zij zich ook rekenschap gaven van de nieuwe situatie waarin de wereld en de kerk gezamenlijk en ten opzichte van elkaar verkeerden. Hij probeerde het concilie direct bij de opening een boodschap aan de wereld te laten richten en stelde hiervoor zelf een tekst op.[36] Teleurgesteld moest hij vaststellen dat de verklaring zoals deze uiteindelijk werd uitgebracht 'in wijwater gedoopt' was.[37]

Gedurende het concilie heeft Chenu, hoofdzakelijk in het verborgene, steeds druk uitgeoefend om de kerk te laten loskomen van haar ingekeerdheid in zichzelf. Hij wilde dat zij zichzelf zou definiëren als gericht op het lezen van de tekenen van de tijd.[38] Toen op 7 december 1965 *Gaudium et Spes* door de concilievaders werd geaccepteerd, werd dit streven beloond:

35 Vgl. C. Geffré, 'Théologie de l'incarnation et théologie des signes des temps chez Père Chenu', 1995; Ch.F. Potworowski, *Contemplation and Incarnation*, 2001, 156-163; 166-180. Zie M.-D. Chenu, *Peuple de Dieu dans le monde*, 1966.

36 Zie A. Duval, 'Le message au monde', 1993; *History of Vatican* II, ed. G. Alberigo/J.A. Komonchak, Volume II, 1997, 50-54. Voor de tekst, zie 'Nuntius ad omnes homines et nationes' (20 okt. 1962); voor de analyse die voor Chenu de achtergrond ervan vormden, zie M-D. Chenu, 'Un concile à la dimension du monde' (1962), in: id., *La Parole de Dieu.* II: *L'Évangile dans le temps*, Paris 1964, 633-637.

37 Voor de opmerking dat de verklaring was 'trempé dans l'eau bénite', zie M.-D. Chenu, 'Un nouveau dialogue avec le monde', 1982.

38 G. Alberigo, 'Un concile à la dimension du monde', 1995; G. Turbanti, 'Il ruolo del P. D. Chenu nell'elaborazione della constituzione Gaudium et spes', 1995. Vgl. M.-D. Chenu, 'Une constitution pastorale de l'Église', 1965; id., 'Les signes du temps', 1965.

> de kerk [heeft] te allen tijde de opdracht de tekenen van de tijd te onderzoek en in het licht van het evangelie te interpreteren. Zo kan zij dan, op aan iedere generatie aangepaste wijze, een antwoord geven op de voortdurende vragen van de mensen over de zin van het huidige en toekomstige leven, en over hun onderlinge verhouding (no. 4).

De strijd die op het concilie gevoerd werd over de verhouding tussen de kerk en de tekenen van de tijd, ging echer na het concilie onverminderd voort. Hoezeer tegenover de revolutie die *Gaudium et Spes* betekende, in de decennia van het pontificaat van Johannes Paulus II vanuit het centrale leergezag van de kerk een contrarevolutie heeft plaatsgevonden, wordt zichtbaar in de encycliek *Fides et Ratio* uit 1998.

Fides et Ratio is nadrukkelijk programmatisch. In het verlengde van de encycliek *Veritatis Splendor* van vijf jaar daarvoor, die het belang onderstreepte van het vasthouden aan de door de katholieke kerk gerepresenteerde waarheid in het denken over moraal, benadrukt *Fides et Ratio* het bijeen horen van geloof en rede, van christelijke theologie en filosofie. In de encycliek is uiteindelijk de vraag aan de orde of een werkelijke conversatie mogelijk is tussen de katholieke kerk en haar gelovige traditie en de wereld en het seculiere verstand. Dit is een belangrijke vraag want, zoals *Fides et Ratio* terecht onderstreept, geloven is naar katholieke visie niet zonder meer een diepe overtuiging, maar een die redelijk te verantwoorden moet zijn. Haar waarheid is verstandelijk te doorgronden. Vanaf het begin neemt de encycliek echter afstand van de solidariteit van de kerk met de wereld die *Gaudium et Spes* kenmerkt. Hiertegenover wordt de wereld, en in dit geval met name de filosofie, opgeroepen zich met de kerk en de kerkelijke theologie te verbinden. Johannes Paulus II wijst de filosofie op haar 'zware verantwoordelijkheid het denken en de cultuur vorm te geven door te blijven opwekken tot het zoeken naar waarheid' en spoort haar aan deze roeping te herwinnen (no. 6). Het blijven stellen van de vraag naar betrouwbare zin en zekere waarheid als onvervreemdbaar onderdeel van goed menszijn, is volgens de encycliek de kerntaak van de filosofie.

De encycliek acht het ondenkbaar dat het voor het menszijn wezenlijke verlangen naar waarheid onvervulbaar zou zijn, hoe vaak het daar ook op lijkt (no. 29). Het christelijk geloof wordt vervolgens gepresenteerd als werkelijke vervulling van dit verlangen, als het binnenvoeren van mensen in de ruimte van de waarheid (no. 33). Een verkeerd gebruik van de rede kan mensen buiten de ruimte voeren van de verbondenheid met God, een juist gebruik ervan kan daarentegen wijzen op het christelijke en katholieke geloof als waarachtige ruimte van de waarheid. Het beeld bij uitstek van de juiste verhouding tussen filosofie en theologie is volgens de encycliek Maria's instemmende antwoord op de aankondiging van de engel Gabriël dat zij de moeder van de verlosser zal worden. Door in te stemmen met de waarheid die haar van buitenaf wordt verkondigd, wordt zij draagster van het goddelijk Woord dat de Waarheid zelf is (no. 108).

Uiteindelijk heeft de filosofie volgens *Fides et Ratio* geen eigen taak, maar staat geheel in dienst van de visie van de encycliek op geloof en theologie. Teneinde het christelijk geloof te kunnen presenteren als waarheid, heeft de theologie volgens Johannes Paulus II een 'natuurlijke, ware en samenhangende' filosofie nodig 'over de mens, over de wereld en vooral over het "zijn" ' (no. 66). Hoewel de encycliek nadrukkelijk ontkent één filosofie te willen opleggen, verschijnen vanuit deze visie de moderne en postmoderne vormen van filosoferen als verval. De encycliek sluit zich expliciet aan bij de kritiek op nieuwere filosofische stromingen die de katholieke hiërarchie sinds het Eerste Vaticaans Concilie heeft geformuleerd (no. 52-56) en ziet in de ontwikkelingen vanaf de negentiende eeuw met name 'ecclecticisme', 'historicisme', 'sciëntisme', 'pragmatisme' en 'nihilisme' (no. 86-90). Deze kwalen komen allemaal neer op verlies aan gerichtheid op echte metafysische waarheid en zekerheid. Als remedie beveelt de encycliek aansluiting aan bij de traditie van het theologische en het hieruit voortvloeiend filosofische denken, vanaf de kerkvaders tot en met de scholastiek. Massief plaatst *Fides et Ratio* de traditionele opvatting van een voor iedereen en altijd geldende waarheid tegenover het idee dat instemming een zaak is van persoonlijke voorkeur (subjectivisme) of dat filosofisch inzicht aan de eigen tijd en cultuur gebonden is (historicisme). Naar katholieke opvatting kan volgens de encycliek waarheid alleen objectief zijn: 'De waarheid kan ... nooit gebonden zijn aan tijd en cultuur; zij wordt bekend in de geschiedenis, maar overstijgt haar' (no. 95).

Dit leidt tot een verstrekkende formulering waarin blijkt hoezeer de inzet van *Fides et Ratio* tegengesteld is aan die van *Gaudium et Spes*: 'Niet de verscheidenheid aan opvattingen van mensen, maar alleen de waarheid kan voor de theologie dienstig zijn' (no. 69).[39] Hiermee is volledig uit het oog verloren wat voor de benadering van *Gaudium et spes* fundamenteel is: dat mensen in deze 'verscheidenheid aan opvattingen' leven en temidden ervan moeten worden gevonden en aangesproken door de waarheid die hen vrijmaakt. Wie denkt dat de verscheidenheid aan opvattingen door een juiste redenering overstegen kan worden en haar belang verliest, ziet niet hoe fundamenteel zij is. Zij heeft zelf het karakter van een 'teken van de tijd' in de zin van *Gaudium et Spes*. De miskenning hiervan hangt samen met de al gesignaleerde onmogelijkheid dat binnen het denkkader van *Fides et Ratio* filosofische reflecties op nieuwe ervaringen werkelijk tot nieuwe inzichten leiden die de christelijke tra-

39 Vanwege het belang van het citaat, de officiële Latijnse formulering: 'Non variae hominum opiniones, sed veritas dumtaxat theologiae opitulari potest.'

ditie tot heroriëntatie noodzaken. Zoals bijvoorbeeld het inzicht dat radicale scepsis mensen verweesd kan maken, maar dat koste wat kost vasthouden aan een vermeende waarheid geweld betekent tegenover degenen die geacht worden buiten deze waarheid te staan.

Dit betekent dat *Fides et Ratio* faalt waar *Gaudium et Spes* juist zo'n belangrijke stap vooruit betekende. De encycliek is doof en blind voor de erosie van de hiërarchie die onze tijd kenmerkt, en waarvoor goede redenen te geven zijn. Theologischer uitgedrukt: door de verscheidenheid van menselijke opvattingen irrelevant te verklaren, blokkeert *Fides et Ratio* wat de encycliek zelf 'de eerste taak van de theologie' noemt, namelijk het verstaan van de *kenosis*, de ontlediging van God in het leven en de dood van Jezus van Nazaret als Christus (no. 93). Deze ontlediging impliceert een goddelijke overlevering aan en een goddelijke verbintenis met mensen in hun concrete historiciteit, met alles wat daar aan onzekerheid, eindigheid en zwakte bijhoort.[40] Een theologie die dit serieus wil nemen – zoals de theologie die ik in dit boek ontwikkel – zoekt en vindt de waarheid *temidden van* en *in open confrontatie* met de verscheidenheid aan opvattingen van mensen. Hierin vervult zij precies een taak in de kerk als sacrament, dat wil zeggen als 'het teken en het instrument van de innige vereniging met God en van de eenheid van heel het menselijk geslacht'.

Fides et Ratio (no. 13) citeert de wiskundige en filosoof Blaise Pascal (1623-1662), die schreef:

> Zoals Jezus Christus onherkenbaar onder de mensen heeft verbleven, evenzo verblijft de waarheid onder de gebruikelijke meningen, zonder uiterlijk onderscheid. En evenzo de eucharistie onder het gewone brood.[41]

Pascal duidt hiermee de ontlediging aan van de goddelijke verhevenheid in menselijke kwetsbaarheid, die volgens de christelijke traditie essentieel is voor de menswording van Jezus Christus als Gods Woord van waarheid. De encycliek stelt dat deze ontledigde gestalte van de waarheid ons verwijst naar het sacramentele karakter dat haar openbaring naar christelijke overtuiging heeft. De waarheid toont zichzelf niet in massieve verhevenheid, maar is verborgen in aardse tekenen reëel onder ons present. *Fides et Ratio* trekt hieruit de conclusie dat de rede het geloof, de filosofie de theologie en de wereld de kerk nodig heeft om in wat de gestalte

40 Voor Chenu was deze door hem zogenoemde 'wet van de incarnatie' het uitgangspunt van zijn theologie van de tekenen van de tijd; vgl. M.-D. Chenu, 'Histoire du salut et historicité de l'homme dans le renouveau de la théologie', 1967.

41 B. Pascal, *Pensées*, éd. L. Brunschvicg, no. 789; éd. L.M. Lafuma, no. 225: 'Comme Jésus-Christ est demeuré inconnu parmi les hommes, ainsi la vérité demeure parmi les opinions communes, sans différence à l'extérieur. Ainsi l'Eucharistie parmi le pain commun.' De encycliek citeert ten onrecht '*sa* verité', *zijn* waarheid.

heeft van een mening als alle andere, de presentie te zien van de waarheid. *Gaudium et Spes* suggereert echter dat het sacramentele karakter van de waarheid het precies mogelijk maakt dat zij zich verbindt met het nederige en verwarrende bestaan dat mensen doorgaans leiden. Dat niet alleen gelovigen, maar de kerk, haar verkondiging en uiteindelijk de Jezus die zij verkondigt als de Christus van God en zo God zelf, verbonden zijn met 'de vreugde en de hoop, het verdriet en de angst' die de wereld en de menselijke geschiedenis doortrekken, is geen complicatie voor de herkenning en de verkondiging van waar het in de christelijke tradities om gaat. Het *is* waar het in deze tradities om gaat. In deze vreugde en deze hoop, in dit verdriet en deze angst is God present en licht deze Presentie op.

De Engelse schrijver Graham Greene (1904-1991) lijkt de consequenties van Pascals uitspraak scherp te hebben gezien. In zijn roman *Monseigneur Quichotte* stript Greene de eucharistie af tot er letterlijk niets over blijft.[42] Precies in dit niets blijkt de waarheid ervan schuil te gaan. Met Don Quichotte van Miguel de Cervantes als voortdurende spiegel – de priester in Greenes boek aan wie bij toeval de monseigneurstitel toevalt zou familie zijn van de ridder van de droevige gelaat, de communistische voormalige burgemeester met wie hij rondreist op onduidelijke manier verwant aan Sancho Panza en zijn auto noemt hij liefkozend Rosinante, naar het paard van Don Quichotte – wordt vertelt hoe een vrome dorpspastoor in confrontatie met de politieke en culturele verwarringen van het Spanje kort na dood van Franco in 1975 alle zekerheden van zijn geloof kwijtraakt. Alleen het vertrouwen op Gods liefde blijft over. Hij wordt gevangen gezet door een collega-priester op instigatie van zijn bisschop, achtervolgd door de Guardia Civil en raakt zwaar gewond door een ongeluk. Stervend celebreert hij half bewusteloos de eucharistie, zonder hostie op het pateen en zonder wijn in de kelk, en deelt deze 'communie van niets' – mijn term – met zijn vriend die aan zijn communisme evenzeer blijkt te twijfelen als Monseigneur Quichotte aan zijn katholicisme. Deze neemt haar aan. De roman eindigt met een discussie of hier sprake was van eucharistie. Een pater uit het trappistenklooster waar monseigneur Quichotte kort hierna sterft, benadrukt dat uit alles bleek dat er voor hem brood en wijn waren toen hij de communie uitreikte. De trappist stelt de retorische vraag of het moeilijker is lucht in wijn te veranderen dan wijn in bloed. Met het aan William Shakespeares *Hamlet* ontleende motto dat Greene zijn boek heeft meegegeven, namelijk dat er niets ofwel goed ofwel slecht is, maar dat het denken dit ver-

42 G. Greene, *Monsignor Quixote*, 1982; voor Greenes visies op geloof en theologie, zie M.-F. Alain, *The Other Man*, 1983.

oorzaakt, protesteert hij tegen religieuze vormen die de eigen zuiverheid handhaven door elke dubbelzinnigheid in de werkelijkheid uit te sluiten.[43] De eucharistie zonder brood en wijn getuigt daartegenover in een situatie waarin elke onderscheid verdwenen is, tot en met die tussen zijn en niet-zijn, dat God onvoorwaardelijk liefde is voor alles en allen (vgl. 1 Joh. 4, 8.16).

Deze onvoorwaardelijke liefde is volgens Chenu uiteindelijk de grondslag van het lezen van de tekenen van de tijd, en de kerk is ervoor om van deze liefde te getuigen.[44] Als in de documenten van het Tweede Vaticaans Concilie de katholieke kerk 'als het ware een sacrament' genoemd wordt en de bisschopswijding als een sacramenteel wordt beschouwd, brengen zij de relatie van de bisschoppen tot de kerk en van de kerk tot de wereld in verband met de relatie van God tot de wereld en de kerk. Deze relatie is naar christelijke overtuiging zichtbaar geworden in Jezus de Christus. Dit betekent dat niet de verhevenheid van de kerk boven de rest van de wereld en de verhevenheid van de bisschoppen boven de andere gelovigen weerspiegelingen zijn van de verhevenheid van God als bron van al het goede, alle autoriteit en alle waarheid, hoezeer de rooms-katholieke kerk dit in zeer vele van haar uitspraken en zeer vaak in haar feitelijke optreden ook suggereerde en suggereert. De kerk representeert Gods leiderschap over de wereld en de bisschop representeert Gods leiderschap over de kerk uiteindelijk door fundamentele verbondenheid met respectievelijk de wereld en de kerk. De kerk verbindt zich met het zoeken van heilzame en verlossende gemeenschap in de wereld en het lijden onder de afwezigheid ervan. Zij representeert de God en diens Gezalfde die zij verkondigt als het steeds nieuwe begin van deze gemeenschap, waar zij temidden van de dubbelzinnig blijvende wereld en geschiedenis iets van deze gemeenschap aan het licht weet te brengen. De bisschop verbindt zich met de kerkgemeenschap die geroepen is om de God en Gods heil in Jezus Christus te representeren, maar die zoals elke mensengemeenschap steeds weer in zichzelf gekeerd en op eigen voortbestaan gericht raakt. De bisschop representeert voor deze gemeenschap deze God en diens Gezalfde, wanneer hij haar weet te openen voor een nieuwe weg in de toekomst en dit pad weet te tonen als datgene wat haar roeping en haar verlangen vervult.

43 'There is nothing either good or bad, but thinking makes it so': W. Shakespeare, *Hamlet*, tweede acte, tweede scène. Model voor deze uitsluitende religie staat in *Monsignor Quixote* het wijdverbreide, in veel talen vertaalde moraalhandboek van moraaltheoloog en canonist Heribert Jone (1885-1967), *Katholische Moraltheologie*.

44 'C'est l'amour qui attache l'Église au sort de l'humanité', schreef Chenu in 1965 in een tekst die bedoeld was als bijdrage aan de discussie over het document dat uiteindelijk *Gaudium et Spes* zou worden; vgl. zijn 'De ecclesia in mundo huius tempore: Annexe'.

In de visie die ik hier ontwikkel, is de sacramentaliteit van het bisschopsambt gelegen in het feit dat de bisschop steeds weer kerk doet ontstaan uit de diffuse vragen en visies, angsten en strevingen die het menselijk bestaan tekenen. Anders gezegd, de bisschop herinnert de kerk eraan dat zij hiërarchisch is en zichzelf opnieuw hiërarchisch maakt door zich te realiseren en temidden van de wereld zichtbaar te maken dat haar *hiera archè*, haar heilige, steeds nieuwe begin buiten haar ligt en temidden van deze vragen en visies, angsten en strevingen ontvangen kan worden.

Theologie en hiërarchie

Vanouds geldt preken als de taak bij uitstek van de bisschop. Rowan Williams, sinds 2003 aartsbisschop van Canterbury en primaat van de Anglicaanse kerk, schrijft in een artikel: 'Preken betekent dat de ene hongerige persoon de andere vertelt waar voedsel te vinden is.'[45] Hiermee drukt hij accuraat de combinatie uit van bescheidenheid en autoriteit die gezien vanuit de christelijke traditie bij leiderschap hoort. Hij presenteert zichzelf niet als iemand die een geheime schuur vol voedsel bezit waarvan hij naar believen kan uitdelen, niet als eigenaar van een geheime kaart waarop staat waar dit voedsel altijd te vinden is. Als een herder leidt hij zijn schapen in het *zoeken* naar voedsel. Het voedsel kan alleen concreet gevonden worden, maar het is de taak van de bisschop het zoeken gaande te houden en de gemeenschap een zoekende gemeenschap te laten blijven. Tegelijkertijd is het zijn taak haar bewust te maken van wat zij zoekt en wat zij gevonden heeft, en wat dat zoeken en vinden betekenen in relatie tot het zoeken en vinden van voorgaande generaties en het zoeken en vinden van andere mensen in de eigen tijd. Na de erosie van de hiërarchie moet het contact met God als het heilig begin steeds opnieuw gerealiseerd worden. Het is en blijft – met de al genoemde term van Jacques Derrida – een *événement*, een gebeuren dat zich aan de greep van alle betrokkenen onttrekt. Tegelijkertijd is het ene evenement het andere niet en is het een onmogelijke, maar onontkoombare opgave te onderscheiden tussen waarachtig en schijnbaar doorbreken van het heilig begin. In het katholieke denken over de kerk is deze taak toevertrouwd aan de bisschoppen. Dat de bisschopswijding sacramenteel is, drukt uit dat het hier gaat om een taak waarvan het welslagen buiten de menselijke macht ligt. Deze taak op zich nemen betekent zich toevertrouwen aan de God die trouwe nabijheid beloofd heeft.

Dit toevertrouwen drukt de bisschopswijding uit. Bij de bisschopswijding in de rooms-katholieke kerk wordt gebeden om de *spiritus prin-*

45 R. Williams, 'The Sermon', 2001, 48. Zie voor Williams' theologische en spirituele visies die hiervan de achtergrond vormen R. Shortt, *Rowan Williams*, 2003; M. Higton, *Difficult Gospel*, 2004. Voor een kritische bespreking van Williams' 'evangelisch anarchisme', vgl. Th. Habson, *Anarchy, Church and Utopia*, 2005.

cipalis, de geest van leiderschap. Dit gebeurt met een citaat uit psalm 51, waar deze geest nederigheid en grootmoedigheid impliceert.[46] Dit is een leiderschap dat van Jezus zelf stamt, niet omdat het ooit door hem is ingesteld, maar omdat het een belichaming is van de geest die was in hem:

> die bestond in de gestalte van God
> heeft zich niet willen vastklampen aan zijn gelijkheid met God;
> Hij heeft zichzelf ontledigd
> en de gestalte aangenomen van een slaaf:
> Hij is aan de mensen gelijk geworden;
> en als mens verschenen heeft Hij zich vernederd
> en is gehoorzaam geworden tot de dood,
> tot de dood aan een kruis (Fil. 2, 6-8).

De bisschopswijding drukt uiteindelijk de navolging van de ontlediging, de *kenosis*, uit die de zending tot bisschop betekent.

In deze bisschoppelijke zending delen theologen. Theologen hebben de laatste decennia terecht vooral de nadruk gelegd op de zelfstandigheid van de theologie ten opzichte van het kerkelijk leergezag en haar eigenheid als academische discipline. Ook ik heb bij gelegenheid met klem verdedigd dat de theologie even weinig van de kerk is als de filosofie van het Heideggergenootschap of een marxistisch Politbureau. De theologie is van de wereld.[47] Hiermee wordt uiteraard haar vrijheid onderstreept en duidelijk gemaakt dat de theologie geen rationalisering of onderbouwing betekent van een vaststaande kerkelijke leer of ideologie. Anderzijds wordt hiermee ook uitgedrukt hoe de theologie dan wel kerkelijk is: door te delen in de kerkelijke opdracht de ontledigde waarheid te vinden. Als de bevrijdende doorbraak van het heilig begin van een nieuwe wereld en een nieuwe aarde, waar gerechtigheid woont. Zo heb ik het in dit boek proberen te doen. Zo, en ook alleen zo, denk ik als theoloog een dienst te verlenen aan de kerk, die immers vorm krijgt in respons op deze waarheid.

46 Vgl. H. Witte, 'De Geest van leiderschap', 2003.
47 Vgl. mijn 'Theologie is niet van de kerk', 2005.

TENSLOTTE
Religie als spelen met vuur

Weinigen ontkennen nog dat seksueel geweld een probleem is. Maar dit leidt niet tot een imagoprobleem voor seks. Integendeel, aan de seksuele begeerte appellerende beelden zijn overal. Er is naar het besef van vrijwel iedereen geen glijdende schaal van vrijen naar mishandelen. Dat religieus geweld een probleem is, is sinds 11 september 2001 onontkoombaar duidelijk. Dit leidt tot een groot imagoprobleem voor religie. Elke religie wordt gezien als potentieel gewelddadig en daarom gevaarlijk, aanhangers van religieuze tradities worden neergezet als mensen met een zwak zelfvertrouwen die daarom gauw beledigd zijn en moord en brand schreeuwen. Toen moslims over heel de wereld de straat op gingen om te protesteren tegen de publicatie van enkele tamelijk botte en weinig geestige cartoons over Mohammed in een Deense krant, probeerden opiniemakers op tal van plaatsen in de westerse wereld hier tegenin even hard 'vrijheid van meningsuiting' te roepen. Er werd zelfs *en passant* een nieuw recht op beledigen geponeerd. Het is het zoveelste teken dat er sinds *Nine Eleven* een mondiale beeldenstrijd gevoerd wordt.[1]

In het vuur van deze strijd is het niet eenvoudig scherp te blijven zien en niet gevangen te raken in het kat-en-muisspel van propaganda en tegenpropaganda. Wie ervoor pleit een oordeel op te schorten en beter te onderzoeken wat er nu precies aan de hand is, wordt in deze situatie alleen al daarom zelf vaak gezien als iemand die de ernst van de problemen probeert te bagatelliseren.[2]

Verborgen vuur

In deze situatie heb ik in dit boek de nuance gezocht in het spreken en denken over religie. Ik wilde laten zien dat religie een dubbelzinnig, maar uiterst belangrijk fenomeen is en dat de kwesties die in religies en religieuze tradities aan de orde worden gesteld, van fundamenteel belang

1 Vgl. J. Lewis, *Language Wars*, 2005.

2 In Nederland werd dit bijvoorbeeld zichtbaar in de felle kritiek op de genuanceerde stellingname van Geert Mak tegen de roep om steeds strengere maatregelen tegen de dreiging van terrorisme en de wijze waarop moslims en de islam werden benaderd in zijn boekje *Gedoemd tot kwetsbaarheid*, 2005; vgl. ook id., 'De repliek', 2005.

zijn voor onze samenleving. Ik heb duidelijk gemaakt dat ook ikzelf in het spreken over religie in het geding ben. Ik ben mij ervan bewust dat ik hierbij veel overhoop gehaald heb. Ik heb het beeld van wat religie is en doet, proberen bij te stellen en gepoogd de verhouding tussen religie en moderne cultuur opnieuw te bepalen. Ik heb mij ingespannen thema's uit de actuele maatschappelijke discussie in verband te brengen met elementen uit religieuze tradities, hetgeen tot een geprofileerde inbreng leidde in deze discussies. Hiermee hoop ik de waarde van religieuze tradities voor degelijke discussies te hebben laten zien. Tenslotte heb ik mijn kaarten op tafel gelegd en duidelijk gemaakt tot welke waarheden ik mijzelf meen te moeten bekennen, religieus en zo ook maatschappelijk en cultureel, en waarom. Steeds stuitte ik hierbij op dezelfde paradox die zo al niet typisch religieus, dan toch typisch christelijk is: teneinde de toekomst open te houden, de vraag naar het goede in alle ernst te stellen en de waarheid werkelijk vrij van vooroordelen te kunnen zoeken, is een sterke religieuze binding van belang.[3] Waarachtig relativisme is alleen leefbaar als geloof in de nabijheid van het ware, goede en schone, dat zich tegelijkertijd aan onze greep onttrekt.[4]

Ik heb hierbij geregeld een bescheiden boekje in gedachten gehad, waarin onder de titel *Wat bezielt de buren?* op uiterst subtiele wijze iets van het verborgen religieuze leven in Amsterdam aan het licht wordt gebracht. Het boekje is gratis bij 16.000 Amsterdamse huishoudens bezorgd. Job Cohen, de burgemeester van de hoofdstad, moest zijn voorwoord beginnen met de mededeling dat het verscheen een maand nadat de cineast, televisiemaker en columnist Theo van Gogh op 2 november 2004 door een moslimterrorist was vermoord: 'Wat bezielt iemand om het recht in eigen hand te nemen en een ander te vermoorden? Het zal je buurman maar wezen.' Maar hij wijst erop dat 'een dergelijke religieus geïnspireerde moord tot de spreekwoordelijke – extremistische – uitzondering behoort' en benadrukt het belang van het afbreken van de vooroordelen over 'geloven en levensbeschouwingen' waarin de aanhangers ervan zich totaal niet herkennen. Hiertoe brengen in *Wat bezielt de buren?* fotograaf Otto Snoek en journalist Arjan Visser Amsterdammers in beeld die behoren tot negen verschillende religieuze stromingen.[5] Ze zijn geportretteerd in hun eigen huis, als gewone mensen. Alleen wie

3 Hiermee keer ik mij tegen Dick Pels (*Een zwak voor Nederland*, 2005, m.n. 200-240), die meent dat relativisme simpelweg gebaseerd is op de feitelijke pluraliteit van visies die zich geen van allen kunnen beroepen op een absolute grond. Relativisme heeft naar mijn overtuiging een reden nodig om mensen ertoe te brengen de eigen overtuiging op te geven en dat is, religieus gesproken, het geloof in een waarheid die altijd groter is. Vgl. mijn 'Zonder geloof geen democratie', 2005.

4 Vgl. T. Radcliffe, *What is the Point of Being a Christian?*, 2005, 111-128: 'The Community of Truth'.

5 O. Snoek/A. Visser, *Wat bezielt de buren?*, 2004.

goed kijkt, ziet op de tafel bij de Joodse familie Schrijver het ritueel bedekte sabbatbrood of, op een andere foto, het keppeltje op het hoofd van de oudste zoon. De jonge Hindoestaan Sunjay Sardjoe lijkt een bord fruit uit een kastje te pakken, maar op het tweede gezicht blijkt hij het als offer op te dragen aan een van de goddelijke verschijningsvormen.

Bekende beelden worden midden in de strijd rond de beeldvorming doorbroken. De protestantse familie Wolthuis is een keurig gezin, zij het open voor de vaak ongetemde verlangens van de kinderen en voor de spiritualiteit uit andere tradities. Maar het katholicisme wordt vertegenwoordigd door de voormalige rockcafé-uitbaatster Patricia Theunis en haar drie zonen, die toch bepaald niet typisch zijn. Hun leven is sinds ze tegenover de kerk van Onze-Lieve-Vrouw, Koningin van de Vrede in de Amsterdamse wijk De Pijp zijn komen wonen, gezegend met aanzienlijk meer rust en harmonie en Patricia, tot geloof gekomen, is actief in de kerk. Voor de hedendaagse zoekers naar spiritualiteit spreken niet een stel hoger opgeleide vijftigers in goeden doen, maar de Indiase ex-Sikh Chanchai Singh en zijn vrouw Kuldip. Hun leven is naar hun zeggen gericht op 'het ontdekken van hun deugden en hoe die ten volle te gebruiken'. Intrigerend en verrassend zijn de foto's van de Ghanees James, een grote, zwarte man met twee zwarte kinderen in hun op het eerste oog nette, zij het wat onpersoonlijke flat. De fotograaf laat ons ontdekken dat in één hoek een stapeltje dozen staat met daarnaast een strijkplank, met kleren die moeten worden gefatsoeneerd. Ergens staat een matras tegen de muur. Hier wordt niet gewoond, hier wordt tijdelijk verblijf gehouden. Nergens is iets te zien dat aan religie herinnert. De begeleidende tekst zegt dat James thuis is in het Holy Ghost Revivalcentrum in de Amsterdamse Bijlmer. Het klappen, zingen en dansen daar maakt deel uit van het geloof dat hem temidden van zijn gebroken dromen op de been houdt. 'Soms bekijkt hij thuis een videoband van zo'n bijeenkomst, maar dan komt een "Halleluja" hem toch zelden over de lippen.' De andere kant van het uitbundige Pinkstergeloof blijkt introverte heimwee.

Wat bezielt de buren? toont het verborgen vuur van de bezieling. Het initiatief voor het boekje komt van de Stichting 'Amsterdam met Hart en Ziel' die wil werken aan meer begrip en respect voor de religies en levensbeschouwingen in de hoofdstad. Door religies en culturen mogen mensen van elkaar onderscheiden zijn, in bezieling zijn zij naar de opvatting van de stichting verenigd. Volgens boeddhiste Astrid Heijdeman zijn er geen gelovige mensen in hun trappenhuis, behalve de overburen die een grote vlag van Ajax hebben hangen. 'Liefde voor het voetbal is toch ook een soort religie', zegt haar man Marc. De gratis verspreiding van het boekje is te danken aan Woningcorporatie Het Oosten, in 1911 opgericht als Rooms-Katholieke Woningbouwvereniging Het Oosten om katholieke arbeiders van woonruimte te voorzien. Directeur Frank Bijdendijk schrijft op de binnenflap:

> Wij verschaffen mensen huisvesting. Het is één van de middelen om te zorgen dat mensen een vertrouwde basis hebben om hun leven te leiden. Een dak boven hun hoofd. Een thuis. Maar er is meer nodig, Mensen neigen ertoe hun eigen leven te leiden. Er is soms weinig wat hen bindt met elkaar en met hun omgeving. Wij zien graag onderlinge saamhorigheid terugkeren. Toenadering in plaats van verwijdering.

Hiermee neemt hij de religieuze achtergrond van zijn organisatie op een nieuwe manier op. *Wat bezielt de buren?* wordt zelf een religieus kleinood en het lezen en bekijken ervan een religieuze activiteit.

Religie viert en cultiveert het vuur waar het leven van afhankelijk is. *Wat bezielt de buren?* doorbreekt de blik die in religie alleen gestolde vormen ziet. De moslima Fatma Katirci lijkt met haar zwarte kleren en sluier erger dan het cliché van de onderdrukte moslimvrouw: ze verschijnt als een fanatica. Haar huis hangt vol Arabische koranteksten en lijkt Spartaans ingericht. Want, zegt ze, hoe meer spullen je hebt, hoe meer je moet schoonmaken en dan 'kan je je niet bezighouden met nuttiger zaken zoals bidden of studeren.' Maar tegelijkertijd werkt Fatma voor de Turkse moskee-organisatie Milli Görüs als imama – vrouwelijke imam (!) voor vrouwen – en is zij naar eigen zeggen 'een moderne werkende vrouw: eigen auto, mobieltje van de zaak.' Zij is ook de zorgzame moeder van Süeda, het baby'tje van nog geen jaar waaraan zij het kamertje heeft afgestaan waar ze zich terug kon trekken en in haar eentje kon bidden. Het popperige roze jurkje van Süeda steekt prachtig af tegen de zwarte kleding van haar moeder – hier worden de vooroordelen niet vermeden, maar door elkaar geschud. Op misschien wel de mooiste foto van *Wat bezielt de buren?* staat Fatma voor het raam terwijl zij Süeda hoog boven haar hoofd tilt. Alsof zij het kind opdraagt aan God en het hele leven verheft in goddelijk licht. Daarmee kantelt het perspectief. Fatma dwingt de lezer-en-kijker niet alleen grondig na te denken over de positie van de vrouw in de islam, maar nodigt ook uit minstens even grondig na te denken over de betekenis van bezieling en religie.

Wat bezielt de buren? presenteert zich als een 'beeldverhaal dat laat zien hoe mensen binnenshuis hun inspiratie beleven.' Fatma suggereert dat mensen in hun religie niet hun inspiratie beleven, maar open staan voor inspiratie, zich afhankelijk maken van bezieling. Zij weten dat ze alleen goed kunnen leven als zij belichamen niet wat uit henzelf komt, maar hen geschonken wordt. In het centrum van de wijze waarop zij hun leven vorm hebben gegeven, staat het gebaar, de handeling, het ritueel waarmee zij zich overgeven om zich vorm te *laten* geven. Zodat het vuur dat het leven zin en gloed geeft en een samenleving bezieling en verband, weer kan oplaaien. Zoals Fatma zegt als zij haar zoon van zeven het ochtendgebed leert: 'Hoor maar, Abdullah, vogels zingen, bladeren ritselen: de hele wereld is nu in gebed.'

Niet langer religie proberen te temmen

Het is in de westerse wereld een algemene veronderstelling dat religies alleen vreedzaam met elkaar kunnen samenleven als ze uit elkaars vaarwater worden gehouden. Deze veronderstelling staat in de discussie bekend als de 'Westfaalse veronderstelling' (Westphalian Presumption), naar de Westfaalse vrede die in 1648 een einde maakte aan de godsdienstoorlogen die Europa verscheurden.[6] Volgens het vredesverdrag mochten religieuze verschillen geen reden zijn voor interventie van de ene nationale staat op het grondgebied van de andere. Een internationale rechtsorde hield zo de religieuze hartstochten in toom en religieuze groepen werden zoveel mogelijk uit elkaar gehouden. Ook op het grondgebied van de afzonderlijke naties heeft men in de eeuwen daarna geprobeerd bevolkingsgroepen met verschillende religieuze achtergronden zoveel mogelijk van elkaar te scheiden, hetzij territoriaal hetzij institutioneel, en de onderlinge contacten te laten verlopen via een levensbeschouwelijk neutrale internationale orde of nationale staat. De verzuiling, die tussen globaal genomen 1850 en 1950 religieuze en levensbeschouwelijke groepen in Nederland in hoge mate in gescheiden werelden deed leven, was vanuit dit perspectief gezien een geslaagd pacificatiemodel voor de religieus verdeelde samenleving die Nederland was.[7] De afbraak van de zuilen na 1945 betekende in deze visie dat de verschillende bevolkingsgroepen die een achterstand hadden, geëmancipeerd waren en hun integratie in de samenleving was voltooid.

Deze benadering reproduceert echter een blinde vlek die ook eigen was aan de verzuiling zelf. Wie uitgaat van de noodzaak religieuze groepen te pacificeren, verliest uit het oog dat het ook tussen 1850 en 1950 helemaal niet vanzelf sprak dat katholieken en gereformeerden zich zozeer als katholiek of gereformeerd beschouwden dat zij zich gingen gedragen als afzonderlijke bevolkingsgroepen.[8] De religieuze vormen van

6 Voor een overzicht van de achtergronden, vgl. D. Croxton/A. Tischer, *The Peace of Westphalia*, 2001. Voor kritiek op de mythische aspecten van de courante visie op de Westfaalse vrede en de noodzaak deze in de gemondialiseerde samenleving te doorbreken, zie S.M. Thomas, 'Taking Religious and Cultural Pluralism Seriously', 2000; id., *The Global Resurgience of Religion and the Transformation of International Relations*, 2005; Ch.W. Kegley/G.A. Raymond, *Exorcising the Ghost of Westphalia*, 2002.

7 Dit is het perspectief van het nog altijd fundamentele werk over de verzuiling van A. Lijphart, *Verzuiling, pacificatie en kentering in de Nederlandse politiek*, 1968.

8 Dit is de achtergrond van de benadering van de zuilen, met name de katholieke, als 'sociale bewegingen' door met name Nijmeegse onderzoekers rond het Katholiek Documentatie Centrum onder leiding van Jan Roes (1939-2003). Vgl. Th. Clemens/ P. Klep/L. Winkeler, 'Moeizame moderniteit', 2005; J. Thurlings, 'Verzuiling en

hun tradities en de religieus-politieke retoriek van hun voormannen hadden blijkbaar iets te bieden dat hen bond. Ze maakten een zinvolle omgang mogelijk met hun angsten en verlangens, zowel in hun persoonlijke leven als binnen de maatschappelijke verhoudingen waaraan ze onderworpen waren. Er vonden binnen de zuilen fundamentele discussies plaats over alle aspecten van het persoonlijke, maatschappelijke en politieke leven en men wilde de verworven visies ook in de publieke sfeer inbrengen – en deed dit ook. De katholieke inspanningen om via leerstoelen voor thomistische wijsbegeerte aanwezig te zijn aan de Nederlandse universiteiten waren bijvoorbeeld niet alleen ingegeven door het streven naar emancipatie van katholieken, evenmin als de oprichting van een Roomsch-Katholieke Universiteit te Nijmegen in 1923. Men was er tegelijkertijd op uit een eigen katholieke bijdrage te leveren aan het intellectuele leven en de publieke discussie over fundamentele kwesties in de Nederlandse samenleving.[9] Lange tijd heerste echter de overtuiging dat de eigen inbreng het beste naar voren kon worden gebracht door de eigen groep sterk te maken en vóór alles de eenheid te bewaren. Hierdoor werd de Westfaalse veronderstelling in feite gereproduceerd. De religieuze groepen raakten steeds sterker in zichzelf opgesloten en afgesloten van elkaar, en het kwam niet tot een confrontatie van hun visies in een breed publiek debat.[10]

Nog altijd wordt breed de Westfaalse veronderstelling gedeeld dat religieuze tegenstellingen in een samenleving alleen werkelijk kunnen worden gepacificeerd vanuit een buitenstaanderpositie. De gewelddadige moslimfundamentalisten vervullen vandaag de dag in de collectieve westerse verbeelding de levende herinnering aan het steeds weer dreigende gevaar van religies. Des te meer reden om de samenleving te beheren als een dierentuin, de religies in de hokken te plaatsen en ze alle zeggenschap te ontzeggen over het dierenpark en de architectuur ervan. 'Scheiding tussen kerk en staat' is de laatste jaren in het publieke debat steeds meer gaan betekenen wat het in Nederland nooit heeft betekend: dat religieuze standpunten niet thuis horen in de maatschappelijke discussie. Er doen zich op het moment echter twee fundamentele problemen voor

beweging: Over nut en onnut van het bewegingsmodel', in: *Moeizame moderniteit: Katholieke cultuur in transitie*, Nijmegen 2005, 19-39.

9 Zie hiervoor H. Laeven/L. Winkeler, *Radboudstichting 1905-2005*, 2005.

10 Vgl. de constatering van de van oorsprong Amerikaanse historicus James Kennedy (*Nieuw Babylon in aanbouw*, 1995) dat de levensbeschouwelijke discussies in Nederland zo ingehouden en weinig fundamenteel zijn. Ook Kennedy verbindt dit met de verzuiling. Voor het verband tussen verzuiling en de huidige situatie, zie ook zijn 'Recent Dutch Religious History and the Limits of Secularization', 2005; A. van Harskamp, 'Simply Astounding', 2005; L. Oosterveen, 'Geborstene Säule', 2006; E. Borgman, 'Einen Weg gehen, den es nicht gibt', 2006.

bij het beheer van onze gezamenlijke dierentuin die de samenleving is. Het is niet gebruikelijk om deze problemen met elkaar in verband te brengen, maar dit verband lijkt er wel degelijk te zijn.

Ten eerste blijkt dat religies moeilijk te temmen en te domesticeren zijn en zich moeilijk in een hokje laten stoppen. Hoe dubbelzinnig de relatie van fundamentalisten ook is met de religieuze tradities die zij zeggen te vertegenwoordigen, zij wijzen wel op een belangrijke, maar in westerse visies in de vergetelheid geraakte karakteristiek van religies. Veel religieuze beelden, overtuigingen en rituelen hebben geen betrekking op de privé-wereld van de gelovigen, maar op de samenleving en de cultuur waarin zij leven, op de wereld en de kosmos. Religieuze tradities bewaren tal van ideeën – niet vrijblijvend, maar met de claim dat hun opvattingen beantwoorden aan de diepste en/of de meest omvattende werkelijkheid – over de wijze waarop mensen zouden moeten samenleven, hoe en in welke zin zij het best gemeenschap kunnen vormen, hoe zij met de wereld en zichzelf behoren om te gaan. Dergelijke kwesties behoren tot de publieke sfeer en moeten dus volgens de heersende overtuiging zo veel mogelijk van hun religieuze lading ontdaan worden. Feitelijk betekent dit dat vertegenwoordigers van religieuze tradities vaak gedwongen zijn – en vertegenwoordigers van deze tradities zich nog vaker gedwongen voelen – te zwijgen over wat ze zouden willen zeggen en misschien juist aan specifieks te zeggen zouden kunnen hebben. Zo lijken religies in toenemende mate irrelevant en laten zij zich in toenemende mate irrelevant maken. Wie vanuit een christelijke overtuiging zegt dat de wijze waarop in Nederland wordt omgegaan met asielzoekers en illegalen een schending is van hun Godgegeven waardigheid en vanuit deze overtuiging hulp verleent, krijgt van politici – ook van christelijke politici en ook van politici die behoren tot partijen die zich expliciet christelijk noemen – te horen dat zij zich aan de wet dienen te houden zoals ieder ander. In plaats van een discussie over kleding, publieke identiteit en omgang met seksualiteit veroorzaken de hoofddoeken, de nikaabs en de verdere afwijkende kleding van moslimmeiden en -vrouwen een debat over de vraag in hoeverre het is toegestaan religieuze symbolen te dragen in de publieke ruimte.

Ik heb in dit boek laten zien in welke zin religieuze tradities relevante en in mijn ogen vaak belangrijke zaken hebben in te brengen over kwesties die ons in de westerse samenleving bezighouden. Ik heb daarbij ook duidelijk gemaakt waarom ik denk dat we niet kunnen afzien van het religieuze aspect van deze inbreng. De vraag wat ons heilig is en om respect vraagt omdat wij er afhankelijk van zijn, is een vraag die niet vermeden, maar alleen verdrongen kan worden. Dat religieuze tradities dubbelzinnig zijn en niet zelden onderdrukkend en gewelddadig, is hiermee op geen enkele manier ontkend. Wel is ontkend dat kritiek hierop alleen mogelijk zou zijn door deze tradities van buitenaf te beoordelen.

Religieuze tradities hebben zelf belang bij het debat over de intellectuele waarheid en de morele juistheid van hetgeen zij willen bewaren en doorgeven. Wat een religieuze benadering van dit debat bovendien levend kan houden, is het besef dat de waarheid die wij kennen en het goede dat wij realiseren nooit ten volle de waarheid en de goedheid zijn die wij nodig hebben voor een waarachtig goed leven. Daarom blijven wij aangewezen op de komende aanwezigheid van de Ware en Goede bij uitstek, die de steeds wijkende maar reële horizon is waarnaar alles wat waar en goed is verwijst. Het is deze horizon die ons debat over wat er uiteindelijk toe doet, zinvol maakt en ervoor zorgt dat het met vuur gevoerd blijft worden.

Dit is van groot belang gezien het tweede probleem waarmee de westerse samenlevingen worstelen. We zijn het in toenemende mate oneens over de inrichting van onze samenleving, de regels die er moeten gelden, het doel waarnaar we moeten streven. We weten klaarblijkelijk ook niet goed hoe wij hierover moeten discussiëren. Politieke partijen en andere instituties slagen er niet in de verlangens en de frustraties van mensen te kanaliseren en er een zinvolle plaats aan te geven. Ook religieuze instituties zoals de kerken slagen daar niet in. De kloof tussen instituties en de geïndividualiseerde leden van onze samenleving lijkt alleen nog te kunnen worden overbrugd ofwel door propaganda die maakt dat mensen denken wat ze moeten denken of in ieder geval doen wat ze moeten doen, ofwel door marktonderzoek te doen naar de wensen van 'de mensen' en die vervolgens over te nemen. Maar noch het autoritair verspreiden van overtuigingen, noch het populistisch reproduceren van hetgeen leeft onder 'het volk', gaat de verwoestijning van ons maatschappelijk landschap tegen, of – in een andere metafoor – weet het vuur aan te blazen waarvan ook het culturele en politieke debat leeft. Het lijkt daarom de hoogste tijd te breken met de gewoonte om de ziel van de burgers, en de tradities die erop gericht zijn deze ziel te cultiveren, politiek-maatschappelijk irrelevant te verklaren. Het lijkt de hoogste tijd niet langer te proberen het vuur van de religie uit de publieke ruimte te weren, maar te zoeken naar vormen om dit vuur te laten branden zonder te verteren. In het bijbelverhaal waarin God tot Mozes spreekt in een brandende doornstruik, wordt een dergelijk vuur tot het religieuze symbool bij uitstek gemaakt: 'Mozes zag dat de struik in brand stond, maar toch niet door het vuur werd verteerd' (Ex. 3, 2).

Het vuur dat blijft branden

In de crisis van de jaren dertig van de vorige eeuw hadden mijn grootouders in een volksbuurt in Amsterdam moeite om rond te komen. Ze deden een beroep op extra steun en er kwam een gemeenteambtenaar thuis kijken of zij deze steun echt nodig hadden. Deze ambtenaar zag in de kamer het Heilig Hartbeeld staan – een beeld van Jezus Christus met een geopende linkerzijde, waarin een van liefde brandend hart zichtbaar was dat door een doornkroon werd omvat – met daarvoor een brandend lichtje. Hij zei dat zolang zij nog geld hadden voor het branden van zo'n lichtje, zij geen steun nodig hadden.

Nu stond tot in de jaren vijftig een dergelijk Heilig Hartbeeld in vrijwel elk katholiek huishouden, daar vaak geplaatst tijdens een bijzondere intronisatieceremonie waarin het gezin Christus' 'onbeperkte heerschappij' over zich uitriep. Het idee was dat deze toewijding regelmatig, liefst dagelijks hernieuwd werd. De ambtenaar kan gemeend hebben dat mijn grootouders zo te veel afstand namen van de Nederlandse wetten – inderdaad vertegenwoordigde volgens de katholieke kerk de natiestaat niet het hoogste gezag. Waarschijnlijker is dat de Amsterdamse ambtenaar in die tijd een socialist was die meende dat de katholieke kerk mensen onderwierp aan haar autoriteit en door de illusie van geborgenheid afhield van de strijd tegen de heersende verhoudingen. Misschien wist hij zelfs, al was het maar intuïtief, dat de Heilig Hartdevotie een doelbewuste katholieke poging was de katholieke invloed op de wereld terug te veroveren op het oprukkend liberalisme en socialisme.[11] Of was hij ervan op de hoogte dat de bouw van de Sacré Coeur in Parijs voor een belangrijk deel gefinancierd is door de burgerij uit dankbaarheid voor het neerslaan van de communeopstand in 1871. Ik stel mij zo voor dat voor mijn grootouders het Heilig Hartbeeld symboliseerde dat wat zij in hun leven doormaakten, gezien werd en liefdevol werd vastgehouden. In de ruimte van die blik en die liefde leefden zij en daarom brandden zij een lichtje, ook al konden ze zich dat niet veroorloven.

Mede als eerbetoon aan mijn grootouders staat er een Heilig Hartbeeld naast het scherm van de computer waarop dit boek is geschreven. Ik hoop dat de zinnen die op dit scherm geformuleerd werden uiteindelijk zijn wat het lichtje bij het Heilig Hartbeeld was voor mijn grootouders: toewijding aan de Aanwezige in wiens ruimte ik tezamen met allen en alles leef, beweeg en ben (vgl. Hand. 17, 28). Natuurlijk, ik hoop ook dat dit boek accurate analyses bevat van de hedendaagse cultuur en onze actuele situatie, dat het adequate interpretaties biedt van de onderdelen uit religieuze tradities die erin ter sprake komen. Ik hoop dat de combinatie van gerichtheid op actualiteit, interpretatie van de maatschappelijke en culturele situatie en interpretatie van religieuze symbolen, visies en gedachtegangen, mogelijkheden opent voor toekomstig onderzoek. Onderzoek bijvoorbeeld naar de betekenis van specifieke onderdelen van de islamitische tradities, juist in de huidige westerse en mondiale situatie. Onderzoek ook naar de verhouding van de moderniteit tot de

11 Zie m.n. Leo XIII, encycliek *Annum Sacrum* (25 mei 1899), waarin de hele wereld aan het Heilig Hart van Jezus wordt toegewijd.

religie en religieuze tradities voorbij het secularisatieparadigma. Onderzoek bovendien naar de blijvende religieuze betekenis en de blijvende religieuze horizon van autonoom wetenschappelijk onderzoek, zodat duidelijk is dat de wetenschappen en hun voortgang de theologie niet overbodig maken, zoals vaak – in hoop of vrees – gedacht wordt, maar tot nieuwe theologische vragen leiden. Met de drie onderzoeksvelden die hiermee zijn aangeduid zal ik mijzelf in de nabije toekomst bezighouden, maar ik hoop dat anderen op heel andere wijze lijnen uit dit boek opnemen. En ik zou mij gelukkig prijzen als er lezers zijn die uit dit boek steun putten voor hun maatschappelijk en politiek handelen en hun reflecties erop.

Het allermeest hoop ik echter dat dit boek bijdraagt aan de plausibiliteit van de klassieke, maar sterk onder druk staande gedachte dat het onderzoek naar religieuze tradities vanuit vermoedens en inzichten die verbonden zijn met de hedendaagse cultuur en het onderzoek naar de cultuur vanuit vermoedens en inzichten die verbonden zijn met religieuze tradities, bij elkaar horen. Religieuze tradities hebben als oogmerk het individuele en collectieve menselijk leven in een bepaald licht te zetten en er het verborgen vuur in wakker te roepen. Daarom worden ze niet werkelijk serieus genomen indien ze alleen worden beschreven en de fenomenen erbinnen zo goed mogelijk worden begrepen en verklaard. Zij vragen erom ook onderzocht te worden wat betreft de mate waarin ze werkelijk bijdragen aan een beter begrip van en een betere omgang met het individuele en collectieve bestaan. Ik heb het onderzoek dat zowel vanuit de cultuur naar de religie kijkt als vanuit de religie naar de cultuur, 'theologie' leren noemen. Ik blijf dat doen, temidden van een sterke en steeds sterkere tendens theologie te beschouwen als een religieuze ideologie in gerationaliseerde vorm. Maar uiteindelijk hecht ik natuurlijk niet aan de naam, maar aan de zaak: religieuze tradities die het leven dat mensen feitelijk leven, in alle grootsheid maar ook in alle weerbarstigheid en tragiek, ontsluiten als ruimte van een toekomst die alleen verwacht kan worden.

Dankwoord en vermelding van eerdere versies van de hoofdstukken

Niemand is uiteraard verantwoordelijk voor wat er in dit boek staat, behalve ikzelf. Maar de tekst is getekend door mijn plaats in mijn geestelijke familie, de dominicaanse, die mij steeds opnieuw leert dat je van en voor religieuze vragen moet en kunt leven. En door mijn plaats bij Anja, bij Kyra en bij Michal die mijn thuis is. Anja corrigeerde bovendien proeven en Kyra hielp met de literatuurlijst.

Dit boek had niet zo geschreven kunnen worden zonder het interdisciplinaire Heyendaal Instituut voor theologie, wetenschappen en cultuur van de Radboud Universiteit Nijmegen, waar ik sinds 2000 werk en waarvan ik sinds 2004 directeur ben. Op verschillende wijzen en in verschillende mate, maar allemaal gezamenlijk zorgden de werkers binnen het instituut voor het klimaat waarin de gedachten konden groeien die hier zijn gepresenteerd. Dank aan Ineke Albers, Ria van den Brandt, Marc De Kesel, Debby Gerritsen, Hermann Häring, Jacques Janssen, Laurens ten Kate, Palmyre Oomen, Bart Philipsen en Arno Wouters. Nauwer betrokken waren Rob Plum en Stephan van Erp. Met beiden voerde ik discussies en werkte ik direct samen op terreinen die ook in dit boek aan de orde komen. Stephan heeft bovendien het hele manuscript gelezen en voorzien van commentaar, waar ik veel profijt van heb gehad, ook als ik zijn advies niet altijd opvolgde.

Zoals bij alles wat ik schrijf over religie, discussieerde ik in gedachten bij het schrijven van dit boek veelvuldig met Anton van Harskamp. Anton heeft ons al eens 'reisgenoten in het denken over religie' genoemd. Met recht.

Eerdere versies van de meeste hoofdstukken verschenen elders als artikelen, soms nadat zij eerder als lezing waren ontstaan. Hoewel de hoofdstukken van dit boek meestal grondig herwerkt zijn, vermeld ik graag de vorige versies van de teksten. Ik ben de organisatoren van de betreffende conferenties en de redacteuren van de betreffende tijdschriften en boeken dankbaar voor de gelegenheid die zij mij boden om mijn gedachten te formuleren en erover te communiceren.

Het eerste deel van de inleiding is gebaseerd op de lezing 'Religie en Europese cultuur' die ik hield op 8 september 2004 in 's-Hertogenbosch in een expertseminar over 'De binding van de burger', in het kader van het Erasmusfestival georganiseerd door de stichting Socires te 's-Gravenhage en het Centrum voor Wetenschap en Levensbeschouwing van de Universiteit van Tilburg. De tekst van de lezing verscheen onder de titel 'De centrale plaats van religie in de Europese cultuur' in *Kenteringen*, het winternummer 2004 van *Christen-Democratische Verkenningen* (27-36) en onder de titel 'Een instortend leerhuis: Is Europa religieus?' in *Tijdschrift voor Geestelijk Leven* (60 [2004] 591-602). Het tweede deel is gebaseerd op het artikel 'Tussentijds relaas: Het voortdurende project van een cultuurtheologie' dat gepubliceerd is in het tijdschrift *Michsjol* (13 [2004] no. 3, 16-27).

Hoofdstuk 1 en 2 komen voort uit 'Gods gedaanteverandering: De metamorfosen van de religie en hun theologische betekenis', verschenen in *Tijdschrift voor Theologie* (43 [2004] 45-66). Dit artikel was op zijn beurt een bewerking van een lezing, 15 maart 2003 gehouden op het symposium 'De gedaanteverandering van de religie' dat werd georganiseerd door de Stichting Edward Schillebeeckx in samenwerking met de toenmalige Katholieke Universiteit Nijmegen. Hoofdstuk 3 gaat uiteindelijk terug op het nawoord 'Een klassieker voor een post-klassieke tijd? Nabeschouwing bij de Nederlandse uitgave' van Lynda Sexson, *Gewoon heilig: De sacraliteit van het alledaagse* (Zoetermeer: Meinema 1997, 151-169). Hoofdstuk 4 is voor dit boek geschreven.

Hoofdstuk 5 is gebaseerd op het essay 'Presentie in een verweesde samenleving: De gebeurtenissen rond Pim Fortuyn als tekenen van de tijd', dat verscheen in *Tijdschrift voor Theologie* (42 [2002] 233-242). Een eerdere versie van hoofdstuk 6 maakte als 'Het politieke belang van de gemeenschap buiten ons bereik' deel uit van *Wat is sociaal?*, het lentenummer 2004 van *Christen-Democratische Verkenningen* (45-56). Hoofdstuk 7 gaat terug op een tekst die ik onder de titel 'Een waarde(n)vol verlangen? Nieuwe religiositeit als aanzet tot een hedendaags waardebesef' schreef voor de bundel *Voorbij fatsoen en onbehagen: Het debat over waarden en normen* (Budel: Damon 2005, 92-112). Hoofdstuk 8 is een bewerkte versie van 'Europa worden: Spirituele en religieuze dimensies van de Europese identiteit', dat verscheen in het boek *Europa: Balans en richting*, onder redactie van Jan van Burg, Pieter-Anton van Gennip en Edy Korthals Altes (Tielt: Lannoo 2003, 197-214). Hoofdstuk 9 begon als essay onder de titel 'Religie en moderniteit hernieuwd op de agenda: Notities over drie islamitische Erasmusprijslaureaten bij gelegenheid van de 90ste verjaardag van Edward Schillebeeckx' in *Tijdschrift voor Theologie* (44 [2004] 333-343).

In hoofdstuk 10 zijn sporen terug te vinden van het artikel 'Van identiteit naar vervreemding: De betekenis van Darrell J. Faschings *Vreemdeling na Auschwitz*', verschenen in *Geloof en vertrouwen na Auschwitz*, onder redactie van Anton van Harskamp en Bart Voorsluis (Zoetermeer: De Horstink 1995, 60-74). Hoofdstuk 11 is gebaseerd op een lezing die ik op 19 maart 2004 in 's-Hertogenbosch hield voor het Werkgenootschap van Katholieke Theologen in Nederland. De tekst van de lezing werd gepubliceerd als 'Gemeenschap, heiligheid en macht: Theologische en politiek-ethische kanttekeningen' in de brochure *Reacties op* Verlegenheid & Toewijding: *Impulsen vanuit de theologie*, onder redactie van Henri Geerts en Carlo Leget ('s-Hertogenbosch: WKTN 2004, 51-72). Hoofdstuk 12 is gebaseerd op het artikel 'De ontledigde nabijheid van de bevrijdende God: Contouren van een christelijke theologie van andere vormen van geloof', geschreven ter afsluiting van het themanummer over *Leren van andere vormen van geloof* van het tijdschrift *Concilium* (39 [2003] no. 4, 125-136). Hoofdstuk 13 gaat terug op een lezing, op 25 november 2003 gegeven in het kader van de studiedag 'Waarom nog katholiek?', georganiseerd door de Theologische Faculteit Tilburg. De lezing werd gepubliceerd als 'De erosie van de hiërarchie: Op zoek naar de betekenis van het kerkelijk ambt in de postmoderniteit' in de bundel *Daarom toch katholiek*, onder redactie van Rein Nauta (Nijmegen: Valkhof Pers 2004, 87-104).

Het eerste deel van het 'Tenslotte' gaat terug op 'Religie is heel gewoon: Amsterdammers geloven thuis', dat verscheen in *Volzin* (4 [2005] no. 2). Het tweede deel is voortgekomen uit 'Gevaarlijke religie', gepubliceerd in *Narthex* (3 [2003] no 4, 35-42).

Lijst van aangehaalde literatuur

Abu-Zaid, N.H., *Islam und Politik: Kritik der religiösen Diskurses*, Frankfurt a.M. 1996

Abu-Zaid, N.H., *Vernieuwing in het islamitisch denken*, Amsterdam 2002 ([1]1996)

Abu-Zaid, N.H., 'Divine Attributes in the Qur'an: Some Poetic Aspects', in: *Islam and Modernity: Muslim Interllectuals Respond*, ed. J. Cooper e.a., London 1998, 190-211

Abu-Zaid, N.H., *The Qur'an: God and Man in Communication*, Leiden 2000

Abu-Zaid, N.H., *Rethinking the Qur'an: Towards a Humanistic Hermeneutics*, Utrecht 2004

Achterhuis, H., *Politiek van goede bedoelingen*, Amsterdam 1999

Adorno, Th.W., *Minima moralia*, Frankfurt a.M. 1980 (1951)

Adorno, Th.W., *Negative Dialektik: Jargon der Eigentlichkeit*, Frankfurt a.M 1973 (1966)

Agamben, G., *Homo sacer: De soevereine macht en het naakte leven*, Amsterdam 2002 (Italiaans origineel 1995)

Agamben, G., *Means without Ends: Notes on Politics*, Minneanapolis 2000 (Italiaans origineel 1996)

Agamben, G., *Le temps qui reste: Un commentaire de l'*Epître aux Romains, Paris 2000

Agamben, G., *State of Exception*, Chicago 2005 (Italiaans origineel 2003)

Ahmed, A.S., *Postmodernism and Islam: Predicament and Promise*, Revised Edition, London/New York 2004

Al-Azm, S., *Kant's Theory of Time*, New York 1967

Al-Azm, S., *The Origin of Kant's Argument in the Antinomies*, Oxford 1972

Al-Azm, S., 'The Importance of Being Earnest about Salman Rushdie', in: *Die Welt des Islams* 31 (1991) 1-49 (Ned. vert. in S. Al-Azm, *De tragedie van de Duivel: Op weg naar een liberale islam*, Amsterdam 2004, 100-149)

Al-Azm, S., *Beyond the Tabooing Mentality: Reading the Satanic Verses*, Damascus/Beirut 1997 (1992)

Al-Azm, S., *Unbehagen in der Moderne: Aufklärung im Islam*, Frankfurt a.M. 1993

Al-Azm, S., 'Islamic Fundamentalism Reconsidered: A Critical Outline of Problems, Ideas, Approaches', in: *South Asia Bulletin* 13 (1993) 93-121; 14 (1994) 73-98

Al-Azm, S., *Kritiek op godsdienst en wetenschap: Vijf essays over islamitische cultuur*, Amsterdam 1996

Al-Azm, S., 'Islam en secularisatie' (1996), in: *Religie en moderniteit: Fatema Mernissi, Sadik Al-Azm, Abulkarim Soroush*, Amsterdam 2004, 148-159 (ook in id., *De tragedie van de Duivel: Op weg naar een liberale islam*, Amsterdam 2004, 38-48)

Al-Azm, S., 'Trends in Arab Thought', in: *Journal of Palestine Studies* 27 (1998) 68-80

Al-Azm, S., 'De duivelsverzen *post festum*: Mondiaal, lokaal, literair' (2000), in: *Religie en moderniteit: Fatema Mernissi, Sadik Al-Azm, Abulkarim Soroush*, Amsterdam 2004, 78-147

Al-Azm, S., 'The View from Damascus', in: *New York Review of Books* 47 (2000) no. 10, 70-77; no. 13, 65

Al-Azm, S., 'De cowboy of Sinbad? Wie zal de winnaar zijn in de globalisering?', in: *Religie en moderniteit: Fatema Mernissi, Sadik Al-Azm, Abulkarim Soroush*, Amsterdam 2004, 17-55

Al-Azm, S., 'Islam, Terrorism, and the West Today', in: *Die Welt des Islams* 44 (2004) no. 1, 114-128

Al-Azm, S., 'Islamitisch fundamentalisme op de keeper beschouwd', in: id., *De tragedie van de Duivel: Op weg naar een liberale islam*, Amsterdam 2004, 150-274

Al-Azm, S., 'De tragedie van de Duivel', in: id., *De tragedie van de Duivel: Op weg naar een liberale islam*, Amsterdam 2004, 49-99

Alain, M.F., *The Other Man: Conversations with Graham Greene*, London 1983

Alberigo, G., 'Un concile à la dimension du monde: Marie-Dominique Chenu à Vatican II d'apres son journal', in: *Marie-Dominique Chenu: Moyen-Âge et Modernité*, colloque 28 et 29 octobre 1995, éd. J. Dore/J. Fantino, Paris 1997, 155-172
Alexander, B.C., *Victor Turner Revisited: Ritual as Social Change*, Atlanta 1991
Allison, D./S. Jacobson, *Dorothy Allison: A Psychic Story*, New York 1980
Allison, D., *Trash: Stories*, Ithaka 1988
Allison, D., *Two or Three Things I Know for Sure*, New York 1996
Allison, D., *Cavedweller*, New York 1998 (Ned. vert. *Holbewoonster*, Amsterdam/Antwerpen 1999)
Almond, Ph.C., *Rudolf Otto: An Introduction to his Philosophical Theology*, Chapel Hill 1984
Altizer, Th.J.J., *The Gospel of Christian Atheism*, Philadephia 1966 (Ned. vert. *Het evangelie van Gods dood*, Utrecht 1967)
Anti-Judaism and the Fourth Gospel, ed. R. Bieringer, Assen 2001
Anti-Judaism and the Gospels, ed. W.R. Farmer, Harrisburg 1999
Antijudaismus im Neuen Testament? Grundlagen für die Arbeit mit biblischen Texten, D. Henze e.a., Gütersloh 1997
Arendt, H., *The Human Condition*, Chicago 1958, 175-247 (Ned. vert. *Vita activa: De mens – bestaan en bestemming*, Amsterdam 1994)
Arendt, H., *Between Past and Future: Six Excercises in Political Thought*, New York 1961 (ged. Ned. vert. *Tussen verleden en toekomst: Vier oefeningen in politiek denken*, Leuven/Apeldoorn 1994)
Arendt, H., *Eichmann in Jerusalem: A Report on the Banality of Evil*, Harmondsworth 1977 ([1]1963; Ned. vert. *Eichmann in Jeruzalem: De banaliteit van het kwaad*, Amsterdam 2005)
Arendt, H., *Menschen in finsternen Zeiten*, Hg. U. Lutz, München/Zürich 1968
Arendt, H., *Lectures on Kant's Political Philosophy*, ed. R. Beiner, Chicago 1989 (Ned. vert. *Oordelen: Lezingen over Kants politieke filosofie*, Amsterdam 1994)
Arkoun, M., *Lectures du Coran*, Paris/Tunis [2]1991
Arkoun, M., *Rethinking Islam: Common Questions, Uncommon Answers*, Boulder 1993
Arkoun, M., *Critique de la raison islamique*, Paris 1994
Arkoun, M., *La pensée arabe*, Paris 1996
Arkoun, M., 'Islam, Europe, the West: Meanings at Stake and the Will to Power', in: *Islam and Modernity: Muslim Intellectuals Respond*, ed. J. Cooper e.a., London 1998, 172-189
Arkoun, M., *The Unthought in Contemporary Islamic Thought*, London 2002
Arkoun, M., *Humanisme et Islam: Combats et propositions*, Paris 2005
Armstrong. K., *Islam: A Short History*, London [9]2004 ([1]2000; Ned. vert. *Islam: Geschiedenis van een wereldgodsdienst*, Amsterdam 2003)
Asad, T., *Genealogies of Religion: Discipline and Reasons of Power in Christianity and Islam*, Baltimore/London 1993
Asad, T., *Formations of the Secular: Christianity, Islam, Modernity*, Stanford 2003
Ash, T.G., 'Anti-Europeanism in America', in: *The New York Review of Books* 50 (2003) no. 2, 32-34
Aslan, R., *No god but God: The Origins, Evolution, and Future of Islam*, New York 2005 (Ned. vert. *Geen god dan God: Oorsprong, ontwikkeling en toekomst van de islam*, Amsterdam 2005)
Attwell, D., *J.M. Coetzee: South Africa and the Politics of Writing*, Berkeley 1993
Augustijn, C., *Erasmus*, Baarn 1986

Bailey, E., *The Secular Faith Controversy: Religion in Three Dimensions*, New York/London 2001
Ballard, S., *Rudolf Otto and the Synthesis of the Rational and the Non-rational in the Idea of the Holy: Some Encounters in Theory and Practice*, Frankfurt a.M. etc. 2000
Barnard, B., *Tegen de draad van de tijd: De ware aard van Europa*, Huizingalezing 2002, te vinden op <http://www.nrc.nl/redactie/Huizingalezing/barnard.pdf>
Barth, K., *Kirchliche Dogmatik*. I: *Die Lehre vom Wort Gottes*, zweiter Halbband, Zürich [3]1945 (1938)
Battin, M.P., *Ending Life: Ethics and the Way We Die*, Oxford 2005

Bauman, Z., *Modernity and the Holocaust*, Cambridge 1989
Bauman, Z., *Modernity and Ambivalence*, Cambridge 1993
Bauman, Z., 'Postmodern Religion?', in: id., *Modernity and its Discontents*, Cambridge 1997, 165-185
Bauman, Z., 'Tradition and Autonomy in a Postmodern World', in: id., *In Search of Politics*, Cambridge 1999, 132-139
Bauman, Z., *Liquid Love: On the Frailty of Human Bonds*, Cambridge 2003
Bauman, Z., *Wasted Lives: Modernity and its Outcasts*, Cambridge 2004
Bayle, P., *Commentaire philosophique sur ces paroles de Jésus Christ, Contraint-les d'entrer; ou l'on prouve, par plusieurs raisons démonstratives, qu'il n'y a rien de plus abominable que de faire des conversions par la contrainte, & l'apologie que St. Augustin a faite des persécutions* (1686), in: id., *Œuvres diverses*, Vol. II, éd. E. Labrousse, Hildesheim 1965
Beck, U., *Risikogesellschaft: Auf den Weg in eine andere Moderne*, Frankfurt a.M. 1986
Beck, H., 'De Trickster: Spelbreker en spelbepaler', in: *Over spel: Theologie als drama en illusie*, red. H. Beck e.a., Leende 2000, 193-210
Beckford, J.A., *Religion and Advanced Industrial Society*, London etc. 1989
Bedevaart en pelgrimage: Tussen traditie en moderniteit, red. J. Pieper e.a., Baarn 1994
Benjamin, W., 'Zur Kritik der Gewalt' (1921), in: id., *Gesammelte Schriften*, II/1, Frankfurt a.M. 1977
Bennet, O., *Cultural Pessimism: Narratives of Decline in the Postmodern World*, Edinburgh 2001
Benson, B.E., *Graven Ideologies: Nietzsche, Derrida & Marion on Modern Idolatry*, Downers Grove 2002
Benzakour, M., *Abou Jahjah: nieuwlichter of oplichter? De demonisering van een politiek rebel*, Amsterdam 2004
Berg, J.H. van den, *Medische macht en medische ethiek*, Nijkerk 1969
Berger, H., *Ik noem het God: Reflecties bij* Luc Ferry, L'homme-Dieu ou le sens de la vie, Tilburg 1998
Berman, M., *All That is Solid Melts into Air: The Experience of Modernity*, New York [2]1988
Bernlef, J., *De noodzakelijke engel: Gedichten*, Amsterdam 1990
Besnier, M., *La politique de l'impossible: L'intellectuel entre révolte et engagement*, Paris 1988
Beunders, H., *Publieke tranen: De drijfveren van de emotiecultuur*, Amsterdam 2002
Blumenberg, H., *Die Legitimität der Neuzeit*, Frankfurt a.M. 1966
Blumenfeld, B., *The Political Paul: Justice, Democracy and Kingship in a Hellenistic Framework*, London 2001
Böckenförde, E.-W., *Recht, Staat, Freiheit: Studien zur Rechtsphilosophie, Staatstheorie und Verfassungsgeschichte*, Frankfurt a.M. 1991
Boeve, L., *Onderbroken traditie: Heeft het christelijk verhaal nog toekomst?*, Kapellen 1999
Bonhoeffer, D., *Ethik*, München 1992 (1949)
Bonhoeffer, D., *Wiederstand und Ergebung: Briefe und Aufzeichnungen aus der Haft*, Hg. E. Bethge, Neuauflage, München 1977 (Ned. vert. *Verzet en overgave: Brieven en aantekeningen uit de gevangenis*, Baarn 2003)
Borg, M. ter, *Een uitgewaaierde eeuwigheid: Het menselijk tekort in de moderne cultuur*, Baarn 1991
Borg, M. ter, *Het geloof der goddelozen*, Baarn 1996,
Borgman, E., *Sporen van de bevrijdende God: Universitaire theologie in aansluiting op Latijnsamerikaanse bevrijdingstheologie, zwarte theologie en feministische theologie*, Kampen 1990
Borgman, E., 'Op zoek naar Maria ... en verder!: Schillebeeckx' mariologie en haar actuele betekenis', in: *Tijdschrift voor Theologie* 33 (1993) 241-266
Borgman, E., *Alexamenos aanbidt zijn God: Theologische essays voor sceptische lezers*, Zoetermeer 1994
Borgman, E., 'Van cultuurtheologie naar theologie als onderdeel van de cultuur: De toekomst van het theologisch project van Edward Schillebeeckx', in: *Tijdschrift voor Theologie* 34 (1994) 335-360
Borgman, E., 'Eerbiedig denken in de postmoderne tijd: Over het filosofisch oeuvre van Ilse Bulhof', in: *Tijdschrift voor Geestelijk Leven* 54 (1998) 293-306

Borgman, E., *Edward Schillebeeckx: een theoloog in zijn geschiedenis*. Deel I: *Een katholieke cultuurtheologie (1914-1965)*, Baarn 1999
Borgman, E., 'De duur van het doorbreken van het rijk Gods: Theologische notities over tijd', in: *Tijdschrift voor Geestelijk Leven* 56 (2000) 31-43
Borgman, E., *Dominicaanse spiritualiteit: Een verkenning*, extra nummer *Tijdschrift voor Geestelijk Leven*, Leuven/Berg en Dal 2000
Borgman, E., 'En Gods Geest zweefde over de wateren: Theologische notities over ruimte', in: *Tijdschrift voor Geestelijk Leven* 57 (2001) 63-75
Borgman, E., 'Tolk van de stille opstand van de ziel: De ambtelijke professionaliteit van de geestelijk verzorger', in: *Tijdschrift Geestelijke Verzorging* 4 (2001) nr. 17, 31-39
Borgman, E., 'Wat William James wist: Notities over de religieuze vraag in het hart van de (post)moderniteit', in: *Peter Sloterdijk, Kansen in de gevarenzone: Kanttekeningen bij de variatie in spiritualiteit na de secularisatie*, Kampen 2001, 60-93
Borgman, E., 'De gedenkende rede – haar verleidingen en haar belang: Cultuurtheologische notities', in: *Narthex* 2 (2002) no. 2, 37-42
Borgman, E., 'Identiteit verwachten: Van theologische antropologie naar cultuurtheologie', in: *Tijdschrift voor Theologie* 42 (2002) 174-196
Borgman, E., 'Het leven: te doen of geschenk. Bedenkingen bij de filosofie van de levenskunst', in: *Tijdschrift voor Geestelijk Leven* 58 (2002) 393-407
Borgman, E., ' " ... want de plaats waarop je staat is heilige grond" (Ex. 3,5): Theologische notities over grond', in: *Tijdschrift voor Geestelijk Leven* 58 (2002) 193-207
Borgman, E. 'Gelovigen voor godslastering: Ayaan Hirsi Ali vindt religie belangrijk', in: *VolZin* 2 (2003) no. 4
Borgman, E., 'Leven op de grens met de dood', in: *Reacties op* Verlegenheid & Toewijding: *Impulsen vanuit de praktijk*, red. H. Geerts/C. Leget, 's-Hertogenbosch 2003, 61-76
Borgman, E., 'Religies: tradities van openheid', in: *Tijdschrift voor Geestelijk Leven* 59 (2003) 501-516
Borgman, E., 'Maatschappelijke spiritualiteit', in: *Speling* 56 (2004) no. 2, 38-43
Borgman, E., 'Religie en moderniteit hernieuwd op de agenda. Notities over drie islamitische Erasmusprijs-laureaten bij gelegenheid van de 90ste verjaardag van Edward Schillebeeckx', in: *Tijdschrift voor Theologie* 44 (2004) 333-343
Borgman, E., 'Deus humanissimus? Christelijk geloof bij Edward Schillebeeckx als excessief humanisme', in: *Humanisme en religie: Controverses, bruggen, perspectieven*, red. J. Duyndam e.a., Delft 2005, 229-246
Borgman, E., 'Intelligent ontwerp of prachtig toeval? Weerbarstige wetenschap als vindplaats van theologische vragen', in: *Tijdschrift voor Theologie* 45 (2005) 229-239
Borgman, E., 'Theologie is niet van de kerk: Theologen als wetenschappers', in: *VolZin* 4 (2005) no. 20, 24-27
Borgman, E., 'Zonder geloof geen democratie', in: *De Groene Amsterdammer* 129 (2005) no. 11, 24-27
Borgman, E., 'Responsibly Performing Vulnerability: Salman Rushdie's *Fury* and Edgar Laurence Doctorow's *City of God'* (ter perse)
Borgman, E., 'Einen Weg gehen, den es nicht gibt: Vom Niederländischen Pastoralkonzil zum Ende der Acht Mei Beweging – und weiter?', in: *Wort und Antwort* 47 (2006) no. 1 (ter perse)
Borradori, G., *Philosophy in a Time of Terror: Dialogues with Jürgen Habermas and Jacques Derrida*, Chicago 2003 (Ned. vert. J. Habermas/J. Derrida, *Filosofie in een tijd van terreur: Gesprekken met Giovanna Borradori*, Kampen/Kapellen 2004)
Boyer, P., *Religion Explained: The Evolutionary Origins of Religious Thought*, Paris 2000
Braudel, F., *La Méditerranée: L'espace et l'histoire*, Paris 1977
Bräunlein. B.J., 'Victor Witter Turner', in: *Klassieker der Religionswissenschaft: Von Friedrich Schleiermacher bis Mircea Eliade*, Hg. A. Michaelis, Munchen 1997, 324-342
Brederode, D. van, *Het opstaan*, Amsterdam 2004
Brink, G. van den, *Onbehagen in de politiek: Een verkenning van de tijdgeest tegen het einde van de eeuw*, Amsterdam 1996

Brink, G. van den, *Schets van een beschavingsoffensief: Over normen, normativiteit en normalisatie in Nederland* (WRR-verkenningen), Amsterdam 2004
Brink, G. van den, *Tekst, traditie en terreur: Naar een moderne visie op de islam in Nederland*, (Forum-essay), Utrecht 2004
Brinton, D.G., *Myths of the New World*, Philadelphia 1868
Brocke, E., 'Von objektiven Begrenzung eines theologischen Gespräches zwischen Christen und Juden', in: *Das christlich-jüdische Gespräch: Standortbestimmungen*, Hg. C. Kurth/P. Schmidt, Stuttgart 2000, 38-45
Bruce, S., *God is Dead: Secularisation in the West*, Oxford 2002
Bruce, S., *Politics and Religion*, Cambridge 2003
Bruckner, P., *Gij zult gelukkig zijn*, Amsterdam 2002 (oorspr. *L'euphorie perpétuelle: Essai sur le devoir de bonheur*, Paris 2000)
Buchholz, R., *Zwischen Mythos und Bilderverbot: Die Philosophie Adornos als Anstoß zu einer kritischen Fundamentaltheologie im Kontext der späten Moderne*, Frankfurt a.M. 1991
Buckley, M.J., *At the Origins of Modern Atheism*, New Haven 1987
Buckley, M.J., *Denying and Disclosing God: The Ambiguous Progress of Modern Atheism*, New Haven/London 2004
Budi Kleden, P., *Christologie in Fragmenten: Die Rede von Jesus Christus im Spannungsfeld von Hoffnungs- und Leidensgeschichte bei Johann Baptist Metz*, Münster 2001
Buijs, G.J., *Tussen God en duivel: Totalitarisme, politiek en transcendentie bij Eric Voegelin*, Amsterdam 1998
Buijs, G.J., 'Het is tijd voor theater in de politiek', in: *Trouw* 22 juni 2002
Bulhof, I.N., 'Levenskunst', in: *Verloren presenties: Over de representatiecrisis in religie, kunst, media en politiek*, red. I.N. Bulhof/R. Welten, Kampen 1995, 152-174
Bulhof, I.N., ' "Zorg voor zichzelf" en "in waarheid leven" ', in: *De religieuze ruis in Nederland: Thesen over de versterving en de wedergeboorte van de godsdienst*, red. E. Borgman/A.-M. Korte, Zoetermeer 1998, 90-98
Bultmann, R., *Zum Problem der Entmythologisierung*, Hamburg 1948
Burg, P. van der/A. Klink, *Investeren in integratie: Reflecties rondom diversiteit en gemeenschappelijkheid*, Den Haag 2004
Buruma, I., 'What Pim and Diana Had in Common', in: *The Guardian* 14 mei 2002
Buruma, I./A. Margalit, *Occidentalism: The West in the Eyes of Its Enemies*, New York 2004 (Ned. vert. *Occidentalisme: Het Westen in de ogen van zijn vijanden*, Amsterdam 2004)

Canepari-Labib, M., *Old Myths – Modern Empires: Power, Language and Identity in J.M. Coetzee's work*, New York/Oxford 2005
Caputo, J.D., *Heidegger and Aquinas: An Essay on Overcoming Metaphysics*, New York 1982
Caputo, J.D., *The Prayers and Tears of Jacques Derrida: Religion without Religion*, Bloomington/Indianapolis 1997
Carroll, J., *Constantine's Sword: The Church and the Jews*, Boston 2001
Casteren, J. van, 'Een heel vervelend geval', in: *De Groene Amsterdammer* 126 (2002) nr. 11, 13-14
Cavanaugh, W.T., *Theopolitical Imagination: Discovering the Liturgy as a Political Act in an Age of Global Consumerism*, London/New York 2002
Challenge of Carl Schmitt, The, ed. C. Mouffe, Londen/New York 1999
Char, R., *Feuillets d'Hypnos* (1946), in: id., *Œuvres complètes*, Paris 1983, 172-232
Cheetham, D., *John Hick: A Critical Introduction and Reflection*, Aldershot 2003
Chenu, M.-D., *Une école de théologie: Le Saulchoir*, Paris 1985 (1937)
Chenu, M.-D., *Dimension nouvelle de la Chrétienté*, Paris 1938
Chenu, M.-D., 'Un concile à la dimension du monde' (1962), in: id., *La Parole de Dieu.* II: *L'Évangile dans le temps*, Paris 1964, 633-637
Chenu, M.-D., 'Une constitution pastorale de l'Église' (1965), in: id., *Peuple de Dieu dans le Monde*, Paris 1966, 11-34
Chenu, M.-D., 'Les signes du temps' (1965), in: id., *Peuple de Dieu dans le Monde*, Paris 1966, 35-55

Chenu, M.-D., 'De ecclesia in mundo huius tempore: Annexe' (1965), in: *Marie-Dominique Chenu: Moyen-Âge et Modernité*, colloque 28 et 29 octobre 1995, éd. J. Dore/J. Fantino, Paris 1997, 209-212

Chenu, M.-D., *Peuple de Dieu dans le monde*, Paris 1966

Chenu, M.-D., 'Histoire du salut et historicité de l'homme dans le renouveau de la théologie', in: *La théologie du renouveau*, Congres Toronto 20-25 août 1967, éd. L. Shook/G.-M. Bertrand, Montréal/Paris 1968, vol. I, 21-32

Chenu, M.-D., 'Un nouveau dialogue avec le monde', in: *Informations Catholiques Internationales* 577 (1982) 41-42

Chittick, W.C., *Sufism: A Short Introduction*, Oxford 2000

Clark. R.Y., *Stranger Gods: Salman Rushdie's Other Worlds*, Montreal/Kingston 2001

Clemens, Th./P. Klep/L. Winkeler, 'Moeizame moderniteit: Ter inleiding', in: *Moeizame moderniteit: Katholieke cultuur in transitie*, red. Th. Clemens e.a., Nijmegen 2005, 5-16

Clowns and Tricksters: An Encyclopedia of Tradition and Culture, ed. K.A. Christen, Denver etc. 1998

Cobben, P., *De multiculturele staat: Twaalf dialogen over het goede leven*, Budel 2003

Coetzee, J.M., *The Lives of Animals*, Princeton 1999

Coetzee, J.M., *Elizabeth Costello: Eight Lessons*, London 2003

Coetzee, J.M., *Slow Man*, London 2005 (Ned. vert. *Langzame man*, Amsterdam 2005)

Condamnation de Lamennais, La, éd. M.J. Le Guillou/L. Le Guillou, Paris 1982

Congar, Y., 'Le père Lacordaire, ministre de la Parole de Dieu' (1948), in: id., *Les voies de Dieu vivant: Théologie et vie spirituelle*, Paris 1963, 323-334

Cook, R., 'Hansard Society Speech', 22 mei 2002, te vinden op: <www.hansardsociety.org.uk>

Coupland, D., *Generation X: Tales for an Accelerated Culture*, London 2000 (1991; Ned. vert. *Generatie X: Vertellingen voor een versnelde cultuur*, Amsterdam 1992)

Coupland, D., *Life after God*, New York 1994 (Ned. vert. *Leven na God: Verhalen*, Amsterdam 1994)

Coupland, D., *Microserfs*, London 1995 (Ned. vert. *Microslaven*, Amsterdam 1996)

Coupland, D., *Polaroids from the Dead*, Londen 1996 (Ned. vert. *Polaroids*, Amsterdam 1997)

Coupland, D., *Girlfriend in Coma*, London 1998 (Ned. vert. *Vriendin in coma*, Amsterdam 1998)

Coupland, D., *Miss Wyoming*, London 2000 (Ned. vert. *Miss Wyoming*, Amsterdam 2000)

Courtine-Denamy, S., *Le souci du monde: Dialogue entre Hannah Arendt et quelques-uns de ses contemporaines*, Paris 1999

Couwenberg, S.W., *De opstand der burgers: De Fortuyn-revolte en het demasqué van de oude politiek*, Budel 2004

Covenanting for Justice in Economy and the Earth, World Alliance of Reformed Churches, Accra 2004, te vinden op <http://warc.jalb.de/warcajsp/news_file/doc-159-1.pdf>

Crichley, S., *The Ethics of Deconstruction: Derrida & Levinas*, Oxford 1992

Croxton, D./A. Tischer, *The Peace of Westphalia: A Historical Dictionary*, Westport 2001

D'Costa, G., *The Meeting of Religions and the Trinity*, Maryknoll 2000

Dabashi, H., *Theology of Discontent: The Ideological Foundation of the Islamic Revolution in Iran*, New York/London 1993

Dala, N., *Als sluiers vallen: Vrouwenportretten*, Antwerpen/Amsterdam 2005

Das, A.A., *Paul and the Jews*, Peabody 2003

Davey, A., *Urban Christianity and Global Order: Theological Resources for an Urban Future*, London 2001

Davie, G., 'Europe: The Exception that Proves the Rule?', in: *The Desecularisation of the World: Resurgent Religion and World Politics*, ed. P.L. Berger, Grand Rapids 1999, 65-83

Davie, G., *Religion in Britain Since 1945: Believing Without Belonging*, Oxford 2000

Davie, G., *Religion in Modern Europe: A Memory Mutates*, Oxford 2000

Davie, G., *Europe: the Exceptional Case. Parameters of Faith in the Modern World*, London 2002

Davies, O., *A Theology of Compassion: Metaphysics of Difference and the Renewal of Tradition*, London 2001
Davies, O., *The Creativity of God: World, Eucharist, Reason*, Cambridge 2004
Dawkins, R., 'Religion's Misguided Missiles', in: *The Guardian* 15 sept. 2001
Dawson, D.S., *Jesus Ascended: The Meaning of Christ's Continuing Incarnation*, London 2004
De Clercq, B.J., *Macht en principe: Over rechtvaardiging van politieke macht*, Tielt 1986
De Schutter, D., *Het ketterse begin: Arendt over de filosofie van het actieve leven*, Budel 2005
De Witte, L., *Wie is bang voor moslims: Aantekeningen over Abou Jahjah, etnocentrisme en islamofobie*, Leuven 2004
Dennet, D.C., *Darwin's Dangerous Idea: Evolution and the Meanings of Life*, New York 1995
Denzinger, H., *Enchiridion symbolorum, definitionum et declarationum de rebus fidei en morum*, editio XXXIX, Freiburg etc. 2001
Derkx, P., 'Een humanistische interpretatie van de Koran?', in: *Humanisme en religie: Controverses, bruggen, perspectieven*, red. J. Duyndam e.a., Delft 2005, 265-287
Derrida, J., 'Comment ne pas parler? Dénégations', in: id., *Psyché: Invention de l'autre*, Paris 1987, 535-595 (Ned. vert. *Hoe niet te spreken: Dionysius, Eckhart en de paradigma's van negativiteit*, Kampen 1997)
Derrida, J., *Sauf le nom*, Paris 1993 (Ned. vert. *'God', anonymus: Sauf le nom*, Baarn 1998)
Derrida, J., 'Foi et savoir: Les deux sources de la «religion» aux limites de la simple raison', in: *La religion: Séminaire de Capri*, dir. J. Derrida/G. Vattimo, Paris 1996, 9-87 (Ned. vert. 'Geloof en weten: Twee bronnen van de "religie" binnen de grenzen van de zuivere rede', in: *God en de godsdienst: Gesprekken op Capri*, J. Derrida e.a., Kampen/Kapellen 1997, 9-99)
Deschouwer, K., 'Koldermodel', in: *De Standaard* 18 mei 2002
Desecularisation of the World, The: Resurgent Religion and World Politics, ed. P.L. Berger, Grand Rapids 1999
Detraditionalization: Critical Reflections on Authority and Identity, ed. P. Heelas e.a., Cambridge 1996
Devisch, I., *Wij: Jean-Luc Nancy en het vraagstuk van de gemeenschap in de hedendaagse wijsbegeerte*, Budel 2003
Devotioneel ritueel: Heiligen en wonderen, bedevaarten en pelgrimages in verleden en heden, red. P. Post/L. van Tongeren, Kampen 2001
DeYoung, T., *Placing the Poet: Badr Shakir Al-Sayyab and Post Colonial Iraq*, Albany 1998
Disaster Rituals: Explorations of an Emergent Ritual Repertoire, P. Post e.a., Leuven 2003
Djavann, C., *Bas la voiles!*, Paris 2003 (Ned. vert. *Weg met de sluier!*, Amsterdam 2004)
Dombois, H., *Hierarchie: Grund und Grenze einer umstrittene Struktur*, Freiburg/Basel/Wien 1971
Doniger, W., *The Implied Spider: Politics and Theology in Myth*, New York 1998
Dood in het geding, De: Euthanasiewetgeving en de kerken, red. F. de Lange/J. Jans, Kampen 2000
Drees, W., 'Pleidooi voor een wetenschappelijke theologie', in: *Van God los? Theologie tussen godsdienst en wetenschap*, red. K. Hilberdink, Amsterdam 2004, 75-92
Dubiel, H., *Ungewißheit und Politik*, Frankfurt a.M. 1994
Dubuisson, D., *L'Occident et la religion: Mythes, science et idéologie*, Bruxelles 1998
Duby, G., *Les trois ordres ou: L'imaginaire du féodalisme*, Paris 1978 (Ned. vert. *De drie orden: het zelfbeeld van de feodale maatschappij: 1025-1225*, Amsterdam 1985)
Dupré, L., *Passage to Modernity: An Essay in the Hermeneutics of Nature and Culture*, New Haven 1993
Duquoc, Chr., *Dieu différent*, Paris 1977 (Ned. vert. *God anders: De betekenis van de Drieëenheid*, Baarn 1980)
Duquoc, C., 'Le "messianisme" de Jésus', in: *Catholicisme* 9 (1980) 19-28
Duquoc, C., *Messianisme de Jésus et discrétion de Dieu: Essai sur la limite de la christologie*, Genève 1984
Duval, A., 'Le message au monde', in: *Vatican II commence ...: Approches Francophones*, éd. É. Fouiloux, Leuven 1993, 105-118
Duyvendak, J.W./M. Hurenkamp, 'Lichte gemeenschappen en de nieuwe meerderheid',

in: *Kiezen voor de kudde: Lichte gemeenschappen en de nieuwe meerderheid*, red. J.W. Duyvendak/M. Hurenkamp, Amsterdam 2004, 9-17

Duyvendak, J.W./M. Hurenkamp, 'Kiezen voor de kudde', in: *Kiezen voor de kudde: Lichte gemeenschappen en de nieuwe meerderheid*, red. J.W. Duyvendak/M. Hurenkamp, Amsterdam 2004, 213-222

Eckardt, F., *Pim Fortuyn und die Niederlande: Populismus als Reaktion auf die Globalisierung*, Marburg 2003

Eckhardt, A.R., *Your People – My People: The Meeting of Jews and Christians*, New York 1974

Eddy, P.R., *John Hick's Pluralist Philosophy of World Religions*, Aldershot 2002

Eicher, P., 'Hierarchie', in: *Neues Handbuch theologischer Grundbegriffe: Erweiterte Neuausgabe* 2 (1991) 330-349

Eijk, T. van, *Teken van aanwezigheid: Een katholieke ecclesiologie in oecumenisch perspectief*, Zoetermeer 2000

Emous, K., *De loden mantel: Zorg en verzorging in Nederland*, Amsterdam 2005

Engel, U., 'Religion and Violence: Plea for a Weak Theology *In Tempore Belli*', in: *New Blackfriars* 82 (2001) 558-560

Erasmus, D., *De klacht van de vrede, die overal door alle volkeren verstoten en versmaad wordt*, Rotterdam 1986 (1516/17)

'Erasmusprijs 2004 toegekend aan Sadik Jalal Al-Azm, Fatema Mernissi en Abdulkarim Soroush', te vinden op <http://www.erasmusprijs.org/nl/page.cfm?paginaID=2>

Ernst, C., *Multiple Echo: Explorations in Theology*, ed. F. Kerr/T. Radcliffe, London 1979

Essays zu Jacques Derrida und Gianni Vattimo, 'Religion', Hg. L. Nagl, Frankfurt a.M. etc. 2001

Essen, G., ' "Wie observeert religies?": De verhouding van godsdienstwetenschappen en theologie in tijden van terreur', in: *Tijdschrift voor Theologie* 45 (2005) 168-187

Europe and Nuclear Disarmament: Debates and Political Attitudes in 16 European Countries, ed. H. Müller, Brussels 1998

Faber, M.-J., *Srebrenica: De genocide die niet werd voorkomen*, Den Haag 2002

Fackenheim, E., *To Mend the World: Foundations of Post-Holocaust Jewish Thought*, New York [2]1989 (1982)

Fasching, D.J., *Theology after Auschwitz: From Alienation to Ethics*, Minneanapolis 1992 (Ned. vert. *Vreemdeling na Auschwitz: Een nieuwe narratieve inzet in de christelijke ethiek*, Zoetermeer 1995)

Ferry, L., *Morales laïques: morale sans transcendance?*, Paris 1995

Ferry, L., *L'homme-Dieu ou le sens de la vie*, Paris 1996 (Ned. vert. *De god-mens of de zin van het leven*, Amsterdam/Leuven 1998)

Ferry, L., *Qu'est-ce qu'une vie réussie?*, Paris 2002

Ferry, L./M. Gauchet, *La religieux après la religion*, Paris 2004 (Ned. vert. *Religie na de religie: Gesprekken over de toekomst van het religieuze*, Kampen 2005)

Finkielkraut, A., *L'humanité perdu: Essai sur la XXe siècle*, Paris 1996 (Ned. vert. *De verloren beschaving*, Amsterdam 1997)

Fitzgerald, T., *The Ideology of Religous Studies*, Oxford 2000

Flood, G., *Beyond Phenomenology: Rethinking the Study of Religion*, London/New York 1999

Fortuyn, P., *Babyboomers: Autobiografie van een generatie*, Utrecht 1998

Fortuyn, P., *De puinhopen van acht jaar Paars: De wachtlijsten in de gezondheidszorg, de zorgwekkende toestand van het onderwijs, de problemen met betrekking tot de veiligheid, de ongeloofwaardigheid van het Openbaar Bestuur. Een genadeloze analyse van de collectieve sector en aanbevelingen voor een krachtig herstelprogramma*, Uithoorn/Rotterdam 2002

Fortuyn, W.S.P., *De verweesde samenleving: Een religieus-sociologisch tractaat*, Utrecht 1995

Fortuyn-revolte ter discussie (themanummer *Civis mundi* 43 [2004] no. 2)

Foucault, M., *Histoire de la sexualité*. I: *La volonté de savoir*, Paris 1976 (Ned. vert. *De wil tot weten* (Geschiedenis van de seksualiteit, 1), Nijmegen 1984)

Foucault, M., 'Les techniques de soi' (1982), in: id., *Dits et écrits (1954-1988)*. VI: *1980-1988*, éd. D. Defert/F. Ewald, Paris 1994, 783-813

Foucault, M., 'L'éthique de souci de soi comme pratique de liberté' (1984), in: id., *Dits et écrits (1954-1988)*. VI: *1980-1988*, éd. D. Defert/F. Ewald, Paris 1994, 708-729
Foucault, M., 'Qu'est-ce que les Lumières?', in: id., *Dits et écrits*, Paris 1994, 562-578
Fourest, C., *Frère Tariq: Discours, stratégie et méthode de Tariq Ramadan*, Paris 2004
Fox, A., *Utopia: An Elusive Vision*, New York etc. 1993
Frisch, R., *Theologie im Augenblick ihres Sturzes: Theodor W. Adorno und Karl Barth, zwei Gestalten einer kritischen Theorie der Moderne*, Wien 1999
Fukuyama, F., *The End of History and the Last Man*, New York 1992
Fukuyama, R., *Trust*, London 1995
Furger, F., 'Objektivität und Verbindlichkeit sittlicher Urteile: Eine Problemskizze', in: *Sittliche Normen: Zum Problem ihrer allgemeinen und verwandelbaren Geltung*, Hg. W. Kerber, Düsseldorf 1982, 13-32

Gasché, R., *Inventions of Difference: On Derrida*, Cambridge/London 1994
Gaston, L., *Paul and the Torah*, Vancouver 1987
Gauchet, M., *Le désenchantement du monde: Une histoire politique de la religion*, Paris 1985
Gauchet, M., *La religion dans la démocratie: Parcours de laïcité*, Paris 1998
Gauchet, M., *La condition historique: Entretiens avec François Azouvi et Sylvain Piron*, Paris 2003
Geertz, C., 'Religion as a Cultural System', in: *Antropological Approaches to the Study of Religion*, ed. M. Banton, London 1966, 1-46
Geertz, C., *Islam Observed: Religious Development in Morocco and Indonesia*, New Haven 1968, 97
Geffré, C., 'Théologie de l'incarnation et théologie des signes des temps chez Père Chenu', in: *Marie-Dominique Chenu: Moyen-Âge et Modernité*, colloque 28 et 29 octobre 1995, éd. J. Dore/J. Fantino, Paris 1997, 131-153
Gellner, E., *Conditions of Liberty: Civil Society and its Rivals*, London 1994
Gennep A. van, *Les rites de passage*, Paris 1909
Gennip, P.A. van, *Verlegenheid en toewijding: Een bezinning op onze omgang met sterfelijkheid, dood en afscheid*, 's-Hertogenbosch 2003
Giddens, A., *Modernity and Self-Identity: Self and Society in the Late Modern Age*, Cambridge 1991
Giddens, A., 'Living in a Post-Traditional Society', in: U. Beck/A. Giddens/S. Lash, *Reflexive Modernisation: Politics, Tradition and Aesthetics in the Modern Order*, Cambridge 1994, 56-109
God in Nederland 1966-1996, G. Dekker e.a., Amsterdam 1997
Gogarten, F., *Verhängnis und Hoffnung der Neuzeit: Säkularisierung als theologisches Problem*, Stuttgart 1953
Goldhagen, D.J., *Hilter's Willing Executioners: Ordinary Germans and the Holocaust*, New York 1996 (Ned. vert. *Hitlers gewillige beulen*, Antwerpen 1996)
Goldhagen, D.J., 'The Paradigm Challenged', in: *Tikkun* 13 (1998) no. 3, 40-47
Goldhagen, D.J., *A Moral Reckoning: The Role of the Catholic Church in the Holocaust and its Unfulfilled Duty of Repair*, New York 2002 (Ned. vert. *Een morele afreking: De rol van de katholieke kerk in de holocaust en haar onvervulde plicht tot herstel*, Amsterdam/Antwerpen 2002)
Golding, W., *Lord of the Flies*, London 1954 (Ned. vert. *Heer der vliegen*, Lochum 1962)
Gonzalez, M., *Fiction after the Fatwa: Salman Rushdie and the Charm of Catastrophe*, Amsterdam/New York 2005
Gonzalez, N.R., *Ideas, Causes, and Preference Formation: Christian Democracy, the ECSC, and European Institutional Design (1946-1954)*, ongepubliceerde PhD-dissertatie, London 2003
Gooch, T.A., *The Numinous and Modernity: An Interpretation of Rudolf Otto's Philosophy of Religion*, Berlin 2000
Gorringe, T., 'Terrorism: Some Theological Reflections', in: *The Twenty-first Century Confronts Its Gods: Globalization, Technology and War*, ed. D.J. Hawkin, Albany 2004, 111-128

Graaf, L.F. de, *De verdwijning der engelen uit kerk en theologie. Engelen: oude voorstellingen en nieuwe ervaringen*, Zoetermeer 2004
Gray, J., *Men are from Mars, Women are from Venus: A Practical Guide for Improving Communication and Getting What You Want in Your Relationship*, London 1997
Gray, J., *Al Qaeda and What it Means to Be Modern*, London 2003 (Ned. vert. *Al-Qaida en de moderne tijd*, Amsterdam 2003)
Gray, J., *Provocaties: Gedachten over vooruitgang en andere illusies*, Amsterdam 2004
Greeley, A., *Religion as Poetry*, New Brunswick/London 1995
Greeley, A., *The Catholic Imagination*, Berkeley 2000
Greeley, A., *Religion in Europe at the End of the Second Millennium: A Sociological Profile*, New Brunswick 2003
Greene, G., *Monsignor Quixote*, London 1982
Greenberg, I., 'Cloud of Smoke, Pillar of Fire: Judaism, Christianity, and Modernity after the Holocaust', in: *Auschwitz: Beginning of a New Era?*, ed. E. Fleischner, New York 1977, 7-55
Greenberg, I., 'New Revelations and New Patterns in the Relationship of Judaism and Christanity', in: *Journal of Ecumenical Studies* 16 (1979) 249-267
Greenberg, I., 'The Relationship of Judaism and Christianity: Toward a New Organic Model', in: *Quarterly Review* 4 (1984) no. 4, 4-22
Greenberg, I., 'The New Spirit in Christian-Jewish Relations', in: *Christian-Jewish Relations* (1993)
Griffith, P.J., 'On *Dominus Iesus:* Complementarity Can Be Claimed', in: *Concilium* 39 (2003) no. 4, 22-24
Grunberg, A., *De asielzoeker*, Amsterdam 2003
Guterson, D., *Our Lady of the Forest: A Novel*, New York 2003 (Ned. vert. *Onze-Lieve-Vlouw van het woud*, Amsterdam 2003)
Gutiérrez, G., *Gerechtigheid om niet: Reflecties op het boek Job*, Baarn 1987 (1986)

Haar, J.G.J. ter, *In de stilte van de shari'a: Een debat over de islam in het moderne Iran*, Leiden 1998
Habermas, J., 'Gauben und Wissen', in: *Jürgen Habermas: Glauben und Wissen*, Friedenspreis der Deutschen Buchhandels 2001, Frankfurt a.M. 2001, 9-31
Habermas, J., 'Religion in der Öffentlichkeit: Kognitive Voraussetzungen für den "öffentliche Vernunftgebrauch" religiöser und säkularer Bürger', in: id., *Zwischen Naturalismus und Religion: Philosophische Aufsätze*, Frankfurt a.M. 2005, 119-154
Habermas, J., 'Vorpolitische Grundlagen des demokratischen Rechtsstaates?' (2004), in: id./J. Ratzinger, *Dialektik der Sekularisierung: Über Vernunft und Religion*, Freiburg/Basel/Wien 2005, 15-37 (herdrukt in id., *Zwischen Naturalismus und Religion: Philosophische Aufsätze*, Frankfurt a.M. 2005, 106-118)
Habson,Th., *Anarchy, Church and Utopia: Rowan Williams on the Church*, London 2005
Hadley, M.L., 'The Ascension of Mars and the Salvation of the Modern World', in: *The Twenty-first Century Confronts Its Gods: Globalization, Technology and War*, ed. D.J. Hawkin, Albany 2004, 189-208
Hall, J., *Knowledge, Belief, and Transcendence*, Boston 1975
Halsema, F./I. van Gent, *Vrijheid eerlijk delen: Vrijzinnige voorstellen voor sociale politiek*, Utrecht 2005
Halsema, F., 'Vrijzinnig links: Antwoord op het conservatisme', in: *De Helling* 17 (2005) no. 2, 4-9
Hamers, D., *Tijd voor suburbia: De Amerikaanse buitenwijk in wetenschap en literatuur*, Amsterdam 2003
Handke, P., *Eine winterliche Reise zu den Flüssen Donau, Save, Morawa und Drina, oder: Gerechtigkeit für Serbien*, Frankfurt a.M. 1996
Handke, P., *Unter Tränen fragend: Nachträgliche Aufzeichnungen von zwei Jugoslawien-Durchquerungen im Krieg, März und April 1999*, Frankfurt a.M. 2000
Hanegraaff, W.J., *New Age Religion and Western Culture: Esotericism in the Mirror of Secular Thought*, Leiden 1996

Hardy, D.W., *Finding the Church: The Dynamic Truth of Anglicanism*, London 2001
Hare, R.M., 'Theology and Falsification', in: *New Essays in Philosophical Theology*, ed. A. Flew/ A. MacIntyre, London 1955, 99-103
Häring, H., 'Eerlijk voor God? Over de resulaten van een voortgaande discussie', in: *Tijdschrift voor Theologie* 31 (1991) 285-315
Häring, H., 'Wer trägt die Verantwortung?', in: *Concilium* 40 (2004) 429-443
Harris, S., *The End of Faith: Religion, Terror, and the Future of Reason*, New York/London 2004
Harskamp, A. van, *Het nieuwe religieuze verlangen*, Kampen 2000
Harskamp, A. van, *Van fundi's, spirituelen en moralisten: Over civil society en religie*, Kampen 2003
Harskamp, A. van/E. Borgman, 'Nieuwe religieuze bewegingen', in: *Hunkering naar heelheid: Over nieuwe religiositeit in Nederland*, Budel 2003, 21-62
Harskamp, A. van, 'Simply Astounding: Ongoing Secularization in the Netherlands', in: *The Dutch and Their Gods: Secularization and Transformation of Religion in the Netherlands since 1950*, ed. E. Sengers, Hilversum 2005, 43-58
Hart, J. de, *Voorbeelden en nabeelden: Historische vergelijkingen naar aanleiding van de dood van Fortuyn en Hazes*, Den Haag 2005
Harvey, D., *The Condition of Postmodernity: An Enquiry into the Origins of Cultural Change*, Oxford 1989
Hataway, R.F., *Hierarchy and the Definition of Order in the Letters of Pseudo-Dionysios*, The Hague 1969
Hauerwas, S., *Vision and Virtue: Essays in Christian Ethical Reflection*, Notre Dame 1974
Hauerwas, S., *Against the Nations: War and Survival in a Liberal Society*, Minneanapolis 1985
Hauerwas, S., *Suffering Presence: Theological Reflections on Medicine, the Mentally Handicapped and the Church*, Notre Dame 1986
Hauerwas, S., *Naming the Silences: God, Medicine and Suffering*, Grand Rapids 1990
Hauerwas, S., *Christians Among the Virtues: Theological Conversations with Ancient and Modern Ethics*, Notre Dame Press 1997
Havel, V., *Václav Havel, or Living in Truth: Twenty-two Essays Published on the Occasion of the Award of the Erasmus Prize to Václav Havel*, ed. J. Vladislav, Amsterdam 1986
Havel, V., *Toward a Civil Society: Selected Speeches and Writings 1990-1994*, Prague 1995
Havel, V., 'The State of the Republic', in: *The New York Review of Books* 45 (1998) no. 4, 42-46
Head, D., *J. M. Coetzee*, Cambridge 1997
Heelas, P., *The New Age Movement: The Celebration of the Self and the Sacralization of Modernity*, Oxford 1996
Heelas, P., 'Cultural Studies and Business Cultures', in: *Business History and Business Culture*, ed. A. Godley/M. Westfall, Manchester/New York 1996, 77-98
Heeley, G.F. *The Ethical Methodology of Stanley Hauerwas: An Examination of Christian Character Ethics*, Rome 1987
Heijst, A. van, *Liefdewerk: Een herwaardering van de caritas bij de Arme Zusters van het Goddelijk Kind, sinds 1852*, Hilversum 2002
Heijst, A. van, *Menslievende zorg: Een ethische kijk op professionaliteit*, Kampen 2005
Heine, H., 'Zur Geschichte der Religion und der Philosophie in Deutschland' (1834/1852), in: id., *Historisch-kritische Gesamtausgabe der Werke*, 8/1, Hamburg 1979, 9-249 (Ned. vert. *Religie en filosofie in Duitsland*, Amsterdam 1964)
Heinz, H., 'Um Gottes willen mit einander verbunden: Erfahrungen im christlich-jüdischen Gespräch', in: *Das christlich-jüdische Gespräch: Standortbestimmungen*, Hg. C. Kurth/ P. Schmidt, Stuttgart etc. 2000, 26-37
Heirman, M., *De ontdekking van Europa: Een geschiedenis van de toekomst*, Antwerpen 2003
Helminski, K.E., *Living Presence: A Sufi Way to Mindfulness and the Essential Self*, Soquel 1992
Hertmans, S., 'Een postmoderne moord', in: *Standaard der Letteren* 10 mei 2002
Hervieu-Léger, D., *La religion pour mémoire*, Paris 1993

Hervieu-Léger, D., 'The Twofold Limit of the Notion of Secularization', 2001, in: *Peter Berger and the Study of Religion*, ed. L. Woodhead e.a., London 2001, 112-125
Het verschijnsel theologie: Over de wetenschappelijke status van de theologie, H.J. Adriaanse/H.A. Krop/L. Leertouwer, Amsterdam 1987
Hick, J.H., *God Has Many Names*, London 1980
Hick, J.H., *An Interpretation of Religion: Human Responses to the Transcendent*, New Haven 1989
Hick, J.H., *An Autobiography*, Oxford 2002
Higton, M., *Difficult Gospel: The Theology of Rowan Williams*, London 2004
Hilberg, R., *The Destruction of the European Jews*, Second Revised and Definitive Edition, New York 1985 (1961)
Hinkelammert, F.J., *Die ideologische Waffen des Todes: Zur Metaphysik des Kapitalismus*, Freiburg i.d. Schweiz etc. 1985 (1981)
Hinkelammert, F.J./H. Assmann, *Götze Markt*, Düsseldorf 1992 (1989)
Hirsi Ali, A., *De zoontjesfabriek: Over vrouwen, islam en integratie*, Amsterdam 2002
Hirsi Ali, A., *De maagdenkooi*, Amsterdam 2004
Hirsi Ali, A., *Submission: De tekst, de reacties en de achtergronden*, Amsterdam/Antwerpen 2004
History of Vatican II, ed. G. Alberigo/J.A. Komonchak. Volume II: *The Formation of the Council's Identity: First Period and Intersession October 1962-September 1963*, Maryknoll/Leuven, 1997
Hobbes, Th., *Leviathan: or the Matter, Forme and Power of a Commonwealth Ecclesiasticall and Civil*, Cambridge etc. 1991 (1651; ged. vertaling *Leviathan*, Amsterdam 1985)
Hofer, M., 'Jenseits von Gnosis und Nihilismus: Zu Vattimos Wiederentdeckung des christlichen Gottes', in: *Essays zu Jacques Derrida und Gianni Vattimo, 'Religion'*, Hg. L. Nagl, Frankfurt a.M. etc. 2001, 169-188
Höhn, H.-J., *"Zerstreuungen": Religion zwischen Sinnsuche und Erlebnismarkt*, Düsseldorf 1998
Honest to God Debate, The, ed. D.L. Edwards, London 1963
Hoogen, A.J.M. van den, *Pastorale teologie: Ontwikkeling en struktuur van de teologie van M.-D. Chenu*, Alblasserdam 1983
Horner, R., *Rethinking God as Gift: Marion, Derrida, and the Limits of Phenomenology*, New York 2001
Human Condition: A Volume in the Comparison of Religious Ideas Project, ed. R.C. Neville, Albany 2000
Huntington, S.P., *The Clash of Civilizations and the Remaking of World Order*, New York 1996 (Ned. vert. *Botsende beschavingen*, Baarn/Antwerpen 1997)

Il pensiero debole, ed. G. Vattimo, Milano 1985
In het zicht van de toekomst: Sociaal en Cultureel Rapport 2004, Den Haag 2004
'Interview with Sadik Al-Azm, An', in: *Arab Studies Quarterly* 19 (1997) no. 3, 113-126
Islam als na-christelijke godsdienst, De, red. J. Peters, themanummer *Tijdschrift voor Theologie* 37 (1997) no. 1
Islam in de multiculturele samenleving: Opvattingen van jongeren in Rotterdam, K. Phalet/C. van Lotharingen/H. Entzinger, Utrecht 2000
Ivonov, P., 'Zur Viktor Turners Konzeption von <Liminalität> und <Communitas>', in: *Zeitschrift für Ethnologie* 118 (1993) 217-249

Jacobson, D., *Heshel's Kingdom*, London 1998
James, W., *The Varieties of Religious Experience*, Cambridge/London 1985 (1902; Ned. vert. *Vormen van de religieuze ervaring: Een onderzoek naar het wezen van de mens*, Amsterdam 2003)
Jansen, H., *Christelijke theologie na Auschwitz*. Deel I: *Theologische en kerkelijke wortels van het antisemitisme*, 's-Gravenhage 1981
Jansen, H., *De paus en de Jodenvervolging: Johannes Paulus II herschrijft de geschiedenis*, Kampen 1998
Jansen, K.L., *The Making of the Magdalen: Preaching and Popular Devotion in the Later Middle Ages*, Princeton 2000

Jesus, Judaism and Christian anti-Judaims: Reading the New Testament after the Holocaust, ed. P. Frederiksen/A. Reinhartz, Louisville 2002

Jone, H., *Katholische Moraltheologie: Unter besonderer Berücksichtigung des Codex Iuris Canonici sowie des deutschen, österreichischen und schweizerischen Rechtes*, Paderborn [18]1961 ([1]1930)

Judt, T., 'The Way We Live Now', in: *The New York Review of Books* 50 (2003) no. 5, 6-10

Judt, T., 'America and the World', in: *The New York Review of Books* 50 (2003) no. 6, 28-31

Kagan, R., 'Power and Weakness', in: *Policy Review* June 2002

Kagan, R., *Of Paradise and Power: America and Europe in the New World Order*, New York 2003 (Ned. vert. *Balans van de macht: De kloof tussen de Verenigde Staten en Europa*, Amsterdam 2003)

Kallenberg, B.J., *Ethics as Grammar: Changing the Postmodern Subject*, Notre Dame 2001

Kant after Derrida, ed. Ph. Rothfield, Manchester 2003

Kant, I., *Zum ewigen Frieden: Ein philosophischer Entwurf* (1795), in: *Gesammelte Schriften* (Akademie Ausgabe), Band VIII, Berlin 1902, 341-386 (Ned. vert. *Naar de eeuwige vrede: Een filosofisch ontwerp*, Amsterdam 2004)

Kate, L. ten, 'Solidariteit tegen wil en dank. Singulariteit, pluraliteit en de crisis van het subject: een theoretische voorbeschouwing', in: *Solidariteit: Filosofische kritiek, ethiek en politiek*, red. Th. de Wit /H. Manschot, Amsterdam 1999, 95-126

Kate, L. ten, 'Econokenosis: Three Meanings of Kenosis in "Post-modern" Thought: On Derrida, with References to Vattimo and Barth', in: *Letting Go: Rethinking Kenosis*, ed. O. Zijlstra, Bern 2002, 285-310

Katechismus van de Katholieke Kerk, Brussel/Utrecht 1995

Kearney, R., *The God Who May Be: A Hermeneutics of Religion*, Bloomington/Indianapolis 2001

Kegley, Ch.W./G.A. Raymond, *Exorcising the Ghost of Westphalia: Building World Order in the New Millennium*, Upper Saddle River 2002

Kennedy, J., *Nieuw Balylon in aanbouw: Nederland in de jaren zestig*, Amsterdam 1995

Kennedy, J., *Een weloverwogen dood: Euthanasie in Nederland*, Amsterdam 2002

Kennedy, J., 'The Recent Dutch Religious History and the Limits of Secularization', in: *The Dutch and Their Gods: Secularization and Transformation of Religion in the Netherlands since 1950*, ed. E. Sengers, Hilversum 2005, 27-42

Kertzer, D.I., *The Popes Against the Jews: The Vatican's Role in the Rise of Modern Anti-Semitism*, New York 2001

Khaladi, T., *The Muslim Jesus: Sayings and Stories in Islamic Literature*, Harvard 2001

Khaladi, T., 'Islam: Jesus and the World of Dialogue', in: *Concilium* 39 (2003) no. 4, 60-69

Khomeini, R., *Islam and Revolution: Writings and Declarations*, Berkeley 1981

Kippenberg, H.G., *Die Entdeckung der Religionsgeschichte: Religionswissenschaft und Moderne*, München 1997

Kippenberg, H.G./K. von Stuckrad, *Einführung in die Religionswissenschaft: Gegenstände und Begriffe*, München 2003

Kloos, W., *Verzen*, Amsterdam 1894

Klueting, H., ' "Lasset beides miteinander wachsen bis zur Ernte": Toleranz im Horizont des Unkrautgleichnisses (Mt 13, 24-30). Martin Luther und Erasmus von Rotterdam als Beispiel', in: *Ablehnung – Duldung – Anerkennung: Toleranz in den Niederlanden und in Deutschland. Ein historischer und aktueller Vergleich*, Hg. H. Lademacher e.a., Münster etc. 2004, 56-67

Knitter, P.F., *One Earth, Many Religions: Multifaith Dialogue and Global Responsability*, Maryknoll 1990

Knitter, P.F., *Jesus and the Other Names: Christian Mission and Global Responsibility*, Maryknoll 1996

Knitter, P.F., *Introducing Theologies of Religions*, Maryknoll 2002

Kohn, J., 'Freedom: The Priority of the Political', in: *The Cambridge Companion to Hannah Arendt*, ed. D. Villa, Cambridge 2000, 113-129

Kolm, G.J. van de, *De verbeelding van de kerk: Op zoek naar een nieuw-missionaire ecclesiologie*, Zoetermeer 2001

Konrád, G., *Antipolitik: Mitteleuropäische Meditiationen*, Frankfurt a.M. 1985 (1984)
Kreß, H., *Ethische Werte und der Gottesgedanke: Probleme und Perspektiven des neuzeitlichen Wertbegriffs*, Stuttgart 1990
Kühner, H., *Der Anti-Semitismus der Kirche*, Zurich 1976
Küng, H., *Projekt Weltethos*, München 1990
Küng, H., *Global Responsibility: In Search of a New World Ethics*, New York 1991
Küng, H., *Weltethos für Weltpolitik und Weltwirtschaft*, München 1997
Küng, H., *Der Islam: Geschichte, Gegenwart und Zukunft*, München 2004
Kuula, K., *The Law, the Covenant and God's Plan.* Vol. I: *Paul's Polemical Treatment of the Law in Galatians*, Helsinki 1999
Kuula, K., *The Law, the Covenant and God's Plan.* Vol II: *Paul's Treatment of the Law and Israel and Romans*, Helsinki 2003
Kuyper, A., *Het sociale vraagstuk en de Christelijke religie: Rede bij de opening van het sociaal congres op 9 November 1891 gehouden*, Amsterdam 1891

Labayan, J.X., 'Dialogue of Life: The Experience of the Federation of Asian Bishops' Conferences', in: *Concilium* 26 (1990) no. 4, 126-130
Laeven, H./L. Winkeler, *Radboudstichting 1905-2005*, Nijmegen 2005
Lane, B., '*Hutzpa K'lapei Shamaya:* A Christian Response to the Jewish Tradition of Arguing with God', in: *Journal of Ecumenical Studies* 23 (1986) 567-586
'Laudatio door Z.K.H. prins Bernard der Nederlanden', in: *Praemium Erasmianum* MCMLXXXII, Amsterdam 1983, 25-29
Laytner, A., *Arguing with God: A Jewish Tradition*, Northvale 1990
Leeuwen, A.Th. van, *Christianity in World History*, London 1964
Leeuwen, A.Th. van, *Prophecy in a Technocratic Era*, New York 1968
Leeuwen, A.Th. van, *Development Through Revolution*, New York 1970
Leeuwen, A.Th. van, *Critique of Heaven*, New York 1972
Leeuwen, A.Th. van, *Critique of Earth*, New York 1973
Leeuwen, A.Th. van, *De nacht van het kapitaal: Door het oerwoud van de economie naar de bronnen van de burgerlijke religie*, Nijmegen 1984
Leezenberg, M., *Islamitische filosofie: Een geschiedenis*, Amsterdam 2001
Leget, C., *Ruimte om te sterven: Een weg voor zieken, naasten en zorgverleners*, Tielt 2003
Lenaers, R., *De droom van Nebukadnezar: Het einde van een middeleeuwse kerk*, extra nummer *Tijdschrift voor Geestelijk Leven*, Leuven/Berg en Dal 2001
Lenaers, R,, *Uittocht uit oudchristelijke mythen: Geloven na 'De droom van Nebukadnezar'*, extra nummer *Tijdschrift voor Geestelijk Leven*, Leuven/Berg en Dal 2003
Letting Go: Rethinking Kenosis, ed. O. Zijlstra, Bern 2002
Leonard, M., *Why Europe Will Run the 21st Century*, London 2005 (Ned. vert. *Waarom Europa de 21e eeuw zal domineren*, Amsterdam 2005)
Leuze, R., *Gotteslehre*, Stuttgart 1989
Leuze, R., *Christentum und Islam*, Tübingen 1994
Levinas, E., *Totalité et Infini: Essai sur l'extériorité* , Den Haag 1961 (Ned. vert. *De totaliteit en het Oneindige: Essay over de exterioriteit*, Amsterdam 1987)
Levinas, E., *Difficile liberté: Essais sur le Judaïsme*, Paris 1963
Lewis, B., *What Went Wrong? Western Impact and Middle Eastern Response*, Oxford 2002 (Ned. vert. *Wat is er misgegaan? De betrekkingen tussen het Westen en het Midden-Oosten*, Amsterdam 2002)
Lewis, J., *Language Wars: The Role of the Media and Culture in Global Terror and Political Violence*, London/ Ann Arbor 2005
Liberal Islam: A Sourceboek, ed. C. Kurzman, New York/Oxford 1998
Lifton, R.J., *The Nazi Doctors: Medical Killing and the Psychology of Genocide*, New York 1986
Lijphart, A., *Verzuiling, pacificatie en kentering in de Nederlandse politiek*, Amsterdam 1968
Lincoln, B., *Holy Terrors: Thinking about Religion After September 11*, Chicago/London 2003
Llobera, J.R., *The God of Modernity: The Development of Nationalism in Western Europe*, Oxford/Providence 1994

Locke, J., *Epistola de Tolerantia/A Letter on Toleration*, ed. R. Klibansky, Oxford 1968 (1685)
Long, C.H., *Significations: Signs, Symbols, and Images in the Interpretation of Religion*, Philadelphia 1987
Loth, W., *Overcoming the Cold War: A History of Détente, 1950-1991*, Basingstoke 2002
Loughlin, G., 'Noumenon and Phenomenon', in: *Religious Studies* 23 (1988) 493-508
Löwith, K., *Weltgeschichte und Heilsgeschichte: Die theologische Voraussetzungen der Geschichtsphilosophie*, Stuttgart 1953
Lübbe, H., *Religion nach der Aufklärung: Grund der Vernunft – Grenze der Emanzipation*, Graz 1986
Luckmann, Th., *The Invisible Religion*, New York 1967
Luhmann, N., *Funktion der Religion*, Frankfurt a.M. 1977
Luhmann, N., *Die Religion der Gesellschaft*, Hg. A. Kieseling, Frankfurt a.M. 2000
Luyn, A.H. van, *Modern en devoot: Geloven in de Randstad*, Baarn 1999
Lyotard, J.-F., *La condition postmoderne: Rapport sur le Savoir*, Paris 1979 (Ned. vert. *Het postmoderne weten: Een verslag*, Kampen 1987)
Lyotard, J.-F., *Le différend*, Paris 1983
Lyotard, J.-F. *Heidegger et 'les juifs'*, Paris 1988 (Ned. vert. *Heidegger en 'de joden'*, Kampen 1990)

Maakbaarheid: Liberale wortels en hedendaagse kritiek van de maakbare samenleving, red. J.W. Duyvendak/I. de Haan, Amsterdam 1997
MacIntyre, A.C., *After Virtue: A Study in Moral Theory*, 2nd corrected edition with postscript, London 1985
MacIntyre, A.C., *Whose Justice? Which Rationality*, London 1988
MacIntyre, A.C., *Three Rival Versions of Moral Enquiry: Encyclopaedia, Genealogy, and Tradition*, London 1990
MacIntyre, A.C., *Dependent Rational Animals: Why Human Beings Need the Virtues*, Chicago 1999
Magris, C., *Donau: Een ontdekkingsreis door de beschaving van Midden-Europa en de crisis van onze tijd*, Amsterdam 1988 (1986)
Mak, G., *Gedoemd tot kwetsbaarheid*, Amsterdam/Antwerpen 2005
Mak, G., 'De repliek', in: *De Groene Amsterdammer* 129 (2005) no. 19, 23-27; 29-33
Mandeville, B. de, *Fable of the Bees: or, Private Vices, Publick Benefits*, ed. F.B. Kaye, Oxford: Clarendon Press 1924 (or. 1714)
Manemann, J., 'Religiöser Wahn oder Wahnsinn aus Irreligiosität?', in: *Orientierung* 65 (2001) 213-214
Manemann, J., 'Echte Brüderlichkeit als Alterität – eine Herausforderung für eine christliche Theologie nach Auschwitz', in: *Wozu Theologie? Anstiftungen aus der praktischen Fundamentaltheologie von Tiemo Rainer Peters*, Hg. B. Langenohl/C. Große Rüschkamp, Münster 2005, 243-256
Manji, I., *The Trouble with Islam: A Wake-Up Call for Honesty and Change*, Toronto 2003 (Ned. vert. *Het islamdilemma*, Utrecht 2004)
Margalit, A., *The Decent Society*, Cambridge/Londen 1996 (Ned. vert. *De fatsoenlijke samenleving*, Amsterdam 2001)
Marion, J.-L., *Dieu sans l' être: Hors-texte*, Paris 1982
Marquardt, F.-W., *Was dürfen wir hoffen, wenn wir hoffen dürften? Eine Eschatologie*, III, Gütersloh 1996
Marquardt, F.-W., *Eia, wärn wir da! Eine Utopie*, Gütersloh 1997
Martin-Asghari, A., 'Abdolkarim Sorush and the Secularisation of Islamic Thought in Iran', in: *Iranian Studies* 30 (1997) 65-116
Martinson, M., *Perseverance Without Doctrine: Adorno, Self-Critique and the End of Academic Theology*, Frankfurt a.M. etc. 2000
Marx, K./F. Engels, 'Manifest der Kommunistische Partei' (1848), in: *Marx Engels Werke* IV, Berlin z.j., 459-493 (Ned. vert. *Het communistisch manifest*, Amsterdam 1990)

Matthes, J., 'Auf der Suche nach dem "Religiösen" ', in: *Sociologia Internationalis* 30 (1992) 129-142

Mazower, M., *Dark Continent: Europe's 20th Century*, London 1999

McCullough, L., 'Historical Introduction', in: *Thinking Through the Death of God: A Critical Companion to Thomas J.J. Altizer*, ed. L. McCullough/B. Schoeder, Albany 2004, xv-xxvii

McCutcheon, R.T., *Manufacturing Religion: The Discourse on Sui Generis Religion and the Politics of Nostalgia*, New York 1997

McCutcheon, R.T., *Studying Religion: An Introduction*, London 2006

McMahon, D.H., *Happiness: A History*, New York 2005 (Ned. vert. *Geluk: Een geschiedenis*, Amsterdam 2005)

Meerman, D., 'Hulp bij zelfdoding en de heiligheid van het leven: Politiek-theologisch pleidooi voor de afschaffing van strafbaarstelling', in: *Tijdschrift voor Theologie* 43 (2003) 363-379

Mernissi, F., *The Effects of Modernization of the Male-Female Dynamics in a Muslim Society: Morocco*, Ann Arbor 1974

Mernissi, F., *Beyond the Veil: Male-Female Dynamics in Modern Muslim Society*, Cambridge 1975 (herziening 1987; Ned. vert. *Achter de sluier*, Breda 1985; herz. 1994)

Mernissi, F., *Le Maroc raconté par ses femmes*, Rabat 1984 (Ned. vert. *Vrouwen in Marokko aan het woord*, Weesp/Antwerpen 1985)

Mernissi, F., *Le harem politique: Le Prophète et les femmes*, Paris 1987 (Ned. vert. *Het politieke harem: Vrouwen en de Profeet*, Breda 1991)

Mernissi, F., *Dreams of Trespass: Tales form a Harem Girlhood*, Reading 1994 (Ned. vert. *Het verboden dakterras: Verhalen uit mijn jeugd in de harem*, Breda 1994)

Mernissi, F., 'De satelliet, de prins en Sheherazade: De opkomst van vrouwen als communiceerders in de digitale islam' (2003), in: *Religie en moderniteit: Fatema Mernissi, Sadik Al-Azm, Abulkarim Soroush*, Amsterdam 2004, 56-77

Mertens, Th., 'From "Pepetual Peace" to the "Law of Peoples": Kant, Habermas and Rawls on International Relations', in: *Kantian Review* 6 (2002) 60-84

Metz, J.B., *Christliche Anthropozentrik: Über die Denkform des Thomas von Aquin*, München 1962

Metz, J.B., *Zur Theologie der Welt*, Mainz 1968

Metz, J.B., 'Politische Theologie' (1969), in: id., *Zum Begriff der neuen Politischen Theologie 1967-1997*, Mainz 1997, 33-61

Metz, J.B., *Glaube in Geschichte und Gesellschaft: Studien zu einer praktische Fundamentaltheologie*, Mainz 1977

Metz, J.B., 'Ermutigung zur Gebet', in: id./K. Rahner, *Ermutigung zur Gebet*, Freiburg 1977, 9-39

Metz, J.B., 'Christen und Juden nach Auschwitz: Auch eine Betrachtung über das Ende burgerlicher Religion' (1978), in: id., *Jenseits burgerlicher Religion: Reden über die Zukunft des Christentums*, München/Mainz 1980, 29-50

Metz., J.B., 'Voraussetzungen des Betens: Ein Gespräch mit Johann Baptist Metz', in: *Herder Korrespondenz* 32 (1978) 125-133

Metz., J.B., 'Im Angesicht der Juden: Christliche Theologie nach Auschwitz', in: *Concilium* 20 (1984) 382-389

Metz, J.B., 'Kampf um jüdische Traditionen in die christliche Gottesrede', in: *Kirche und Israel* 1 (1987) 14-23

Metz, J.B./D. Sölle, *Welches Christentum hat Zukunft? Dorothee Sölle und Johann Baptist Metz in Gespräch mit Karl-Josef Kuschel*, Stuttgart 1990

Metz., J.B., 'Theologie als Theodizee?', in: *Theodizee – Gott vor Gericht?*, Hg. J. Oelmüller, München 1990, 103-118

Metz, J.B., 'Theologie versus Polymythie oder: Kleine Apologie des biblischen Monotheismus', in: *Einheit und Vielheit*, Hg. O. Marquard, Hamburg 1990, 170-186

Metz, J.B./T.R. Peters, *Gottespassion: Zur Ordensexistenz heute*, Freiburg etc. 1991

Metz, J.B., *Kirche nach Auschwitz. Mit einem Anhang: für einem anamnetischen Kultur*, Hamburg 1993

Metz, J.B., 'Auschwitz (theologisch)', in: *Lexikon für Theologie und Kirche*[3] 1 (1993) 1260-1261

Metz, J.B., 'Die Rede von Gott angesichts der Leidensgeschichte der Welt', in: *Ein Gott der Leiden schafft?*, Frankfurt a.M. 1995, 43-58

Metz, J.B., 'Im Eingedenken fremden Leids: Zu einer Basiskategorie christlicher Gottesrede', in: id./J. Reikestorfer/J. Werbick, *Gottesrede*, Münster 1996, 3-20

Metz, J.B., 'Im Pluralismus der Religions- und Kulturwelten: Anmerkungen zu einem theologisch-politischen Weltprogramm', in: id., *Zum Begriff der neuen Politischen Theologie 1967-1997*, Mainz 1997, 197-206

Metz, J.B., 'Religion und Politik an den Grenzen der Moderne: Versuch einer Neubestimmung', in: id., *Zum Begriff der neuen Politischen Theologie 1967-1997*, Mainz 1997, 174-196

Metz, J.B., 'Compassion: Zu einem Weltprogramm des Christentums im Zeitalter des Pluralismus der Religionen und Kulturen', in: *Compassion – Weltprogramm des Christentums: Soziale Verantwortung lernen*, Hg. id. e.a., Freiburg/Basel/Wien 2000, 9-20

Meyer, M., *Eric-Emmanuel Schmitt ou les identités bouleversées*, Paris 2004

Michnik, A., *Letters from Prison and other Essays*, Berkely/Los Angeles 1985

Milbank, J., *Theology and Social Theory: Beyond Secular Reason*, Oxford 1990

Milward, A.S., *The European Rescue of the Nation-State*, Berkeley 1992

Modern Pilgrim, The: Multidisciplinary Explorations of Christian Pilgrimage, ed. P. Post e.a., Leuven 1998

Modernist and Fundamentalist Debates in Islam: A Reader, ed. M. Moaddel/K. Talattof, New York/Basingstoke 2000

Mohammed onder de profeten? Als christenen de koran lezen, red. E. Borgman/J. Vandikkelen, extra nummer *Tijdschrift voor Geestelijk Leven*, Leuven/Berg en Dal 1993

Monotheismus, ed. J. Manemann, (Jahrbuch Politische Theologie, 4), Münster 2002

Moore, R.L., *Selling God: American Religion in the Marketplace of Culture*, New York/Oxford 1994

Moravcsik, A., *The Choice for Europe: Social Purpose and State Power from Messina to Maastricht*, Ithaca 1998

Myth of Christian Uniqueness, The: Toward a Pluralistic Theology of Religions, ed. J.Hick/P.F. Knitter, Maryknoll 1987

Nafi, B.M., 'The Rise of Islamic Reformist Thought and its Challenge to Traditional Islam', in: *Islamic Thought in the Twentieth Century*, ed. S. Taji-Farouki/B.M. Nafi, London/New York 2004, 28-60

Nafisi, A., *Reading Lolita in Tehran: A Memoir in Books*, New York 2003 (Ned. vert. *Lolita lezen in Teheran*, Amsterdam 2004)

Nancy, J.-L., *Le sens du monde*, Paris 1993

Nancy, J.-L., 'Le déconstruction du Christianisme', in: *Les études philosophiques* 4 (1998) 503-519

Nationaal Vrijheidsonderzoek: Onderzoek naar de opinies van de bevolking over vrijheid, veiligheid, verantwoordelijkheid en ontwikkelingen in het sociale klimaat van Nederland, Motivaction, mei 2001, te vinden op <www.nirov.nl/icro/notas_rapporten>

Nederland Integratieland: Echte integratie begint bij actief burgerschap, Den Haag: CDA 2004

Neher, A., *L'exil de la parole: Du silence biblique au silence d'Auschwitz*, Paris 1970 (Ned. vert. *De ballingschap van het woord: Van de stilte in de Bijbel tot de stilte van Auschwitz*, Hilversum 1992)

Neiman, S., *Evil in Modern Thought: An Alternative History of Philosophy*, Princeton/Oxford 2002 (Ned. vert. *Het kwaad denken: Een alternatieve geschiedenis van de filosofie*, Amsterdam 2004)

Nelson, R.H. *Economics as Religion: From Samuelson to Chicago and Beyond*, University Park 2001

'Norm', in: *Historisches Wörterbuch der Philosophie* 6 (1984) 906-920

'Normen', in: *Theologische Realenzyklopedie* 24 (1994) 620-643

'Normen', in: *Religion in Geschichte und Gegenwart* 6 ([4]2003) 386-390

Norris, P./R. Inglehart, *Sared and Secular: Religion and Politics Worldwide*, Cambridge 2004
'Nuntius ad omnes homines et nationes' (20 okt. 1962), in: *Acta Synodalia Sacrosancti Concilii Vaticani II*, I/1, Città del Vaticano 1970, 230-232

O'Neill, C.E., 'Die Sakramententheologie', in: *Bilanz der theologie im 20. Jahrhundert: Perspektive, Strömungen, Motive in der christliche und nichtchristliche Welt*, 3, Hg. H. Vorgrimler/R. VanderGucht, Freiburg/Basel/Wien 1969, 244-294
Oberman, H.A., *Wortels van het antisemitisme*, Kampen 1986
Ochs, P.W., 'A Jewish Reading of Trinity, Time and the Church: A Response to the Theology of Robert W. Jenson', in: *Modern Theology* 19 (2003) 419-428
Ochs, P.W., 'Trinity and Judaism', in: *Concilium* 39 (2003) no 4, 51-59
Oegema, J., *Een vreemd geluk: De publieke religie rond Auschwitz*, Amsterdam 2003
Okri, B., *A Way of Being Free*, London 1997 (Ned. vert. *Een vorm van vrijheid: Essays*, Amsterdam 1997)
Ons ontbreken heilige namen: Negatieve theologie in de hedendaagse cultuurfilosofie, red. I.N. Bulhof/L. ten Kate, Kampen 1992
Oosterhuis, H., *Gezongen liedboek: Verzamelde teksten*, Kampen/Kapellen 1993
Oosterveen, L., 'Ontbindingen en verbindingen: Kansen voor religieuze gemeenschapsvorming in een postmoderne tijd', in: *Bouwen met los zand: Theologische reflecties op verschil en verbondenheid*, red. M. Kalsky e.a., Nijmegen/Zoetermeer 1997, 29-48
Oosterveen, L., 'Geborstene Säule: Einige Entwicklungen in Gesellschaft, Kirche und religiösem Leben der Niederlande in den letzten vier Jahrzehnten', in: *Wort und Antwort* 41 (2006) no. 1 (ter perse)
Otto, R., *Das Heilige: Über das Irrationale in der Idee des Göttlichen und sein Verhältnis zum Rationalen*, München 1987 (1917)
Oudenrijn, F. van den, *Opstandig geloven*, Utrecht 1968
Overbeck, F., 'Über die Anfänge des Mönchthums' (1867), in: id., *Werke und Nachlaß: Schriften bis 1873*, Hg. E.W. Stegemann/N. Peter, Stuggart/Weimar 1993, 13-37
Overbeck, F., 'Über die Christenheit unseren heutigen Theologie' (1873/1903), in: id., *Werke und Nachlaß: Schriften bis 1873*, Hg. E.W. Stegemann/N. Peter, Stuggart/Weimar 1993, 155-318
Ovidius, *Metamorphosen*, vert. M. d'Hane-Scheltema, Amsterdam 2000
Oxtoby, W.G., 'Holy, idea of the', in: *Encyclopedia of Religion* 6 (1987) 431-438

Pamuk, O., *Sneeuw*, Amsterdam 2003 (Turks or. *Kar*, Istanbul 2003)
Panikkar, R., 'The Jordan, the Tiber, and the Ganges: Three Kairological Moments of Christic Self-Consciousness', in: *The Myth of Christian Uniqueness: Toward a Pluralistic Theology of Religions*, ed. J.Hick/P.F. Knitter, Maryknoll 1987, 89-116
Pannenberg, W., 'Die christliche Legitimität der Neuzeit: Gedanken zu einem Buch von Hans Blumenberg' (1968), in: id., *Gottesgedanke und menschliche Freiheit*, Göttingen 1972, 114-128
Papy, J., 'Inleiding', in: *Erasmus: Een portret in brieven*, red. J. Papy, Amsterdam/Mortsel 2001, 39-44
Pascal, B., *Pensées*, éd. L. Brunschvicg, Paris 1904
Pascal, B., *Pensées sur la religion et sur quelques autres sujets*, éd. L.M. Lafuma, Paris 1947 (Ned. vert. *Gedachten*, Amsterdam 1997)
Pawlikowski, J., *What Are They Saying About Christian-Jewish Relations*, New York/Ramsey 1980
Pelgrimage in beweging: Een christelijk ritueel in nieuwe contexten, red. J. Pieper e.a., Baarn 1999
Pels, D., *De geest van Pim: Het gedachtengoed van een politieke dandy*, Amsterdam 2003
Pels, D., *Een zwak voor Nederland: Ideeën voor een nieuwe politiek*, Amsterdam 2005
Pelton, R.D., *The Trickster in West Africa: A Study of Mythic Irony and Sacred Delight*, Berkely 1980
Peperstraten, F. van, *Jean-François Lyotard: Gebeurtenis en rechtvaardigheid*, Kampen/Kapellen 1995

Peperstraten, F. van, 'Filosofie "na" Auschwitz: De politieke inzet van Lyothards denken', in: *Lyotard lezen: Ethiek, onmenselijkheid en sensibiliteit*, red. R. Brons/H. Kunneman, Amsterdam 1995, 19-31

Peterson, E., *Theologische Traktate*, München 1951

Peters, T.R., *Johann Baptist Metz: Theologie des vermißten Gottes*, Mainz 1998

Peters, T.R., 'Thesen zu einer Christologie nach Auschwitz', in: *Christologie nach Auschwitz: Stellungen im Anschluß an Thesen von Tiemo Rainer Peters*, Hg. J. Manemann/J.B. Metz, Münster 1998, 2-5

Peters, T.R., 'Unbegreifliche Nahe Gottes', in: *Christologie nach Auschwitz: Stellungen im Anschluß an Thesen von Tiemo Rainer Peters*, J. Manemann/J.B. Metz, Münster ^{2}2001, 168-178

Pfleiderer, G., *Theologie als Wirklichkeitswissenschaft: Studien zum Religionsbegrif bei Georg Wobermin, Rudolf Otto, Heinrich Scholz und Max Scheler*, Tübingen 1992

Phayer, M., *The Catholic Church and the Holocaust, 1930-1965*, Bloomington 2000

Potworowski, C.F., *Contemplation and Incarnation: The Theology of Marie-Dominique Chenu*, Montréal/Kingston 2001

Poulat, É., *L'église est une monde: L'ecclésiosphère*, Paris 1986

Pretnak, C., *Missing Mary: The Queen of Heaven and Her Re-emergence in the Modern Church*, New York 2004

Radcliffe, T., *Vrienden van God: In gesprek met Guilaume Goubert*, Tielt 2002 (2000)

Radcliffe, T., *Zusters en broeders: Woorden van een prediker*, Tielt 2003

Radcliffe, T., *What is the Point of Being a Christian?*, London/New York 2005

Rahm, J., *Erziehung zum Weltethos: Projekte interreligiösen Lernens in multikulturellen Kontexten*, Göttingen 2002

Ramadan, T., *To Be a European Muslim: A Study of the Islamic Sources in the Light of the European Context*, Leicester 1999

Ramadan, T., *Western Muslims and the Future of Islam*, Oxford 2004 (Ned. vert. *Westerse moslims en de toekomst van de islam*, Amsterdam 2005)

Raphael, M., *Rudolf Otto and the Concept of Holiness*, Oxford 1997

Raphael, M., 'When God Beheld God: Notes Towards a Jewish Feminist Theology of the Holocaust', in: *Feminist Theology* 21 (1999) 53-78

Raphael, M., *The Female Face of God in Auschwitz: A Jewish Feminist Theology of the Holocaust*, London/New York 2003

Raphael, M., 'Holiness *in extremis:* Jewish Women's Resistence to the Profane in Auschwitz', in: *Holiness Past and Present*, ed. St. Barton, London 2003, 381-401

Rappaport, R.A., *Ritual and Religion in the Making of Humanity*, Cambridge 1999

Ratzinger, J., 'Was die Welt zusammenhält: Vorpolitische moralische Grundlagen eines freiheitlichen Staates' (2004), in: id./J. Habermas, *Dialektik der Säkularisierung*, Freibrug/Basel/Wien 2005, 39-64

Ratzinger, J., *Werte in Zeiten des Umbruchs: Die Herausforderung der Zukunft bestehen*, Freiburg/Basel/Wien 2005

Rausch, H., 'Hierarchie', in: *Geschichtliche Grundbegriffe: Historisches Lexikon zur politisch-sozialen Sprache in Deutschland* 2 (1982) 103-109

Reacties op Verlegenheid & Toewijding: *Impulsen vanuit de praktijk*, red. H. Geerts/C. Leget, 's-Hertogenbosch 2003

Reist, M., *Die Praxis der Freiheit: Hannah Arendts Anthropologie des Politischen*, Würzburg 1990

Religie en haar wetenschappen, red. E. Borgman/J.A. van der Ven, themanummer *Tijdschrift voor Theologie* 45 (2005) 119-188

Religie en moderniteit: Fatema Mernissi, Sadik Al-Azm, Abulkarim Soroush, Amsterdam 2004

Religion after Metaphysics, ed. M.A. Wrathall, Cambridge 2003

Religious Truth: A Volume in the Comparative Religious Ideas Project, ed. R.C. Neville, Albany 2000

Remmerts de Vries, D., *Godje*, Amsterdam/Antwerpen 2003

Richard, R.L., *Secularization Theology*, London 1967
Rituelen na rampen: Verkenningen van een opkomend repertoire, P. Post e.a., Kampen 2002
Roberts, T.T., *Contesting Spirit: Nietzsche, Affirmation, Religion*, Princeton 1998
Robinson, J.A.T., *Honest to God*, London 1963 (Ned. vert. *Eerlijk voor God*, Amsterdam 1963)
Rohde, D., *Endgame: The Betrayal and fall of Srebrenica, Europe's Worst Massacre Since World War II*, New York 1997
Roques, R., 'Introduction', in: Dionys l'Aréopagite, *La hiérarchie céleste*, Paris 1970, v-xci
Rose, G., *Judaism and Modernity: Philosophical Essays*, Oxford 1993
Rotthier, R., *De koranroute*, Amsterdam/Antwerpen 2003
Ruether, R.R., *Faith and Fratricide: The Theological Roots of Anti-Semitism*, New York 1974
Ruse, M., *The Evolution Wars: A Guide to the Debates*, Santa Barbara 2000
Rushdie File, The, ed. L. Appignanesi/S. Maitland, London 1989
Rushdie, S., 'Outside the Whale' (1984), in: id., *Imaginary Homelands: Essays and Criticism 1981-1991*, London 1991, 87-101
Rushdie, S., *The Satanic Verses*, London 1988 (Ned. vert. *De Duiversverzen*, Amsterdam 1989)
Rushdie, S., 'Is Nothing Sacred?' (1990), in: id., *Imaginary Homelands: Essays and Criticism 1981-1991*, London 1991, 415-429 (Ned. vert. in *Vaderland in de verbeelding*, Amsterdam 1991)
Rushdie, S., 'Why I Embraced Islam' (1990), in: *Imaginary Homelands: Essays and Criticism 1981-1991*, London 1991, 430-432 (Ned. vert. in *Vaderland in de verbeelding*, Amsterdam 1991)
Rushdie, S., *Fury*, London 2001 (Ned. vert. *Woede*, Amsterdam 2001)
Rushdie, 'November 2001: Not About Islam?', in: id., *Step Across This Line: Collected Non-Fiction 1992-2002*, London 2002, 394-397
Ruthven, M., *A Satanic Affair: Salman Rushdie and the Rage of Islam*, London 1990
Ruthven, M., *A Fury of God: The Islamist Attack on America*, London/New York 2002

Sadri, M./A. Sadri, 'Intellectual Autobiography: An Interview', in: A. Soroush, *Reason, Freedom and Democracy in Islam: Essential Writings*, ed. M. Sadri/A. Sadri, Oxford 2000, 3-25
Sadri, M./A. Sadri, 'Introduction', in: A. Soroush, *Reason, Freedom and Democracy in Islam: Essential Writings*, ed. M. Sadri/A. Sadri, Oxford 2000, ix-xix
Sachs, J., 'John Paul's Blow Against a Virus of the Soul', in: *The Times* (9 april 2005)
Schaeffler, R., *Religion und kritisches Bewußtsein*, München 1973
Schaepman, H.J.A.M., *"Rerum novarum": Rede over de jongste Encycliek van Z.H. Paus Leo XIII*, Utrecht 1891
Schillebeeckx, E., 'Christelijke situatie', in: *Kultuurleven* 12 (1945) 82-95, 229-242, 585-611
Schillebeeckx, E., 'De ontwikkeling van het apostolisch geloof tot kerkelijk dogma' (1952), in: id., *Openbaring en geloof* (Theologische peilingen, I), Bilthoven 1964, 50-67
Schillebeeckx, E., 'Wat is theologie?' (1958), in: id., ibid. 71-121
Schillebeeckx, E., *Christus, sacrament van de Godsontmoeting*, Bilthoven 1959
Schillebeeckx, E., 'De plaag van onchristelijke toekomstverwachtingen' (1959), in: id., *Wereld en kerk* (Theologische peilingen III), Bilthoven 1966, 176-186
Schillebeeckx, E., 'Evangelische zuiverheid en menselijke waardigheid', in: *Tijdschrift voor Theologie* 3 (1963) 283-325
Schillebeeckx, E., 'Herinterpretatie van het geloof in het licht van de seculariteit: Honest to Robinsen', in: *Tijdschrift voor Theologie* 4 (1964) 109-150
Schillebeeckx, E., 'Kerk en wereld', in: *Tijdschrift voor Theologie* 4 (1964) 386-399
Schillebeeckx, E., *God en mens* (Theologische peilingen II), Bilthoven 1965
Schillebeeckx, E., 'Kerk en mensdom', in: *Concilium* 1 (1965) no. 1, 63-86
Schillebeeckx, E., *Wereld en kerk* (Theologische peilingen, III), Bilthoven 1966
Schillebeeckx, E., 'De hermeneutische problematiek' (1967), in: id., *Geloofsverstaan: Interpretatie en kritiek* (Theologische peilingen, V), Bloemendaal 1972, 11-41

Schillebeeckx, E., 'Het nieuwe godsbeeld: Secularisatie en politiek', in: *Tijdschrift voor Theologie* 8 (1968) 44-65
Schillebeeckx, E., 'Interpretatie van de toekomst' (1969), in: id., *Geloofsverstaan: Interpretatie en kritiek* (Theologische peilingen, V), Bloemendaal 1972, ibid. 42-54
Schillebeeckx, E., 'Het correlatie-criterium: Christelijk antwoord op een menselijke vraag' (1970), in: id., *Geloofsverstaan: Interpretatie en kritiek*, (Theologische peilingen, V), Bloemendaal 1972, 120-140
Schillebeeckx, E., 'Naar een definitieve toekomst: Belofte en menselijke bemiddeling', in: *Toekomst van de religie, religie van de toekomst*, z.pl. 1972, 37-55
Schillebeeckx, E., 'Dankrede van Edward Schillebeeckx', in: *Praemium Erasmianum MCMLXXXII*, Amsterdam 1983, 37-42
Schillebeeckx, E., 'Theologie als bevrijdingskunde: Enkele noodzakelijke beschouwingen vooraf', in: *Tijdschrift voor Theologie* 24 (1984) 388-402
Schleiermacher, F.D.E., *Über die Religion: Reden an die Gebildeten unter ihre Verächtern* (=Krit. Gesamtausg. I/12), Berlin 1995, 1-321 (1799; Ned. vert. *Over de religie: Redevoeringen tot de ontwikkelden onder haar verachters*, 's-Gravenhage 1990)
Schleiermacher, F.D.E., *Der christliche Glaube: Nach den Grundsätzen der evengelischen Kirche im Zusammenhang dargestellt*, Hg. M. Redeker, Berlin 1960 (1821/1822)
Schmitt, C., *Politische Theologie: Vier Kapittel zur Lehre der Souveränität*, München/Leipzich 1922
Schmitt, C., *Der Leviathan in der Staatslehre des Thomas Hobbes: Sinn und Fehlschlag eines politisches Symbols*, Hamburg 1938
Schmitt, E.-E., *Milareba*, Paris 1997 (Ned. vert. *Milarepa*, Amsterdam 2005)
Schmitt, E.-E., *Oscar et la dame rose*, Paris 2002 (Ned. vert. *Oscar en oma Rozerood*, Amsterdam 2004)
Schmitt, E.-E., *Monsieur Ibrahim et les fleurs du Coran*, Paris 2001 (Ned. vert. *Meneer Ibrahim en de bloemen van de koran*, Amsterdam/Antwerpen 2003)
Schmitt, E.-E., *L'enfant de Noé*, Paris 2004 (Ned. vert. *Het kind van Noach*, Amsterdam 2005)
Schotsmans, P./T. Meulenbergs, *Euthanasia and Palliative Care in the Low Countries: Ethical Perspectives*, Leuven 2005
Schreiner, S., 'Auf der Suche nach einem "Goldenen Zeitalter": Juden, Christen und Muslimen im mittelalterlichen Spanien', in: *Concilium* 39 (2003) 419-432
Sebald, W.G., *Austerlitz*, München 2001 (Ned. vert. *Austerlitz*, Amsterdam 2003)
Sedgwick, M.J., *Sufism: The Essentials*, Cairo 2003
Sennett, R., *The Corrosion of Character: The Personal Consequences of Work in the New Capitalism*, New York/Londen 1998 (Ned. vert. *De flexibele mens: Psychogram van de moderne samenleving*, Amsterdam 2000)
Sexson, L., *Ordinary Sacred*, Charlottesville/London 1992 (1982; Ned. vert. *Gewoon heilig: De sacraliteit van het alledaagse*, Zoetermeer 1997)
Sexson, L., *Margaret of the Imperfections*, New York 1988
Sexson, L., *Hamlet's Planets: Parables*, ill. Gennie DeWeese, Columbus 1997
Sharpe, E.J., *Comparative Religion: A History*, London ^{2}1986
Shepard, W., 'Islam as a "System" in the Later Writings of Sayyid Qutb', in: *Middle East Studies* 25 (1989) 31-50
Shepard, W., *Sayyid Qutb and Islamic Activism: A Translation and Critical Analysis of 'Social Justice in Islam'*, Leiden 1996
Shepard, W., 'The Diversity of Islamic Thought: Towards a Typology', in: *Islamic Thought in the Twentieth Century*, ed. S. Taji-Farouki/B.M. Nafi, London/New York 2004, 61-103
Shortt, R., *Rowan Williams: An Introduction*, London 2003
Sloterdijk, P., 'Kansen in de gevarenzone', in: *Peter Sloterdijk, Kansen in de gevarenzone: Kanttekeningen bij de variatie in spiritualiteit na de secularisatie*, Kampen 2001, 27-52
Smith, A., *An Inquiry into the Nature and Causes of the Wealth of Nations*, ed. R.H. Campbell/A.S. Skinner/W.B. Todd, Oxford: Clarendon Press 1976 (or. 1775)
Smith, J.Z., *Imagining Religion: From Babylon to Jonestown*, Chicago 1982

Smith, J.Z., 'Religion, Religions, Religious', in: *Critical Terms for Religious Studies*, ed. M.C. Taylor, Chicago/London 1998, 269-284

Smith, R.S., *Virtue, Ethics and Moral Kowledge: Philosophy of Language after MacIntyre and Hauerwas*, Aldershot 2003

Sneller, R., *Het Woord is schrift geworden: Derrida en de negatieve theologie*, Kampen 1998

Sneller, R., 'God als oorlog: Derrida en het goddelijk geweld', in: *God in Frankrijk: Zes hedendaagse Franse filosofen over God*, red. P. Jonkers/R. Welten, Budel 2003, 144-165

Snoek, O./A. Visser, *Wat bezielt de buren?*, Amsterdam 2004

Sociale staat van Nederland, De, Den Haag 2001

Söderblom, N., 'Holyness: General and Primitive', in: *Encyclopedia of Religion and Ethics* 6 (1913) 731-741

Sontag, S., 'Waiting for Godot in Sarajevo' (1993), in: id., *Where the Stress Falls: Essays*, London 2002, 299-322

Soroush, A., 'De betekenis en essentie van secularisme' (1994), in: *Religie en moderniteit: Fatema Mernissi, Sadik Al-Azm, Abulkarim Soroush*, Amsterdam 2004, 160-182

Soroush, A., 'The Sense and Essence of Secularism' (1994), in: id., *Reason, Freedom and Democracy in Islam: Essential Writings*, ed. M. Sadri/A. Sadri, Oxford 2000, 54-68

Soroush, A., 'Islamic Revival and Reform: Theological Approaches', in: *Reason, Freedom, and Democracy in Islam: Essential Writings*, ed. M. Sadri/A. Sadri, Oxford 2000, 26-38

Soroush, A., 'Tolerance and Governance: A Discourse on Religion and Democracy', in: id., *Reason, Freedom and Democracy in Islam: Essential Writings*, ed. M. Sadri/A. Sadri, Oxford 2000, 131-155

Soroush, A., 'Verdraagzaamheid en bestuur: Een verhandeling over religie en democratie' (2000), in: *Religie en moderniteit: Fatema Mernissi, Sadik Al-Azm, Abulkarim Soroush*, Amsterdam 2004, 183-221

Sparreboom, M., 'Religie en moderniteit: Inleiding', in: *Religie en moderniteit: Fatema Mernissi, Sadik Al-Azm, Abulkarim Soroush*, Amsterdam 2004, 7-16

Speer, A., *Erinnerungen*, Berlin 1969

Spirituality and Palliative Care: Social and Pastoral Perspectives, ed. B. Rumbold, South Melbourne/Oxford 2002

Srebrenica, een veilig gebied: Reconstructie, achtergronden, gevolgen en analyses van de val van een Safe Area, Nederlands Instituut voor OorlogsDocumentatie, Amsterdam 2002

Staf en storm: Het herstel van de bisschoppelijke hiërarchie in Nederland in 1853: actie en reactie, red. J. Vis/W. Janse, Hilversum 2003

Standaert, B., *De Jezusruimte: Verkenning, beleving en ontmoeting*, Tielt 2000

Steemers van Winkoop, M., *Geloven in leven: Spirituele zorg voor stervenden en hun naasten*, Assen 2003

Stendahl, K., *Paul among Jews and Gentile: And other Essays*, Philadelphia 1976

Stern, J., *Terror in the Name of God: Why Religious Militants Kill*, New York 2003 (Ned. vert. *Terreur in de naam van God: Waarom religieuze extremisten doden*, Utrecht/Antwerpen 2004)

Stevens, W., *The Necessary Angel: Essays on Reality and the Imagination*, New York 1951

Sufism in Europe and North America, ed. D. Westerlund, London 2004

Suljagić, E., *Postcards from the Grave*, London 2005

Sullivan, F.A., *From Apostles to Bishops: The Development of the Episcopacy in the Early Church*, New York/Mahwah 2001

Sullivan, J.F., *The Impossibility of Religious Freedom*, Princeton/Oxford 2005

Sullivan, L.E./R.D. Pelton/M.L. Ricketts, 'Trickster', in: *Encyclopedia of Religion* 15 (1987) 45-53

Sunier, T., *Islam in beweging: Turkse jongeren en islamitische organisaties*, Amsterdam 1996

Sunier, T./M. van Kuijeren, 'Islam in the Netherlands', in: *Muslims in the West: From Sojourners to Citizens*, ed. Y.Y. Haddad, Oxford 2002, 281-299

Swaan, A. de, *In Care of the State: Health Care, Education and Welfare in Europe and the USA in the Morden Era*, New York 1988 (Ned. vert. *Zorg en staat: Welzijn, onderwijs en gezondheidszorg in Europa en de Verenigde Staten in de nieuwe tijd*, Amsterdam 1989)

Szymborska, W., *Einde en begin: Gedichten 1957-1997*, Amsterdam 1999

Tahir, N., *Een moslima ontsluiert*, Antwerpen/Amsterdam 2004

Taylor, M.K., *Beyond Explanation: Religious Dimensions in Cultural Anthropology*, Macon 1987

'Ten geleide', in: *Tijdschrift voor Theologie* 3 (1963) 229

Theobald, G., *Hiobs Botschaft: Die Ablösung der metaphysischen durch die poëtische Theodizee*, Gütersloh 1993

Theologie für gebrannte Kinder: Beiträge zu einer neuen politischen Theologie, Hg. R. Jochum/ C. Stark, Freiburg etc. 1991

Thibault, P., *Savoir et pouvoir: Philosophie thomiste et politique cléricale au XIXe siècle*, Quebec 1972

Thierse, W., 'Religion ist keine Privatsache', in: *Religion ist keine Privatsache*, Hg. W. Thierse, Düsseldorf 2000, 7-13

Thirty Years of Honesty: Honest to God Then and Now, ed. J. Bowden, London 1993

Thomas, S.M., 'Taking Religious and Cultural Pluralism Seriously: The Global Resurgiance of Religion and the Transformation of International Society', in: *Millennium* 29 (2000) 815-841

Thomas, S.M., *The Global Resurgence of Religion and the Transformation of International Relations: The Struggle of the Soul of the Twenty-First Century*, New York 2005

Thurlings, J., 'Verzuiling en beweging: Over nut en onnut van het bewegingsmodel', in: *Moeizame moderniteit: Katholieke cultuur in transitie*, red. Th. Clemens e.a., Nijmegen 2005, 19-39

Tibi, B., 'Muslim Migrants in Europe between Euro-Islam and Ghettoization', in: *Muslim Europe or Euro-Islam: Politics, Culture, and Citizenship in the Age of Globalization*, ed. N. Al-Sayyad/M. Castells, Linham 2002, 31-52

Tibi, B., *Islam Between Culture and Politics*, Basingstoke/New York ^{2}2005

Tibi, B., 'From Islamist Jihadism to Democratic Peace: Islam at the Crossroad in the Post-bipolar International Politics', in: *Ankara Papers 16*, London 2005, 1-41

Tillich, P., 'Religionsphilosophie', in: id., *Frühe Hauptwerke* (=Gesammelte Werke I), Stuttgart 1959, 295-364

To Give Them Light: The Legacy of Roman Vishniac, ed. M. Wiesel, New York 1993

Toekomst van de traditie, De, themanummer *Tijdschrift voor Geestelijk Leven* 59 (2003) 445-516

Tomson, P.J., *'Als dit uit de hemel is ...': Jezus en de schrijvers van het Nieuwe Testament in hun verhouding tot het Jodendom*, Assen 1997

Tongeren, P. van, 'Ethiek als hermeneutiek van de morele ervaring', in: *Ethiek en hermeneutiek*, red. J.-P. Wils, Leende 1999, 217-238

Toole, D., *Waiting for Godot in Sarajevo: Theological Reflections on Nihilism, Tragedy, and Apocalypse*, Londen 2001 (^{1}1997)

Toulmin, S., *Cosmopolis: The Hidden Agenda of Modernity*, New York 1990 (Ned. vert. *Kosmopolis: De verborgen agenda van de Moderne Tijd*, Kampen/Kapellen 1990)

Toulmin, S., *Return to Reason*, Cambridge/London 2001 (Ned. vert. *Terug naar de rede*, Kampen/Kapellen 2001)

Tracy, D., 'Form and Fragment: The Recovery of the Hidden and Incomprehensible God' (1999), in: *Reflections: Center of Theological Inquiry Public Lecture Series* 3 (Spring 2000) 62-89, te vinden op <www.ctinquiry.org/publications/tracy.htm>

Trotzdem hoffen: Mit Johann Baptist Metz und Elie Wiesel in Gespräch, Hg. E. Schuster/ R. Boschert-Kimmig, Mainz 1993

Truthfulness and Tragedy; Further Investigations in Christian Ethics, S. Hauerwas e.a., Notre Dame 1977

Turbanti, G., 'Il ruolo del P. D. Chenu nell'ellaborazione della constituzione Gaudium et spes', in: *Marie-Dominique Chenu: Moyen-Âge et Modernité*, colloque 28 et 29 octobre 1995, éd. J. Dore/J. Fantino, Paris 1997, 173-209

Turner, D., *Faith, Reason and the Existence of God*, Cambridge 2004

Turner, V.W., 'Betwixt and Between: The Liminal Period in Rites de Passage' (1964), in: id., *The Forest of Symbols: Aspects of Ndembu Ritual*, Ithaka 1967, 93-111

Turner, V.W., *The Ritual Process: Structure and Anti-Structure*, Chicago 1969

Turner, V.W., *Dramas, Fields, and Metaphors: Symbolic Action in Human Society*, Ithaca 1974

Turner, V.W., *From Ritual to Theatre: The Human Seriousness of Play*, New York 1982

Turner, V.W., *Blazing the Trail: Way Marks in the Exploration of Symbol*, ed. E. Turner, Tucson/London 1992

Ultimate Realities. A Volume in the Comparative Religious Ideas Project, ed. R.C. Neville, Albany 2000

Vakili, V., *Debating Religion and Politics in Iran: The Political Thought of Abdolkarim Soroush*, New York 1997

Van Buren, P., *The Secular Meaning of the Gospel: Based on an Analysis of its Language*, New York 1966 (Ned. vert. *De 'profane' betekenis van het evangelie: Een onderzoek met behulp van de taalanalyse*, Utrecht 1968)

Van Buren, P., *A Theology of the Jewish-Christian Reality*. Vol. I: *Discerning the Way*, San Francisco 1980

Van Loon, J., *Risk and Technological Culture: Towards a Sociology of Virulence*, London/New York 2002

Van Parijs, Ph., *Sauver la solidarité*, Paris 1995

Vanhanian, G., *The Death of God: The Culture of Our Post Christian Era*, New York 1961 (Ned. vert. *De dood van God: De cultuur van onze na-christelijke tijd*, Roermond 1967)

Vattimo, G., *Jenseits vom Subjekt: Nietzsche, Heidegger und die Hermeneutik*, Graz 1986 (or. 1985)

Vattimo, G., *Nietzsche: An Introduction*, London 2002 (1985)

Vattimo, G., *The End of Modernity: Nihilism and Hermeneutics in Postmodern Culture*, Cambridge 1988 (1985)

Vattimo, G., 'Circonstances', in: *La religion: Séminaire de Capri*, dir. J. Derrida/G. Vattimo, Paris 1996,7-8 (Ned. vert. 'Omstandigheden', in: *God en de godsdienst: Gesprekken op Capri*, J. Derrida e.a, Kampen/Kapellen 1997, 7-8

Vattimo, G., 'La trace de la trace', in: *La religion: Séminaire de Capri*, dir. J. Derrida/G. Vattimo, Paris 1996, 87-104 (Ned. vert. 'Een spoor van een spoor', in: *God en de godsdienst: Gesprekken op Capri*, J. Derrida e.a, Kampen/Kapellen 1997, 100-119)

Vattimo, G., *Beyond Interpretation: The Meaning of Hermeneutics for Philosophy*, Cambridge 1997 (1994)

Vattimo, G., *Ik geloof dat ik geloof*, Amsterdam 1998 (or. 1996)

Vattimo, G., *After Christianity*, New York 2002 (Ned. vert. *Het woord is geest geworden: Filosofie van de secularisatie*, Kampen 2003)

Velde, P. van der, 'Luisteren naar een Westers boeddhisme', in: *Concilium* 39 (2003) no. 4, 91-103

Victor Turner and the Construction of Cultural Criticism: Between Literature and Antropology, ed. K.M. Ashley, Bloomington 1990

Virtues and Practices in the Christian Tradition: Christian Ethics after MacIntyre, ed. N. Murphy e.a., Louisville 1997

Vishniac, R., *A Vanished World*, with a foreword by E. Wiesel, New York 1983

Voegelin, E., *The New Science of Politics: An Introduction*, Chicago 1987 ([1]1952)

Voegelin, E., *Autobiographical Reflections*, Baton Rouge 1989

Vom Wagnis der Nichtidentität: Johann Baptist Metz zu Ehren, Hg. J. Reikestorfer, Münster 1998

Voyé, L./K. Dobbelaere, 'Roman Catholicism: Universalism at Stake', in: *Réligions sans frontiers? Present and Future Trends of Migration, Culture and Communication*, ed. R. Cipriani, Rome 1993, 83-111

Vries, H. de, *Theologie im pianissimo & zwischen Rationalität und Dekonstruktion: Die Aktualität der Denkfiguren Adornos und Levinas*, Kamen 1989

Vries, H. de, *Philosophy and the Turn to Religion*, Baltimore/London 1999

Vries, H. de, *Religion and Violence: Philosophical Perspectives from Kant to Derrida*, Baltimore/London 2002

Vrijheid als ideaal, red. B. Snels, Amsterdam 2005

Vroom, H., *Een waaier van visies: Godsdienstfilosofie en pluralisme*, Kampen 2003

Vroom, H., 'Religie en maatschappelijk conflict: Geloof en politiek in een plurale samenleving', in: *Tijdschrift voor Theologie* 44 (2004) 3-13

Waarden, normen en de last van het gedrag, Wetenschappelijke Raad voor het Regeringsbeleid, Amsterdam 2003

Waarden onder de meetlat: Het Europese waardeonderzoek in discussie, red. H. van Veghel, Budel/Tilburg 2002

Waardenburg, J., 'Reflections on the West', in: *Islamic Thought in the Twentieth Century*, ed. S. Taji-Farouki/B.M. Nafi, London/New York 2004, 260-296

Walgrave, J.H., in 'Verantwoording en uitbouw van een katholiek-personalistische gemeenschapsleer', in: *Welvaart, welzijn en geluk: Een katholiek uitzicht op de Nederlandse samenleving*, red. J.A. Ponsioen e.a., Hilversum/Antwerpen 1960, 9-128

Walgrave, S./B. Rihoux, *Van emotie tot politieke commotie: De Witte Mars een jaar later*, Leuven 1997

Walgrave, S./J. Manssens, 'De Witte Mars als produkt van de media: De pers als mobilisatiealternatief voor bewegingsorganisaties', in: *Wit van het volk: De zaak-Dutroux en de protestgolf in België in de herfst van 1996*, red. St. Hellemans, themanummer *Sociologische Gids* 45 [1998] no 5

Walsum, S. van/J. Groen, *Geloofsartikelen: Nederlanders en hun religie*, Amsterdam 2003

Wansink, H., *De erfenis van Fortuyn: De Nederlandse democratie na de opstand der kiezers*, Amsterdam 2004

Ware, K., 'Patterns of Episcopacy in the Early Church and Today: An Orthodox View', in: *Bishops – but what kind? Reflections on the Episcopacy*, ed. P. Moore, London 1982, 1-24

Wasserstrom, S.M., *Religion after Religion: Gershom Scholem, Mircea Eliade, and Henry Corbin at Eranos*, Princeton 1999

Watson, J.R., *Between Auschwitz and Tradition: Postmodern Reflections on the Task of Thinking*, Amsterdam/Atlanta 1994

Watson, S.H., *Tradition(s): Refiguring Continuity and Virtue in Classical German Thought*, Bloomington/Indianapolis 1997

Watson, S.H., *Hermeneutics, Ethics, and the Dispensation of the Good*, Bloomington/Indianapolis 2001

Weatherby, W.J., *Salman Rushdie: Sentenced to Death*, New York 1990

Weber, M., 'Die Objektivität sozialwissenschaftlicher und sozialpolitischer Erkenntnis' (1904), in: id., *Gesammelte Aufsätze zur Wissenschaftslehre*, Hg. J. Winkelmann, Tübingen [7]1988, 146-214

Weber, M., 'Die protestantische Ethik und der Geist des Kapitalismus' (1904-05), in: id., *Gesammelte Aufsätze zur Religionssoziologie* I, Tübingen [9]1988, 17-206

Weber, M., 'Politik als Beruf' (1919), in: id., *Gesammelte politische Schriften*, Tübingen [5]1988, 505-560

Welten, R., *Fenomenologie en beeldverbod bij Emmanuel Levinas en Jean-Luc Marion*, Budel 2001

Welten, R., 'De paradox van Gods verschijnen: Over Jean-Luc Marion', in: *God in Frankrijk: Zes hedendaagse Franse filosofen over God*, red. P. Jonkers/R. Welten, Budel 2003, 166-188

' "Wenn ich Gott sage ...": Johann Baptist Metz und Tiemo Rainer Peters im Gespräch', in: *Wozu Theologie? Anstiftungen aus der praktischen Fundamentaltheologie von Tiemo Rainer Peters*, Hg. B. Langenohl/C. Große Rüschkamp, Münster 2005, 59-76

Wesseling, L., 'De bekering van Douglas Coupland', in: *De Gids* 163 (2000) 417-424

Westerloo, G. van, *Niet spreken met de bestuurder*, Amsterdam 2003

Widl, M., *Sehnsuchtsreligion: Neue Religiöse Kulturformen als Herausforderung für die Praxis der Kirchen*, Frankfurt a.M. etc. 1994

Widl, M., 'Auf der Suche nach einem guten Leben ...: Praktische Herausforderungen der Esoterik für die Kirchen', in: *Esoterik als neue Volksreligion. Hat das Christentum ausgedient?*, Hg. A. Keller/S. Müller, Augsburg 1998, 179-184

Wiegers, G., 'Afscheid van het methodologisch atheïsme?', in: *Tijdschrift voor Theologie* 45 (2005) 153-167
Wijze uit het Westen, Een: Beschouwingen over Rudolf Otto, red. D. Mok, Amsterdam 2001
Wild, S., 'Ten geleide', in: S. Al-Azm, *De tragedie van de Duivel: Op weg naar een liberale islam*, Amsterdam 2004, 7-9
William Golding's Lord of the Flies, ed. H. Bloom, Philadelphia 1999
Williams, R., *On Christian Theology*, Oxford 2000
Williams, R., 'The Sermon', in: *Living the Eucharist: Affirming Catholicism and the Liturgy*, ed. S. Conway, London 2001, 44-55
Williams, R., 'God', in: *Fields of Faith: Theology and Religious Studies in the Twenty-first Century*, red. D.F. Ford e.a., Cambridge 2005, 75-89
Wils, J.-P., *Sterben: Zur Ethik der Euthanasie*, Paderborn etc. 1999
Wils, J.-P., *Sacraal geweld*, Assen 2004
Wilson, B., *Contemporary Transformation of Religion*, Oxford 1979
Wink, W., *The Powers that Be: Theology for a New Millennium*, New York 1998
Wisdom, J., 'Gods', in: *Logic and Language*, ed. A. Flew, New York 1965, 194-214
Wit, Th. de, 'De verloren onschuld van de solidariteit: Een kleine genealogie en een probleemstelling', in: *Solidariteit: Filosofische kritiek, ethiek en politiek*, red. Th. de Wit/H. Manschot, Amsterdam 1999, 17-73
Wit, Th. de, 'Rationalisme en populisme: Twee varianten van het intolerantievertoog in de moderne filosofie van de liberale democratie', in: *Filosofie* 13 (2003) no. 4, 21-28
Witham, L.A., *Where Darwin Meets the Bible: Creationists and Evolutionists in America*, New York etc. 2002
Witte, H., 'De Geest van leiderschap: Een bijbels motief in de bisschopswijding', in: *Voor het aangezicht van de Levende: Opstellen voor Wiel Logister*, red. M. de Haardt e.a., Averbode 2003, 151-167
Woldring, H.E.S., *De christen-democratie: Een kritisch onderzoek naar haar politieke filosofie*, Utrecht 1996
Woldring, H.E.S., *Politieke filosofie van de christen-democratie*, Budel 2003
Wüstenberg, R.K., *A Theology of Life: Dietrich Bonhoeffer's Religionsless Christianity*, Grand Rapids/Cambridge 1998

'Zaaien in goede grond: Pastoraat als zoeken naar een gemeenschappelijke taal', door E. Borgman/H. van Drongelen/T. Meyknecht, in: *Tijdschrift voor Theologie* 44 (2004) 97-107
Zechmeister, M., *Gottes-Nacht: Erich Przywaras Weg Negativer Theologie*, Münster 1997
Zechmeister, M., 'Karsamstag: Zu einer Theologie des Gott-vermissens', in: *Vom Wagnis der Nichtidentität: Johann Baptist Metz zu Ehren*, Hg. J. Reikestorfer, Münster 1998, 50-78
Zeillinger, P., *Nachträgliches Denken: Skizze eines philosophisch-theologischen Aufbruchs im Ausgang von Jacques Derrida*, Münster 2002
Zemel, C., '*Z'chor!* Roman Vishniac's Photo-Eulogy of East European Jews', in: *Shaping Losses: Cultural Memory and the Holocaust*, ed. J. Epstein/L.H. Lefkovitz, Champaign 2001, 75-86
Zuccotti, S., *Under His Very Windows: The Vatican and the Holocaust in Italy*, New Haven 2000
Zwagerman, J., 'Net zo verloren als alle anderen: De generatieromans van Douglas Coupland', in: *Maatstaf* 43 (1995) no. 6, 30-39
Zwart, H., 'Terug naar het begin', in: *Weg met de ethiek? Filosofische beschouwingen over geneeskunde en ethiek*, Amsterdam 1995
Zwart, H., *Boude bewoordingen: De historische fenomenologie ('metabletica') van J.H. van den Berg*, Kampen/Leuven 2002
Zweerman, Th., 'Van huis uit bedelaars: Notities bij het Godsverlangen in de huidige tijd', in: id., *Wonderbaar en vrijmoedig: Verkenningen in het licht van de spiritualiteit van Franciscus van Assisi*, Nijmegen 2001, 123-151

Register van personen

Abou-Jahjah, D. 106
Abu-Zaid, N.H. 184
Achterhuis, H. 117
Adenauer, K. 146
Adorno, Th.W. 201, 212-215, 222, 226
Adriaanse, H.J. 33
Agamben, G. 190, 217, 220-226, 229
Ahmed, A.S. 164
Al-Azm, S. 174, 176-179, 181-182, 184
Al-Sayyab, B.D. 241
Alain, M.F. 262
Alberigo, G. 258
Alexander, B.C. 53
Allison, D. 54-56
Almond, Ph.C. 58
Altizer, Th.J.J. 44
Appignanesi, L. 38
Arendt, H. 130, 135-137, 142-144, 161, 222
Aristoteles 141
Arkoun, M. 184
Armstrong. K. 168, 242
Asad, T. 72, 174
Ash, T.G. 147
Ashley, K.M. 53
Aslan, R. 185
Assmann, H. 156
Atatürk, M.K. 178
Attwell, D. 218
Augustijn, C. 15
Augustinus, A. 203

Bailey, E. 64
Ballard, S. 58
Balthasar, H.U. von 161
Barnard, B. 11-14, 16
Barth, K. 143, 253
Batailles, G. 113
Battin, M.P. 223
Bauman, Z. 37, 50, 125, 161, 190, 252
Bayle, P. 18
Beck, H. 62
Beck, U. 37, 49, 125
Becket, S. 150
Beckford, J.A. 38
Benedictus XVI, paus – zie Ratzinger, J.
Benjamin, W. 224
Bennet, O. 77
Benson, B.E. 253
Benzakour, M. 106
Berg, J.H. van den 223
Berger, H. 90
Berger, P.L. 34
Berlusconi, S. 98
Berman, M. 29
Bernard, prins der Nederlanden 179
Bernlef, J. 66, 68
Besnier, M. 113
Beunders, H. 103
Bhagwan Shree Rajneesh 34
Bieringer, R. 199
Bijdendijk, F. 269
Bin Laden, O. 165
Blumenberg, H. 46, 82
Blumenfeld, B. 141
Böckenförde, E.-W. 35, 157
Boeve, L. 91
Bonhoeffer, D. 43-44, 59-60, 79, 208
Bloom, H. 74
Borg, M. ter 30, 64
Borgman, E. 11, 16, 20, 33, 39, 45, 50, 66, 72, 91-92, 109-110, 113, 118, 122, 127, 139, 143, 174, 205, 224, 228, 242-243, 248, 251, 265, 267, 271
Borradori, G. 165
Boyer, P. 65
Bowden, J. 43
Braudel, F. 131
Bräunlein, B.J. 53
Brederode, D. van 108-109
Brink, G. van den 99, 144, 185

Brinton, D.G. 62
Brocke, E. 208
Bruce, S. 32, 35
Bruckner, P. 103
Brunschvicg, L. 261
Buchholz, R. 212
Buckley, M.J. 18, 93
Budi Kleden, P. 161, 209
Buijs, G.J. 105-106
Bulhof, I.N. 137, 252, 257
Bultmann, R. 44
Burg, P. van der 126
Buruma, I. 98, 165
Bush, G. 166

Canepari-Labib, M. 218
Caputo, J.D. 89, 253, 257
Carroll, J. 194
Cassidy, J., 197
Casteren, J. van 104
Cavanaugh, W.T. 46, 156
Cervantes, M. de 220, 262
Char, R. 130
Cheetham, D. 233
Chenu, M.-D. 20-22, 50-52, 119, 258, 261, 263
Chittick, W.C. 68
Christen, K.A. 62
Clark, R.Y. 38
Clemens, Th. 270
Cobben, P. 144
Coetzee, J.M. 217-221, 227
Cohen, J. 267
Congar, Y. 119
Connerotte, J.-M. 100-101
Constantijn de Grote, keizer 194
Cook, R. 99
Coupland, D. 83-87
Courtine-Denamy, S. 136
Couwenberg, S.W. 101
Crichley, S. 217
Croxton, D. 270

D'Costa, G. 239
Dabbagh, H. – zie Soroush, A.
Dabashi, H. 183
Dala, N. 167
Darwin, Ch. 250-251
Das, A.A. 206
Davey, A. 111
Davie, G. 35-37
Davies, O. 92
Dawkins, R. 166
Dawson, D.S. 215
De Clercq, B.J. 248
De Dijn, H. 33
De Schutter, D. 137
De Witte, L. 106
Dekker, G. 36
Delors, J. 149
Demir, Murat 131
Dennet, D.C. 251
Denzinger, H. 92
Derkx, P. 184
Derrida, J. 88-89, 165, 249, 253, 264
Deschouwer, K. 97
Devisch, I. 83
DeYoung, T. 242
Diana, prinses van Wales 98
Dionysos de Areopagiet 246
Djavann, C. 167
Dobbelaere, K. 38
Dombois, H. 253
Doniger, W. 68
Drees, W. 34
Drongelen, H. van 113
Dubiel, H. 159
Dubuisson, D. 231
Duby, G. 248
Dupré, L. 249
Duquoc, Chr. 109, 238
Durkheim, É. 64
Dutroux, M. 100
Duval, A. 258
Duyvendak, J.W. 121, 126

Eckardt, F. 101
Eckhardt, A.R. 199
Eddy, P.R. 233
Edwards, D.L. 43
Eicher, P. 253
Eichmann, A. 161
Eijk, T. van, 254
Emous, K. 229
Engel, U. 159-160
Engels, F. 29-31
Entzinger, H. 184

Erasmus, D. 13-15, 18, 148, 173, 180, 184
Ernst, C. 236
Essen, G. 31

Faber, M.-J. 153
Fackenheim, E. 162, 204
Farmer, W.R. 199
Fasching, D.J. 192, 201-207
Ferry, L. 90-92
Finkielkraut, A. 122
Fitzgerald, T. 231
Flood, G. 31
Fogteloo, M. 168
Fortuyn, P. 13, 24, 97-107, 110, 112-115
Foucault, M. 54, 137, 221
Fourest, C. 170
Fox, A. 248
Franco, F. 262
Frederiksen, P. 199
Freud, S. 251
Frisch, R. 212
Fukuyama, F. 155
Furger, F. 134

Galilei, G. 206
Gasché, R. 253
Gaston, L. 206
Gaspari, A. de 146
Gauchet, M. 82, 90-93
Geerts, H. 224
Geertz, C. 67
Geffré, C. 258
Gellner, E. 178
Gennep, A. van 53
Gennip, P.A. van 224
Gent, I. van 134
Giddens, A. 37
Gogarten, F. 46
Gogh, Th. van 100, 267
Goldhagen, D.J. 194-195, 200
Golding, W. 74
Gonzalez, M. 39
Gonzalez, N.R. 146
Gooch, T.A. 58
Gorringe, T. 165
Graaf, L.F. de 66
Gray, J. 77, 165
Gray, J. 147
Greeley, A. 22-23
Greene, G. 262
Greenberg, I. 162, 191, 198, 202, 207
Gregorius XVI, paus 118
Griffith, P.J. 234
Groen, J. 37
Grunberg, A. 107-108
Guillou, L. 119
Guillou, M.J. 119
Guterson, D. 138-141
Gutiérrez, G. 203

Haan, I. de 126
Haar, J.G.J. ter 183
Habermas, J. 10-11, 156-158, 165
Habson,Th. 264
Hadley, M.L. 164
Hall, J. 65
Halsema, F. 134
Hamers, D. 83
Handke, P. 151
Hane-Scheltema, M. d' 30
Hanegraaff, W.J. 243
Hardy, D.W. 111
Hare, R.M. 65
Häring, H. 43, 203
Harris, S. 166, 173
Harskamp, A. van 50, 118, 137, 217, 243, 271
Hart, J. de 100
Harvey, D. 29
Hataway, R.F. 246
Hauerwas, S. 103-204, 217, 229
Havel, V. 154
Hazes, A. 100
Head, D. 218
Heelas, P. 37, 89, 137, 243
Heeley, G.F. 203
Heidegger, M. 76, 79, 190, 253
Heijdeman, familie 268
Heijst, A. van 228
Heine, H. 249
Heinz, H. 208
Heirman, M. 154
Helminski, K.E. 68
Henze, D. 199
Hertmans, S. 102
Hervieu-Léger, D. 35-36

Hick, J.H. 232-234
Higton, M. 264
Hilberg, R. 194
Hinkelammert, F.J. 156
Hirsi Ali, A. 16, 167
Hitler, A. 60, 104, 194
Hobbes, Th. 119-120, 147-148, 156
Hofer, M. 79
Höhn, H.-J. 30
Hoogen, A.J.M. van den 21
Horner, R. 253
Huntington, S.P. 131, 164, 170
Hurenkamp, M. 121

Inglehart, R. 35
Ireneus van Lyon 254
Ivonov, P. 53

Jacobson, D. 230
Jacobson, S. 54
James, W. 72-73, 211-212
Jans, J. 223
Janse, W. 246
Jansen, H. 194, 200-201
Jansen, K.L. 110
Jochum, R. 191
Johannes Paulus II, paus 33, 147, 195-198, 200-201, 244, 259-260
Jone, H. 263
Judt, T. 148

Kagan, R. 147-148, 159
Kallenberg, B.J. 203
Kant, I. 18, 65. 116, 134, 136, 147, 159, 176, 213, 249
Kate, L. ten 79, 93, 118, 252, 257
Katirci, F. 269-270
Kearney, R. 83, 257
Kegley, Ch.W. 270
Kennedy, J. 223, 271
Kerr, F. 236
Kertzer, D.I. 194
Khaladi, T. 242
Khomeini, R. 165, 176, 181
Kippenberg, H.G. 31-32
Klep, P. 270
Klink, A. 126
Kloos, W. 75
Klueting, H. 15
Knitter, P.F. 232-233
Kohn, J. 136
Kolm, G.J. van de 112
Komonchak, J.A. 258
Konrád, G. 154
Kreß, H. 134
Krop, H.A. 33
Kühner, H. 194
Kuijeren, M. van 184
Küng, H. 158, 233, 242
Kurzman, C. 166
Kuula, K. 206
Kuyper, A. 123-126

Labayan, J.X. 243
Lacordaire, H.-D. 119
Laeven, H. 271
Lafuma, L.M. 261
Lamennais, F. de 118-119
Lane, B. 202
Lange, F. de 223
Laytner, A. 201
Leemhuis, F. 172
Leertouwer, L. 33
Leeuwen, A.Th. van 82, 156
Leezenberg, M. 166
Lefevre, M. 179
Leget, C. 224
Lenaers, R. 43
Leo XIII, paus 123-124, 247, 274
Leonard, M. 148
Lessing, G.E. 135, 144
Leuze, R. 242
Levinas, E. 121, 216-217, 222, 253
Lewis, B. 166
Lewis, J. 266
Lifton, R.J. 207
Lijphart, A. 270
Lincoln, B. 32, 166
Llobera, J.R. 197
Locke, J. 17
Long, C.H. 63
Loth, W. 153
Lotharingen, C. van 184
Loughlin, G. 234
Löwith, K. 82
Lübbe, H. 231
Luckmann, Th. 64
Luhmann, N. 31, 231

Luther, M. 202
Luyn, A.H. van 107, 111
Lyotard, J.-F. 36, 162, 190-192

MacIntyre, A.C. 217
Magris, C. 163
Maharishi Yogi 34
Maitland, S. 38
Mak, G. 266
Mandeville, B. de 155
Manemann, J. 87, 158, 208, 240
Manji, I. 168-169
Manssens, J. 101
Margalit, A. 101, 165
Marion, J.-L. 253
Marquardt, F.-W. 239
Marshall, G. 153
Martin-Asghari, A. 183
Martinson, M. 212
Marx, K. 29-31
Matthes, J. 31
Mazower, M. 149
McCullough, L. 44
McCutcheon, R.T. 32
McMahon, D.H. 103
Meerman, D. 222
Mernissi, F. 174-176, 184
Mertens, Th. 159
Metz, J.B. 17, 46, 127, 159, 161, 204-205, 208-210, 237-238, 240
Meulenbergs, T. 223
Meyer, M. 68
Meyknecht, T. 113
Michnik, A. 154
Milbank, J. 46, 156
Milward, A.S. 149
Mladic, R. 151
Moaddel, M. 166
Mohammed 38, 68, 169, 242, 244, 266
Mok, D. 58
Monnet, J. 146
Montalembert, Ch. de 119
Moore, R.L. 89
Moravcsik, A. 149
More, Th. 248
Mouffe, C. 119
Müller, H. 153
Murphy, N. 217

Nafi, B.M. 166
Nafisi, A. 167-168
Nagl, L. 79
Nancy, J.-L. 81-83, 87-88, 93
Neher, A. 191
Neiman, S. 88
Nelson, R.H. 156
Neville, R.C. 33
Nietzsche, F. 17, 44, 78, 213, 249
Norris, P. 35

O'Neill, C.E. 255
Oberman, H.A. 2194
Ochs, P.W. 238
Oegema, J. 230
Okri, B. 110
Oosterhuis, H. 102
Oosterveen, L. 64, 271
Orwell, G. 177
Otto, R. 57-59, 64-65, 67, 137-138, 142, 205
Oudenrijn, F. van den, 47
Overbeck, F. 17
Ovidius Naso, Publius 29-30
Oxtoby, W.G. 58

Pamuk, O. 170-172
Panikkar, R. 238-239
Pannenberg, W. 46
Papy, J. 15
Pascal, B. 261-262
Pawlikowski, J. 206
Paydar, H. 181
Pels, D. 101, 134, 267
Pelton, R.D. 62-63
Peperstraten, F. van 162, 192
Peters, J. 242
Peters, T.R. 17, 204-205, 208, 238
Peterson, E. 238
Pfleiderer, G. 58
Phalet, K. 184
Phayer, M. 195
Philips II, koning 246
Pieper, J. 33
Pius XI 33
Pius XII 146, 251
Post, P. 33, 103
Potworowski, C.F. 21, 258
Poulat, É. 47, 249

Pretnak, C. 139
Przywara, E. 253

Qutb, S. 165

Radcliffe, T. 47, 113, 236, 267
Rahm, J. 233
Ramadan, T. 19, 169-170
Raphael, M. 58, 193-194, 205
Rappaport, R.A. 68
Ratzinger, J. 146-147
Rausch, H. 247
Raymond, G.A. 270
Reikestorfer, J. 237
Reimarus, J.A.H. 135
Reinhartz, A. 199
Reist, M. 136
Remmerts de Vries, D. 73-75
Reza Paklavi, sjah M. 181
Richard, R.L. 46
Ricketts, M.L. 63
Rihoux, B. 101
Roberts, T.T. 56
Robinson, J.A.T. 43-44
Roemi, D. 69
Roes, J. 270
Rohde, D. 151
Roques, R. 246
Rose, G. 217
Roth, J. 14
Rothfield, Ph. 249
Rotthier, R. 165
Ruether, R.R. 194
Rumbold, B. 228
Ruse, M. 251
Rushdie, S. 38-41, 176-177
Ruthven, M. 38, 165

Saddam Hussein 148
Sadri, A. 181, 185
Sadri, M. 181, 185
Sachs, J. 196
Sardjoe, S. 268
Schaeffler, R. 52
Schaepman, H.J.A.M. 123-125
Schillebeeckx, E. 19-20, 22-23, 44-45, 47-48, 50-52, 77, 80-81, 92, 139, 173, 179-180, 208-209, 235, 256
Schleiermacher, F.D.E. 57, 67
Schmitt, C. 119-120, 217
Schmitt, E.-E. 68-72
Schotsmans, P. 223
Schreiner, S. 241
Schrijver, familie 268
Schuman, R. 146
Schuyt, C. 129
Sebald, W.G. 230, 236
Sedgwick, M.J. 68
Sennett, R. 104
Sexson, L. 23, 57, 60-68, 72
Shakespeare, W. 262-263
Sharpe, E.J. 57, 59, 65
Shepard, W. 165-166
Shortt, R. 264
Singh, familie 268
Sloterdijk, P. 72
Smith, A. 155
Smith, J.Z. 31
Smith, R.S. 217
Sneller, R. 253
Snels, B. 134
Snoek, O. 267
Söderblom, N. 59
Sölle, D. 209
Sontag, S. 150
Soroush, A. 15, 174, 180-185, 193
Sparreboom, M. 173-174
Speer, A. 203
Standaert, B. 235
Stark, C. 191
Steemers van Winkoop, M. 228
Stendahl, K. 206
Stern, J. 165
Stevens, W. 165
Stuckrad, K. von 31
Suljagić, E. 151
Sullivan, F.A. 254
Sullivan, J.F. 17
Sullivan, L.E. 63
Sunier, T. 184
Swaan, A. de 116
Szymborska, W. 9-10, 22, 173

Tahir, N. 168
Talattof, K. 166
Taylor, M.K. 64
Theunis, P. 268
Theobald, G. 203

Thibault, P. 250
Thierse, W. 156
Thomas van Aquino 19, 92-93, 193, 211, 217, 227, 244, 253, 258
Thomas, S.M. 35, 46, 120, 146, 270
Thurlings, J. 270
Tibi, B. 169
Tillich, P. 65
Tischer, A. 270
Tomson, P.J. 199
Tongeren, P. van 33, 215
Toole, D. 56, 151
Toulmin, S. 52, 148-149, 251
Tracy, D. 77
Turbanti, G. 258
Turner, D. 92
Turner, V.W. 52-53, 63, 80

Vakili, V. 181
Van Buren, P. 44, 193
Van Loon, J. 37
Van Parijs, Ph. 117
Vandikkelen, J. 242
Vanhanian, G. 44
Vattimo, G. 78-80, 82, 87-88, 160, 212
Veghel, H. van 131, 133-136
Velde, P. van der 241
Ven, J.A. van der 33
Verdonk, R. 118
Vis, J. 246
Vishniac, R. 189
Visser, A. 267
Voegelin, E. 104-106
Voyé, L. 38
Vries, H. de 89, 212
Vroom, H. 144

Waardenburg, J. 165
Walgrave, J.H. 117
Walgrave, S. 101
Walsum, S. van 37
Wansink, H. 101
Ware, K. 254
Warhol, A. 84
Wasserstrom, S.M. 32
Watson, J.R. 252
Watson, S.H. 215
Weatherby, W.J. 38
Weber, M. 51-52, 115-116, 131-138
Welten, R. 253
Wesseling, L. 83
Westerloo, G. van 114-115
Westerlund, D. 68
Widl, M. 50
Wiegers, G. 31
Wieren, H. van 131
Wiesel, E. 202, 208
Wiesel, M. 189
Wild, S. 179
Williams, R. 235, 264
Wils, J.-P. 223, 241
Wilson, B. 37
Wink, W. 164
Winkeler, L. 270-271
Wisdom, J. 65
Wit, Th. de 119, 122
Witham, L.A. 251
Witte, H. 265
Woldring, H.E.S. 117, 119
Wolkers, J. 230
Wolthuis, familie 268
Wrathall, M.A. 183
Wüstenberg, R.K. 60

Zechmeister, M. 161, 253
Zeillinger, P. 257
Zemel, C. 189
Zijlstra, O. 79
Zuccotti, S. 195
Zuylen, B. van 106
Zwagerman, J. 83
Zwart, H. 223
Zweerman, Th. 109